여러분을 ~~~ 응원하는

KB084350

해커스~~~ 특별 혜택!

FREE 소방관계법규 **특강**

해커스소방(fire.Hackers.com) 접속 후 로그인 ▶ 상단의 [무료강좌 → 소방 무료강의] 클릭하여 이용

 해커스소방 온라인 단과강의 **20% 할인쿠폰**

B2796ACC936F99C4

해커스소방(fire.Hackers.com) 접속 후 로그인 ▶ 상단의 [내강의실] 클릭 ▶
좌측의 [인강 → 결제관리 → 쿠폰 확인] 클릭 ▶ 위 쿠폰번호 입력 후 이용

* 등록 후 7일간 사용 가능(ID당 1회에 한해 등록 가능)

해커스소방 무제한 수강상품(패스) **5만원 할인쿠폰**

B5F5A4AEA996C2C5

해커스소방(fire.Hackers.com) 접속 후 로그인 ▶ 상단의 [내강의실] 클릭 ▶
좌측의 [인강 → 결제관리 → 쿠폰 확인] 클릭 ▶ 위 쿠폰번호 입력 후 이용

* 등록 후 7일간 사용 가능(ID당 1회에 한해 등록 가능)
* 특별 할인상품 적용 불가

쿠폰 이용 관련 문의 **1588-4055**

단기 합격을 위한
해커스 커리큘럼

베이스가 있다면
기본 단계부터!

문제풀이로 이론 학습을 원한다면
기출문제풀이 단계로!

START → 입문 → 기본 → 심화 →

탄탄한 기본기를 위한
핵심 개념 다지기!

반드시 알아야 할
개념과 이론 완성!

고난도 개념 학습으로
응용력을 다진다!

강의 **쌩기초 입문반**

이해하기 쉬운 개념 설명과 풍부한
연습문제 풀이로 부담 없이 기초를
다질 수 있는 강의

강의 **기본이론반**

반드시 알아야 할 기본 개념과 문제풀이
전략을 학습하여 핵심 개념 정리를
완성하는 강의

강의 **심화이론반**

심화이론과 중·상 난이도의 문제를
함께 학습하여 고득점을 위한 발판을
마련하는 강의

단계별 교재 확인 및
수강신청은 여기서!
fire.Hackers.com

* 커리큘럼은 과목별·선생님별로 상이할 수 있으며, 자세한 내용은 해커스소방 사이트에서 확인하세요.

기출문제풀이 훈련으로
취약영역을 보완한다!

예상문제풀이로
실전력을 강화한다!

시험 직전 반드시
확인할 내용만 엄선한다!

강의 기출문제 풀이반

기출문제의 유형과 출제 의도를 이해
하고, 본인의 취약영역을 파악 및 보완
하는 강의

강의 예상문제 풀이반

최신 출제경향을 반영한 예상 문제들을
풀어보며 실전력을 강화하는 강의

강의 실전동형모의고사반

최신 출제경향을 완벽하게 반영한 모의고사를
풀어보며 실전 감각을 극대화하는 강의

강의 봉투모의고사반

시험 직전에 실제 시험과 동일한 형태의
모의고사를 풀어보며 실전력을 완성하는 강의

목표 점수 단번에 달성,
지텔프도 역시 해커스!

| 해커스 지텔프 교재 시리즈

유형 + 문제				
32점+	43점+	47~50점+	65점+	75점+

목표 점수에 맞는 교재를 선택하세요! ◆➡ : 교재별 학습 가능 점수대

한 권으로 끝내는
해커스 지텔프 32-50+
(Level 2)

해커스 지텔프 문법
정답 찾는 공식 28
(Level 2)

2주 만에 끝내는
해커스 지텔프 문법
(Level 2)

2주 만에 끝내는
해커스 지텔프 독해
(Level 2)

보카

해커스 지텔프
기출 보카

기출 · 실전

지텔프 기출문제집
(Level 2)

지텔프 공식
기출문제집 7회분
(Level 2)

해커스 지텔프
최신기출유형
실전문제집 7회
(Level 2)

해커스 지텔프
실전모의고사
문법 10회
(Level 2)

해커스 지텔프
실전모의고사
독해 10회
(Level 2)

해커스 지텔프
실전모의고사
청취 5회
(Level 2)

해커스소방

김정희
소방관계법규

기본서 | 1

서문

"포기하지 않으면
반드시 꿈은 이루어집니다."

반갑습니다. 수험생 여러분!!!
해커스소방에서 소방관계법규와 소방학개론을 강의하는 김정희입니다.

1. 소방학개론 · 소방관계법규는 하나의 과목입니다.

소방학개론 및 소방관계법규의 상관성을 최대한 활용하라!!!
소방관계법규는 소방학개론의 근간을 이루는 학문입니다. 소방학개론의 소방시설, 위험물, 소화론 및 재난관리 등은 법규를 기본으로 한 분야로 상당히 밀접한 관계를 갖고 있습니다. 또한 소방용어와 개념이 서로가 유기적인 관계를 갖고 있으므로 이를 극대화할 수 있는 학습전략이 기본입니다.

2. 시험장에서는 'INPUT'이 아니라 'OUTPUT'의 과정인 것을 기억하여야 합니다.

결국 시험의 승패는 시험장에서 결정됩니다. 시험을 위한 준비는 입력하는 행위(INPUT)라기보다 학습한 내용을 출력해내는 행위(OUTPUT)라 할 수 있습니다. 학습은 전략적 'INPUT'을 통한 순조로운 'OUTPUT'이 될 수 있도록 하는 것이 가장 중요합니다. 'OUTPUT'을 고려하지 않고 입력하는 데에만 집중하면 시험장에서 무용지물이 될 내용들만을 힘들게 학습하게 됩니다. 특히 소방관계법규의 경우 거의 모든 것이 Text로 구성된 법조문입니다. Text로 되어 있는 법조문은 시험장에서는 잘 'OUTPUT'되지 않습니다. 따라서 학습 효율을 높이기 위하여 'OUTPUT'이 용이한 콘텐츠로 본 교재를 구성하였습니다. 간결한 표와 [정희's 톡talk]의 개념은 수험생 여러분을 처음엔 분명히 놀랍게 할 것이고, 시험을 보고난 후에는 감탄하게 될 것임을 자신합니다.

3. 양질의 콘텐츠를 통해 보다 재미있게 학습할 수 있습니다.

법규 과목의 경우 모든 내용의 핵심은 법조문입니다. 줄글로 이루어진 법조문을 이해하는 데 많은 어려움을 겪는 학생들을 보며 '법조문을 도식화하여 법의 체계를 전달한다면 보다 쉽게 법의 취지와 개념을 전달할 수 있지 않을까?'라는 생각을 시작으로 지금의 교재를 구성하였습니다. 수험생에게 멋진 강의를 할 수 있는 선생님을 찾는 것도 중요하지만 양질의 콘텐츠가 담긴 수험서를 보고 결정하는 것도 상당히 중요합니다.

소방관계법규 시험의 모든 문제를 대비할 수 있도록 정리된 이 기본서 한 권을 통해 전문과목의 중요도가 높아진 소방공무원 시험을 완벽하게 대비할 수 있을 것입니다.

어떻게 학습해야 할까요?

소방관계법규 과목은 법조문뿐만 아니라 시행령, 시행규칙의 별표 내용까지 학습해야 하기 때문에 많은 수험생들이 어려움을 느낍니다. 줄글 형태의 조문을 다회독하더라도 무엇이 중요한 내용인지 눈에 잘 들어오지 않고, 어떤 부분이 중요한 포인트인지 파악하기가 쉽지 않습니다. 이러한 어려움을 조금이나마 덜어줄 수 있도록 이 교재의 활용법을 공개합니다!

1. [PREVIEW]를 통해 교재를 한눈에 살펴보기

소방관계법규를 학습하기 전 [PREVIEW]를 통해 각 대단원 별로 어떤 내용들이 나오는지 거시적으로 파악하고, A ~ D 4점 척도로 정리된 중요도를 확인해보세요! 목차보다 세분화된 내용들을 통해 1차적으로 본문의 내용을 살펴보며 머릿속으로 나만의 체계도를 그려보는 과정입니다.

2. 본문 내용을 세부적으로 채워 나가기

[PREVIEW] 페이지를 통해 어느 정도 대략적인 내용이 파악이 되었다면 그 안에 더 세부적으로 내용을 채워가는 과정이 필요해요. 본문은 법조문과 조문 관련 내용, 관계법규(시행령, 시행규칙)로 페이지를 구성하여 각 조를 최대한 1페이지 또는 2페이지 안에서 관련 내용을 확인할 수 있도록 하였습니다.

3. 밑줄 쫙! 강의에서 강조한 내용을 담은 [정희's 톡talk]

시험에 잘 나오는 내용 및 함정, 이해하기 어려운 내용들은 [정희's 톡talk]으로 정리하였습니다. 강의에서 설명하던 내용을 직접 교재에 담았으니, 강의 내용을 떠올리며 다시 한 번 복습한다면 머릿속에 오래오래 남을 거예요!

4. 원문을 통해 정확한 내용 확인하기

본문을 학습하면서 '한눈에 보는 법령집'에 수록된 6분법의 별표와 법/시행령/시행규칙 원문을 동시에 확인해보세요. 앞서 언급하였듯이 소방관계법규는 Text로 되어 있는 법조문을 학습하는 과목이므로, 법조문을 다양한 형태로 여러번 반복하여 학습하는 것이 중요합니다. 처음에는 막연하게 보였던 법조문이 기본서 회독을 거듭할수록 점점 눈에 들어올 거예요!

법은 학습해야 할 내용들이 많지만 한번 그 틀을 잘 잡아둔다면 나중에 여러분에게 높은 점수를 가져다줄 효자 과목이 되어 있을 것이니 우리 함께 소방관계법규를 정복해 봅시다! 화이팅!!

저자 *김정희*

목차

1 이론의 세부적인 내용을 정확하게 이해하기

핵심 내용을 체계적으로 구성한 이론과 다양한 학습장치

1. 효과적인 소방관계법규 학습을 위한 체계적 구성

기본서를 회독하는 과정에서 기본 개념부터 심화 이론까지 자연스럽게 이해할 수 있도록 최신 출제경향을 반영하여 소방관계법규를 체계적으로 구성하였습니다. 이를 통해 시험에 나오는 법조문의 내용을 중심으로 효과적인 학습이 가능합니다.

2. 최신 출제경향 및 개정법령 반영

철저한 기출분석으로 도출한 최신 출제경향을 바탕으로 자주 출제되거나 출제가 예상되는 내용을 엄선하여 교재 내 이론에 반영·수록하였습니다. 이를 통해 소방관계법규 내용 중 시험에 나오는 이론만을 효과적으로 학습할 수 있습니다.

3. 다양한 학습장치를 활용하여 이론 완성하기

❶ **중요도 표시**: 소단원 제목에 중요도(A~D)를 4단계로 제시함으로써 학습 단계에 맞춰 중요 내용을 선별적으로 학습할 수 있습니다.

❷ **SUMMARY**: 출제가능성이 높은 핵심 이론을 코너에 정리·수록하여 소방관계법규 과목의 중요 내용을 보다 빠르게 파악하고 전략적으로 학습할 수 있습니다.

❸ **관계법규**: 법조문에 대한 시행령과 시행규칙을 함께 확인할 수 있도록 '관계법규'로 모아 수록하였습니다. 이를 통해 법령을 유기적으로 학습할 수 있으며, 기본서만으로도 전체 법령을 충분히 학습할 수 있습니다.

❹ **정희's 톡talk**: 기본서 학습 시 중요한 내용, 주의해야 할 사항 등을 선생님이 강의하듯 수록하여 강의의 내용을 떠올리며 어려운 내용도 쉽게 이해할 수 있습니다.

❺ **핵심 기출**: 주요 기출문제를 관련 이론 옆에 수록하여 학습한 내용을 한 번 더 점검하고 복습할 수 있습니다.

2 시행령 · 시행규칙의 별표를 확인하여 내용을 유기적으로 이해하기

07 소방의 화재조사에 관한 법률 시행령 별표

◉ [개요] 「소방의 화재조사에 관한 법률 시행령」 별표

구분	별표	관련 조문	중요도	최근 개정
[별표]	과태료의 부과기준	제17조 관련	B	2022.11.29.

◉ [별표] 과태료의 부과기준(제17조 관련) B

<개정 2022.11.29.>

1. 일반기준

가. 위반행위의 횟수에 따른 과태료의 가중된 부과기준은 최근 1년간 같은 위반행위로 과태료 부과처분을 받은 경우에 적용한다. 이 경우 기간의 계산은 위반행위에 대하여 과태료 부과처분을 받은 날과 그 처분 후 다시 같은 위반행위를 하여 적발된 날을 기준으로 한다.

나. 가목에 따라 가중된 부과처분을 하는 경우 가중처분의 적용 차수는 그 위반행위 전 부과처분 차수(가목에 따른 기간 내에 과태료 부과처분이 둘 이상 있었던 경우에는 높은 차수를 말한다)의 다음 차수로 한다.

다. 과태료 부과권자는 다음 어느 하나에 해당하는 경우에는 제2호의 개별기준에 따른 과태료의 2분의 1 범위에서 그 금액을 줄여 부과할 수 있다. 다만, 줄여 부과할 사유가 여러 개 있는 경우라도 감경의 범위는 2분의 1을 넘을 수 없다.

1) 위반행위자가 화재 등 재난으로 재산에 현저한 손실이 발생한 경우 또는 사업의 부도·경매 또는 소송 계속 등 사업여건이 악화된 경우로서 과태료 부과권자가 감경하는 것이 타당하다고 인정하는 경우. 다만, 최근 1년 이내에 소방 관계 법령(「소방의 화재조사에 관한 법률」, 「소방기본법」, 「화재의 예방 및 안전관리에 관한 법률」, 「소방시설 설치 및 관리에 관한 법률」, 「소방시설공사업법」, 「위험물

빈틈 없는 학습을 위한 6개분법의 시행령 · 시행규칙 별표

각각의 법은 시행령, 시행규칙 내에 세부적·실무적인 내용을 담고 있는 별표 및 서식이 있으며, 이 부분 또한 꼼꼼한 학습이 필요합니다. 이에 『해커스소방 김정희 소방관계법규 기본서』는 각 법의 시행령 · 시행규칙의 별표 원문을 수록하여 학습한 이론, 법령, 별표가 유기적으로 이해될 수 있도록 구성하였습니다. 이 부분은 추후 실제 소방공무원이 되었을 때에도 유용한 내용이니, 놓치지 말고 학습하시기 바랍니다.

3 법/시행령/시행규칙의 원문을 통해 학습의 효율 높이기

13 소방시설공사업법

[시행 2025.1.31.] [법률 제20157호, 2024.1.30. 일부개정]

제1장 총칙

제1조 목적

이 법은 소방시설공사 및 소방기술의 관리에 필요한 사항을 규정함으로써 소방시설업을 건전하게 발전시키고 소방기술을 진흥시켜 화재로부터 공공의 안전을 확보하고 국민경제에 이바지함을 목적으로 한다.

제2조 정의

① 이 법에서 사용하는 용어의 뜻은 다음과 같다.

1. "소방시설업"이란 다음 각 목의 영업을 말한다.

가. 소방시설설계업: 소방시설공사에 기본이 되는 공사계획, 설계도면, 설계 설명서, 기술계산서 및 이와 관련된 서류(이하 "설계도서"라 한다)를 작성(이하 "설계"라 한다)하는 영업

나. 소방시설공사업: 설계도서에 따라 소방시설을 신설, 증설, 개설, 이전 및 정비(이하 "시공"이라 한다)하는 영업

다. 소방공사감리업: 소방시설공사에 관한 발주자의 권한을 대행하여 소방시설공사가 설계도서와 관계 법령에 따라 적법하게 시공되는지를 확인하고 품질 · 시공 관리에 대한 기술지도를 하는(이하 "감리"라 한다) 영업

라. 방염처리업: 「소방시설 설치 및 관리에 관한 법률」제20조 제1항에 따른 방염대상물품에 대하여 방염처리(이하 "방염"이라 한다)하는 영업

2. "소방시설업자"란 소방시설업을 경영하기 위하여 제4조에 따라 소방시설업을 등록한 자를 말한다.

3. "감리원"이란 소방공사감리업자에 소속된 소방기술자로서 해당 소방시설공사를 감리하는 사람을 말한다.

4. "소방기술자"란 제28조에 따라 소방기술 경력 등을 인정받은 사람과 다음 각 목의 어느 하나에 해당하는 사람으로서 소방시설업과 「소방시설 설치 및 관리에 관한 법률」에 따른 소방시설관리업의 기술인력으로 등록된 사람을 말한다.

가. 「소방시설 설치 및 관리에 관한 법률」에 따른 소방시설관리사

학습에 도움이 되는 소방관계법규 법/시행령/시행규칙

소방관계법규 과목의 근간이 되는 「소방기본법」, 「화재의 예방 및 안전관리에 관한 법률」, 「소방시설 설치 및 관리에 관한 법률」, 「소방의 화재조사에 관한 법률」, 「소방시설공사업법」, 「위험물안전관리법」과 각 법의 시행령, 시행규칙을 정리하여 수록하였습니다. 이를 통해 따로 법조문을 찾아보지 않더라도 관련 법령을 빠르게 확인할 수 있으며, 조문의 내용을 효과적으로 학습할 수 있습니다.

해커스소방 **김정희 소방관계법규** 기본서

제1편

소방기본법

PREVIEW

소방기본법

본문 내용을 중요도에 따라 A ~ D단계로 분류함으로써 학습 단계에 맞춰 중요 내용을 선별적으로 학습할 수 있습니다.

제1장 총칙

소방기본법
[시행 2024.7.31.][법률 제20156호,
2024.1.30., 일부개정]

소방기본법 시행령
[시행 2024.2.17.][대통령령 제34180호,
2024.2.6., 일부개정]

소방기본법 시행규칙
[시행 2024.4.12.][행정안전부령 제463호,
2024.2.27., 일부개정]

🔖 시크릿 노트

1 목적   B

제1조【목적】이 법은 화재를 예방·경계하거나 진압하고 화재, 재난·재해, 그 밖의 위급한 상황에서의 구조·구급 활동 등을 통하여 국민의 생명·신체 및 재산을 보호함으로써 공공의 안녕 및 질서 유지와 복리증진에 이바지함을 목적으로 한다.

「소방기본법」은 다음을 그 목적으로 한다.
① 화재의 예방·경계·진압
② 화재, 재난·재해 그 밖의 위급한 상황에서의 구조·구급 활동
③ 국민의 생명·신체 및 재산 보호
④ 공공의 안녕, 질서 유지, 복리증진

📖 SUMMARY 6개분법상 '목적'

구분	목적
소방기본법	이 법은 화재를 예방·경계하거나 진압하고 화재, 재난·재해, 그 밖의 위급한 상황에서의 구조·구급 활동 등을 통하여 국민의 생명·신체 및 재산을 보호함으로써 공공의 안녕 및 질서 유지와 복리증진에 이바지함을 목적으로 한다.
화재예방법	이 법은 화재의 예방과 안전관리에 필요한 사항을 규정함으로써 화재로부터 국민의 생명·신체 및 재산을 보호하고 공공의 안전과 복리 증진에 이바지함을 목적으로 한다.
소방시설법	이 법은 특정소방대상물 등에 설치하여야 하는 소방시설등의 설치·관리와 소방용품 성능관리에 필요한 사항을 규정함으로써 국민의 생명·신체 및 재산을 보호하고 공공의 안전과 복리 증진에 이바지함을 목적으로 한다.
화재조사법	이 법은 화재예방 및 소방정책에 활용하기 위하여 화재원인, 화재성장 및 확산, 피해현황 등에 관한 과학적·전문적인 조사에 필요한 사항을 규정함을 목적으로 한다.
소방시설 공사업법	이 법은 소방시설공사 및 소방기술의 관리에 필요한 사항을 규정함으로써 소방시설업을 건전하게 발전시키고 소방기술을 진흥시켜 화재로부터 공공의 안전을 확보하고 국민경제에 이바지함을 목적으로 한다.
위험물 안전관리법	이 법은 위험물의 저장·취급 및 운반과 이에 따른 안전관리에 관한 사항을 규정함으로써 위험물로 인한 위해를 방지하여 공공의 안전을 확보함을 목적으로 한다.

제2조【정의】 이 법에서 사용하는 용어의 뜻은 다음과 같다.

1. 소방대상물이란 건축물, 차량, 선박(항구에 매어둔 선박만 해당한다), 선박 건조 구조물, 산림, 그 밖의 인공 구조물 또는 물건을 말한다.

2. 관계지역이란 소방대상물이 있는 장소 및 그 이웃 지역으로서 화재의 예방·경계·진압, 구조·구급 등의 활동에 필요한 지역을 말한다.

3. 관계인이란 소방대상물의 소유자·관리자 또는 점유자를 말한다.

4. "소방본부장"이란 특별시·광역시·특별자치시·도 또는 특별자치도(이하 "시·도"라 한다)에서 화재의 예방·경계·진압·조사 및 구조·구급 등의 업무를 담당하는 부서의 장을 말한다.

5. 소방대란 화재를 진압하고 화재, 재난·재해, 그 밖의 위급한 상황에서 구조·구급 활동 등을 하기 위하여 다음 각 목의 사람으로 구성된 조직체를 말한다.
   가. 「소방공무원법」에 따른 소방공무원
   나. 「의무소방대설치법」 제3조에 따라 임용된 의무소방원
   다. 「의용소방대 설치 및 운영에 관한 법률」에 따른 의용소방대원

6. 소방대장이란 소방본부장 또는 소방서장 등 화재, 재난·재해, 그 밖의 위급한 상황이 발생한 현장에서 소방대를 지휘하는 사람을 말한다.

(1) 소방대상물

① 건축물, 차량, 선박, 선박 건조 구조물, 산림, 인공 구조물, 물건을 말한다.

② 선박은 항구에 매어둔 선박만 해당한다.

(2) 관계지역

소방대상물이 있는 장소 및 그 이웃 지역으로서 화재의 예방·경계·진압, 구조·구급 등의 활동에 필요한 지역을 말한다.

(3) 관계인

소방대상물의 소유자·관리자 또는 점유자를 말한다.

(4) 소방본부장

시·도에서 화재의 예방·경계·진압·조사 및 구조·구급 등의 업무를 담당하는 부서의 장을 말한다.

(5) 소방대(화재를 진압하고, 화재, 재난·재해, 그 밖의 위급한 상황에서 구조·구급활동 등을 하기 위함)

다음의 사람으로 구성된 조직체를 말한다.

① 소방공무원

② 의무소방원

③ 의용소방대원

(6) 소방대장

소방본부장 또는 소방서장 등 화재, 재난·재해 그 밖의 위급한 상황이 발생한 현장에서 소방대를 지휘하는 사람을 말한다.

SUMMARY 6개분법 용어의 정의(각 법 제2조)

구분	용어정의
소방기본법	소방대상물, 관계지역, 관계인, 소방본부장, 소방대, 소방대장
화재조사법	화재, 화재조사, 화재조사관, 관계인등
화재예방법	예방, 안전관리, 화재안전조사, 화재예방강화지구, 화재안전진단
소방시설법	소방시설, 소방시설등, 특정소방대상물, 소방용품
소방공사업법	소방시설업, 소방시설업자, 감리원, 소방기술자, 발주자
위험물안전관리법	위험물, 지정수량, 저장소, 제조소, 취급소, 제조소등

SUMMARY 용어의 정의

1. **소방대상물**(「소방기본법」 제2조 제1호): 건축물, 차량, 선박, 선박 건조 구조물, 산림, 인공 구조물, 물건
2. **특정소방대상물**(소방시설법 제2조 제3호): 건축물 등의 규모·용도 및 수용인원 등을 고려하여 소방시설을 설치하여야 하는 소방대상물로서 대통령령으로 정하는 것
3. **소방안전관리대상물**(화재예방법 제24조 제1항): 특정소방대상물 중 전문적인 안전관리가 요구되는 대통령령으로 정하는 특정소방대상물

정회's 톡talk

화재예방법 시행령 [별표 4]
소방안전관리대상물
1. 특급 소방안전관리대상물
2. 1급 소방안전관리대상물
3. 2급 소방안전관리대상물
4. 3급 소방안전관리대상물

2-2 국가와 지방자치단체의 책무 □

제2조의2【국가와 지방자치단체의 책무】 국가와 지방자치단체는 화재, 재난·재해, 그 밖의 위급한 상황으로부터 국민의 생명·신체 및 재산을 보호하기 위하여 필요한 시책을 수립·시행하여야 한다.

① 국가와 지방자치단체는 필요한 시책을 수립·시행하여야 한다.
② **목적**: 화재, 재난·재해, 그 밖의 위급한 상황으로부터 국민의 생명·신체 및 재산의 보호

3   소방기관의 설치   A

제3조【소방기관의 설치 등】① 시·도의 화재 예방·경계·진압 및 조사, 소방안전교육·홍보와 화재, 재난·재해, 그 밖의 위급한 상황에서의 구조·구급 등의 업무(이하 "소방업무"라 한다)를 수행하는 소방기관의 설치에 필요한 사항은 대통령령으로 정한다.

② 소방업무를 수행하는 소방본부장 또는 소방서장은 그 소재지를 관할하는 특별시장·광역시장·특별자치시장·도지사 또는 특별자치도지사(이하 "시·도지사"라 한다)의 지휘와 감독을 받는다.

③ 제2항에도 불구하고 소방청장은 화재 예방 및 대형 재난 등 필요한 경우 시·도 소방본부장 및 소방서장을 지휘·감독할 수 있다.

④ 시·도에서 소방업무를 수행하기 위하여 시·도지사 직속으로 소방본부를 둔다.

(1) 소방업무

① 시·도의 소방업무를 수행하는 소방기관의 설치에 필요한 사항은 대통령령으로 정한다(「지방소방기관 설치에 관한 규정」).

② 소방업무: 화재 예방·경계·진압 및 조사, 소방안전교육·홍보와 화재, 재난·재해, 그 밖의 위급한 상황에서의 구조·구급 등의 업무를 말한다.

(2) 지휘·감독

① 소방업무를 수행하는 소방본부장·소방서장은 시·도지사의 지휘와 감독을 받는다.

② ①에도 불구하고 소방청장은 화재 예방 및 대형 재난 등 필요한 경우 시·도 소방본부장 및 소방서장을 지휘·감독할 수 있다.

(3) 소방본부의 설치

시·도에서 소방업무를 수행하기 위하여 시·도지사 직속으로 소방본부를 둔다.

👆 **관계법규 지방소방기관의 설치에 관한 규정(참고)**

NOTE

「지방소방기관 설치에 관한 규정」제1조【목적】이 영은 「소방기본법」제1조에 따른 업무를 수행하기 위하여 「소방기본법」제3조 제1항 및 「지방자치법」제113조에 따라 특별시·광역시·특별자치시·도 또는 특별자치도가 설치하는 소방기관의 조직 및 운영 등에 관한 사항을 규정함으로써 소방행정을 통일적이고 체계적으로 수행함을 목적으로 한다.

제2조【설치 등】특별시·광역시 또는 도는 그 관할구역 소방공무원의 교육·훈련을 위하여 해당 특별시·광역시 또는 도의 조례로 지방소방학교(이하 "학교"라 한다)를 설치할 수 있다. 학교를 폐지하거나 통합하는 경우에도 또한 같다.

[별표 2] 소방서·119안전센터 등의 설치기준
1. 소방서의 설치기준
   가. 시(「제주특별자치도 설치 및 국제자유도시 조성을 위한 특별법」제15조 제2항에 따른 행정시를 포함한다. 이하 같다)·군·구(지방자치단체인 구를 말한다. 이하 같다) 단위로 설치하되, 소방업무의 효율적인 수행을 위하여 특히 필요한 경우에는 인근 시·군·구를 포함한 지역을 단위로 설치할 수 있다.
   나. 가목에 따라 설치된 소방서의 관할구역에 설치된 119안전센터의 수가 5개를 초과하는 경우에는 소방서를 추가로 설치할 수 있다.

제3조의2【소방공무원의 배치】 제3조 제1항의 소방기관 및 같은 조 제4항의 소방본부에는 「지방자치단체에 두는 국가공무원의 정원에 관한 법률」에도 불구하고 대통령령으로 정하는 바에 따라 소방공무원을 둘 수 있다.

제3조의3【다른 법률과의 관계】 제주특별자치도에는 「제주특별자치도 설치 및 국제자유도시 조성을 위한 특별법」 제44조에도 불구하고 같은 법 제6조 제1항 단서에 따라 이 법 제3조의2를 우선하여 적용한다.

관계법규 지방자치단체에 두는 소방공무원의 정원에 관한 규정(참고)

NOTE

「지방자치단체에 두는 소방공무원의 정원에 관한 규정」 제1조 **【목적】** 이 영은 「소방기본법」 제3조의2 및 제3조의3에 따라 특별시·광역시·특별자치시·도 및 특별자치도에 두는 소방공무원의 정원에 관한 사항을 규정함을 목적으로 한다.

제2조【정원】 ① 특별시·광역시·특별자치시·도 및 특별자치도 (이하 "시·도"라 한다)에 두는 소방공무원의 정원은 「행정기관의 조직과 정원에 관한 통칙」 제4조 제2항 제5호, 제4조의2 제2항 제3호, 제8조의2 제1항, 제23조 제1항 및 제24조 제1항에도 불구하고 계급별 정원을 통합하여 정할 수 있다.

② 시·도에 두는 소방공무원의 정원은 별표 1과 같다.

③ 시·도에 두는 소방공무원의 정원 중 소방본부장 및 지방소방학교장의 시·도별 및 계급별 정원은 별표 2와 같다.

④ 시·도에 두는 소방공무원의 시·도별 정원(제3항에 따른 소방본부장 및 지방소방학교장의 정원은 제외하며, 이하 "시·도별 정원"이라 한다)은 행정안전부령으로 정하는 소방공무원의 배치기준 및 「지방자치단체의 행정기구와 정원기준 등에 관한 규정」 제4조에 따른 기준인건비 산정 결과 등을 반영하여 행정안전부령으로 정한다.

⑤ 시·도는 매년 6월 30일까지 제4항에 따라 행정안전부령으로 정한 시·도별 정원에 따른 소속 소방공무원의 계급별 정원을 조례로 정하되, 필요한 경우에는 행정안전부령으로 정한 시·도별 정원의 2퍼센트를 넘지 않는 범위에서 해당 시·도별 정원을 증감하여 정할 수 있다.

[별표 1] 시·도에 두는 소방공무원 정원표(제2조 제2항 관련)

소방공무원 계	65,885 명
소방정감	3명
소방감	6명
소방준감 이하	65,876명

[별표 2] 시·도 소방본부장 정원표(제2조 제3항 관련)

시·도별 계급별	서울	부산	대구	인천	광주	대전	울산	세종
총계	1	1	1	1	1	1	1	1
소방정감	1	1						
소방감				1				
소방준감			1		1	1	1	1

시·도별 계급별	경기	강원	충북	충남	전북	전남	경북	경남
총계	2	1	1	1	1	1	1	1
소방정감	1							
소방감		1		1		1	1	1
소방준감	1		1		1			

* 제주특별자치도 소방준감 1명

제4조【119종합상황실의 설치와 운영】 ① 소방청장, 소방본부장 및 소방서장은 화재, 재난·재해, 그 밖에 구조·구급이 필요한 상황이 발생하였을 때에 신속한 소방활동(소방업무를 위한 모든 활동을 말한다. 이하 같다)을 위한 정보의 수집·분석과 판단·전파, 상황관리, 현장 지휘 및 조정·통제 등의 업무를 수행하기 위하여 119종합상황실을 설치·운영하여야 한다.
② 제1항에 따라 소방본부에 설치하는 119종합상황실에는 「지방자치단체에 두는 국가공무원의 정원에 관한 법률」에도 불구하고 대통령령으로 정하는 바에 따라 경찰공무원을 둘 수 있다. [시행일: 2024.7.31.]
③ 제1항에 따른 119종합상황실의 설치·운영에 필요한 사항은 행정안전부령으로 정한다.

(1) 설치와 운영

① **설치권자:** 소방청장, 소방본부장 및 소방서장

② **설치·운영의 목적(신속한 소방활동을 위한)**

ㄱ 정보의 수집·분석과 판단·전파

ㄴ 상황관리

ㄷ 현장 지휘 및 조정·통제 등의 업무 수행

(2) 경찰공무원의 파견

소방본부에 설치하는 119종합상황실에는 「지방자치단체에 두는 국가공무원의 정원에 관한 법률」에도 불구하고 대통령령으로 정하는 바에 따라 경찰공무원을 둘 수 있다.

(3) 위임규정

119종합상황실의 설치·운영에 필요한 사항은 행정안전부령으로 정한다.

(4) 종합상황실의 설치·운영(규칙 제2조)

① **설치·운영기관:** 소방청, 소방본부, 소방서

② **설치·운영방법:** 소방력 기준에 관한 규칙에 의한 전산·통신요원을 배치하고 소방청장이 정하는 유·무선통신시설을 갖추어야 한다.

③ 종합상황실은 24시간 운영체제를 유지하여야 한다.

(5) 종합상황실의 실장의 업무(규칙 제3조 제1항)

① 재난상황의 발생의 신고접수

② 접수된 재난상황을 검토하여 가까운 소방서에 인력 및 장비의 동원을 요청하는 등의 사고수습

③ 하급소방기관에 대한 출동지령 또는 동급 이상의 소방기관 및 유관기관에 대한 지원요청

④ 재난상황의 전파 및 보고

⑤ 재난상황이 발생한 현장에 대한 지휘 및 피해현황의 파악

⑥ 재난상황의 수습에 필요한 정보수집 및 제공

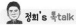

정희's 톡talk

재난상황
화재, 재난·재해 그 밖에 구조·구급이 필요한 상황을 말합니다.

(6) 직상급 종합상황실 보고 발생사유(규칙 제3조 제2항)

① 종합상황실의 실장의 보고: 종합상황실의 실장은 보고하여야 하는 상황이 발생하는 때에는 그 사실을 지체 없이 서면·팩스 또는 컴퓨터통신 등으로 소방서의 종합상황실의 경우는 소방본부의 종합상황실에, 소방본부의 종합상황실의 경우는 소방청의 종합상황실에 각각 보고해야 한다.

② 직상기관으로 보고하여야 하는 대상

ㄱ 화재 발생 현장

ⓐ 사망자: 5인 이상

ⓑ 사상자: 10인 이상

ⓒ 이재민: 100인 이상

ⓓ 재산피해액: 50억원 이상

ⓔ 관공서·학교·정부미도정공장·문화재·지하철 또는 지하구의 화재

구분	대상
종합병원·정신병원·한방병원·요양소	층수 5층 이상이거나 병상 30개 이상
숙박시설	층수 5층 이상이거나 객실 30실 이상
공장	연면적 1만5천m² 이상
건축물	층수 11층 이상
위험물제조소등	지정수량 3천배 이상
기타	관광호텔, 지하상가, 시장, 백화점, 화재예방강화지구(舊 화재경계지구)

ⓕ 다음의 장소에서 발생한 화재
- 철도차량, 항공기, 발전소, 변전소
- 항구에 매어둔 총 톤수가 1천톤 이상인 선박

ⓖ 가스 및 화약류의 폭발에 의한 화재

ⓗ 「다중이용업소의 안전관리에 관한 특별법」 제2조에 따른 다중이용업소의 화재

ㄴ 「긴급구조대응활동 및 현장지휘에 관한 규칙」에 의한 통제단장의 현장지휘가 필요한 재난상황

ㄷ 언론에 보도된 재난상황

ㄹ 그 밖에 소방청장이 정하는 재난상황

👆 **관계법규** **119종합상황실의 설치·운영·업무**

시행규칙

제2조【종합상황실의 설치·운영】 ① 「소방기본법」(이하 "법"이라 한다) 제4조 제2항의 규정에 의한 종합상황실은 소방청과 특별시·광역시·특별자치시·도 또는 특별자치도(이하 "시·도"라 한다)의 소방본부 및 소방서에 각각 설치·운영하여야 한다.

② 소방청장, 소방본부장 또는 소방서장은 신속한 소방활동을 위한 정보를 수집·전파하기 위하여 종합상황실에 「소방력 기준에 관한 규칙」에 의한 【 ① 】을 배치하고, 【 ② 】이 정하는 유·무선통신시설을 갖추어야 한다.

③ 종합상황실은 24시간 운영체제를 유지하여야 한다.

① 전산·통신요원 ② 소방청장

제3조 【종합상황실의 실장의 업무 등】 ① 종합상황실의 실장[종합상황실에 근무하는 자 중 최고직위에 있는 자(최고직위에 있는 자가 2인 이상인 경우에는 선임자)를 말한다. 이하 같다]은 다음 각 호의 업무를 행하고, 그에 관한 내용을 기록·관리하여야 한다.

1. 화재, 재난·재해 그 밖에 구조·구급이 필요한 상황(이하 "재난상황"이라 한다)의 발생의 신고접수
2. 접수된 재난상황을 검토하여 가까운 소방서에 인력 및 장비의 동원을 요청하는 등의 사고수습
3. 하급소방기관에 대한 출동지령 또는 동급 이상의 소방기관 및 유관기관에 대한 지원요청
4. 재난상황의 전파 및 보고
5. 재난상황이 발생한 현장에 대한 지휘 및 피해현황의 파악
6. 재난상황의 수습에 필요한 정보수집 및 제공

② 종합상황실의 실장은 다음 각 호의 1에 해당하는 상황이 발생하는 때에는 그 사실을 지체 없이 별지 제1호 서식에 의하여 【 ③ 】·모사전송 또는 컴퓨터통신 등으로 소방서의 종합상황실의 경우는 소방본부의 종합상황실에, 소방본부의 종합상황실의 경우는 소방청의 종합상황실에 각각 보고하여야 한다.

1. 다음 각 목의 1에 해당하는 화재
   가. 사망자가 5인 이상 발생하거나 사상자가 10인 이상 발생한 화재
   나. 【 ④ 】이 100인 이상 발생한 화재
   다. 【 ⑤ 】이 50억원 이상 발생한 화재
   라. 관공서·학교·정부미도정공장·문화재·지하철 또는 지하구의 화재
   마. 관광호텔, 층수가 【 ⑥ 】인 건축물, 지하상가, 시장, 백화점, 지정수량의 3천배 이상의 위험물의 제조소·저장소·취급소, 층수가 【 ⑦ 】이거나 객실이 【 ⑧ 】인 숙박시설, 층수가 5층 이상이거나 병상이 30개 이상인 종합병원·정신병원·한방병원·【 ⑨ 】, 연면적 1만5천제곱미터 이상인 공장 또는 화재경계지구에서 발생한 화재
   바. 철도차량, 항구에 매어둔 총 톤수가 【 ⑩ 】인 선박, 항공기, 발전소 또는 변전소에서 발생한 화재
   사. 가스 및 화약류의 폭발에 의한 화재
   아. 「다중이용업소의 안전관리에 관한 특별법」 제2조에 따른 다중이용업소의 화재
2. 「긴급구조대응활동 및 현장지휘에 관한 규칙」에 의한 통제단장의 현장지휘가 필요한 재난상황
3. 언론에 보도된 재난상황
4. 그 밖에 소방청장이 정하는 재난상황

③ 종합상황실 근무자의 근무방법 등 종합상황실의 운영에 관하여 필요한 사항은 종합상황실을 설치하는 소방청장, 소방본부장 또는 소방서장이 각각 정한다.

---

③ 서면 ④ 이재민 ⑤ 재산피해액 ⑥ 11층 이상 ⑦ 5층 이상
⑧ 30실 이상 ⑨ 요양소 ⑩ 1천톤 이상

제4조의2【소방정보통신망 구축·운영】 ① 소방청장 및 시·도지사는 119종합상황실 등의 효율적 운영을 위하여 소방정보통신망을 구축·운영할 수 있다.

② 소방청장 및 시·도지사는 소방정보통신망의 안정적 운영을 위하여 소방정보통신망의 회선을 이중화할 수 있다. 이 경우 이중화된 각 회선은 서로 다른 사업자로부터 제공받아야 한다.

③ 제1항 및 제2항에 따른 소방정보통신망의 구축 및 운영에 필요한 사항은 행정안전부령으로 정한다.

(1) 소방정보통신망

① **구축·운영권자:** 소방청장 및 시·도지사

② **구축·운영 목적:** 119종합상황실 등의 효율적 운영

(2) 소방정보통신망 회선의 이중화

① 소방청장 및 시·도지사는 소방정보통신망의 안정적 운영을 위하여 소방정보통신망의 회선을 이중화할 수 있다.

② 이 경우 이중화된 각 회선은 서로 다른 사업자로부터 제공받아야 한다.

(3) 위임규정

소방정보통신망의 구축 및 운영에 필요한 사항: 행정안전부령

관계법규 소방정보통신망의 구축 및 운영

NOTE	시행규칙
	제3조의2【소방정보통신망의 구축·운영】 ① 법 제4조의2 제1항에 따른 소방정보통신망(이하 "소방정보통신망"이라 한다)은 회선 수, 구간별 용도 및 속도 등을 고려하여 설계·구축해야 한다. ② 법 제4조의2 제2항 전단에 따라 소방정보통신망의 회선을 이중화한 경우 하나의 회선에 장애가 발생하면 다른 회선으로 즉시 전환되도록 구축·운영해야 한다. ③ 소방청장 및 시·도지사는 소방정보통신망이 안정적으로 운영될 수 있도록 【 ① 】 이상 소방정보통신망을 주기적으로 점검·관리해야 한다. ④ 제1항부터 제3항까지에서 규정한 사항 외에 소방정보통신망의 속도, 점검 주기 등에 관한 세부 사항은 소방청장이 정한다.
	① 연 1회

제4조의3【소방기술민원센터의 설치·운영】① 소방청장 또는 소방본부장은 소방
시설, 소방공사 및 위험물 안전관리 등과 관련된 법령해석 등의 민원을 종합적으
로 접수하여 처리할 수 있는 기구(이하 이 조에서 "소방기술민원센터"라 한다)를 설
치·운영할 수 있다.
② 소방기술민원센터의 설치·운영 등에 필요한 사항은 대통령령으로 정한다.

(1) 소방기술민원센터

① **설치·운영권자:** 소방청장 또는 소방본부장

② **설치·운영 목적:** 소방시설, 소방공사 및 위험물 안전관리 등과 관련된 법령해석
등의 민원 해결

③ **위임규정:** 소방기술민원센터의 설치·운영 등에 필요한 사항은 대통령령으로
정한다.

(2) 소방기술민원센터의 설치·운영(영 제1조의2)

① 소방청장 또는 소방본부장은 소방기술민원센터를 소방청 또는 소방본부에 각각
설치·운영한다.

② 소방기술민원센터는 센터장을 포함하여 18명 이내로 구성한다.

③ **소방기술민원센터의 업무**

    ㉠ 소방기술민원의 처리

    ㉡ 소방기술민원과 관련된 질의회신집 및 해설서 발간

    ㉢ 소방기술민원과 관련된 정보시스템의 운영·관리

    ㉣ 소방기술민원과 관련된 현장 확인 및 처리

    ㉤ 그 밖에 소방기술민원과 관련된 업무로서 소방청장 또는 소방본부장이 필요
하다고 인정하여 지시하는 업무

④ **지원요청:** 소방청장 또는 소방본부장은 소방기술민원센터의 업무수행을 위하
여 필요하다고 인정하는 경우에는 관계 기관의 장에게 소속 공무원 또는 직원
의 파견을 요청할 수 있다.

⑤ **위임규정:** ①부터 ④까지에서 규정한 사항 외에 소방기술민원센터의 설치·운
영에 필요한 사항은 소방청에 설치하는 경우에는 소방청장이 정하고, 소방본부에
설치하는 경우에는 해당 시·도의 규칙으로 정한다.

 정회's 톡talk

기관 및 위원회 등의 구성
1. **소방기술민원센터:** 센터장 포함 18명 이내
2. **소방박물관:** 관장 1인, 부관장 1인, 운영위
   원회 7인 이내
3. **한국소방안전원:** 원장 1명 포함한 9명 이
   내의 이사와 1명의 감사
4. **교육평가위원회:** 위원장 1명 포함하여 9명
   이하의 위원
5. **손실보상심의위원회:** 위원장 1명 포함하
   여 5명 이상 7명 이하의 위원

시행령	NOTE
제1조의2【소방기술민원센터의 설치·운영】 ① 소방청장 또는 소방본부장은 「소방기본법」(이하 "법"이라 한다) 제4조의2 제1항에 따른 소방기술민원센터(이하 "소방기술민원센터"라 한다)를 소방청 또는 소방본부에 각각 설치·운영한다. ② 소방기술민원센터는 센터장을 포함하여【 ① 】이내로 구성한다. ③ 소방기술민원센터는 다음 각 호의 업무를 수행한다. 1. 소방시설, 소방공사와 위험물 안전관리 등과 관련된 법령해석 등의 민원(이하 "소방기술민원"이라 한다)의 처리 2. 소방기술민원과 관련된 질의회신집 및 해설서 발간 3. 소방기술민원과 관련된 정보시스템의 운영·관리 4. 소방기술민원과 관련된 현장 확인 및 처리 5. 그 밖에 소방기술민원과 관련된 업무로서 소방청장 또는 소방본부장이 필요하다고 인정하여 지시하는 업무 ④【 ② 】은 소방기술민원센터의 업무수행을 위하여 필요하다고 인정하는 경우에는 관계 기관의 장에게 소속 공무원 또는 직원의 파견을 요청할 수 있다. ⑤ 제1항부터 제4항까지에서 규정한 사항 외에 소방기술민원센터의 설치·운영에 필요한 사항은 소방청에 설치하는 경우에는 소방청장이 정하고, 소방본부에 설치하는 경우에는 해당 특별시·광역시·특별자치시·도 또는 특별자치도(이하 "시·도"라 한다)의 규칙으로 정한다.	
① 18명 ② 소방청장 또는 소방본부장	

제5조【소방박물관 등의 설립과 운영】 ① 소방의 역사와 안전문화를 발전시키고 국민의 안전의식을 높이기 위하여 소방청장은 소방박물관을, 시·도지사는 소방체험관(화재 현장에서의 피난 등을 체험할 수 있는 체험관을 말한다. 이하 이 조에서 같다)을 설립하여 운영할 수 있다.

② 제1항에 따른 소방박물관의 설립과 운영에 필요한 사항은 행정안전부령으로 정하고, 소방체험관의 설립과 운영에 필요한 사항은 행정안전부령으로 정하는 기준에 따라 시·도의 조례로 정한다.

(1) 소방박물관·소방체험관의 설립과 운영

① **목적:** 소방의 역사 및 안전문화의 발전, 국민의 안전의식 향상

② **설립·운영권자**

ㄱ 소방청장: 소방박물관

ㄴ 시·도지사: 소방체험관

(2) 위임규정

① 소방박물관의 설립과 운영에 필요한 사항은 행정안전부령으로 정한다.

② 소방체험관의 설립과 운영에 필요한 사항은 행정안전부령으로 정하는 기준에 따라 시·도의 조례로 정한다.

(3) 소방박물관의 설립과 운영(규칙 제4조)

① 소방청장은 소방박물관을 설립·운영한다.

② 소방박물관장 1인과 부관장 1인을 둔다.

③ 소방박물관장은 소방청장이 임명한다.

④ 7인 이내의 위원으로 구성된 운영위원회를 둔다.

(4) 체험관의 기능(규칙 제4조의2 제1항)

① 체험교육의 제공

② 체험교육 프로그램의 개발 및 국민 안전의식의 향상을 위한 홍보·전시

③ 체험교육 인력의 양성 및 유관기관·단체 등과의 협력

④ 체험교육을 위하여 시·도지사가 필요하다고 인정하는 사업의 수행

(5) 소방체험관의 설립 및 운영에 관한 기준(규칙 [별표 1])

① **설립 입지 및 규모 기준**

ㄱ 소방체험관은 도로 등 교통시설을 갖추고, 재해 및 재난 위험요소가 없는 등 국민의 접근성과 안전성이 확보된 지역에 설립되어야 한다.

ㄴ 소방체험관 중 ②의 소방안전 체험실로 사용되는 부분의 바닥면적의 합이 900제곱미터 이상이 되어야 한다.

② **소방체험관의 시설 기준**

ㄱ 소방체험관에는 다음 표에 따른 체험실을 모두 갖추어야 한다. 이 경우 체험실별 바닥면적은 100제곱미터 이상이어야 한다.

01 「소방기본법」상 소방박물관 등의 설립과 운영에 관한 내용이다. ( ) 안에 들어갈 내용으로 옳은 것은? 24. 경채

> · 소방의 역사와 안전문화를 발전시키고 국민의 안전의식을 높이기 위하여 (ㄱ)은/는 소방박물관을, (ㄴ)은/는 소방체험관을 설립하여 운영할 수 있다.
> · 소방박물관의 설립과 운영에 필요한 사항은 (ㄷ)(으)로 정하고, 소방체험관의 설립과 운영에 필요한 사항은 (ㄷ)(으)로 정하는 기준에 따라 (ㄹ)(으)로 정한다.

	ㄱ	ㄴ	ㄷ	ㄹ
①	시·도지사	소방청장	행정안전부령	시·도의 조례
②	시·도지사	소방청장	시·도의 조례	행정안전부령
③	소방청장	시·도지사	시·도의 조례	행정안전부령
④	소방청장	시·도지사	행정안전부령	시·도의 조례

정답 ④

02 「소방기본법」상 소방박물관 등의 설립과 운영에 관한 설명이다. ( ) 안의 내용으로 옳은 것은? 19. 경채(4월)

> 소방의 역사와 안전문화를 발전시키고 국민의 안전의식을 높이기 위하여 (가)은/는 소방박물관을, (나)은/는 소방체험관(화재 현장에서의 피난 등을 체험할 수 있는 체험관을 말한다)을 설립하여 운영할 수 있다.

	가	나
①	소방청장	시·도지사
②	소방청장	소방본부장
③	시·도지사	소방본부장
④	시·도지사	소방청장

정답 ①

👨 정희's 톡talk

체험교육이란 재난 및 안전사고 유형에 따른 예방, 대처, 대응 등에 관한 체험교육을 말합니다.

👨 정희's 톡talk

시행규칙 [별표 1]은 시행규칙 [별표 3의3]과 함께 학습하시기 바랍니다.

분야	체험실
생활안전	화재안전 체험실
	시설안전 체험실
교통안전	보행안전 체험실
	자동차안전 체험실
자연재난안전	기후성 재난 체험실
	지질성 재난 체험실
보건안전	응급처치 체험실

ⓛ 소방체험관의 규모 및 지역 여건 등을 고려하여 다음 표에 따른 체험실을 갖출 수 있다. 이 경우 체험실별 바닥면적은 100제곱미터 이상이어야 한다.

분야	체험실
생활안전	전기안전 체험실, 가스안전 체험실, 작업안전 체험실, 여가활동 체험실, 노인안전 체험실
교통안전	버스안전 체험실, 이륜차안전 체험실, 지하철안전 체험실
자연재난안전	생물권 재난안전 체험실(조류독감, 구제역 등)
사회기반안전	화생방·민방위안전 체험실, 환경안전 체험실, 에너지·정보통신안전 체험실, 사이버안전 체험실
범죄안전	미아안전 체험실, 유괴안전 체험실, 폭력안전 체험실, 성폭력안전 체험실, 사기범죄 안전 체험실
보건안전	중독안전 체험실(게임·인터넷, 흡연 등), 감염병안전 체험실, 식품안전 체험실, 자살방지 체험실
기타	시·도지사가 필요하다고 인정하는 체험실

ⓒ 소방체험관에는 사무실, 회의실, 그 밖에 시설물의 관리·운영에 필요한 관리시설이 건물규모에 적합하게 설치되어야 한다.

③ 체험교육 인력의 자격 기준

ⓐ **교수요원의 자격요건:** 소방공무원 중 다음의 어느 하나에 해당하는 사람이어야 한다.

ⓐ 소방 관련학과의 석사학위 이상을 취득한 사람

ⓑ 소방안전교육사, 소방시설관리사, 소방기술사 또는 소방설비기사 자격을 취득한 사람

ⓒ 간호사 또는 응급구조사 자격을 취득한 사람

ⓓ 소방청장이 실시하는 인명구조사시험 또는 화재대응능력시험에 합격한 사람

ⓔ 소방활동이나 생활안전활동을 3년 이상 수행한 경력이 있는 사람

ⓕ 5년 이상 근무한 소방공무원 중 시·도지사가 체험실의 교수요원으로 적합하다고 인정하는 사람

ⓛ 조교의 자격요건

 ⓐ 교수요원의 자격을 갖춘 사람

 ⓑ 소방활동이나 생활안전활동을 1년 이상 수행한 경력이 있는 사람

 ⓒ 중앙소방학교 또는 지방소방학교에서 2주 이상의 소방안전교육사 관련 전문교육과정을 이수한 사람

 ⓓ 소방체험관에서 2주 이상의 체험교육에 관한 직무교육을 이수한 의무소방원

 ⓔ 그 밖에 규정에 준하는 자격 또는 능력을 갖추었다고 시·도지사가 인정하는 사람

④ **소방체험관의 관리인력 배치 기준 등**

 ㉠ 소방체험관의 규모 등에 비추어 체험교육 프로그램의 기획·개발, 대외협력 및 성과분석 등을 담당할 적정한 수준의 행정인력을 두어야 한다.

 ㉡ 소방체험관의 규모 등에 비추어 건축물과 체험교육 시설·장비 등의 유지관리를 담당할 적정한 수준의 시설관리인력을 두어야 한다.

 ㉢ 시·도지사는 소방체험관 이용자에 대한 안전지도 및 질서 유지 등을 담당할 자원봉사자를 모집하여 활용할 수 있다.

⑤ **체험교육 운영 기준**

 ㉠ 체험교육을 실시할 때 체험실에는 1명 이상의 교수요원을 배치하고, 조교는 체험교육대상자 30명당 1명 이상이 배치되도록 하여야 한다. 다만, 소방체험관의 장은 체험교육대상자의 연령 등을 고려하여 조교의 배치기준을 달리 정할 수 있다.

 ㉡ 교수요원은 체험교육 실시 전에 소방체험관 이용자에게 주의사항 및 안전관리 협조사항을 미리 알려야 한다.

 ㉢ 시·도지사는 설치되어 있는 체험실별로 체험교육 표준운영절차를 마련하여야 한다.

 ㉣ 시·도지사는 체험교육대상자의 정신적·신체적 능력을 고려하여 체험교육을 운영하여야 한다.

 ㉤ 시·도지사는 체험교육 운영인력에 대하여 체험교육과 관련된 지식·기술 및 소양 등에 관한 교육훈련을 연간 12시간 이상 이수하도록 하여야 한다.

 ㉥ 체험교육 운영인력은 「소방공무원 복제 규칙」 제12조에 따른 기동장을 착용하여야 한다. 다만, 계절이나 야외 체험활동 등을 고려하여 제복의 종류 및 착용방법을 달리 정할 수 있다.

⑥ **안전관리 기준**

 ㉠ 시·도지사는 소방체험관에서 발생한 사고로 인한 이용자 등의 생명·신체나 재산상의 손해를 보상하기 위한 보험 또는 공제에 가입하여야 한다.

 ㉡ 교수요원은 체험교육 실시 전에 체험실의 시설 및 장비의 이상 유무를 반드시 확인하는 등 안전점검을 실시하여야 한다.

 ㉢ 소방체험관의 장은 소방체험관에서 발생하는 각종 안전사고 등을 총괄하여 관리하는 안전관리자를 지정하여야 한다.

ⓔ 소방체험관의 장은 안전사고 발생 시 신속한 응급처치 및 병원 이송 등의 조치를 하여야 한다.

ⓜ 소방체험관의 장은 소방체험관의 이용자의 안전에 위해(危害)를 끼치거나 끼칠 위험이 있다고 인정되는 이용자에 대하여 출입 금지 또는 행위의 제한, 체험교육의 거절 등의 조치를 하여야 한다.

⑦ 이용현황 관리 등

ⓐ 소방체험관의 장은 체험교육의 운영결과, 만족도 조사결과 등을 기록하고 이를 3년간 보관하여야 한다.

ⓑ 소방체험관의 장은 체험교육의 효과 및 개선 사항 발굴 등을 위하여 이용자를 대상으로 만족도 조사를 실시하여야 한다. 다만, 이용자가 거부하거나 만족도 조사를 실시할 시간적 여유가 없는 등의 경우에는 만족도 조사를 실시하지 아니할 수 있다.

ⓒ 소방체험관의 장은 체험교육을 이수한 사람에게 교육이수자의 성명, 체험내용, 체험시간 등을 적은 체험교육 이수증을 발급할 수 있다.

👆 관계법규 소방박물관·소방체험관

시행규칙 [별표 1] 요약	시행규칙
[별표 1] 소방체험관의 설립 및 운영에 관한 기준(제4조의2 제2항 관련) 1. 설립 입지 및 규모 기준 　가. 소방체험관은 도로 등 교통시설을 갖추고, 재해 및 재난 위험요소가 없는 등 국민의 접근성과 안전성이 확보된 지역에 설립되어야 한다. 　나. 소방체험관 중 소방안전 체험실로 사용되는 부분의 바닥면적의 합이 【 ① 】 이상이 되어야 한다. 2. 소방체험관의 시설 기준 　가. 소방체험관에는 다음 표에 따른 체험실을 모두 갖추어야 한다. 이 경우 체험실별 바닥면적은 100제곱미터 이상이어야 한다.	**제4조【소방박물관의 설립과 운영】** ① 소방청장은 법 제5조 제2항의 규정에 의하여 소방박물관을 설립·운영하는 경우에는 소방박물관에 소방박물관장 1인과 부관장 1인을 두되, 소방박물관장은 소방공무원중에서 【 ① 】이 임명한다. ② 소방박물관은 국내·외의 소방의 역사, 소방공무원의 복장 및 소방장비 등의 변천 및 발전에 관한 자료를 수집·보관 및 전시한다. ③ 소방박물관에는 그 운영에 관한 중요한 사항을 심의하기 위하여 【 ② 】의 위원으로 구성된 운영위원회를 둔다. ④ 제1항의 규정에 의하여 설립된 소방박물관의 관광업무·조직·운영위원회의 구성 등에 관하여 필요한 사항은 소방청장이 정한다.

분야	체험실	분야	체험실
생활 안전	화재안전 체험실	자연 재난 안전	기후성 재난 체험실
	시설안전 체험실		지질성 재난 체험실
교통 안전	보행안전 체험실	보건 안전	응급처치 체험실
	자동차안전 체험실		

시행규칙 [별표 1] 요약	시행규칙
나. 소방체험관의 규모 및 지역 여건 등을 고려하여 상기 표 외의 체험실을 갖출 수 있다. 이 경우 체험실별 바닥면적은 【 ② 】 이상이어야 한다. 　– 중략 –	**제4조의2【소방체험관의 설립 및 운영】** ① 법 제5조 제1항에 따라 설립된 소방체험관(이하 "소방체험관"이라 한다)은 다음 각 호의 기능을 수행한다. 1. 재난 및 안전사고 유형에 따른 예방, 대처, 대응 등에 관한 체험교육(이하 "체험교육"이라 한다)의 제공 2. 체험교육 프로그램의 개발 및 국민 안전의식 향상을 위한 홍보·전시 3. 체험교육 인력의 양성 및 유관기관·단체 등과의 협력 4. 그 밖에 체험교육을 위하여 시·도지사가 필요하다고 인정하는 사업의 수행 ② 법 제5조 제2항에서 "행정안전부령으로 정하는 기준"이란 별표 1에 따른 기준을 말한다.
① 900제곱미터　② 100제곱미터	① 소방청장　② 7인 이내

시행규칙 [별표 1] 소방체험관	시행규칙 [별표 3의3] 소방안전교육훈련
설립 입지 및 규모기준 1. 소방안전 체험실: 900제곱미터 이상	**시설 및 장비 기준** 1. 소방안전교실: 100제곱미터 이상 2. **이동안전체험차량**: 어린이 30명(성인은 15명)
교수요원(소방공무원 중에서) 1. 소방 관련학과의 석사학위 이상 2. 소방안전교육사, 소방시설관리사, 소방기술사 또는 소방설비기사 3. 간호사, 응급구조사 4. 소방청장이 실시하는 인명구조사시험 또는 화재대응능력시험에 합격한 사람 5. 소방활동이나 생활안전활동을 3년 이상 수행한 경력이 있는 사람 6. 5년 이상 근무한 소방공무원 중 시·도지사가 체험실의 교수요원으로 적합하다고 인정하는 사람	**강사** 1. 소방 관련학과의 석사학위 이상 2. 소방안전교육사, 소방시설관리사, 소방기술사 또는 소방설비기사 3. 응급구조사, 인명구조사, 화재대응능력 등 소방청장이 정하는 소방활동 관련 자격을 취득한 사람 4. 소방공무원으로서 5년 이상 근무한 경력이 있는 사람
조교 1. 교수요원의 자격을 갖춘 사람 2. 소방활동이나 생활안전활동을 1년 이상 수행한 경력이 있는 사람 3. 중앙소방학교 또는 지방소방학교에서 2주 이상의 소방안전교육사 관련 전문교육과정을 이수한 사람 4. 소방체험관에서 2주 이상의 체험교육에 관한 직무교육을 이수한 의무소방원 5. 자격 또는 능력을 갖추었다고 시·도지사가 인정하는 사람	**보조강사** 1. 강사의 자격을 갖춘 사람 2. 소방공무원으로서 3년 이상 근무한 경력이 있는 사람 3. 보조강사의 능력이 있다고 소방청장, 소방본부장 또는 소방서장이 인정하는 사람
운영 기준 1. **체험교육 실시**: 1명 이상 교수, 조교 30명당 1명 이상 2. **교수요원**: 실시 전 주의사항 및 안전관리 협조사항 공지 3. **시·도지사**: 체험교육 표준운영절차 마련 4. **시·도지사**: 정신적·신체적 능력 고려하여 체험교육 운영 5. **시·도지사**: 교육훈련 연간 12시간 이상 이수 6. **체험교육 운영인력**: 기동장 착용	**교육 방법**(소방청장, 소방본부장 또는 소방서장) 1. **교육시간**: 연령 등 고려 2. 이론교육, 실습(체험)교육[실습(체험)교육 30% 이상] 3. 연령 등을 고려 실습(체험)교육 시간의 비율 조정 4. 강사 1명당 30명을 넘지 않아야 함 5. 실시 전 주의사항 및 안전관리 협조사항 공지 6. 정신적·신체적 능력 고려하여 소방안전교육훈련 실시
안전관리 기준 1. 시·도지사: 보험 공제 가입 2. 교수요원: 교육훈련 실시 전 시설·장비 안전점검 3. **소방체험관의 장**: 안전관리자 지정 4. **소방체험관의 장**: 응급처치 및 병원 이송 조치 5. **소방체험관의 장**: 이용자 출입금지, 행위제한, 체험교육 거절조치	**안전관리 기준**(소방청장, 소방본부장 또는 소방서장) 1. 보험 공제 가입 2. 교육훈련 실시 전 시설·장비 안전점검 3. 응급처치 및 병원 이송 조치
이용현황 관리(소방체험관의 장) 1. 체험교육의 운영결과, 만족도 조사결과 등 기록(3년간 보관) 2. 만족도 조사 3. 체험교육 이수증 발급	**교육현황 관리**(소방청장, 소방본부장 또는 소방서장) 1. 소방안전교육훈련의 실시결과, 만족도 조사결과 등 기록(3년간 보관) 2. 만족도 조사 3. 소방안전교육훈련 이수증

제6조【소방업무에 관한 종합계획의 수립·시행 등】 ① 소방청장은 화재, 재난·재해, 그 밖의 위급한 상황으로부터 국민의 생명·신체 및 재산을 보호하기 위하여 소방업무에 관한 종합계획(이하 이 조에서 "종합계획"이라 한다)을 5년마다 수립·시행하여야 하고, 이에 필요한 재원을 확보하도록 노력하여야 한다.

② 종합계획에는 다음 각 호의 사항이 포함되어야 한다.

1. 소방서비스의 질 향상을 위한 정책의 기본방향

2. 소방업무에 필요한 체계의 구축, 소방기술의 연구·개발 및 보급

3. 소방업무에 필요한 장비의 구비

4. 소방전문인력 양성

5. 소방업무에 필요한 기반조성

6. 소방업무의 교육 및 홍보(제21조에 따른 소방자동차의 우선 통행 등에 관한 홍보를 포함한다)

7. 그 밖에 소방업무의 효율적 수행을 위하여 필요한 사항으로서 대통령령으로 정하는 사항

③ 소방청장은 제1항에 따라 수립한 종합계획을 관계 중앙행정기관의 장, 시·도지사에게 통보하여야 한다.

④ 시·도지사는 관할 지역의 특성을 고려하여 종합계획의 시행에 필요한 세부계획(이하 이 조에서 "세부계획"이라 한다)을 매년 수립하여 소방청장에게 제출하여야 하며, 세부계획에 따른 소방업무를 성실히 수행하여야 한다.

⑤ 소방청장은 소방업무의 체계적 수행을 위하여 필요한 경우 제4항에 따라 시·도지사가 제출한 세부계획의 보완 또는 수정을 요청할 수 있다.

⑥ 그 밖에 종합계획 및 세부계획의 수립·시행에 필요한 사항은 대통령령으로 정한다.

(1) 종합계획의 수립

① 소방청장은 소방업무에 관한 종합계획을 5년마다 수립·시행하여야 한다.

② 종합계획을 위한 필요한 재원을 확보하도록 노력하여야 한다.

(2) 종합계획 포함 사항

① 소방서비스의 질 향상을 위한 정책의 기본방향

② 소방업무에 필요한 체계의 구축

③ 소방업무에 필요한 장비의 구비

④ 소방업무에 필요한 기반조성

⑤ 소방업무의 교육 및 홍보(소방자동차의 우선 통행 등 홍보 포함)

⑥ 소방전문인력 양성

⑦ 소방기술의 연구·개발 및 보급

⑧ **대통령령에 정하는 사항(영 제1조의2)**

ⓐ 재난·재해 환경 변화에 따른 소방업무에 필요한 대응 체계 마련

ⓑ 장애인, 노인, 임산부, 영유아 및 어린이 등 이동이 어려운 사람을 대상으로 한 소방활동에 필요한 조치

🖉 **핵심 기출**

「소방기본법」상 소방업무에 관한 종합계획의 수립·시행 등에 대한 설명이다. ( ) 안에 들어갈 내용으로 옳은 것은? 20. 공채(6월)

(가)은 화재, 재난·재해, 그 밖의 위급한 상황으로부터 국민의 생명·신체 및 재산을 보호하기 위하여 소방업무에 관한 종합계획을 (나)마다 수립·시행하여야 하고, 이에 필요한 재원을 확보하도록 노력하여야 한다.

	가	나
①	소방청장	3년
②	소방청장	5년
③	행정안전부장관	3년
④	행정안전부장관	5년

정답 ②

(3) 종합계획의 통보

소방청장은 수립한 종합계획을 관계 중앙행정기관의 장, 시·도지사에게 통보하여야
한다.

(4) 세부계획의 수립

① 시·도지사는 관할 지역의 특성을 고려하여 종합계획의 시행에 필요한 세부계획
을 매년 수립하여 소방청장에게 제출하여야 한다.

② 세부계획에 따른 소방업무를 성실히 수행하여야 한다.

(5) 세부계획의 보완·수정 요청

소방청장은 소방업무의 체계적 수행을 위하여 필요한 경우 시·도지사가 제출한
세부계획의 보완 또는 수정을 요청할 수 있다.

(6) 위임규정

종합계획 및 세부계획의 수립·시행에 필요한 사항은 대통령령으로 정한다.

(7) 소방업무에 관한 종합계획 및 세부계획의 수립·시행(영 제1조의2)

① 소방업무에 관한 종합계획을 관계 중앙행정기관의 장과의 협의를 거쳐 계획 시
행 전년도 10월 31일 까지 수립하여야 한다.

② 시·도지사는 종합계획의 시행에 필요한 세부계획을 계획 시행 전년도 12월 31일
까지 수립하여 소방청장에게 제출하여야 한다.

관계법규 종합계획 및 세부계획의 수립·시행

시행령	NOTE
제1조의2【소방업무에 관한 종합계획 및 세부계획의 수립·시행】① 소방청장은 「소방기본법」(이하 "법"이라 한다) 제6조 제1항에 따른 소방업무에 관한 종합계획을 관계 중앙행정기관의 장과의 협의를 거쳐 계획 시행 전년도 【 ① 】까지 수립하여야 한다. ② 법 제6조 제2항 제7호에서 "대통령령으로 정하는 사항"이란 다음 각 호의 사항을 말한다. 1. 재난·재해 환경 변화에 따른 소방업무에 필요한 대응 체계 마련 2. 장애인, 노인, 임산부, 영유아 및 어린이 등 이동이 어려운 사람을 대상으로 한 소방활동에 필요한 조치 ③ 특별시장·광역시장·특별자치시장·도지사 또는 특별자치도지사는 법 제6조 제4항에 따른 종합계획의 시행에 필요한 세부계획을 계획 시행 전년도 【 ② 】까지 수립하여 소방청장에게 제출하여야 한다.	■ 유사내용 비교

소방업무에 관한 종합계획	화재의 예방 및 안전관리 기본계획 등(화재예방법 제4조 등)

종합계획
1. 수립·시행권자: 소방청장
2. 5년마다 수립·시행
3. 수립기한: 10월 31일
4. 관계 중앙행정기관의 장, 시·도지사에게 통보
	기본계획
	1. 수립·시행권자: 소방청장
	2. 5년마다 수립·시행
	3. 수립기한
	  – 협의기한: 08월 31일
	  – 수립기한: 09월 30일

	시행계획 1. 수립·시행권자: 소방청장 2. 기본계획·시행계획 수립·통보기한: 10월 31일
세부계획 1. 수립·시행권자: 시·도지사 2. 매년 수립 3. 수립기한: 12월 31일	세부시행계획 1. 수립·시행권자: 관계 중앙행정기관의 장 및 시·도지사 2. 매년 수립 3. 수립·통보기한: 12월 31일(소방청장)

① 10월 31일 ② 12월 31일

제7조【소방의 날 제정과 운영 등】① 국민의 안전의식과 화재에 대한 경각심을 높이고 안전문화를 정착시키기 위하여 매년 11월 9일을 소방의 날로 정하여 기념행사를 한다.

② 소방의 날 행사에 관하여 필요한 사항은 소방청장 또는 시·도지사가 따로 정하여 시행할 수 있다.

③ 소방청장은 다음 각 호에 해당하는 사람을 명예직 소방대원으로 위촉할 수 있다.

1. 「의사상자 등 예우 및 지원에 관한 법률」제2조에 따른 의사상자(義死傷者)로서 같은 법 제3조 제3호 또는 제4호에 해당하는 사람
2. 소방행정 발전에 공로가 있다고 인정되는 사람

(1) 소방의 날 제정

① **소방의 날**: 매년 11월 9일
② **소방의 날 제정의 목적**

㉠ 국민의 안전의식 향상
㉡ 화재에 대한 경각심 고취
㉢ 안전문화 정착

(2) 소방의 날 행사

소방의 날 행사에 필요한 사항은 소방청장 또는 시·도지사가 따로 정하여 시행할 수 있다.

(3) 명예직 소방대원 위촉

소방청장은 다음의 사람을 명예직 소방대원으로 위촉할 수 있다.

① 의사상자에 해당하는 사람
② 소방행정 발전에 공로가 있다고 인정되는 사람

👆 **관계법규** 「의사상자 등 예우 및 지원에 관한 법률」(참고)

NOTE	
제2조【정의】 2. "의사자(義死者)"란 직무 외의 행위로서 구조행위를 하다가 사망(의상자가 그 부상으로 인하여 사망한 경우를 포함한다)하여 보건복지부장관이 이 법에 따라 의사자로 인정한 사람을 말한다. 3. "의상자(義傷者)"란 직무 외의 행위로서 구조행위를 하다가 대통령령으로 정하는 신체상의 부상을 입어 보건복지부장관이 이 법에 따라 의상자로 인정한 사람을 말한다. 4. "의사상자"란 의사자 및 의상자를 말한다.	제3조【적용범위】 3. 천재지변, 수난(水難), 화재, 건물·축대·제방의 붕괴 등으로 위해에 처한 다른 사람의 생명·신체 또는 재산을 구하다가 사망하거나 부상을 입는 구조행위를 한 때 4. 천재지변, 수난, 화재, 건물·축대·제방의 붕괴 등으로 일어날 수 있는 불특정 다수인의 위해를 방지하기 위하여 긴급한 조치를 하다가 사망하거나 부상을 입는 구조행위를 한 때

제2장 소방장비 및 소방용수시설

1 소방력의 기준   B

제8조【소방력의 기준 등】 ① 소방기관이 소방업무를 수행하는 데에 필요한 인력과 장비 등[이하 "소방력"(消防力)이라 한다]에 관한 기준은 행정안전부령으로 정한다.
② 시·도지사는 제1항에 따른 소방력의 기준에 따라 관할구역의 소방력을 확충하기 위하여 필요한 계획을 수립하여 시행하여야 한다.
③ 소방자동차 등 소방장비의 분류·표준화와 그 관리 등에 필요한 사항은 따로 법률에서 정한다.

(1) 소방력의 기준
① **소방력**: 소방기관이 소방업무를 수행하는 데에 필요한 인력과 장비 등을 말한다.
② 소방력에 관한 기준: 행정안전부령으로 정한다.

(2) 소방력 확충을 위한 계획의 수립·시행
시·도지사는 소방력의 기준에 따라 관할구역 소방력 확충을 위한 계획을 수립·시행하여야 한다.

(3) 위임규정
소방자동차 등 소방장비의 분류·표준화와 그 관리 등에 필요한 사항은 따로 법률에서 정한다(「소방장비관리법」).

✎ 핵심기출

「소방기본법」상 소방력의 기준 등에 관한 설명으로 옳은 것은?   19. 경채(4월)
① 소방업무를 수행하는 데에 필요한 소방력에 관한 기준은 대통령령으로 정한다.
② 소방청장은 소방력의 기준에 따라 관할구역의 소방력을 확충하기 위하여 필요한 계획을 수립하여 시행하여야 한다.
③ 소방자동차 등 소방장비의 분류·표준화와 그 관리 등에 필요한 사항은 따로 법률에서 정한다.
④ 국가는 소방장비의 구입 등 시·도의 소방업무에 필요한 경비의 일부를 보조하고, 보조 대상사업의 범위와 기준보조율은 행정안전부령으로 정한다.

정답 ③

🖐 관계법규 소방력의 기준(참고)

NOTE	시행규칙
	「소방력 기준에 관한 규칙」 **제1조【목적】** 이 규칙은 「소방기본법」 제8조 제1항에 따라 소방기관이 소방업무를 수행하는 데에 필요한 인력과 장비 등에 관한 기준을 정함을 목적으로 한다. **제2조【정의】** 이 규칙에서 사용하는 용어의 뜻은 다음과 같다. 1. "소방기관"이란 소방장비, 인력 등을 동원하여 소방업무를 수행하는 소방서·119안전센터·119구조대·119구급대·119구조구급센터·항공구조구급대·소방정대(消防艇隊)·119지역대·119종합상황실·소방체험관을 말한다. 2. "소방장비"란 소방업무를 수행하는 데에 필요한 소방자동차·소방항공기·소방정 및 소방전산시설·통신시설등을 말한다.

제9조【소방장비 등에 대한 국고보조】① 국가는 소방장비의 구입 등 시·도의 소방업무에 필요한 경비의 일부를 보조한다.
② 제1항에 따른 보조 대상사업의 범위와 기준보조율은 대통령령으로 정한다.

(1) 소방장비 등에 대한 국고보조

국가는 소방장비의 구입 등 시·도의 소방업무에 필요한 경비의 일부를 보조한다.

(2) 위임규정

보조 대상사업의 범위와 기준보조율은 대통령령으로 정한다.

(3) 국고보조 대상사업의 범위와 기준보조율

① 국고보조 대상사업의 범위

ⓐ 소방활동장비와 설비의 구입 및 설치

ⓐ 소방자동차　　　　　　　ⓑ 소방헬리콥터 및 소방정

ⓒ 소방전용통신설비 및 전산설비　ⓓ 방화복 등 소방활동에 필요한 소방장비

ⓑ 소방관서용 청사의 건축

② 소방활동장비 및 설비의 종류와 규격은 행정안전부령으로 정한다.

③ 위임규정: 국고보조 대상사업의 기준보조율은 「보조금 관리에 관한 법률 시행령」에서 정하는 바에 따른다.

(4) 소방활동 장비 및 설비의 규격 및 종류와 기준가격

① 국내조달품: 정부고시가격

② 수입물품: 조달청에서 조사한 해외시장의 시가

③ 정부고시가격 또는 조달청에서 조사한 해외시장의 시가가 없는 물품: 2 이상의 공신력 있는 물가조사기관에서 조사한 가격의 평균가격

👆 **관계법규** 국고보조

시행령	시행규칙
제2조【국고보조 대상사업의 범위와 기준보조율】① 법 제9조 제2항에 따른 국고보조 대상사업의 범위는 다음 각 호와 같다. 1. 다음 각 목의 소방활동장비와 설비의 구입 및 설치 　가. 소방자동차 　나. 소방헬리콥터 및 소방정 　다. 【 ① 】 및 전산설비 　라. 그 밖에 방화복 등 소방활동에 필요한 소방장비 2. 소방관서용 청사의 건축(「건축법」 제2조 제1항 제8호에 따른 건축을 말한다) ② 제1항 제1호에 따른 소방활동장비 및 설비의 종류와 규격은 【 ② 】으로 정한다. ③ 제1항에 따른 국고보조 대상사업의 기준보조율은 「보조금 관리에 관한 법률 시행령」에서 정하는 바에 따른다.	제5조【소방활동장비 및 설비의 규격 및 종류와 기준가격】① 영 제2조 제2항의 규정에 의한 국고보조의 대상이 되는 소방활동장비 및 설비의 종류 및 규격은 별표 1의2와 같다. ② 영 제2조 제2항의 규정에 의한 국고보조산정을 위한 기준가격은 다음 각 호와 같다. 1. 국내조달품: 【 ① 】 2. 수입물품: 조달청에서 조사한 해외시장의 시가 3. 정부고시가격 또는 조달청에서 조사한 해외시장의 시가가 없는 물품: 2 이상의 공신력 있는 물가조사기관에서 조사한 가격의 【 ② 】
① 소방전용통신설비 ② 행정안전부령	① 정부고시가격 ② 평균가격

■ **[별표 1의2] 국고보조의 대상이 되는 소방활동장비 및 설비의 종류와 규격(규칙 제5조 제1항 관련)**

구분		종류			규격
소방 활동 장비	소방 자동차	펌프차	대형		240마력 이상
			중형		170마력 이상 240마력 미만
			소형		120마력 이상 170마력 미만
		물탱크소방차	대형		240마력 이상
			중형		170마력 이상 240마력 미만
		화학소방차	비활성가스를 이용한 소방차		
			고성능		340마력 이상
			내폭		340마력 이상
			일반	대형	240마력 이상
				중형	170마력 이상 240마력 미만
		사다리소방차	고가(사다리의 길이가 33미터 이상인 것에 한한다)		330마력 이상
			굴절	27미터 이상급	330마력 이상
				18미터 이상 27미터 미만급	240마력 이상
		조명차	중형		170마력
		배연차	중형		170마력 이상
		구조차	대형		240마력 이상
			중형		170마력 이상 240마력 미만
		구급차	특수		90마력 이상
			일반		85마력 이상 90마력 미만
	소방정		소방정		100톤 이상급, 50톤급
			구조정		30톤급
	소방헬리콥터				5 ~ 17인승
소방전용 통신설비 및 전산설비	통신설비	유선통신장비	디지털전화교환기		국내 100회선 이상, 내선 1000회선 이상
			키폰장치		국내 100회선 이상, 내선 200회선 이상
			팩스		일제 개별 동보장치
			영상장비다중화장치		동화상 및 정지화상 E1급 이상
		무선통신기기	극초단파 무선기기	고정용	공중전력 50와트 이하
				이동용	공중전력 20와트 이하
				휴대용	공중전력 5와트 이하

			고정용	공중전력 50와트 이하
통신설비	무선통신기기	초단파 무선기기	이동용	공중전력 20와트 이하
			휴대용	공중전력 5와트 이하
		단파무전기	고정용	공중전력 100와트 이하
			이동용	공중전력 50와트 이하

소방전용 통신설비 및 전산설비	전산설비	주전산기기	중앙처리장치	클럭속도: 90메가헤르즈 이상 워드길이: 32비트 이상
			주기억장치	용량: 125메가바이트 이상 전송속도: 초당 22메가바이트 이상 캐시메모리: 1메가바이트 이상
			보조기억장치	용량: 5기가바이트 이상
		보조전산기기	중앙처리장치	성능: 26밉스 이상 클럭속도: 25메가헤르즈 이상 워드길이: 32비트 이상
			주기억장치	용량: 32메가바이트 이상 전송속도: 초당 22메가바이트 이상 캐시메모리: 128킬로바이트 이상
			보조기억장치	용량: 22기가바이트 이상
		서버	중앙처리장치	성능: 80밉스 이상 클럭속도: 100메가헤르즈 이상 워드길이: 32비트 이상
			주기억장치	용량: 초당 32메가바이트 이상 전송속도: 초당 22메가바이트 이상 캐시메모리: 128킬로바이트 이상
			보조기억장치	용량: 3기가바이트 이상
		단말기	중앙처리장치	클럭속도: 100메가헤르즈 이상
			주기억장치	용량: 16메가바이트 이상
			보조기억장치	용량: 1기가바이트 이상
			모니터	칼라, 15인치 이상
		라우터		6시리얼포트 이상
		스위칭허브		16이더넷포트 이상
		디에스유, 씨에스유		초당 56킬로바이트 이상
		스캐너		A4사이즈, 칼라 600, 인치당 2400도트 이상
		플로터		A4사이즈, 칼라 300, 인치당 600도트 이상
		빔프로젝트		밝기 400룩스 이상 컴퓨터 데이터 접속 가능
		액정프로젝트		밝기 400룩스 이상 컴퓨터 데이터 접속 가능
		무정전 전원장치		5킬로볼트암페어 이상

3 소방용수시설 A

제10조【소방용수시설의 설치 및 관리 등】 ① 시·도지사는 소방활동에 필요한 소화전·급수탑·저수조(이하 소방용수시설이라 한다)를 설치하고 유지·관리하여야 한다. 다만, 「수도법」 제45조에 따라 소화전을 설치하는 일반수도사업자는 관할 소방서장과 사전협의를 거친 후 소화전을 설치하여야 하며, 설치 사실을 관할 소방서장에게 통지하고, 그 소화전을 유지·관리하여야 한다.

② 시·도지사는 제21조 제1항에 따른 소방자동차의 진입이 곤란한 지역 등 화재발생 시에 초기 대응이 필요한 지역으로서 대통령령으로 정하는 지역에 소방호스 또는 호스 릴 등을 소방용수시설에 연결하여 화재를 진압하는 시설이나 장치(이하 "비상소화장치"라 한다)를 설치하고 유지·관리할 수 있다.

③ 제1항에 따른 소방용수시설과 제2항에 따른 비상소화장치의 설치기준은 행정안전부령으로 정한다.

(1) 소방용수시설

① 설치권자: 시·도지사

② 소방용수시설: 소방활동에 필요한 소화전·저수조·급수탑

③ 「수도법」에 따라 일반수도업자가 설치하는 소화전의 설치 및 유지·관리: 소화전을 설치하는 일반수도업자는 관할 소방서장과 사전협의를 거친 후 소화전을 설치하여야 하며, 설치 후 소방서장에게 통지하고 그 소화전을 유지·관리하여야 한다.

(2) 비상소화장치

① 설치권자: 시·도지사

② 비상소화장치: 소방자동차의 진입이 곤란한 지역 등 화재발생 시에 초기 대응이 필요한 지역으로서 대통령령으로 정하는 지역에 소방호스 또는 호스 릴 등을 소방용수시설에 연결하여 화재를 진압하는 시설이나 장치를 말한다.

③ 대통령령으로 정하는 지역(영 제2조의2)

ㄱ 화재예방강화지구로 지정된 지역

ㄴ 시·도지사가 비상소화장치의 설치가 필요하다고 인정하는 지역

(3) 위임규정

소방용수시설과 비상소화장치의 설치기준은 행정안전부령으로 정한다.

(4) 소방용수표지의 설치(규칙 제6조 제1항 [별표 2])

① 지하에 설치하는 소화전·저수조

ㄱ 맨홀뚜껑은 지름 648밀리미터 이상

ㄴ 맨홀뚜껑에는 소화전·주차금지 또는 저수조·주차금지

ㄷ 맨홀뚜껑 부근에는 노란색 반사도료를 칠할 것(폭 15센티미터)

01 「소방기본법」 및 같은 법 시행규칙상 소방용수시설 설치 기준 등에 대한 설명으로 옳지 않은 것은? 19. 공채(4월)

① 시·도지사는 소방활동에 필요한 소방용수시설을 설치하고 유지·관리하여야 하고, 「수도법」 제45조에 따라 소화전을 설치하는 일반수도사업자는 관할 소방서장과 사전협의를 거친 후 소화전을 설치하여야 하며, 설치 사실을 관할 소방서장에게 통지하고, 그 소화전은 소방서장이 유지·관리하여야 한다.

② 정당한 사유 없이 소방용수시설 또는 비상소화장치를 사용하거나 소방용수시설 또는 비상소화장치의 효용을 해치거나 그 정당한 사용을 방해한 사람에 대해서는 5년 이하의 징역 또는 5천만원 이하의 벌금에 처한다.

③ 소방본부장 또는 소방서장은 원활한 소방활동을 위하여 소방용수시설에 대한 조사, 소방대상물에 인접한 도로의 폭·교통상황, 도로주변의 토지의 고저·건축물의 개황 그 밖의 소방활동에 필요한 지리에 대한 조사를 월 1회 이상 실시하여야 하며, 조사 결과는 2년간 보관하여야 한다.

④ 소화전은 상수도와 연결하여 지하식 또는 지상식의 구조로 하고 소방용 호스와 연결하는 소화전의 연결금속구의 구경은 65밀리미터로 하여야 하며, 급수탑은 급수배관의 구경을 100밀리미터 이상으로 하고 개폐밸브는 지상에서 1.5미터 이상 1.7미터 이하의 높이에 설치할 수 있다.

정답 ①, ④ (복수 정답)

02 「소방기본법 시행규칙」상 지하에 설치하는 소화전 또는 저수조의 경우 소방용수표지는 다음 기준에 따라 설치하여야 한다. ( ) 안에 들어갈 내용으로 옳은 것은? 23. 공채·경채

· 맨홀 뚜껑은 지름 (ㄱ)밀리미터 이상의 것으로 할 것. 다만, 승하강식 소화전의 경우에는 이를 적용하지 않는다.
· 맨홀 뚜껑 부근에는 (ㄴ) 반사도료로 폭 (ㄷ)센티미터의 선을 그 둘레를 따라 칠할 것

	ㄱ	ㄴ	ㄷ
①	648	노란색	15
②	678	붉은색	15
③	648	붉은색	25
④	678	노란색	25

정답 ①

② 지상에 설치하는 소화전 · 저수조 · 급수탑

    ㉠ 규격

    ㉡ 안쪽 문자는 흰색, 바깥쪽 문자는 노란색으로, 안쪽 바탕은 붉은색, 바깥쪽 바탕은 파란색으로 하고, 반사재료를 사용해야 한다.

    ㉢ ㉠의 규격에 따른 소방용수표지를 세우는 것이 매우 어렵거나 부적당한 경우에는 그 규격 등을 다르게 할 수 있다.

(5) 소방용수시설의 설치기준(규칙 제6조 제2항 [별표 3])

① 공통기준

    ㉠ 주거 · 상업지역 및 공업지역: 소방대상물과 수평거리 100미터 이하

    ㉡ 그 외의 지역: 소방대상물과 수평거리 140미터 이하

② 개별기준

소화전	급수탑	저수조
연결금속구 구경: 65밀리미터	· 급수배관 구경: 100밀리미터 이상 · 개폐밸브: 1.5 ~ 1.7미터	· 낙차: 4.5미터 이하 · 수심: 0.5미터 이상 · 흡수관 투입구의 길이 · 지름: 60센티미터 이상

(6) 소방용수시설 및 지리조사(규칙 제7조)

① 소방본부장 또는 소방서장은 원활한 소방활동을 위하여 다음의 조사를 월 1회 이상 실시하여야 한다.

    ㉠ 소방용수시설에 대한 조사

    ㉡ 소방대상물에 인접한 도로의 폭 · 교통상황, 도로주변의 토지의 고저 · 건축물의 개황 그 밖의 소방활동에 필요한 지리에 대한 조사

② 조사결과는 전자적 처리가 불가능한 특별한 사유가 없으면 전자적 처리가 가능한 방법으로 작성 · 관리하여야 한다.

③ 조사결과는 2년간 보관하여야 한다.

(7) 설치기준(제10조 제3항)
① 소방용수시설과 비상소화장치의 설치기준은 행정안전부령으로 정한다.
② 비상소화장치의 설치기준(규칙 제6조)
- ㉠ 비상소화장치: 비상소화장치함, 소화전, 소방호스, 관창을 포함하여 구성할 것
- ㉡ 소방호스 및 관창: 「소방시설 설치 및 관리에 관한 법률」에 따라 소방청장이 정하여 고시하는 형식승인 및 제품검사의 기술기준에 적합한 것으로 설치할 것
- ㉢ 비상소화장치함: 「소방시설 설치 및 관리에 관한 법률」에 따라 소방청장이 정하여 고시하는 성능인증 및 제품검사의 기술기준에 적합한 것으로 설치할 것

관계법규 소방용수시설의 설치

시행규칙 [별표 2]	시행규칙 [별표 3]
[별표 2] 소방용수표지 1. 지하에 설치하는 소화전 또는 저수조의 경우 소방용수표지는 다음 각 목의 기준에 의한다. 　가. 맨홀뚜껑은 【 ① 】 이상의 것으로 할 것. 다만, 승하강식 소화전의 경우에는 이를 적용하지 아니한다. 　나. 맨홀뚜껑에는 "소화전·주차금지" 또는 "저수조·주차금지"의 표시를 할 것 　다. 맨홀뚜껑 부근에는 노란색 반사도료로 폭 15센티미터의 선을 그 둘레를 따라 칠할 것 2. 지상에 설치하는 소화전, 저수조 및 급수탑의 경우 소방용수표지는 다음 각 목의 기준에 따라 설치한다. 　가. 규격 　나. 안쪽 문자는 【 ② 】, 바깥쪽 문자는 노란색으로, 안쪽 바탕은 【 ③ 】, 바깥쪽 바탕은 【 ④ 】으로 하고, 반사재료를 사용해야 한다. 　다. 가목의 규격에 따른 소방용수표지를 세우는 것이 매우 어렵거나 부적당한 경우에는 그 규격 등을 다르게 할 수 있다.	**[별표 3] 소방용수시설의 설치기준** 1. 공통기준 　가. 국토의 계획 및 이용에 관한 법률 제36조 제1항 제1호의 규정에 의한 주거지역·상업지역 및 공업지역에 설치하는 경우: 소방대상물과의 수평거리를 100미터 이하가 되도록 할 것 　나. 가목 외의 지역에 설치하는 경우: 소방대상물과의 수평거리를 140미터 이하가 되도록 할 것 2. 소방용수시설별 설치기준 　가. 소화전의 설치기준: 상수도와 연결하여 지하식 또는 지상식의 구조로 하고, 소방용호스와 연결하는 소화전의 연결금속구의 구경은 65밀리미터로 할 것 　나. 급수탑의 설치기준: 급수배관의 구경은 100밀리미터 이상으로 하고, 개폐밸브는 지상에서 1.5미터 이상 1.7미터 이하의 위치에 설치하도록 할 것 　다. 저수조의 설치기준 　　(1) 지면으로부터의 낙차가 4.5미터 이하일 것 　　(2) 흡수부분의 수심이 0.5미터 이상일 것 　　(3) 소방펌프자동차가 쉽게 접근할 수 있도록 할 것 　　(4) 흡수에 지장이 없도록 토사 및 쓰레기 등을 제거할 수 있는 설비를 갖출 것 　　(5) 흡수관의 투입구가 사각형의 경우에는 한 변의 길이가 60센티미터 이상, 원형의 경우에는 지름이 60센티미터 이상일 것 　　(6) 저수조에 물을 공급하는 방법은 【 ① 】에 연결하여 【 ② 】으로 급수되는 구조일 것
① 지름 648밀리미터 ② 흰색 ③ 붉은색 ④ 파란색	① 상수도 ② 자동

시행령	시행규칙
제2조의2【비상소화장치의 설치대상 지역】 법 제10조 제2항에서 "대통령령으로 정하는 지역"이란 다음 각 호의 어느 하나에 해당하는 지역을 말한다. 1. 「화재의 예방 및 안전관리에 관한 법률」 제18조 제1항에 따라 지정된 화재예방강화지구(화재경계지구) 2.【 ① 】가 법 제10조 제2항에 따른 비상소화장치의 설치가 필요하다고 인정하는 지역	**제6조【소방용수시설의 설치기준】** ① 특별시장·광역시장·특별자치시장·도지사 또는 특별자치도지사(이하 "시·도지사"라 한다)는 법 제10조 제1항의 규정에 의하여 설치된 소방용수시설에 대하여 별표 2의 소방용수표지를 보기 쉬운 곳에 설치하여야 한다. ② 법 제10조 제1항에 따른 소방용수시설의 설치기준은 별표 3과 같다. ③ 법 제10조 제2항에 따른 비상소화장치의 설치기준은 다음 각 호와 같다. 1. 비상소화장치는 비상소화장치함, 소화전, 소방호스(소화전의 방수구에 연결하여 소화용수를 방수하기 위한 도관으로서 호스와 연결금속구로 구성되어 있는 소방용릴호스 또는 소방용고무내장호스를 말한다), 관창(소방호스용 연결금속구 또는 중간연결금속구 등의 끝에 연결하여 소화용수를 방수하기 위한 나사식 또는 차입식 토출기구를 말한다)을 포함하여 구성할 것 2. 소방호스 및 관창은 「소방시설 설치 및 관리에 관한 법률」 제36조 제5항에 따라 소방청장이 정하여 고시하는【 ① 】및 제품검사의 기술기준에 적합한 것으로 설치할 것 3. 비상소화장치함은 「소방시설 유지 및 관리에 관한 법률」 제39조 제4항에 따라 소방청장이 정하여 고시하는【 ② 】및 제품검사의 기술기준에 적합한 것으로 설치할 것 ④ 제3항에서 규정한 사항 외에 비상소화장치의 설치기준에 관한 세부 사항은 소방청장이 정한다.
	제7조【소방용수시설 및 지리조사】 ① 소방본부장 또는 소방서장은 원활한 소방활동을 위하여 다음 각 호의 조사를【 ③ 】실시하여야 한다. 1. 법 제10조의 규정에 의하여 설치된【 ④ 】에 대한 조사 2. 소방대상물에 인접한 도로의 폭·【 ⑤ 】, 도로주변의 토지의 고저·건축물의 개황 그 밖의 소방활동에 필요한 지리에 대한 조사 ② 제1항의 조사결과는 전자적 처리가 불가능한 특별한 사유가 없으면 전자적 처리가 가능한 방법으로 작성·관리하여야 한다. ③ 제1항 제1호의 조사는 별지 제2호 서식에 의하고, 제1항 제2호의 조사는 별지 제3호 서식에 의하되, 그 조사결과를【 ⑥ 】보관하여야 한다.
① 시·도지사	① 형식승인 ② 성능인증 ③ 월 1회 이상 ④ 소방용수시설 ⑤ 교통상황 ⑥ 2년간

제11조【소방업무의 응원】① 소방본부장이나 소방서장은 소방활동을 할 때에 긴급한 경우에는 이웃한 소방본부장 또는 소방서장에게 소방업무의 응원(應援)을 요청할 수 있다.

② 제1항에 따라 소방업무의 응원 요청을 받은 소방본부장 또는 소방서장은 정당한 사유 없이 그 요청을 거절하여서는 아니 된다.

③ 제1항에 따라 소방업무의 응원을 위하여 파견된 소방대원은 응원을 요청한 소방본부장 또는 소방서장의 지휘에 따라야 한다.

④ 시·도지사는 제1항에 따라 소방업무의 응원을 요청하는 경우를 대비하여 출동 대상지역 및 규모와 필요한 경비의 부담 등에 관하여 필요한 사항을 행정안전부령으로 정하는 바에 따라 이웃하는 시·도지사와 협의하여 미리 규약(規約)으로 정하여야 한다.

(1) 소방업무의 응원

① **응원 요청**: 소방본부장이나 소방서장은 소방활동을 할 때에 긴급한 경우에는 이웃한 소방본부장 또는 소방서장에게 소방업무의 응원(應援)을 요청할 수 있다.

② **거절제한**: 소방업무의 응원 요청을 받은 소방본부장 또는 소방서장은 정당한 사유 없이 그 요청을 거절하여서는 아니 된다.

③ **지휘권**: 소방업무의 응원을 위하여 파견된 소방대원은 응원을 요청한 소방본부장 또는 소방서장의 지휘에 따라야 한다.

④ **소방업무의 상호응원협정 체결**: 시·도지사는 소방업무의 응원을 요청하는 경우를 대비하여 출동 대상지역 및 규모와 필요한 경비의 부담 등에 관하여 필요한 사항을 행정안전부령으로 정하는 바에 따라 이웃하는 시·도지사와 협의하여 미리 규약(規約)으로 정하여야 한다.

(2) 소방업무의 상호응원협정(규칙 제8조)

시·도지사는 이웃하는 다른 시·도지사와 소방업무에 관하여 상호응원협정을 체결하는 경우 다음의 사항이 포함되어야 한다.

① 소방활동에 관한 사항
  ㉠ 화재의 경계·진압활동
  ㉡ 구조·구급업무의 지원
  ㉢ 화재조사활동
② 응원출동대상지역 및 규모
③ 소요경비의 부담에 관한 사항
  ㉠ 출동대원의 수당·식사 및 의복의 수선
  ㉡ 소방장비 및 기구의 정비와 연료의 보급
  ㉢ 그 밖의 경비
④ 응원출동의 요청방법
⑤ 응원출동훈련 및 평가

✏ **핵심기출**

「소방기본법 시행규칙」상 소방업무의 상호응원협정에 관한 내용이다. 시·도지사간 협의하여 미리 규약으로 정하여야 할 소방활동에 해당되지 않는 것은?   14. 중앙통합

① 소방장비 및 기구의 정비와 연료의 보급
② 화재조사활동
③ 화재의 경계·진압활동
④ 구조·구급업무의 지원

정답 ①

전국 소방력 동원 및 운영 관리에 관한 규정(참고)	시행규칙

「소방청훈령」 제1조【목적】 이 규정은 「소방기본법 시행령」 제2조의3, 「소방기본법 시행규칙」 제8조의2에서 소방청장에게 위임한 전국 소방력 동원 등에 관하여 필요한 사항을 규정함을 목적으로 한다.

제7조【동원령 기준】 ① 동원령은 재난 규모 및 상황에 따라 동원령 1·2·3호로 구분하며 세부기준은 제5조 전국 소방력 동원계획에 따른다.

② 소방청장은 신속하고 효율적인 소방력 동원을 위하여 재난지역과 가까운 시·도와 먼 시·도의 동원기준을 달리 정할 수 있고, 재난현장 상황을 고려하여 동원기준을 가감할 수 있다.

③ 소방청장은 시·도에서 보유하고 있는 특수차량이 1대인 경우 인력과 장비 공백방지를 위하여 특수차량의 동원을 제외할 수 있다. 다만, 소방청장이 재난현장에 필요하다고 판단되는 경우에는 동원할 수 있다.

④ 소방청장은 재난유형에 따라 적합한 소방차량·장비 및 구조대원을 우선 동원할 수 있다.

⑤ 다수사상자 발생 시 소방청 중앙119구급상황관리센터장은 재난규모 및 유형 등을 고려하여 동원규모를 가감할 수 있다.

⑥ 동원령이 발령된 경우 지원 시·도 소방본부장은 별지 제2호서식에 따라 동원소방력 현황을 소방청장 및 해당 시·도 소방본부장에게 신속히 제출하여야 한다.

제8조【동원대상】 ① 동원대상은 소방공무원 또는 소방장비로 구분한다.

② 소방장비는 장비운용인력을 포함하여야 하며, 운용인력은 다음 각 호와 같다.

1. 펌프차·구급차: 3명

2. 탱크차·사다리차·굴절차 등 특수차량: 2명

3. 제1호, 제2호를 제외한 그 외 차량 및 장비: 2명

제9조【전문인력 동원】 ① 소방청장은 재난상황에 필요한 전문인력을 동원할 수 있다.

② 전문인력이라 함은 다음 각 호의 어느 하나에 해당하는 자를 말한다.

1. 수심 40미터보다 깊은 곳에서 구조작업이 가능한 자

2. 드론운용 자격자

3. 건축 및 화학·생물·방사능 자격증을 보유한 자

4. 간호사 또는 응급구조사 자격증을 보유한 자

5. 전문경력관으로 소방기관에 근무하는 자

6. 소방청장이 재난현장에 필요하다고 인정하는 자

제8조【소방업무의 상호응원협정】 법 제11조 제4항의 규정에 의하여 【 ① 】는 이웃하는 다른 시·도지사와 소방업무에 관하여 상호응원협정을 체결하고자 하는 때에는 다음 각 호의 사항이 포함되도록 하여야 한다.

1. 다음 각 목의 소방활동에 관한 사항
   가. 화재의 경계·진압활동
   나. 구조·구급업무의 지원
   다. 【 ② 】

2. 응원출동대상지역 및 규모

3. 다음 각 복의 소요경비의 부담에 관한 사항
   가. 출동대원의 수당·식사 및 【 ③ 】
   나. 소방장비 및 기구의 정비와 연료의 보급
   다. 그 밖의 경비

4. 응원출동의 요청방법

5. 응원출동훈련 및 평가

① 시·도지사 ② 화재조사활동 ③ 의복의 수선

제11조의2 【소방력의 동원】 ① 소방청장은 해당 시·도의 소방력만으로는 소방활동을 효율적으로 수행하기 어려운 화재, 재난·재해, 그 밖의 구조·구급이 필요한 상황이 발생하거나 특별히 국가적 차원에서 소방활동을 수행할 필요가 인정될 때에는 각 시·도지사에게 행정안전부령으로 정하는 바에 따라 소방력을 동원할 것을 요청할 수 있다.
② 제1항에 따라 동원 요청을 받은 시·도지사는 정당한 사유 없이 요청을 거절하여서는 아니 된다.
③ 소방청장은 시·도지사에게 제1항에 따라 동원된 소방력을 화재, 재난·재해 등이 발생한 지역에 지원·파견하여 줄 것을 요청하거나 필요한 경우 직접 소방대를 편성하여 화재진압 및 인명구조 등 소방에 필요한 활동을 하게 할 수 있다.
④ 제1항에 따라 동원된 소방대원이 다른 시·도에 파견·지원되어 소방활동을 수행할 때에는 특별한 사정이 없으면 화재, 재난·재해 등이 발생한 지역을 관할하는 소방본부장 또는 소방서장의 지휘에 따라야 한다. 다만, 소방청장이 직접 소방대를 편성하여 소방활동을 하게 하는 경우에는 소방청장의 지휘에 따라야 한다.
⑤ 제3항 및 제4항에 따른 소방활동을 수행하는 과정에서 발생하는 경비 부담에 관한 사항, 제3항 및 제4항에 따라 소방활동을 수행한 민간 소방 인력이 사망하거나 부상을 입었을 경우의 보상주체·보상기준 등에 관한 사항, 그 밖에 동원된 소방력의 운용과 관련하여 필요한 사항은 대통령령으로 정한다.

(1) 소방력의 동원

① **동원 요청:** 소방청장은 해당 시·도의 소방력만으로는 소방활동을 효율적으로 수행하기 어려운 화재, 재난·재해, 그 밖의 구조·구급이 필요한 상황이 발생하거나 특별히 국가적 차원에서 소방활동을 수행할 필요가 인정될 때에는 각 시·도지사에게 행정안전부령으로 정하는 바에 따라 소방력을 동원할 것을 요청할 수 있다.

② **거절제한:** 동원 요청을 받은 시·도지사는 정당한 사유 없이 요청을 거절하여서는 아니 된다.

③ **지원·파견 요청 등:** 소방청장은 시·도지사에게 동원된 소방력을 화재, 재난·재해 등이 발생한 지역에 지원·파견하여 줄 것을 요청하거나 필요한 경우 직접 소방대를 편성하여 화재진압 및 인명구조 등 소방에 필요한 활동을 하게 할 수 있다.

④ **지휘권:** 동원된 소방대원이 다른 시·도에 파견·지원되어 소방활동을 수행할 때에는 특별한 사정이 없으면 화재, 재난·재해 등이 발생한 지역을 관할하는 소방본부장 또는 소방서장의 지휘에 따라야 한다. 다만, 소방청장이 직접 소방대를 편성하여 소방활동을 하게 하는 경우에는 소방청장의 지휘에 따라야 한다.

✏️ **핵심기출**

「소방기본법」상 소방력의 동원에 대한 설명이다. ( ) 안에 들어갈 용어로 옳은 것은?
20. 경채(6월)

(가)은/는 해당 시·도의 소방력만으로는 소방활동을 효율적으로 수행하기 어려운 화재, 재난·재해, 그 밖의 구조·구급이 필요한 상황이 발생하거나 특별히 국가적 차원에서 소방활동을 수행할 필요가 인정될 때에는 각 (나)에게 행정안전부령으로 정하는 바에 따라 소방력을 동원할 것을 요청할 수 있다.

	가	나
①	소방청장	시·도지사
②	소방청장	소방본부장
③	시·도지사	시·도지사
④	시·도지사	소방본부장

정답 ①

⑤ **위임규정: 대통령령**
  ㉠ 소방활동을 수행하는 과정에서 발생하는 경비 부담에 관한 사항
  ㉡ 소방활동을 수행한 민간 소방 인력이 사망하거나 부상을 입었을 경우의 보상주체 · 보상기준 등에 관한 사항
  ㉢ 그 밖에 동원된 소방력의 운용과 관련하여 필요한 사항

(2) 동원된 소방력의 발생경비 등(영 제2조의3)
  ① 동원된 소방력의 소방활동 중 수행과정에서 발생하는 경비는 발생한 시 · 도에서 부담하는 것을 원칙으로 하되, 구체적인 내용은 시 · 도가 협의하여 정한다.
  ② 동원된 민간 소방 인력이 소방활동을 수행하다가 사망하거나 부상을 입은 경우 화재, 재난 · 재해 또는 그 밖의 구조 · 구급이 필요한 상황이 발생한 시 · 도가 해당 시 · 도의 조례로 정하는 바에 따라 보상한다.
  ③ 동원된 소방력의 운용과 관련하여 필요한 사항은 소방청장이 정한다(소방공무원 근무규칙).

(3) 소방력의 동원 요청(규칙 제8조의2)
  ① 소방청장은 각 시 · 도지사에게 소방력을 요청하는 경우 동원 요청 사실과 다음의 사항을 팩스 또는 전화 등의 방법으로 통지하여야 한다.
  ㉠ 동원을 요청하는 인력 및 장비의 규모
  ㉡ 소방력 이송 수단 및 집결장소
  ㉢ 소방활동을 수행하게 될 재난의 규모, 원인 등 소방활동에 필요한 정보
  ② 긴급을 요하는 경우에는 소방청장은 시 · 도 소방본부 또는 소방서의 종합상황실장에게 직접 요청할 수 있다.

👆 **관계법규 소방력의 동원**

시행령	시행규칙
제2조의3 【소방력의 동원】 ① 법 제11조의2 제3항 및 제4항에 따라 동원된 소방력의 소방활동 수행 과정에서 발생하는 경비는 화재, 재난 · 재해 또는 그 밖의 구조 · 구급이 필요한 상황이 발생한 특별시 · 광역시 · 도 또는 특별자치도(이하 "시 · 도"라 한다)에서 부담하는 것을 원칙으로 하되, 구체적인 내용은 해당 시 · 도가 서로 협의하여 정한다. ② 법 제11조의2 제3항 및 제4항에 따라 동원된 민간 소방 인력이 소방활동을 수행하다가 사망하거나 부상을 입은 경우 화재, 재난 · 재해 또는 그 밖의 구조 · 구급이 필요한 상황이 발생한 시 · 도가 해당 【 ① 】로 정하는 바에 따라 보상한다. ③ 제1항 및 제2항에서 규정한 사항 외에 법 제11조의2에 따라 동원된 소방력의 운용과 관련하여 필요한 사항은 【 ② 】이 정한다.	**제8조의2 【소방력의 동원 요청】** ① 소방청장은 법 제11조의2 제1항에 따라 각 시 · 도지사에게 소방력 동원을 요청하는 경우 동원 요청 사실과 다음 각 호의 사항을 팩스 또는 전화 등의 방법으로 통지하여야 한다. 다만, 긴급을 요하는 경우에는 시 · 도 소방본부 또는 소방서의 【 ① 】에게 직접 요청할 수 있다. 1. 동원을 요청하는 인력 및 장비의 규모 2. 【 ② 】 및 집결장소 3. 소방활동을 수행하게 될 재난의 규모, 원인 등 소방활동에 필요한 정보 ② 제1항에서 규정한 사항 외에 그 밖의 시 · 도 소방력 동원에 필요한 사항은 소방청장이 정한다.
① 시 · 도의 조례 ② 소방청장	① 종합상황실장 ② 소방력 이송 수단

제3장 소방활동 등

1 소방활동   B

제16조 【소방활동】 ① 소방청장, 소방본부장 또는 소방서장은 화재, 재난·재해, 그 밖의 위급한 상황이 발생하였을 때에는 소방대를 현장에 신속하게 출동시켜 화재진압과 인명구조·구급 등 소방에 필요한 활동(이하 이 조에서 "소방활동"이라 한다)을 하게 하여야 한다.

② 누구든지 정당한 사유 없이 제1항에 따라 출동한 소방대의 소방활동을 방해하여서는 아니 된다.

제50조 【벌칙】 다음 각 호의 어느 하나에 해당하는 사람은 5년 이하의 징역 또는 5천만원 이하의 벌금에 처한다.

1. 제16조 제2항을 위반하여 다음 각 목의 어느 하나에 해당하는 행위를 한 사람

    가. 위력(威力)을 사용하여 출동한 소방대의 화재진압·인명구조 또는 구급활동을 방해하는 행위

    나. 소방대가 화재진압·인명구조 또는 구급활동을 위하여 현장에 출동하거나 현장에 출입하는 것을 고의로 방해하는 행위

    다. 출동한 소방대원에게 폭행 또는 협박을 행사하여 화재진압·인명구조 또는 구급활동을 방해하는 행위

    라. 출동한 소방대의 소방장비를 파손하거나 그 효용을 해하여 화재진압·인명구조 또는 구급활동을 방해하는 행위

(1) 소방활동

① 소방청장, 소방본부장 또는 소방서장은 화재, 재난·재해 그 밖의 위급한 상황이 발생하였을 때에는 소방대를 현장에 신속하게 출동시켜 화재진압과 인명구조·구급 등 소방에 필요한 활동을 하게 하여야 한다.

② 출동한 소방대의 소방활동을 방해하여서는 아니 된다.

(2) 벌칙 – 5년 이하의 징역 또는 5천만원 이하의 벌금(제50조)

제16조 제2항을 위반하여 다음 어느 하나에 해당하는 행위를 한 사람

① 위력(威力)을 사용하여 출동한 소방대의 화재진압·인명구조 또는 구급활동을 방해하는 행위

② 소방대가 화재진압·인명구조 또는 구급활동을 위하여 현장에 출동하거나 현장에 출입하는 것을 고의로 방해하는 행위

③ 출동한 소방대원에게 폭행 또는 협박을 행사하여 화재진압·인명구조 또는 구급활동을 방해하는 행위

④ 출동한 소방대의 소방장비를 파손하거나 그 효용을 해하여 화재진압·인명구조 또는 구급활동을 방해하는 행위

제16조의2【소방지원활동】① 소방청장·소방본부장 또는 소방서장은 공공의 안녕질서 유지 또는 복리증진을 위하여 필요한 경우 소방활동 외에 다음 각 호의 활동(이하 "소방지원활동"이라 한다)을 하게 할 수 있다.

1. 산불에 대한 예방·진압 등 지원활동
2. 자연재해에 따른 급수·배수 및 제설 등 지원활동
3. 집회·공연 등 각종 행사 시 사고에 대비한 근접대기 등 지원활동
4. 화재, 재난·재해로 인한 피해복구 지원활동
5. 삭제
6. 그 밖에 행정안전부령으로 정하는 활동

② 소방지원활동은 제16조의 소방활동 수행에 지장을 주지 아니하는 범위에서 할 수 있다.

③ 유관기관·단체 등의 요청에 따른 소방지원활동에 드는 비용은 지원요청을 한 유관기관·단체 등에게 부담하게 할 수 있다. 다만, 부담금액 및 부담방법에 관하여는 지원요청을 한 유관기관·단체 등과 협의하여 결정한다.

(1) 소방청장, 소방본부장 또는 소방서장은 공공의 안녕질서 유지 또는 복리증진을 위하여 필요한 경우 소방활동 외에 소방지원활동을 하게 할 수 있다.

① 산불에 대한 예방·진압 등 지원활동
② 자연재해에 따른 급수·배수 및 제설 등 지원활동
③ 집회·공연 등 각종 행사 시 사고에 대비한 근접대기 등 지원활동
④ 화재, 재난·재해로 인한 피해복구 지원활동
⑤ 그 밖에 행정안전부령으로 정하는 활동

(2) 소방지원활동은 소방활동 수행에 지장을 주지 아니하는 범위에서 할 수 있다.

(3) 비용부담

유관기관·단체 등의 요청에 따른 소방지원활동에 드는 비용은 지원요청을 한 유관기관·단체 등에게 부담하게 할 수 있다. 단, 부담금액 및 방법에 관하여는 지원요청을 한 유관기관·단체 등과 협의하여 결정한다.

정희's 톡talk

(1)의 ⑤ 행정안전부령으로 정하는 활동(시행규칙 제8조의4)

1. 군·경찰 등 유관기관에서 실시하는 훈련 지원 활동
2. 소방시설 오작동 신고에 따른 조치활동
3. 방송제작 또는 촬영 관련 지원활동

관계법규 소방지원활동

시행규칙

제8조의5【소방지원활동 등의 기록관리】① 소방대원은 법 제16조의2 제1항에 따른 소방지원활동 및 법 제16조의3 제1항에 따른 생활안전활동(이하 "소방지원활동등"이라 한다)을 한 경우 별지 제3호의2 서식의 소방지원활동등 기록지에 해당 활동상황을 상세히 기록하고, 소속 소방관서에 3년간 보관해야 한다.

② 소방본부장은 소방지원활동등의 상황을 종합하여 연 2회 소방청장에게 보고해야 한다.

제16조의3 【생활안전활동】 ① 소방청장·소방본부장 또는 소방서장은 신고가 접수된 생활안전 및 위험제거 활동(화재, 재난·재해, 그 밖의 위급한 상황에 해당하는 것은 제외한다)에 대응하기 위하여 소방대를 출동시켜 다음 각 호의 활동(이하 "생활안전활동"이라 한다)을 하게 하여야 한다.

1. 붕괴, 낙하 등이 우려되는 고드름, 나무, 위험 구조물 등의 제거 활동
2. 위해동물, 벌 등의 포획 및 퇴치 활동
3. 끼임, 고립 등에 따른 위험제거 및 구출 활동
4. 단전사고 시 비상전원 또는 조명의 공급
5. 그 밖에 방치하면 급박해질 우려가 있는 위험을 예방하기 위한 활동

② 누구든지 정당한 사유 없이 제1항에 따라 출동하는 소방대의 생활안전활동을 방해하여서는 아니 된다.

(1) 소방청장, 소방본부장 또는 소방서장은 신고가 접수된 생활안전 및 위험제거 활동에 대응하기 위하여 소방대를 출동시켜 생활안전활동을 하게 하여야 한다.

① 붕괴, 낙하 등이 우려되는 고드름, 나무, 위험 구조물 등의 제거 활동
② 위해동물, 벌 등의 포획 및 퇴치 활동
③ 끼임, 고립 등에 따른 위험제거 및 구출 활동
④ 단전사고 시 비상전원 또는 조명의 공급
⑤ 그 밖에 방치하면 급박해질 우려가 있는 위험을 예방하기 위한 활동

(2) 벌칙 – 100만원 이하 벌금(제54조)
제16조의3 제2항을 위반하여 정당한 사유 없이 소방대의 생활안전활동을 방해한 자

제16조의4 【소방자동차의 보험 가입 등】 ① 시·도지사는 소방자동차의 공무상 운행 중 교통사고가 발생한 경우 그 운전자의 법률상 분쟁에 소요되는 비용을 지원할 수 있는 보험에 가입하여야 한다.

② 국가는 제1항에 따른 보험 가입비용의 일부를 지원할 수 있다.

(1) 소방자동차의 보험 가입 의무
① 가입 의무자: 시·도지사
② 목적: 소방자동차의 공무상 운행 중 교통사고가 발생한 경우, 운전자의 법률상 분쟁에 소요되는 비용 지원

(2) 보험 가입비용의 지원
국가는 보험 가입비용의 일부를 지원할 수 있다.

✍ **핵심기출**

01 「소방기본법」상 규정하는 소방지원활동과 생활안전활동을 옳게 연결한 것은?
18. 경채(10월)

가. 산불에 대한 예방·진압 등 지원활동
나. 자연재해에 따른 급수·배수 및 제설 등 지원활동
다. 집회·공연 등 각종 행사 시 사고에 대비한 근접대기 등 지원활동
라. 화재, 재난·재해로 인한 피해복구 지원활동
마. 붕괴, 낙하 등이 우려되는 고드름, 나무, 위험 구조물 등의 제거활동
바. 위해동물, 벌 등의 포획 및 퇴치 활동
사. 끼임, 고립 등에 따른 위험제거 및 구출 활동
아. 단전사고 시 비상전원 또는 조명의 공급

	소방지원활동	생활안전활동
①	가-나-다-라	마-바-사-아
②	가-라-마-사	나-다-바-아
③	마-바-사-아	가-나-다-라
④	나-다-바-아	가-라-마-사

정답 ①

02 「소방기본법」상 소방대의 생활안전활동으로 옳지 않은 것은?
20. 공채(6월)
① 단전사고 시 비상전원 또는 조명 공급
② 소방시설 오작동 신고에 따른 조치활동
③ 위해동물, 벌 등의 포획 및 퇴치 활동
④ 끼임, 고립 등에 따른 위험제거 및 구출 활동

정답 ②

03 「소방기본법」 및 같은 법 시행규칙상 소방지원활동으로 옳지 않은 것은?
24. 공채·경채
① 소방시설 오작동 신고에 따른 조치활동
② 낙하 등이 우려되는 고드름 등의 제거활동
③ 자연재해에 따른 제설 등 지원활동
④ 공연 등 각종 행사 시 사고에 대비한 근접대기 등 지원활동

정답 ②

제16조의5【소방활동에 대한 면책】 소방공무원이 제16조 제1항에 따른 소방활동으로 인하여 타인을 사상(死傷)에 이르게 한 경우 그 소방활동이 불가피하고 소방공무원에게 고의 또는 중대한 과실이 없는 때에는 그 정상을 참작하여 사상에 대한 형사책임을 감경하거나 면제할 수 있다.

소방공무원이 ① 소방활동으로 인하여 타인을 사상에 이르게 한 경우, ② 소방활동이 불가피하고 고의 또는 중대한 과실이 없는 때, ③ 정상을 참작하여 사상에 대한 형사책임을 감경하거나 면제할 수 있다.

제16조의6【소송지원】 소방청장, 소방본부장 또는 소방서장은 소방공무원이 제16조 제1항에 따른 소방활동, 제16조의2 제1항에 따른 소방지원활동, 제16조의3 제1항에 따른 생활안전활동으로 인하여 민·형사상 책임과 관련된 소송을 수행할 경우 변호인 선임 등 소송수행에 필요한 지원을 할 수 있다.

(1) 소송지원자

소방청장, 소방본부장 또는 소방서장

(2) 소송의 원인

소방활동, 소방지원활동, 생활안전활동으로 인한 민·형사상 책임과 관련된 소송

(3) 지원·내용

변호인 선임 등 소송수행에 필요한 지원을 할 수 있다.

제17조【소방교육·훈련】① 소방청장, 소방본부장 또는 소방서장은 소방업무를 전문적이고 효과적으로 수행하기 위하여 소방대원에게 필요한 교육·훈련을 실시하여야 한다.

② 소방청장, 소방본부장 또는 소방서장은 화재를 예방하고 화재 발생 시 인명과 재산피해를 최소화하기 위하여 다음 각 호에 해당하는 사람을 대상으로 행정안전부령으로 정하는 바에 따라 소방안전에 관한 교육과 훈련을 실시할 수 있다. 이 경우 소방청장, 소방본부장 또는 소방서장은 해당 어린이집·유치원·학교의 장 또는 장애인복지시설의 장과 교육일정 등에 관하여 협의하여야 한다.

1.「영유아보육법」제2조에 따른 어린이집의 영유아

2.「유아교육법」제2조에 따른 유치원의 유아

3.「초·중등교육법」제2조에 따른 학교의 학생

4.「장애인복지법」제58조에 따른 장애인복지시설에 거주하거나 해당시설을 이용하는 장애인

③ 소방청장, 소방본부장 또는 소방서장은 국민의 안전의식을 높이기 위하여 화재 발생 시 피난 및 행동 방법 등을 홍보하여야 한다.

④ 제1항에 따른 교육·훈련의 종류 및 대상자, 그 밖에 교육·훈련의 실시에 필요한 사항은 행정안전부령으로 정한다.

(1) 소방대원의 교육·훈련

① **교육·훈련 실시권자:** 소방청장, 소방본부장 또는 소방서장

② **목적:** 소방업무 전문적·효과적 수행

③ **교육·훈련 종류(규칙 제9조)**

ㄱ **화재진압훈련:** 화재진압 담당 소방공무원, 의무소방원, 의용소방대원

ㄴ **인명구조훈련:** 구조업무 담당 소방공무원, 의무소방원, 의용소방대원

ㄷ **응급처치훈련:** 구급업무 담당 소방공무원, 의무소방원, 의용소방대원

ㄹ **인명대피훈련:** 소방공무원, 의무소방원, 의용소방대원

ㅁ **현장지휘훈련:** 소방정·소방령·소방경·소방위

④ **횟수·기간:** 교육·훈련 2년마다 1회 이상 실시하며, 교육훈련기간은 2주 이상이다.

(2) 소방안전 교육·훈련 실시 훈련

① **실시권자:** 소방청장, 소방본부장 또는 소방서장

② **목적:** 화재 예방, 화재 발생 시 인명과 재산피해 최소화

③ **대상**

ㄱ 「영유아보육법」제2조에 따른 어린이집의 영유아

ㄴ 「유아교육법」제2조에 따른 유치원의 유아

ㄷ 「초·중등교육법」제2조에 따른 학교의 학생

ㄹ 「장애인복지법」제58조에 따른 장애인복지시설에 거주하거나 해당 시설을 이용하는 장애인

🖊 핵심기출

01 「소방기본법 시행규칙」상 현장지휘훈련을 받아야 할 소방공무원의 계급으로 옳은 것은? 24. 공채·경채

① 소방장

② 소방위

③ 소방준감

④ 소방총감

정답 ②

02 「소방기본법 시행규칙」상 소방교육·훈련에 관한 내용이다. 현장지휘훈련을 받아야 할 대상자로 옳지 않은 것은? 14. 기출변형

① 소방경

② 소방령

③ 소방정

④ 소방준감

정답 ④

④ 운영계획 작성 등(규칙 제9조 제3항 및 제4항)

　　㉠ 소방청장, 소방본부장 또는 소방서장은 소방안전교육훈련을 실시하려는 경우 매년 12월 31일까지 다음 해의 소방안전교육훈련 운영계획을 수립하여야 한다.

　　㉡ 소방청장은 소방안전교육훈련 운영계획의 작성에 필요한 지침을 정하여 소방본부장과 소방서장에게 매년 10월 31일까지 통보하여야 한다.

(3) 화재 발생 시 피난 및 행동 방법 홍보

소방청장, 소방본부장 또는 소방서장은 국민의 안전의식을 높이기 위하여 화재 발생 시 피난 및 행동 방법 등을 홍보하여야 한다.

(4) 위임규정

소방대원 교육·훈련의 종류 및 대상자 그 밖에 교육·훈련의 실시에 필요한 사항은 행정안전부령으로 정한다.

(5) 소방안전교육훈련의 시설, 장비, 강사자격 및 교육방법 등의 기준(규칙 [별표 3의3])

① 시설 및 장비 기준

　㉠ 장소·차량의 기준

　　ⓐ 소방안전교실: 화재안전 및 생활안전 등을 체험할 수 있는 100제곱미터 이상의 실내시설

　　ⓑ 이동안전체험차량: 어린이 30명(성인은 15명)을 동시에 수용할 수 있는 실내공간을 갖춘 자동차

　㉡ 소방안전교실 및 이동안전체험차량에 갖추어야 할 안전교육장비의 종류

구분	종류
화재안전 교육용	안전체험복, 안전체험용 안전모, 소화기, 물소화기, 연기소화기, 옥내소화전 모형장비, 화재모형 타켓, 가상화재 연출장비, 연기발생기, 유도등, 유도표지, 완강기, 소방시설(자동화재탐지설비, 옥내소화전 등) 계통 모형도, 화재대피용 마스크, 공기호흡기, 119신고 실습전화기
생활안전 교육용	구명조끼, 구명환, 공기 튜브, 안전벨트, 개인로프, 가스안전 실습 모형도, 전기안전 실습 모형도
교육 기자재	유·무선 마이크, 노트북 컴퓨터, 빔 프로젝터, 이동형 앰프, LCD 모니터, 디지털 캠코더
기타	그 밖에 소방안전교육훈련에 필요하다고 인정하는 장비

② 강사 및 보조강사의 자격 기준 등

　㉠ 강사의 자격 요건

　　ⓐ 소방 관련학과의 석사학위 이상을 취득한 사람

　　ⓑ 소방안전교육사, 소방시설관리사, 소방기술사 또는 소방설비기사 자격을 취득한 사람

　　ⓒ 응급구조사, 인명구조사, 화재대응능력 등 소방청장이 정하는 소방활동 관련 자격을 취득한 사람

　　ⓓ 소방공무원으로서 5년 이상 근무한 경력이 있는 사람

ⓛ 보조강사의 자격 요건

ⓐ ㉠에 따른 강사의 자격을 갖춘 사람

ⓑ 소방공무원으로서 3년 이상 근무한 경력이 있는 사람

ⓒ 그 밖에 보조강사의 능력이 있다고 소방청장, 소방본부장 또는 소방서장이 인정하는 사람

ⓒ 소방청장, 소방본부장 또는 소방서장은 강사 및 보조강사로 활동하는 사람에 대하여 소방안전교육훈련과 관련된 지식·기술 및 소양 등에 관한 교육 등을 받게 할 수 있다.

③ 교육의 방법

㉠ 소방안전교육훈련의 교육시간은 소방안전교육훈련대상자의 연령 등을 고려하여 소방청장, 소방본부장 또는 소방서장이 정한다.

㉡ 소방안전교육훈련은 이론교육과 실습(체험)교육을 병행하여 실시하되, 실습(체험)교육이 전체 교육시간의 100분의 30 이상이 되어야 한다.

㉢ 소방청장, 소방본부장 또는 소방서장은 ㉡에도 불구하고 소방안전교육훈련대상자의 연령 등을 고려하여 실습(체험)교육 시간의 비율을 달리할 수 있다.

㉣ 실습(체험)교육 인원은 특별한 경우가 아니면 강사 1명당 30명을 넘지 않아야 한다.

㉤ 소방청장, 소방본부장 또는 소방서장은 소방안전교육훈련 실시 전에 소방안전교육훈련대상자에게 주의사항 및 안전관리 협조사항을 미리 알려야 한다.

㉥ 소방청장, 소방본부장 또는 소방서장은 소방안전교육훈련대상자의 정신적·신체적 능력을 고려하여 소방안전교육훈련을 실시하여야 한다.

④ 안전관리 기준

㉠ 소방청장, 소방본부장 또는 소방서장은 소방안전교육훈련 중 발생한 사고로 인한 교육훈련대상자 등의 생명·신체나 재산상의 손해를 보상하기 위한 보험 또는 공제에 가입하여야 한다.

㉡ 소방청장, 소방본부장 또는 소방서장은 소방안전교육훈련 실시 전에 시설 및 장비의 이상 유무를 반드시 확인하는 등 안전점검을 실시하여야 한다.

㉢ 소방청장, 소방본부장 또는 소방서장은 사고가 발생한 경우 신속한 응급처치 및 병원 이송 등의 조치를 하여야 한다.

⑤ 교육현황 관리 등

㉠ 소방청장, 소방본부장 또는 소방서장은 소방안전교육훈련의 실시결과, 만족도 조사결과 등을 기록하고 이를 3년간 보관하여야 한다.

㉡ 소방청장, 소방본부장 또는 소방서장은 소방안전교육훈련의 효과 및 개선사항 발굴 등을 위하여 이용자를 대상으로 만족도 조사를 실시하여야 한다. 다만, 이용자가 거부하거나 만족도 조사를 실시할 시간적 여유가 없는 등의 경우에는 만족도 조사를 실시하지 아니할 수 있다.

㉢ 소방청장, 소방본부장 또는 소방서장은 소방안전교육훈련을 이수한 사람에게 교육이수자의 성명, 교육내용, 교육시간 등을 기재한 소방안전교육훈련 이수증을 발급할 수 있다.

시행규칙 [별표 3의2], [별표 3의3]	시행규칙

[별표 3의2] 소방대원에게 실시할 교육 · 훈련의 종류 등

1. 교육 · 훈련의 종류 및 교육 · 훈련을 받아야 할 대상자

종류	교육 · 훈련을 받아야 할 대상자
화재진압훈련	1) 화재진압 담당 소방공무원 2) 의무소방원 3) 의용소방대원
인명구조훈련	1) 구조업무 담당 소방공무원 2) 의무소방원 3) 의용소방대원
【 ① 】	1) 구급업무 담당 소방공무원 2) 의무소방원 3) 의용소방대원
인명대피훈련	1) 소방공무원 2) 의무소방원 3) 의용소방대원
현장지휘훈련	1) 소방정 2) 소방령 3) 소방경 4) 소방위

2. 교육 · 훈련 횟수 및 기간

횟수	기간
2년마다 1회	【 ② 】

3. 제1호 및 제2호에서 규정한 사항 외에 소방대원의 교육 · 훈련에 필요한 사항은 소방청장이 정한다.

[별표 3의3] 소방안전교육훈련의 시설, 장비, 강사자격 및 교육 방법 등의 기준

1. 시설 및 장비 기준
   가. 소방안전교육훈련에 필요한 장소 및 차량의 기준은 다음과 같다.
   　　1) 소방안전교실: 화재안전 및 생활안전 등을 체험할 수 있는 100제곱미터 이상의 실내시설
   　　2) 이동안전체험차량: 어린이 30명(성인은 15명)을 동시에 수용할 수 있는 실내공간을 갖춘 자동차
2. 강사 및 보조강사의 자격 기준 등
   가. 강사는 다음의 어느 하나에 해당하는 사람이어야 한다.
   　　1) 소방 관련학과의 석사학위 이상을 취득한 사람
   　　　　- 중략 -

제9조【소방교육 · 훈련의 종류 등】 ① 법 제17조 제1항에 따라 소방대원에게 실시할 교육 · 훈련의 종류, 해당 교육 · 훈련을 받아야 할 대상자 및 교육 · 훈련기간 등은 별표 3의2와 같다.

② 법 제17조 제2항에 따른 소방안전에 관한 교육과 훈련(이하 "소방안전교육훈련"이라 한다)에 필요한 시설, 장비, 강사자격 및 교육방법 등의 기준은 별표 3의3과 같다.

③ 소방청장, 소방본부장 또는 소방서장은 소방안전교육훈련을 실시하려는 경우 매년【 ① 】까지 다음 해의 소방안전교육훈련 운영계획을 수립하여야 한다.

④ 소방청장은 제3항에 따른 소방안전교육훈련 운영계획의 작성에 필요한 지침을 정하여 소방본부장과 소방서장에게 매년【 ② 】까지 통보하여야 한다.

---

① 응급처치훈련 ② 2주 이상　　　　　　① 12월 31일 ② 10월 31일

제17조의2 【소방안전교육사】 ① 소방청장은 제17조 제2항에 따른 소방안전교육을 위하여 소방청장이 실시하는 시험에 합격한 사람에게 소방안전교육사 자격을 부여한다.

② 소방안전교육사는 소방안전교육의 기획·진행·분석·평가 및 교수업무를 수행한다.

③ 제1항에 따른 소방안전교육사 시험의 응시자격, 시험방법, 시험과목, 시험위원, 그 밖에 소방안전교육사 시험의 실시에 필요한 사항은 대통령령으로 정한다.

④ 제1항에 따른 소방안전교육사 시험에 응시하려는 사람은 대통령령으로 정하는 바에 따라 수수료를 내야 한다.

(1) 소방안전교육사 시험 등

① **시험실시권자:** 소방청장

② **소방안전교육사의 업무:** 소방안전교육의 기획·진행·분석·평가 및 교수업무

③ **위임규정:** 대통령령

    ㉠ 소방안전교육사 시험의 응시자격, 시험방법, 시험과목, 시험위원 그 밖에 소방안전교육사 시험의 실시에 필요한 사항

    ㉡ 응시수수료 납부와 관련된 사항

(2) 응시자격(영 제7조의2 [별표 2의2])

① 소방공무원

    ㉠ 3년 이상 근무한 경력

    ㉡ 중앙·지방소방학교 2주 이상 전문교육과정 이수

② 교원, 어린이집 원장, 보육교사(보육교사 자격 취득자의 경우 3년 이상의 보육업무 경력이 있는 사람만 해당)

③ 다음의 어느 하나에 해당하는 기관에서 교육학과, 응급구조학과, 의학과, 간호학과 또는 소방안전 관련 학과 등 소방청장이 고시하는 학과에 개설된 교과목 중 소방안전교육과 관련하여 소방청장이 정하여 고시하는 교과목을 총 6학점 이상 이수한 사람

    ㉠ 「고등교육법」에 해당하는 학교

    ㉡ 「학점인정 등에 관한 법률」에 따라 학습과정의 평가인정을 받은 교육훈련기관

④ **안전관리 분야의 기술사, 소방시설관리사:** 관련 법령에 따른 자격 취득자

⑤ 안전관리 분야 자격

    ㉠ **기사:** 안전관리 분야에 1년 이상

    ㉡ **산업기사:** 안전관리 분야에 3년 이상

⑥ **간호사:** 간호업무 분야에 1년 이상

⑦ 응급구조사 자격

    ㉠ 1급 응급구조사로 1년 이상

    ㉡ 2급 응급구조사로 3년 이상

🖊 **핵심기출**

「소방기본법 시행령」상 소방안전교육사시험 응시자격에 대한 설명으로 옳은 것은?

19. 공채(4월)

ㄱ. 「영유아보육법」에 따라 보육교사 자격을 취득한 후 2년 이상의 보육업무 경력이 있는 사람

ㄴ. 「국가기술자격법」에 따른 국가기술자격의 직무분야 중 안전관리 분야의 산업기사 자격을 취득한 후 안전관리 분야에 3년 이상 종사한 사람

ㄷ. 「의료법」에 따라 간호조무사 자격을 취득한 후 간호업무 분야에 2년 이상 종사한 사람

ㄹ. 「응급의료에 관한 법률」에 따라 2급 응급구조사 자격을 취득한 후 응급의료 업무 분야에 3년 이상 종사한 사람

ㅁ. 「소방공무원법」에 따른 소방공무원으로 2년 이상 근무한 경력이 있는 사람

ㅂ. 「의용소방대 설치 및 운영에 관한 법률」에 따라 의용소방대원으로 임명된 후 5년 이상 의용소방대 활동을 한 경력이 있는 사람

① ㄱ, ㄷ, ㅁ   ② ㄴ, ㄹ, ㅂ
③ ㄷ, ㄹ, ㅁ   ④ ㄹ, ㅁ, ㅂ

정답 ②

⑧ 소방안전관리자

    ㉠ 특급소방안전관리자

    ㉡ 1급 소방안전관리자로 1년 이상

    ㉢ 2급 소방안전관리자로 3년 이상

⑨ 의용소방대원으로 임명된 후 5년 이상

⑩ 위험물 기능장

✏️ **핵심기출**

「소방기본법」및 같은 법 시행령상 소방안전교육사와 관련된 규정의 내용으로 옳지 않은 것은?   20. 경채(6월)

① 소방안전교육사는 소방안전교육의 기획·진행·분석·평가 및 교수업무를 수행한다.

② 금고 이상의 형의 집행유예를 선고받고 그 유예기간 중에 있는 사람은 소방안전교육사가 될 수 없다.

③ 초등학교 등 교육기관에는 소방안전교육사를 1명 이상 배치하여야 한다.

④ 「유아교육법」에 따라 교원의 자격을 취득한 사람은 소방안전교육사 시험에 응시할 수 있다.

정답 ③

👤 정희's 톡talk

소방안전관련학과 등

교육학과, 응급구조학과, 의학과, 간호학과 또는 소방안전관련학과 등 소방청장이 고시하는 학과를 말합니다.

구분	소방공무원	교원 / 원장	안전분야 / 자격	간호사	응급구조사	소방안전관리자	의용소방대원
	(중앙·지방) 전문교육 2주 이상	교원 / 어린이집 원장	기술사 / 위험물 기능장, 소방시설관리사, 소방안전관련학과 등 6학점			특급	
1년 이상			안전 기사	간호사	1급	1급	
2년 이상							
3년 이상	○	보육교사	안전 산업기사		2급	2급	
5년 이상							○

(3) 시험방법(영 제7조의3)

  ① 방식: 제1차 시험 및 제2차 시험으로 구분

  ② 유형

    ㉠ 제1차 시험은 선택형으로, 제2차 시험은 논술형으로 진행된다.

    ㉡ 제2차 시험에는 주관식 단답형 또는 기입형 문제를 포함할 수 있다.

  ③ 면제: 제1차 시험에 합격한 사람은 다음 회의 시험에 한정하여 제1차 시험을 면제한다.

(4) 시험과목(영 제7조의4)

제1차 시험(선택형)	· 소방학개론 · 구급·응급처치론 · 재난관리론 · 교육학개론	응시자가 선택하는 3과목	과목별 출제범위 ⇩ 행정안전부령
제2차 시험(논술형) 주관식 단답형·기입형 포함 가능	국민안전교육 실무		

(5) 시험위원(영 제7조의5)

  ① 임명·위촉: 소방청장은 응시자격심사위원 및 시험위원을 임명 또는 위촉하여야 한다.

② 시험위원의 자격

구분	자격기준
소방 관련 학과, 교육학과, 응급구조학과	박사학위 취득자
	조교수 이상으로 2년 이상 재직
소방안전교육사	자격 취득자
소방공무원	소방위

③ 응시자격심사위원 및 시험위원 수

　　㉠ 응시자격심사위원: 3명

　　㉡ 시험위원 중 출제위원: 시험과목별 3명

　　㉢ 시험위원 중 채점위원: 5명

④ 성실의무: 문제 작성 시 유의사항 및 서약서 준수사항을 성실히 이행하여야 한다.

⑤ 수당 및 여비 지급: 예산의 범위에서 수당 및 여비를 지급할 수 있다.

(6) 시험의 시행 및 공고(영 제7조의6)

① 시험의 시행

　　㉠ 소방안전교육사시험은 2년마다 1회 시행함을 원칙으로 한다.

　　㉡ 단, 소방청장이 필요하다고 인정하는 경우 그 횟수를 증감할 수 있다.

② 시험의 공고: 소방청장은 시험 시행일 90일 전까지 1개 이상의 소방청의 인터넷 홈페이지 등에 공고해야 한다.

(7) 응시원서 제출(영 제7조의7)

소방안전교육사시험에 응시하려는 자는 행정안전부령으로 정하는 소방안전교육사시험응시원서를 소방청장에게 제출하여야 한다.

(8) 시험의 합격자 결정(영 제7조의8)

① 제1차 시험: 매과목 100점을 만점으로 하여, 매과목 40점 이상, 전과목 평균 60점 이상 득점한 자를 합격자로 한다.

② 제2차 시험: 100점을 만점으로 하되, 최고점수·최저점수 제외한 점수 평균이 60점 이상인 사람을 합격자로 한다.

③ 합격자 공고: 소방청장은 소방청의 인터넷 홈페이지 등에 공고해야 한다.

④ 합격증 발급

　　㉠ 소방청장은 시험합격자 공고일부터 1개월 이내에 행정안전부령으로 정하는 소방안전교육사증을 시험합격자에게 발급하여야 한다.

　　㉡ 합격증 발급에 대한 내용은 소방안전교육사증 교부대장에 기재하고 관리하여야 한다.

시행령	시행령 [별표 2의2]
제7조의2【소방안전교육사시험의 응시자격】법 제17조의2 제3항에 따른 소방안전교육사시험의 응시자격은 별표 2의2와 같다. 제7조의3【시험방법】① 소방안전교육사시험은 제1차 시험 및 제2차 시험으로 구분하여 시행한다. ② 제1차 시험은 선택형을, 제2차 시험은【 ① 】을 원칙으로 한다. 다만, 제2차 시험에는 주관식 단답형 또는 기입형을 포함할 수 있다. ③ 제1차 시험에 합격한 사람에 대해서는 다음 회의 시험에 한정하여 제1차 시험을 면제한다. 제7조의4【시험과목】① 소방안전교육사시험의 제1차 시험 및 제2차 시험 과목은 다음 각 호와 같다. 1. 제1차 시험: 소방학개론, 구급·응급처치론, 재난관리론 및 교육학개론 중 응시자가 선택하는 3과목 2. 제2차 시험:【 ② 】 ② 제1항에 따른 시험 과목별 출제범위는 행정안전부령으로 정한다. 제7조의5【시험위원 등】① 소방청장은 소방안전교육사시험 응시자격심사, 출제 및 채점을 위하여 다음 각 호의 어느 하나에 해당하는 사람을 응시자격심사위원 및 시험위원으로 임명 또는 위촉하여야 한다. 1. 소방 관련 학과, 교육학과 또는 응급구조학과 박사학위 취득자 2. 「고등교육법」 제2조 제1호부터 제6호까지의 규정 중 어느 하나에 해당하는 학교에서 소방 관련 학과, 교육학과 또는 응급구조학과에서 조교수 이상으로【 ③ 】이상 재직한 자 3. 소방위 이상의 소방공무원 4. 소방안전교육사 자격을 취득한 자 ② 제1항에 따른 응시자격심사위원 및 시험위원의 수는 다음 각 호와 같다. 1. 응시자격심사위원: 3명 2. 시험위원 중 출제위원: 시험과목별 3명 3. 시험위원 중 채점위원: 5명 4. 삭제 ③ 제1항에 따라 응시자격심사위원 및 시험위원으로 임명 또는 위촉된 자는 소방청장이 정하는 시험문제 등의 작성 시 유의사항 및 서약서 등에 따른 준수사항을 성실히 이행해야 한다. ④ 제1항에 따라 임명 또는 위촉된 응시자격심사위원 및 시험위원과 시험감독업무에 종사하는 자에 대하여는 예산의 범위에서 수당 및 여비를 지급할 수 있다.	[별표 2의2] 소방안전교육사시험의 응시자격(제7조의2 관련) 1. 소방공무원으로서 다음 각 목의 어느 하나에 해당하는 사람 　가. 소방공무원으로 3년 이상 근무한 경력이 있는 사람 　나. 중앙소방학교 또는 지방소방학교에서 2주 이상의 소방안전교육사 관련 전문교육과정을 이수한 사람 2. 「초·중등교육법」 제21조에 따라 교원의 자격을 취득한 사람 3. 「유아교육법」 제22조에 따라 교원의 자격을 취득한 사람 4. 「영유아보육법」 제21조에 따라 어린이집의 원장 또는 보육교사의 자격을 취득한 사람(보육교사 자격을 취득한 사람은 보육교사 자격을 취득한 후【 ① 】이상의 보육업무 경력이 있는 사람만 해당한다) 5. 다음의 어느 하나에 해당하는 기관에서 교육학과, 응급구조학과, 의학과, 간호학과 또는 소방안전 관련 학과 등 소방청장이 고시하는 학과에 개설된 교과목 중 소방안전교육과 관련하여 소방청장이 정하여 고시하는 교과목을 총 6학점 이상 이수한 사람 　가. 「고등교육법」 제2조 제1호부터 제6호까지의 규정의 어느 하나에 해당하는 학교 　나. 「학점인정 등에 관한 법률」 제3조에 따라 학습과정의 평가인정을 받은 교육훈련기관 6. 「국가기술자격법」 제2조 제3호에 따른 국가기술자격의 직무분야 중 안전관리 분야(국가기술자격의 직무분야 및 국가기술자격의 종목 중 중직무분야의 안전관리를 말한다. 이하 같다)의 기술사 자격을 취득한 사람 7. 「소방시설 설치 및 관리에 관한 법률」 제25조에 따른 소방시설관리사 자격을 취득한 사람 8. 「국가기술자격법」 제2조 제3호에 따른 국가기술자격의 직무분야 중 안전관리 분야의 기사 자격을 취득한 후 안전관리 분야에 1년 이상 종사한 사람 9. 「국가기술자격법」 제2조 제3호에 따른 국가기술자격의 직무분야 중 안전관리 분야의 산업기사 자격을 취득한 후 안전관리 분야에 3년 이상 종사한 사람 10. 「의료법」 제7조에 따라 간호사 면허를 취득한 후 간호업무 분야에【 ② 】이상 종사한 사람 11. 「응급의료에 관한 법률」 제36조 제2항에 따라 1급 응급구조사 자격을 취득한 후 응급의료 업무 분야에 1년 이상 종사한 사람 12. 「응급의료에 관한 법률」 제36조 제3항에 따라 2급 응급구조사 자격을 취득한 후 응급의료 업무 분야에 3년 이상 종사한 사람 13. 「화재의 예방 및 안전관리에 관한 법률 시행령」 별표 4 제1호 나목 각 호의 어느 하나에 해당하는 사람 14. 「화재의 예방 및 안전관리에 관한 법률 시행령」 별표 4 제2호 나목 각 호의 어느 하나에 해당하는 자격을 갖춘 후 소방안전관리대상물의 소방안전관리에 관한 실무경력이 1년 이상 있는 사람
① 논술형 ② 국민안전교육 실무 ③ 2년	① 3년 ② 1년

제7조의6【시험의 시행 및 공고】 ① 소방안전교육사시험은 【 ④ 】 1회 시행함을 원칙으로 하되, 소방청장이 필요하다고 인정하는 때에는 그 횟수를 증감할 수 있다.

② 소방청장은 소방안전교육사시험을 시행하려는 때에는 응시자격·시험과목·일시·장소 및 응시절차 등에 관하여 필요한 사항을 모든 응시 희망자가 알 수 있도록 소방안전교육사시험의 시행일 【 ⑤ 】 소방청의 인터넷 홈페이지 등에 공고해야 한다.

제7조의7【응시원서 제출 등】 ① 소방안전교육사시험에 응시하려는 자는 행정안전부령으로 정하는 소방안전교육사시험응시원서를 소방청장에게 제출(정보통신망에 의한 제출을 포함한다. 이하 이 조에서 같다)하여야 한다.

② 소방안전교육사시험에 응시하려는 자는 행정안전부령으로 정하는 제7조의2에 따른 응시자격에 관한 증명서류를 소방청장이 정하는 기간 내에 제출해야 한다.

③ 소방안전교육사시험에 응시하려는 자는 행정안전부령으로 정하는 응시수수료를 납부해야 한다.

④ 제3항에 따라 납부한 응시수수료는 다음 각 호의 어느 하나에 해당하는 경우에는 해당 금액을 반환하여야 한다.

1. 응시수수료를 과오납한 경우: 과오납한 응시수수료 전액
2. 시험 시행기관의 귀책사유로 시험에 응시하지 못한 경우: 납입한 응시수수료 전액
3. 시험시행일 20일 전까지 접수를 철회하는 경우: 납입한 응시수수료 전액
4. 시험시행일 10일 전까지 접수를 철회하는 경우: 납입한 응시수수료의 100분의 50

제7조의8【시험의 합격자 결정 등】 ① 제1차 시험은 매과목 100점을 만점으로 하여 매과목 40점 이상, 전과목 평균 60점 이상 득점한 자를 합격자로 한다.

② 제2차 시험은 100점을 만점으로 하되, 시험위원의 채점점수 중 최고점수와 【 ⑥ 】를 제외한 점수의 평균이 60점 이상인 사람을 합격자로 한다.

③ 소방청장은 제1항 및 제2항에 따라 소방안전교육사시험 합격자를 결정한 때에는 이를 소방청의 인터넷 홈페이지 등에 공고해야 한다.

④ 소방청장은 제3항에 따른 시험합격자 공고일부터 1개월 이내에 행정안전부령으로 정하는 소방안전교육사증을 시험합격자에게 발급하며, 이를 소방안전교육사증 교부대장에 기재하고 관리하여야 한다.

④ 2년마다 ⑤ 90일 전까지 ⑥ 최저점수

15. 「화재의 예방 및 안전관리에 관한 법률 시행령」 별표 4 제3호 나목 각 호의 어느 하나에 해당하는 자격을 갖춘 후 소방안전관리대상물의 소방안전관리에 관한 실무경력이 3년 이상 있는 사람

16. 「의용소방대 설치 및 운영에 관한 법률」 제3조에 따라 의용소방대원으로 임명된 후 【 ③ 】 이상 의용소방대 활동을 한 경력이 있는 사람

17. 「국가기술자격법」 제2조 제3호에 따른 국가기술자격의 직무분야 중 위험물 중직무분야의 기능장 자격을 취득한 사람

제9조의2【시험 과목별 출제범위】 영 제7조의4 제2항에 따른 소방안전교육사 시험 과목별 출제범위는 별표 3의4와 같다.

제9조의3【응시원서 등】 ① 영 제7조의7 제1항에 따른 소방안전교육사시험 응시원서는 별지 제4호 서식과 같다.

② 영 제7조의7 제2항에 따라 응시자가 제출하여야 하는 증명서류는 다음 각 호의 서류 중 응시자에게 해당되는 것으로 한다.

1. 자격증 사본. 다만, 영 별표 2의2 제6호, 제8호 및 제9호에 해당하는 사람이 응시하는 경우 해당 자격증 사본은 제외한다.
2. 교육과정 이수증명서 또는 수료증
3. 교과목 이수증명서 또는 성적증명서
4. 별지 제5호 서식에 따른 경력(재직)증명서. 다만, 발행 기관에 별도의 경력(재직)증명서 서식이 있는 경우는 그에 따를 수 있다.
5. 「화재의 예방 및 안전관리에 관한 법률 시행규칙」 제18조에 따른 소방안전관리자 자격증 사본

③ 소방청장은 제2항 제1호 단서에 따라 응시자가 제출하지 아니한 영 별표 2의2 제6호, 제8호 및 제9호에 해당하는 국가기술자격증에 대해서는 「전자정부법」 제36조 제1항에 따른 행정정보의 공동이용을 통하여 확인하여야 한다. 다만, 응시자가 확인에 동의하지 아니하는 경우에는 해당 국가기술자격증 사본을 제출하도록 하여야 한다.

제9조의4【응시수수료】 ① 영 제7조의7 제3항에 따른 응시수수료(이하 "수수료"라 한다)는 제1차 시험의 경우 3만원, 제2차 시험의 경우 2만 5천원으로 한다.

② 수수료는 수입인지 또는 정보통신망을 이용한 전자화폐·전자결제 등의 방법으로 납부하여야 한다.

제9조의5【소방안전교육사증 등의 서식】 영 제7조의8 제4항에 따른 소방안전교육사증 및 소방안전교육사증 교부대장은 별지 제6호 서식 및 별지 제7호 서식과 같다.

③ 5년

2-3 결격사유   B

제17조의3 【소방안전교육사의 결격사유】 다음 각 호의 어느 하나에 해당하는 사람
은 소방안전교육사가 될 수 없다.
  1. 피성년후견인
  2. 금고 이상의 실형을 선고받고 그 집행이 끝나거나(집행이 끝난 것으로 보는 경우
     를 포함한다) 집행이 면제된 날부터 2년이 지나지 아니한 사람
  3. 금고 이상의 형의 집행유예를 선고받고 그 유예기간 중에 있는 사람
  4. 법원의 판결 또는 다른 법률에 따라 자격이 정지되거나 상실된 사람

다음에 해당하는 사람은 소방안전교육사가 될 수 없다.
① 피성년후견인
② 금고 이상의 실형을 선고받고 그 집행이 끝나거나(집행이 끝난 것으로 보는 경우
   포함) 집행이 면제된 날부터 2년이 지나지 아니한 사람
③ 금고 이상의 형의 집행유예를 선고받고 그 유예기간 중에 있는 사람
④ 법원의 판결 또는 다른 법률에 따라 자격이 정지되거나 상실된 사람

2-4 부정행위자에 대한 조치   B

제17조의4 【부정행위자에 대한 조치】 ① 소방청장은 제17조의2에 따른 소방안전교
   육사 시험에서 부정행위를 한 사람에 대하여는 해당 시험을 정지시키거나 무효로
   처리한다.
   ② 제1항에 따라 시험이 정지되거나 무효로 처리된 사람은 그 처분이 있은 날부터 2년
   간 소방안전교육사 시험에 응시하지 못한다.

(1) 부정행위자에 대한 조치
소방청장은 소방안전교육사 시험에서 부정행위를 한 사람에 대하여는 해당 시험
을 정지시키거나 무효로 처리한다.

(2) 부정행위자에 대한 응시 제한 조치
시험이 정지되거나 무효로 처리된 사람은 그 처분이 있은 날부터 2년간 소방안전교
육사 시험에 응시하지 못한다.

제17조의5 【소방안전교육사의 배치】 ① 제17조의2 제1항에 따른 소방안전교육사를 소방청, 소방본부 또는 소방서, 그 밖에 대통령령으로 정하는 대상에 배치할 수 있다.
② 제1항에 따른 소방안전교육사의 배치대상 및 배치기준, 그 밖에 필요한 사항은 대통령령으로 정한다.

(1) 소방안전교육사의 배치대상

소방청, 소방본부, 소방서 그 밖에 대통령령으로 정하는 대상(한국소방안전원, 한국소방산업기술원)

(2) 위임규정

소방안전교육사의 배치대상 및 배치기준은 대통령령으로 정한다.

(3) 소방안전교육사의 배치대상별 배치기준(영 제7조의11 [별표 2의3])

배치대상	배치기준(단위: 명)
소방청	2 이상
소방본부	2 이상
소방서	1 이상
한국소방안전원	본회 2 이상 / 시·도지부 1 이상
한국소방산업기술원	2 이상

🖉 **핵심기출**

「소방기본법 시행령」상 소방안전교육사의 배치대상별 배치기준에 관한 설명이다. ( ) 안에 들어갈 내용으로 옳은 것은? 19. 경채(4월)

> 소방안전교육사의 배치대상별 배치기준에 따르면 소방청 (가)명 이상, 소방본부 (나) 명 이상, 소방서 (다)명 이상이다.

	가	나	다
①	1	1	1
②	1	3	2
③	2	1	2
④	2	2	1

정답 ④

👆 **관계법규 소방안전교육사의 배치**

시행령	NOTE
제7조의10 【소방안전교육사의 배치대상】 법 제17조의5 제1항에서 "그 밖에 대통령령으로 정하는 대상"이란 다음 각 호의 어느 하나에 해당하는 기관이나 단체를 말한다. 1. 법 제40조에 따라 설립된【 ① 】 2. 「소방산업의 진흥에 관한 법률」 제14조에 따른 한국소방산업기술원 **제7조의11 【소방안전교육사의 배치대상별 배치기준】** 법 제17조의5 제2항에 따른 소방안전교육사의 배치대상별 배치기준은 별표 2의3과 같다.	

① 한국소방안전원

제17조의6 【한국119청소년단】 ① 청소년에게 소방안전에 관한 올바른 이해와 안전의식을 함양시키기 위하여 한국119청소년단을 설립한다.

② 한국119청소년단은 법인으로 하고, 그 주된 사무소의 소재지에 설립등기를 함으로써 성립한다.

③ 국가나 지방자치단체는 한국119청소년단에 그 조직 및 활동에 필요한 시설·장비를 지원할 수 있으며, 운영경비와 시설비 및 국내외 행사에 필요한 경비를 보조할 수 있다.

④ 개인·법인 또는 단체는 한국119청소년단의 시설 및 운영 등을 지원하기 위하여 금전이나 그 밖의 재산을 기부할 수 있다. 운영경비와 시설비 및 국내외 행사에 필요한 경비를 보조할 수 있다.

⑤ 이 법에 따른 한국119청소년단이 아닌 자는 한국119청소년단 또는 이와 유사한 명칭을 사용할 수 없다.

⑥ 한국119청소년단의 정관 또는 사업의 범위·지도·감독 및 지원에 필요한 사항은 행정안전부령으로 정한다.

⑦ 한국119청소년단에 관하여 이 법에서 규정한 것을 제외하고는 「민법」 중 사단법인에 관한 규정을 준용한다.

(1) 설립 목적
청소년에게 소방안전에 관한 올바른 이해와 안전의식의 함양·고취

(2) 설립 등기
① 119청소년단은 법인으로 한다.

② 주된 사무소의 소재지에 설립등기를 함으로써 성립된다.

(3) 국가·지방자치단체의 지원 등
① 한국119청소년단의 조직 및 활동에 필요한 시설·장비를 지원할 수 있다.

② 한국119청소년단의 운영경비와 시설비 및 국내외 행사에 필요한 경비를 보조할 수 있다.

(4) 개인·법인 또는 단체의 지원 등
① 한국119청소년단의 시설 및 운영 등을 지원하기 위하여 금전이나 그 밖의 재산을 기부할 수 있다.

② 운영경비와 시설비 및 국내외 행사에 필요한 경비를 보조할 수 있다.

(5) 유사명칭의 사용금지
① 한국119청소년단이 아닌 자는 한국119청소년단 또는 이와 유사한 명칭을 사용할 수 없다.

② 과태료 - 200만원 이하의 과태료(제56조 제2항): 제17조의6 제5항을 위반하여 한국119청소년단 또는 이와 유사한 명칭을 사용한 자

(6) 위임규정
한국119청소년단의 정관 또는 사업의 범위·지도·감독 및 지원에 필요한 사항은 행정안전부령으로 정한다.

정희's 톡talk

한국119청소년단의 사업 범위(규칙 제9조의6)
1. 한국119청소년단 선발·육성과 활동 지원
2. 한국119청소년단의 활동·체험 프로그램 개발 및 운영
3. 한국119청소년단의 활동과 관련된 학문·기술의 연구·교육 및 홍보
4. 한국119청소년단 단원의 교육·지도를 위한 전문인력 양성
5. 관련기관·단체와의 자문 및 협력사업
6. 그 밖에 한국119청소년단의 설립목적에 부합하는 사업

정희's 톡talk

과태료 개별기준

위반행위	과태료 금액(만원)		
한국 119청소년단 또는 유사명칭 사용	1회	2회	3회 이상
	100	150	200

제18조【소방신호】화재예방, 소방활동 또는 소방훈련을 위하여 사용되는 소방신호의 종류와 방법은 행정안전부령으로 정한다.

(1) 소방신호의 종류와 방법

화재예방, 소방활동 또는 소방훈련을 위하여 사용되는 소방신호의 종류와 방법은 행정안전부령으로 정한다.

(2) 소방신호의 종류(규칙 제10조)

① 경계신호: 화재예방상 필요하다고 인정되거나, 화재위험경보 시 발령한다.

② 발화신호: 화재가 발생한 때 발령한다.

③ 해제신호: 소화활동이 필요없다고 인정되는 때 발령한다.

④ 훈련신호: 훈련상 필요하다고 인정되는 때 발령한다.

(3) 소방신호의 방법

신호방법 종별	타종 신호	사이렌 신호	그 밖의 신호
경계신호	1타와 연2타를 반복	5초 간격 30초씩 3회	· 통풍대 · 게시판 · 기(旗, Flag)
발화신호	난타	5초 간격 5초씩 3회	
해제신호	상당한 간격, 1타씩 반복	1분간 1회	
훈련신호	연3타 반복	10초 간격 1분씩 3회	

🖉 핵심기출

「소방기본법 시행규칙」상 소방신호의 종류 및 방법에 관한 내용으로 옳은 것은? 24. 경채

① 해제신호의 타종신호 방법은 난타이다.

② 훈련신호의 타종신호 방법은 연3타 반복이다.

③ 발화신호의 싸이렌신호 방법은 5초 간격을 두고 30초씩 3회이다.

④ 경계신호의 싸이렌신호 방법은 10초 간격을 두고 30초씩 3회이다.

정답 ②

👆 관계법규 소방신호의 종류 · 방법

시행규칙
제10조【소방신호의 종류 및 방법】① 법 제18조의 규정에 의한 소방신호의 종류는 다음 각 호와 같다. 1. 경계신호: 화재예방상 필요하다고 인정되거나 법 제14조의 규정에 의한 화재위험경보시 발령 2. 발화신호: 화재가 발생한 때 발령 3. 해제신호: 소화활동이 필요없다고 인정되는 때 발령 4. 훈련신호: 훈련상 필요하다고 인정되는 때 발령 ② 제1항의 규정에 의한 소방신호의 종류별 소방신호의 방법은 별표 4와 같다.

시행규칙 [별표 4]

[별표 4] 소방신호의 방법

신호방법 종별	타종 신호	사이렌 신호
경계신호	1타와 연2타를 반복	5초 간격을 두고 30초씩 3회
【 ① 】	난타	5초 간격을 두고 5초씩 3회
해제신호	상당한 간격을 두고 1타씩 반복	1분간 1회
훈련신호	연3타 반복	10초 간격을 두고 1분씩 3회

▶ 비고

1. 소방신호의 방법은 그 전부 또는 일부를 함께 사용할 수 있다.

2. 게시판을 철거하거나 통풍대 또는 기를 내리는 것으로 소방활동이 해제되었음을 알린다.

3. 소방대의 비상소집을 하는 경우에는 【 ② 】를 사용할 수 있다.

① 발화신호 ② 훈련신호

제19조【화재 등의 통지】① 화재 현장 또는 구조·구급이 필요한 사고 현장을 발견한 사람은 그 현장의 상황을 소방본부, 소방서 또는 관계 행정기관에 지체 없이 알려야 한다.

② 다음 각 호의 어느 하나에 해당하는 지역 또는 장소에서 화재로 오인할 만한 우려가 있는 불을 피우거나 연막(煙幕) 소독을 하려는 자는 시·도의 조례로 정하는 바에 따라 관할 소방본부장 또는 소방서장에게 신고하여야 한다.

1. 시장지역
2. 공장·창고가 밀집한 지역
3. 목조건물이 밀집한 지역
4. 위험물의 저장 및 처리시설이 밀집한 지역
5. 석유화학제품을 생산하는 공장이 있는 지역
6. 그 밖에 시·도의 조례로 정하는 지역 또는 장소

(1) 통지의무

① 화재 현장 또는 구조·구급이 필요한 사고 현장을 발견한 사람은 그 현장의 상황을 소방본부, 소방서 또는 관계 행정기관에 지체 없이 알려야 한다.

② 과태료 – 500만원 이하의 과태료(제56조): 제19조 제1항을 위반하여 화재 또는 구조·구급이 필요한 상황을 거짓으로 알린 사람

(2) 신고의무 지역·장소

① 화재로 오인할 만한 우려가 있는 불을 피우거나 연막소독을 하려는 자는 시·도의 조례로 정하는 바에 따라 관할 소방본부장 또는 소방서장에게 신고하여야 한다.

　ㄱ 시장지역
　ㄴ 공장·창고가 밀집한 지역
　ㄷ 목조건물이 밀집한 지역
　ㄹ 위험물의 저장 및 처리시설이 밀집한 지역
　ㅁ 석유화학제품을 생산하는 공장이 있는 지역
　ㅂ 그 밖에 시·도의 조례로 정하는 지역 또는 장소

② 과태료 – 20만원 이하의 과태료(제56조)

　ㄱ 제19조 제2항에 따른 신고를 하지 아니하여 소방자동차를 출동하게 한 자에게는 20만원 이하의 과태료를 부과한다.
　ㄴ ㄱ에 따른 과태료는 조례로 정하는 바에 따라 관할 소방본부장 또는 소방서장이 부과·징수한다.

✎ **핵심기출**

「소방기본법」상 화재로 오인할 만한 우려가 있는 불을 피우거나 연막(煙幕) 소독을 하려는 자가 시·도의 조례로 정하는 바에 따라 관할 소방본부장 또는 소방서장에게 신고해야 하는 지역으로 옳지 않은 것은? (단, 각 시·도에서 별도로 정하는 지역은 제외한다)

24. 공채·경채

① 공장·창고가 밀집한 지역
② 노후·불량 건축물이 밀집한 지역
③ 위험물의 저장 및 처리시설이 밀집한 지역
④ 석유화학제품을 생산하는 공장이 있는 지역

정답 ②

제20조【관계인의 소방활동】 ① 관계인은 소방대상물에 화재, 재난·재해, 그 밖의 위급한 상황이 발생한 경우에는 소방대가 현장에 도착할 때까지 경보를 울리거나 대피를 유도하는 등의 방법으로 사람을 구출하는 조치 또는 불을 끄거나 불이 번지지 아니하도록 필요한 조치를 하여야 한다.
② 관계인은 소방대상물에 화재, 재난·재해, 그 밖의 위급한 상황이 발생한 경우에는 이를 소방본부, 소방서 또는 관계 행정기관에 지체 없이 알려야 한다.

(1) 관계인의 소방활동

① **관계인의 의무:** 관계인은 소방대상물에 화재, 재난·재해 그 밖의 위급한 상황이 발생한 경우 소방대가 현장에 도착할 때까지 소방활동을 하여야 한다.

② **인명구조:** 경보를 울리거나 대피를 유도하는 등의 방법으로 사람을 구출하는 조치를 말한다.

③ **연소확대 방지:** 불을 끄거나 불이 번지지 아니하도록 필요한 조치를 말한다.

④ **벌칙 – 100만원 이하의 벌금(제54조):** 제20조 제1항을 위반하여 정당한 사유 없이 소방대가 현장에 도착할 때까지 사람을 구출하는 조치 또는 불을 끄거나 불이 번지지 아니하도록 하는 조치를 하지 아니한 사람

(2) 관계인의 통지의무

① 관계인은 소방대상물에 화재, 재난·재해, 그 밖의 위급한 상황이 발생한 경우에는 이를 소방본부, 소방서 또는 관계 행정기관에 지체 없이 알려야 한다.

② **과태료 – 500만원 이하의 과태료(제56조):** 정당한 사유 없이 제20조 제2항을 위반하여 화재, 재난·재해, 그 밖의 위급한 상황을 소방본부, 소방서 또는 관계 행정기관에 알리지 아니한 관계인

참고 **제정·개정이유**

1. 개정이유: 현행법은 화재 등 위급한 상황이 발생한 경우 소방대상물 관계인(소유자·관리자 또는 점유자)의 신고 의무를 명시적으로 규정하고 있지 아니하여 위급한 상황에 신속하게 대처하지 못하는 사례가 발생하는 등의 문제점이 있음. 또한 소방자동차의 운행 기록, 운행 경로, 운전자의 행동 등을 데이터의 형태로 체계적으로 분석함으로써 소방자동차의 신속하고 안전한 운행을 뒷받침할 필요가 있다는 지적이 제기되어 왔음. 이에 소방대상물 관계인으로 하여금 화재 등 위급한 상황이 발생한 경우 이를 소방본부 등에 신고하도록 의무화하고 이를 위반한 경우 과태료를 부과하는 한편, 소방자동차 운행기록장치 데이터의 수집·저장·통합·분석 등을 전자적으로 처리하기 위한 '소방자동차 교통안전 분석 시스템'의 구축·운영 근거를 마련하려는 것임

2. 주요내용
- 관계인은 소방대상물에 화재, 재난·재해, 그 밖의 위급한 상황이 발생한 경우 이를 소방본부, 소방서 또는 관계 행정기관에 지체 없이 알리도록 하고, 이를 위반한 경우 500만원 이하의 과태료를 부과함(제20조 제2항 및 제56조 제1항 제2호 신설)
- 소방자동차에는 행정안전부령으로 정하는 기준에 적합한 운행기록장치를 장착하도록 하고, 소방청장은 소방자동차의 안전한 운행 및 교통사고 예방을 위하여 소방자동차 운행기록장치 데이터의 수집·저장·통합·분석 등의 업무를 전자적으로 처리하기 위한 '소방자동차 교통안전 분석 시스템'을 구축·운영할 수 있도록 함(제21조의3 신설)

제20조의2【자체소방대의 설치·운영 등】 ① 관계인은 화재를 진압하거나 구조·구급 활동을 하기 위하여 상설 조직체(「위험물안전관리법」 제19조 및 그 밖의 다른 법령에 따라 설치된 자체소방대를 포함하며, 이하 이 조에서 "자체소방대"라 한다)를 설치·운영할 수 있다.
② 자체소방대는 소방대가 현장에 도착한 경우 소방대장의 지휘·통제에 따라야 한다.
③ 소방청장, 소방본부장 또는 소방서장은 자체소방대의 역량 향상을 위하여 필요한 교육·훈련 등을 지원할 수 있다.
④ 제3항에 따른 교육·훈련 등의 지원에 필요한 사항은 행정안전부령으로 정한다.

(1) 자체소방대의 설치·운영 등

① **설치·운영:** 관계인은 화재를 진압하거나 구조·구급 활동을 하기 위하여 상설 조직체(「위험물안전관리법」 제19조 및 그 밖의 다른 법령에 따라 설치된 자체소방대를 포함하며, 이하 이 조에서 "자체소방대"라 한다)를 설치·운영할 수 있다.

② **지휘·통제:** 자체소방대는 소방대가 현장에 도착한 경우 소방대장의 지휘·통제에 따라야 한다.

③ **교육·훈련 등의 지원:** 소방청장, 소방본부장 또는 소방서장은 자체소방대의 역량 향상을 위하여 필요한 교육·훈련 등을 지원할 수 있다.

(2) 위임규정

교육·훈련 등의 지원에 필요한 사항은 행정안전부령으로 정한다.

관계법규 자체소방대의 교육·훈련 등의 지원

NOTE	시행규칙
	제11조【자체소방대의 교육·훈련 등의 지원】 법 제20조의2 제3항에 따라【 ① 】, 소방본부장 또는 소방서장은 같은 조 제1항에 따른 자체소방대(이하 "자체소방대"라 한다)의 역량 향상을 위하여 다음 각 호에 해당하는 교육·훈련 등을 지원할 수 있다. 1. 「소방공무원 교육훈련규정」 제2조에 따른 교육훈련기관에서의 자체소방대 교육훈련과정 2. 자체소방대에서 수립하는 교육·훈련 계획의 지도·자문 3. 「소방공무원임용령」 제2조 제3호에 따른 소방기관(이하 이 조에서 "소방기관"이라 한다)과 자체소방대와의 합동 소방훈련 4. 소방기관에서 실시하는 자체소방대의 현장실습 5. 그 밖에 소방청장이 자체소방대의 역량 향상을 위하여 필요하다고 인정하는 교육·훈련
	① 소방청장

제21조【소방자동차의 우선 통행 등】① 모든 차와 사람은 소방자동차(지휘를 위한 자동차와 구조·구급차를 포함한다. 이하 같다)가 화재진압 및 구조·구급 활동을 위하여 출동을 할 때에는 이를 방해하여서는 아니 된다.

② 소방자동차가 화재진압 및 구조·구급 활동을 위하여 출동하거나 훈련을 위하여 필요할 때에는 사이렌을 사용할 수 있다.

③ 모든 차와 사람은 소방자동차가 화재진압 및 구조·구급 활동을 위하여 제2항에 따라 사이렌을 사용하여 출동하는 경우에는 다음 각 호의 행위를 하여서는 아니 된다.

1. 소방자동차에 진로를 양보하지 아니하는 행위

2. 소방자동차 앞에 끼어들거나 소방자동차를 가로막는 행위

3. 그 밖에 소방자동차의 출동에 지장을 주는 행위

④ 제3항의 경우를 제외하고 소방자동차의 우선 통행에 관하여는 「도로교통법」에서 정하는 바에 따른다.

(1) 소방자동차 출동 방해 금지

① 모든 차와 사람은 소방자동차(지휘를 위한 자동차와 구조·구급차 포함)가 화재진압 및 구조·구급 활동을 위하여 출동을 할 때에는 이를 방해하여서는 아니 된다.

② 벌칙 – 5년 이하의 징역 또는 5천만원 이하의 벌금(제50조): 제21조 제1항을 위반하여 소방자동차의 출동을 방해한 사람

(2) 소방자동차의 사이렌 사용

화재진압 및 구조·구급 활동을 위하여 출동하거나 훈련을 위하여 필요할 때에는 사이렌을 사용할 수 있다.

(3) 방해행위 금지사항

① 모든 차와 사람은 소방자동차가 화재진압 및 구조·구급 활동을 위하여 사이렌을 사용하여 출동하는 경우에는 다음의 방해행위를 하여서는 아니 된다.

　　㉠ 소방자동차에 진로를 양보하지 아니하는 행위

　　㉡ 소방자동차 앞에 끼어들거나 소방자동차를 가로막는 행위

　　㉢ 그 밖에 소방자동차의 출동에 지장을 주는 행위

② 과태료 – 200만원 이하의 과태료(제56조): 제21조 제3항을 위반하여 소방자동차의 출동에 지장을 준 자

(4) 준용규정

(3)의 경우를 제외하고는 소방자동차의 우선 통행에 관하여 「도로교통법」에서 정하는 바에 따른다.

🖉 **핵심기출**

「소방기본법」상 벌칙 중 벌금의 상한이 나머지 셋과 다른 것은?　　23. 공채·경채

① 정당한 사유 없이 소방대의 생활안전활동을 방해한 자

② 화재진압 및 구조·구급 활동을 위하여 출동하는 소방자동차의 출동을 방해한 사람

③ 정당한 사유 없이 화재진압 등 소방활동을 위하여 필요할 때 물의 사용이나 수도의 개폐장치의 사용 또는 조작을 하지 못하게 하거나 방해한 자

④ 정당한 사유 없이 소방대가 현장에 도착할 때까지 사람을 구출하는 조치 또는 불을 끄거나 불이 번지지 아니하도록 하는 조치를 하지 아니한 관계인

정답 ②

01 「소방기본법 시행령」상 소방자동차 전용구역의 설치 방법에 관한 내용이다. ( ) 안에 들어갈 내용으로 옳은 것은?
23.경채

> · 전용구역 노면표지의 외곽선은 빗금무늬로 표시하되, 빗금은 두께를 (ㄱ) 센티미터로 하여 (ㄴ)센티미터 간격으로 표시한다.
> · 전용구역 노면표지 도료의 색채는 (ㄷ)을 기본으로 하되, 문자(P, 소방차 전용)는 백색으로 표시한다.

	ㄱ	ㄴ	ㄷ
①	20	40	황색
②	20	40	적색
③	30	50	황색
④	30	50	적색

정답 ③

02 「소방기본법」상 소방자동차가 화재진압을 위하여 출동하는 경우 소방자동차의 우선 통행에 관한 내용으로 옳지 않은 것은?
20. 경채(6월)

① 모든 차와 사람은 소방자동차가 화재진압을 위하여 출동을 할 때에는 이를 방해하여서는 아니 된다.
② 소방자동차가 화재진압을 위하여 출동하거나 훈련을 위하여 필요할 때에는 사이렌을 사용할 수 있다.
③ 모든 차와 사람은 소방자동차가 화재진압을 위하여 사이렌을 사용하여 출동하는 경우에는 소방자동차에 진로를 양보하지 아니하는 행위를 하여서는 아니 된다.
④ 모든 차와 사람은 소방자동차가 화재진압을 위하여 사이렌을 사용하여 출동하는 경우 소방자동차의 우선통행에 관하여는 「교통안전법」에서 정하는 바에 따른다.

정답 ④

03 「소방기본법 시행령」상 소방자동차 전용구역 방해행위의 기준에 관한 내용으로 옳지 않은 것은?
23.경채

① 전용구역의 앞면, 뒷면 또는 양 측면에 물건 등을 쌓거나 주차하는 행위
② 「주차장법」 제19조에 따른 부설주차장의 주차구획 내에 주차하는 행위
③ 전용구역 진입로에 물건 등을 쌓거나 주차하여 전용구역으로의 진입을 가로막는 행위
④ 전용구역 노면표지를 지우거나 훼손하는 행위

정답 ②

제21조의2【소방자동차 전용구역 등】 ① 「건축법」 제2조 제2항 제2호에 따른 공동주택 중 대통령령으로 정하는 공동주택의 건축주는 제16조 제1항에 따른 소방활동의 원활한 수행을 위하여 공동주택에 소방자동차 전용구역(이하 "전용구역"이라 한다)을 설치하여야 한다.
② 누구든지 전용구역에 차를 주차하거나 전용구역에의 진입을 가로막는 등의 방해행위를 하여서는 아니 된다.
③ 전용구역의 설치 기준·방법, 제2항에 따른 방해행위의 기준, 그 밖의 필요한 사항은 대통령령으로 정한다.

(1) 소방자동차 전용구역의 설치

① **설치자:** 공동주택 중 대통령령으로 정하는 공동주택의 건축주
② **설치목적:** 소방활동의 원활한 수행
③ 소방자동차의 전용구역 설치 대상(영 제7조의12): 하나의 대지에 하나의 동(棟)으로 구성되고 「도로교통법」에 따라 정차 또는 주차가 금지된 편도 2차선 이상의 도로에 직접 접하여 소방자동차가 도로에서 직접 소방활동이 가능한 공동주택은 제외한다.
  ㉠ 「건축법 시행령」의 아파트 중 세대수가 100세대 이상인 아파트
  ㉡ 「건축법 시행령」의 기숙사 중 3층 이상의 기숙사

(2) 방해행위의 금지

① 누구든지 전용구역에 차를 주차하거나 전용구역에의 진입을 가로막는 등의 방해행위를 하여서는 아니 된다.
② **과태료 - 100만원 이하의 과태료(제56조):** 제21조의2 제2항을 위반하여 전용구역에 차를 주차하거나 전용구역에의 진입을 가로막는 등의 방해행위를 한 자에게는 100만원 이하의 과태료를 부과한다.

(3) 위임규정

전용구역의 설치 기준·방법, 방해행위의 기준, 그 밖의 필요한 사항은 대통령령으로 정한다.

(4) 소방자동차 전용구역의 설치 기준·방법(영 제7조의13)

① **전용구역의 설치 기준:** 공동주택의 건축주는 소방자동차가 접근하기 쉽고 소방활동이 원활하게 수행될 수 있도록 각 동별 전면 또는 후면에 소방자동차 전용구역을 1개소 이상 설치하여야 한다. 다만, 하나의 전용구역에서 여러 동에 접근하여 소방활동이 가능한 경우로서 소방청장이 정하는 경우에는 각 동별로 설치하지 아니할 수 있다.

② 전용구역의 설치 방법

    ㉠ 전용구역 노면표지의 외곽선은 빗금무늬로 표시하되, 빗금은 두께를 30센티미터로 하여 50센티미터 간격으로 표시한다.

    ㉡ 전용구역 노면표지 도료의 색채는 황색을 기본으로 하되, 문자(P, 소방차 전용)는 백색으로 표시한다.

(5) 전용구역 방해행위의 기준(영 제7조의14)

  ① 전용구역에 물건 등을 쌓거나 주차하는 행위

  ② 전용구역의 앞면, 뒷면 또는 양 측면에 물건 등을 쌓거나 주차하는 행위(「주차장법」에 따른 부설주차장의 주차구획 내에 주차하는 경우는 제외)

  ③ 전용구역 진입로에 물건 등을 쌓거나 주차하여 전용구역으로의 진입을 가로막는 행위

  ④ 전용구역 노면표지를 지우거나 훼손하는 행위

  ⑤ 소방자동차가 전용구역에 주차하는 것을 방해하거나 전용구역으로 진입하는 것을 방해하는 행위

관계법규 소방자동차 전용구역

시행령	

제7조의12 【소방자동차 전용구역 설치 대상】 법 제21조의2 제1항에서 "대통령령으로 정하는 공동주택"이란 다음 각 호의 주택을 말한다. 다만, 하나의 대지에 하나의 동(棟)으로 구성되고 「도로교통법」 제32조 또는 제33조에 따라 정차 또는 주차가 금지된 편도 2차선 이상의 도로에 직접 접하여 소방자동차가 도로에서 직접 소방활동이 가능한 공동주택은 제외한다.
  1. 「건축법 시행령」 별표 1 제2호 가목의 아파트 중 세대수가 【 ① 】 이상인 아파트
  2. 「건축법 시행령」 별표 1 제2호 라목의 기숙사 중 【 ② 】의 기숙사
	제7조의14 【전용구역 방해행위의 기준】 법 제21조의2 제2항에 따른 방해행위의 기준은 다음 각 호와 같다.
	  1. 전용구역에 물건 등을 쌓거나 주차하는 행위
	  2. 전용구역의 앞면, 뒷면 또는 양 측면에 물건 등을 쌓거나 주차하는 행위. 다만, 「주차장법」 제19조에 따른 부설주차장의 주차구획 내에 주차하는 경우는 제외한다.
	  3. 전용구역 진입로에 물건 등을 쌓거나 주차하여 전용구역으로의 진입을 가로막는 행위
	  4. 전용구역 노면표지를 지우거나 훼손하는 행위
	  5. 그 밖의 방법으로 소방자동차가 전용구역에 주차하는 것을 방해하거나 전용구역으로 진입하는 것을 방해하는 행위

제7조의13 【소방자동차 전용구역의 설치 기준·방법】 ① 제7조의12에 따른 【 ③ 】는 소방자동차가 접근하기 쉽고 소방활동이 원활하게 수행될 수 있도록 각 동별 전면 또는 후면에 소방자동차 전용구역(이하 "전용구역"이라 한다)을 1개소 이상 설치하여야 한다. 다만, 하나의 전용구역에서 여러 동에 접근하여 소방활동이 가능한 경우로서 【 ④ 】이 정하는 경우에는 각 동별로 설치하지 아니할 수 있다. ② 전용구역의 설치 방법은 별표 2의5와 같다.	**시행규칙**
	[별표 2의5] 전용구역의 설치 방법(제7조의13 제2항 관련) ▶ 비고 1. 전용구역 노면표지의 외곽선은 빗금무늬로 표시하되, 빗금은 두께를 30센티미터로 하여 50센티미터 간격으로 표시한다. 2. 전용구역 노면표지 도료의 색채는 【 ① 】을 기본으로 하되, 문자(P, 소방차 전용)는 【 ② 】으로 표시한다.
① 100세대 ② 3층 이상 ③ 공동주택의 건축주 ④ 소방청장	① 황색 ② 백색

제21조의3【소방자동차 교통안전 분석 시스템 구축·운영】 ① 소방청장 또는 소방본부장은 대통령령으로 정하는 소방자동차에 행정안전부령으로 정하는 기준에 적합한 운행기록장치(이하 이 조에서 "운행기록장치"라 한다)를 장착하고 운용하여야 한다.

② 소방청장은 소방자동차의 안전한 운행 및 교통사고 예방을 위하여 운행기록장치 데이터의 수집·저장·통합·분석 등의 업무를 전자적으로 처리하기 위한 시스템(이하 이 조에서 "소방자동차 교통안전 분석 시스템"이라 한다)을 구축·운영할 수 있다.

③ 소방청장, 소방본부장 및 소방서장은 소방자동차 교통안전 분석 시스템으로 처리된 자료(이하 이 조에서 "전산자료"라 한다)를 이용하여 소방자동차의 장비운용자 등에게 어떠한 불리한 제재나 처벌을 하여서는 아니 된다.

④ 소방자동차 교통안전 분석 시스템의 구축·운영, 운행기록장치 데이터 및 전산자료의 보관·활용 등에 필요한 사항은 행정안전부령으로 정한다.

(1) 운행기록장치

① 소방청장 또는 소방본부장은 대통령령으로 정하는 소방자동차에 행정안전부령으로 정하는 기준에 적합한 운행기록장치(이하 이 조에서 "운행기록장치"라 한다)를 장착하고 운용하여야 한다.

② **운행기록장치 장착 소방자동차의 범위(영 제7조의15):** "대통령령으로 정하는 소방자동차"란 「소방장비관리법 시행령」 제6조 및 별표 1 제1호 가목에 따른 다음의 소방자동차를 말한다.

ㄱ 소방펌프차

ㄴ 소방물탱크차

ㄷ 소방화학차

ㄹ 소방고가차(消防高架車)

ㅁ 무인방수차

ㅂ 구조차

ㅅ 그 밖에 소방청장이 소방자동차의 안전한 운행 및 교통사고 예방을 위하여 운행기록장치 장착이 필요하다고 인정하여 정하는 소방자동차

③ **소방자동차 운행기록장치의 기준(규칙 제12조):** "행정안전부령으로 정하는 기준에 적합한 운행기록장치"란 「교통안전법 시행규칙」 별표 4에서 정하는 장치 및 기능을 갖춘 전자식 운행기록장치를 말한다.

(2) 소방자동차 교통안전 분석 시스템

소방청장은 소방자동차의 안전한 운행 및 교통사고 예방을 위하여 운행기록장치 데이터의 수집·저장·통합·분석 등의 업무를 전자적으로 처리하기 위한 시스템(이하 이 조에서 "소방자동차 교통안전 분석 시스템"이라 한다)을 구축·운영할 수 있다.

정희's 톡talk

소방장비관리법 시행령 제6조 및 별표 1 제1호 가목에 따른 소방자동차

소방자동차	소방펌프차, 소방물탱크차, 소방화학차, 소방고가차, 무인방수차, 구조차 등
행정지원차	행정 및 교육지원차 등
소방선박	소방정, 구조정, 지휘정 등
소방항공기	고정익항공기, 회전익항공기 등

(3) 제제나 처벌의 금지

소방청장, 소방본부장 및 소방서장은 소방자동차 교통안전 분석 시스템으로 처리된 자료(이하 이 조에서 "전산자료"라 한다)를 이용하여 소방자동차의 장비운용자 등에게 어떠한 불리한 제재나 처벌을 하여서는 아니 된다.

(4) 위임규정

소방자동차 교통안전 분석 시스템의 구축·운영, 운행기록장치 데이터 및 전산자료의 보관·활용 등에 필요한 사항은 행정안전부령으로 정합니다.

관계법규 운행기록장치 장착 소방자동차의 범위 등

시행령	시행규칙
제7조의15【운행기록장치 장착 소방자동차의 범위】 법 제21조의3 제1항에서 "대통령령으로 정하는 소방자동차"란 「소방장비관리법 시행령」 제6조 및 별표 1 제1호 가목에 따른 다음 각 호의 소방자동차를 말한다. 1. 소방펌프차 2. 소방물탱크차 3. 소방화학차 4. 소방고가차(消防高架車) 5. 무인방수차 6. 구조차 7. 그 밖에 【 ① 】이 소방자동차의 안전한 운행 및 교통사고 예방을 위하여 운행기록장치 장착이 필요하다고 인정하여 정하는 소방자동차	**제12조【소방자동차 운행기록장치의 기준】** 법 제21조의3 제1항에서 "행정안전부령으로 정하는 기준에 적합한 운행기록장치"란 「교통안전법 시행규칙」 별표 4에서 정하는 장치 및 기능을 갖춘 전자식 운행기록장치(이하 "운행기록장치"라 한다)를 말한다. **제13조【운행기록장치 데이터의 보관】** 소방청장, 소방본부장 및 소방서장은 소방자동차 운행기록장치에 기록된 데이터(이하 "운행기록장치 데이터"라 한다)를 【 ① 】 동안 저장·관리해야 한다. **제13조의2【운행기록장치 데이터 등의 제출】** ① 소방청장은 소방자동차의 안전한 운행 및 교통사고 예방을 위하여 소방본부장 또는 소방서장에게 운행기록장치 데이터 및 그 분석 결과 등 관련 자료의 제출을 요청할 수 있다. ② 소방본부장은 관할 구역 안의 소방서장에게 운행기록장치 데이터 등 관련 자료의 제출을 요청할 수 있다. ③ 소방본부장 또는 소방서장은 제1항 또는 제2항에 따라 자료의 제출을 요청받은 경우에는 소방청장 또는 소방본부장에게 해당 자료를 제출해야 한다. 이 경우 소방서장이 제1항에 따라 소방청장에게 자료를 제출하는 경우에는 소방본부장을 거쳐야 한다. **제13조의3【운행기록장치 데이터의 분석·활용】** ① 소방청장 및 소방본부장은 운행기록장치 데이터 중 과속, 급감속, 급출발 등의 운행기록을 점검·분석해야 한다. ②【 ② 】, 소방본부장 및 소방서장은 제1항에 따른 분석 결과를 소방자동차의 안전한 소방활동 수행에 필요한 교통안전정책의 수립, 교육·훈련 등에 활용할 수 있다. **제13조의4【운행기록장치 데이터 보관 등에 관한 세부 사항】** 제13조, 제13조의2 및 제13조의3에서 규정한 사항 외에 운행기록장치 데이터의 보관, 제출 및 활용 등에 필요한 세부 사항은 소방청장이 정한다.
① 소방청장	① 6개월 ② 소방청장

7	소방대의 긴급통행	B

제22조【소방대의 긴급통행】 소방대는 화재, 재난·재해, 그 밖의 위급한 상황이 발생한 현장에 신속하게 출동하기 위하여 긴급할 때에는 일반적인 통행에 쓰이지 아니하는 도로·빈터 또는 물 위로 통행할 수 있다.

8	소방활동구역의 설정	A

제23조【소방활동구역의 설정】 ① 소방대장은 화재, 재난·재해, 그 밖의 위급한 상황이 발생한 현장에 소방활동구역을 정하여 소방활동에 필요한 사람으로서 대통령령으로 정하는 사람 외에는 그 구역에 출입하는 것을 제한할 수 있다.
② 경찰공무원은 소방대가 제1항에 따른 소방활동구역에 있지 아니하거나 소방대장의 요청이 있을 때에는 제1항에 따른 조치를 할 수 있다.

(1) 소방대장의 소방활동구역 설정 및 출입제한

소방대장은 화재, 재난·재해, 그 밖의 위급한 상황이 발생한 현장에 소방활동구역을 정하여 소방활동에 필요한 사람으로서 대통령령으로 정하는 사람 외에는 그 구역에 출입하는 것을 제한할 수 있다.

(2) 소방활동구역 출입자

① 소방활동구역 안에 있는 소방대상물의 소유자·관리자 또는 점유자
② 전기·가스·수도·통신·교통의 업무에 종사하는 사람으로서 원활한 소방활동을 위하여 필요한 사람
③ 의사·간호사 그 밖의 구조·구급업무에 종사하는 사람
④ 취재인력 등 보도업무에 종사하는 사람
⑤ 수사업무에 종사하는 사람
⑥ 그 밖에 소방대장이 소방활동을 위하여 출입을 허가한 사람

정희's 톡talk

과태료 – 200만원 이하의 과태료(제56조)
제23조 제1항을 위반하여 소방활동구역을 출입한 사람

✏️ **핵심기출**

「소방기본법 시행령」상 소방활동구역의 출입자로 옳지 않은 것은?   19. 경채(4월)
① 소방활동구역 안에 있는 소방대상물의 관계인
② 구조·구급업무에 종사하는 사람
③ 수사업무에 종사하는 사람
④ 시·도지사가 출입을 허가한 사람

정답 ④

👆 **관계법규** 소방활동구역의 출입자

시행령	
제8조【소방활동구역의 출입자】 법 제23조 제1항에서 "대통령령으로 정하는 사람"이란 다음 각 호의 사람을 말한다. 1. 소방활동구역 안에 있는 소방대상물의 소유자·관리자 또는 점유자 2. 전기·가스·수도·통신·교통의 업무에 종사하는 사람으로서 원활한 소방활동을 위하여 필요한 사람	3. 의사·간호사 그 밖의 구조·구급업무에 종사하는 사람 4. 취재인력 등 보도업무에 종사하는 사람 5. 수사업무에 종사하는 사람 6. 그 밖에 소방대장이 소방활동을 위하여 출입을 허가한 사람

제24조 【소방활동 종사 명령】 ① 소방본부장, 소방서장 또는 소방대장은 화재, 재난·재해, 그 밖의 위급한 상황이 발생한 현장에서 소방활동을 위하여 필요할 때에는 그 관할구역에 사는 사람 또는 그 현장에 있는 사람으로 하여금 사람을 구출하는 일 또는 불을 끄거나 불이 번지지 아니하도록 하는 일을 하게 할 수 있다. 이 경우 소방본부장, 소방서장 또는 소방대장은 소방활동에 필요한 보호장구를 지급하는 등 안전을 위한 조치를 하여야 한다.

② 삭제

③ 제1항에 따른 명령에 따라 소방활동에 종사한 사람은 시·도지사로부터 소방활동의 비용을 지급받을 수 있다. 다만, 다음 각 호의 어느 하나에 해당하는 사람의 경우에는 그러하지 아니하다.

1. 소방대상물에 화재, 재난·재해, 그 밖의 위급한 상황이 발생한 경우 그 관계인

2. 고의 또는 과실로 화재 또는 구조·구급 활동이 필요한 상황을 발생시킨 사람

3. 화재 또는 구조·구급 현장에서 물건을 가져간 사람

(1) 소방활동 종사 명령

① **명령권자**: 소방본부장, 소방서장 또는 소방대장

② **명령 내용**: 화재, 재난·재해 그 밖의 위급한 상황이 발생한 현장에서 소방활동을 위하여 필요할 때에는 그 관할구역에 사는 사람 또는 그 현장에 있는 사람으로 하여금 사람을 구출하는 일 또는 불을 끄거나 불이 번지지 아니하도록 하는 일을 하게 할 수 있다.

③ **안전조치**: 소방본부장, 소방서장 또는 소방대장은 소방활동 종사 명령 시 소방활동에 필요한 보호장구를 지급하는 등 안전을 위한 조치를 하여야 한다.

④ **벌칙** – 5년 이하의 징역 또는 5천만원 이하의 벌금(**제50조**): 제24조 제1항에 따른 사람을 구출하는 일 또는 불을 끄거나 불이 번지지 아니하도록 하는 일을 방해한 사람

(2) 소방활동 종사자의 비용 지급

① **비용 지급자**: 시·도지사

② **비용 지급 대상 예외자**

    ㉠ 소방대상물에 화재, 재난·재해 그 밖의 위급한 상황이 발생한 경우 그 관계인

    ㉡ 고의 또는 과실로 화재 또는 구조·구급 활동이 필요한 상황을 발생시킨 사람

    ㉢ 화재 또는 구조·구급 현장에서 물건을 가져간 사람

🖉 **핵심기출**

「소방기본법」상 소방활동 종사 명령에 대한 설명으로 옳지 않은 것은?   21. 공채(4월)

① 소방본부장 또는 소방서장은 화재 현장에서 소방활동 종사 명령을 할 수 있다.

② 소방활동 종사 명령은 관할구역에 사는 사람 또는 그 현장에 있는 사람을 대상으로 할 수 있다.

③ 소방활동에 종사한 사람은 소방본부장 또는 소방서장으로부터 소방활동의 비용을 지급받을 수 있다.

④ 소방본부장 또는 소방서장은 소방활동에 필요한 보호장구를 지급하는 등 안전을 위한 조치를 하여야 한다.

정답 ③

제25조【강제처분 등】① 소방본부장, 소방서장 또는 소방대장은 사람을 구출하거나 불이 번지는 것을 막기 위하여 필요할 때에는 화재가 발생하거나 불이 번질 우려가 있는 소방대상물 및 토지를 일시적으로 사용하거나 그 사용의 제한 또는 소방활동에 필요한 처분을 할 수 있다.

② 소방본부장, 소방서장 또는 소방대장은 사람을 구출하거나 불이 번지는 것을 막기 위하여 긴급하다고 인정할 때에는 제1항에 따른 소방대상물 또는 토지 외의 소방대상물과 토지에 대하여 제1항에 따른 처분을 할 수 있다.

③ 소방본부장, 소방서장 또는 소방대장은 소방활동을 위하여 긴급하게 출동할 때에는 소방자동차의 통행과 소방활동에 방해가 되는 주차 또는 정차된 차량 및 물건 등을 제거하거나 이동시킬 수 있다.

④ 소방본부장, 소방서장 또는 소방대장은 제3항에 따른 소방활동에 방해가 되는 주차 또는 정차된 차량의 제거나 이동을 위하여 관할 지방자치단체 등 관련 기관에 견인차량과 인력 등에 대한 지원을 요청할 수 있고, 요청을 받은 관련 기관의 장은 정당한 사유가 없으면 이에 협조하여야 한다.

⑤ 시·도지사는 제4항에 따라 견인차량과 인력 등을 지원한 자에게 시·도의 조례로 정하는 바에 따라 비용을 지급할 수 있다.

(1) 강제처분(제25조 제1항 ~ 제3항)

① **강제처분권자:** 소방본부장, 소방서장 또는 소방대장

② **강제처분 시기**

　㉠ 사람을 구출하거나 불이 번지는 것을 막기 위하여 필요할 때

　㉡ 사람을 구출하거나 불이 번지는 것을 막기 위하여 긴급하다고 인정할 때

　㉢ 소방활동을 위하여 긴급하게 출동할 때

③ **강제처분 대상**

　㉠ 소방대상물 및 토지

　㉡ 소방대상물 및 토지 외의 소방대상물과 토지

　㉢ 주차 또는 정차된 차량 및 물건

④ **강제처분 내용**

　㉠ 소방대상물 및 토지를 일시적으로 사용, 사용의 제한 또는 소방활동에 필요한 처분을 할 수 있다.

　㉡ 주차 또는 정차된 차량 및 물건 등을 제거하거나 이동할 수 있다.

시기	강제처분대상	강제처분
필요할 때	① 소방대상물·토지	일시적 사용, 제한, 처분
긴급할 때	② ① 외의 소방대상물·토지	
긴급출동할 때	③ 방해가 되는 주차·정차된 차량·물건	제거 또는 이동

✎ **핵심기출**

「소방기본법」상 소방활동에 필요한 처분(강제처분 등)을 할 수 있는 처분권자로 옳은 것은? 　　　　　　19. 공채(4월)

ㄱ. 소방서장	ㄴ. 소방본부장
ㄷ. 소방대장	ㄹ. 소방청장
ㅁ. 시·도지사	

① ㄱ, ㄴ, ㄷ
② ㄱ, ㄴ, ㄹ
③ ㄱ, ㄷ, ㅁ
④ ㄱ, ㄹ, ㅁ

정답 ①

(2) 소방활동에 방해가 되는 차량의 제거나 이동의 지원 요청(제25조 제4항·제5항)

① 소방본부장, 소방서장 또는 소방대장은 관할 지방자치단체 등 관련 기관에 견인 차량과 인력 등에 대한 지원을 요청할 수 있다.

② 요청받은 관련 기관의 장은 정당한 사유가 없으면 이에 협조해야 한다.

③ 시·도지사는 견인차량과 인력 등을 지원한 자에게 시·도의 조례로 정하는 바에 따라 비용을 지급할 수 있다.

📖 **SUMMARY 벌칙 및 손실보상(제49조의2 및 제51조)**

조문	벌칙※	손실보상	비고
제25조 제1항	3년 이하의 징역 또는 3천만원 이하의 벌금		
제25조 제2항	300만원 이하의 벌금	처분으로 인하여 손실은 입은 자	
제25조 제3항	300만원 이하의 벌금	처분으로 인하여 손실은 입은 자	법령을 위반하여 소방자동차의 통행과 소방활동에 방해가 된 경우는 제외한다.

※ 처분을 방해한 자 또는 정당한 사유 없이 그 처분에 따르지 아니한 자

---

11 피난 명령 　　　　　　　　　　　　　　　　B

제26조【피난 명령】 ① 소방본부장, 소방서장 또는 소방대장은 화재, 재난·재해, 그 밖의 위급한 상황이 발생하여 사람의 생명을 위험하게 할 것으로 인정할 때에는 일정한 구역을 지정하여 그 구역에 있는 사람에게 그 구역 밖으로 피난할 것을 명할 수 있다.

② 소방본부장, 소방서장 또는 소방대장은 제1항에 따른 명령을 할 때 필요하면 관할 경찰서장 또는 자치경찰단장에게 협조를 요청할 수 있다.

(1) 피난 명령

① **명령권자:** 소방본부장, 소방서장 또는 소방대장

② **명령 내용:** 화재, 재난·재해 그 밖의 위급한 상황이 발생하여 사람의 생명을 위험하게 할 것으로 인정할 때에는 일정한 구역을 지정하여 그 구역에 있는 사람에게 그 구역 밖으로 피난할 것을 명할 수 있다.

③ **벌칙 – 100만원 이하의 벌금(제54조):** 제26조 제1항에 따른 피난 명령을 위반한 사람

(2) 경찰서장 또는 자치경찰단장 협조

피난 명령을 할 때 필요하면 관할 경찰서장 또는 자치경찰단장에게 협조를 요청할 수 있다.

제27조 【위험시설등에 대한 긴급조치】 ① 소방본부장, 소방서장 또는 소방대장은 화재 진압 등 소방활동을 위하여 필요할 때에는 소방용수 외에 댐·저수지 또는 수영장 등의 물을 사용하거나 수도(水道)의 개폐장치 등을 조작할 수 있다.

② 소방본부장, 소방서장 또는 소방대장은 화재 발생을 막거나 폭발 등으로 화재가 확대되는 것을 막기 위하여 가스·전기 또는 유류 등의 시설에 대하여 위험물질의 공급을 차단하는 등 필요한 조치를 할 수 있다.

(1) 위험시설등에 대한 긴급조치

① 긴급조치권자: 소방본부장, 소방서장 또는 소방대장

② 화재 진압 등 소방활동을 위하여 필요할 때: 소방용수 외에 댐·저수지 또는 수영장 등의 물을 사용하거나 수도의 개폐장치 등을 조작할 수 있다.

③ 화재 발생을 막거나 폭발 등으로 화재가 확대되는 것을 막기 위한 때: 가스·전기 또는 유류 등의 시설에 대하여 위험물질의 공급을 차단하는 등 필요한 조치를 할 수 있다.

(2) 벌칙 - 100만원 이하의 벌금(제54조)

① 제27조 제1항을 위반하여 정당한 사유 없이 물의 사용이나 수도의 개폐장치의 사용 또는 조작을 하지 못하게 하거나 방해한 자

② 제27조 제2항에 따른 조치를 정당한 사유 없이 방해한 자

참고 **부산 중구 자갈치시장 사고사례**

1. **사고일시:** 2021.08.10. 밤 11시 45분쯤

2. **사고위치:** 부산 중구 자갈치시장

3. **주요내용**
   · 인근 변압기에서 연기가 난다는 신고가 접수되었음. 이 여파로 2시간여 동안 일대 전기 공급이 끊겨 주변 횟집 등에서는 어패류 폐사가 발생
   · 사고는 10일 11시 45분쯤 자갈치시장 앞 변압기에서 연기가 난다는 신고 접수. 출동한 경찰과 소방관이 확인해보니 도로 위 맨홀에서 흰 연기가 피어오르고 있었고, 지하에 묻힌 전선 일부는 손상됨. 추가 화재로 이어질 수 있다고 판단해 단전 조치가 이뤄졌고, 긴급 복구에 나선 한전은 2시간여 만에 다시 전력을 공급
   · 복구 작업이 벌어지는 동안 주변 지역에 전력 공급이 끊기면서 문제가 커짐. 자갈치시장 일대는 횟집이 많이 몰려있는 곳인데, 갑작스러운 단전에 수족관의 산소 공급기가 가동을 멈춤
   · 부산의 대표적 명소이기도 한 자갈치시장 일대에 갑자기 전력 공급이 끊겨 횟집 등에서 어패류가 집단 폐사
   · 이에 상인들은 한전에 피해 보상을 요구하는 방안도 검토하고 있음

✎ **핵심기출**

「소방기본법」상 강제처분과 위험시설등에 대한 긴급조치에 관한 내용으로 옳지 않은 것은? 　　　　　20. 경채(6월)

① 소방본부장, 소방서장 또는 소방대장은 사람을 구출하거나 불이 번지는 것을 막기 위하여 필요할 때에는 화재가 발생하거나 불이 번질 우려가 있는 소방대상물 및 토지를 일시적으로 사용하거나 그 사용의 제한 또는 소방활동에 필요한 처분을 할 수 있다.

② 소방본부장, 소방서장 또는 소방대장은 화재 진압 등 소방활동을 위하여 필요할 때에는 소방용수 외에 댐·저수지 또는 수영장 등의 물을 사용하거나 수도(水道)의 개폐장치 등을 조작할 수 있다.

③ 시·도지사는 소방활동에 방해가 되는 주차 또는 정차된 차량의 제거나 이동을 위하여 견인차량과 인력 등을 지원한 자에게 시·도의 조례로 정하는 바에 따라 비용을 지급할 수 있다.

④ 시·도지사는 화재 발생을 막거나 폭발 등으로 화재가 확대되는 것을 막기 위하여 가스·전기 또는 유류 등의 시설에 대하여 위험물질의 공급을 차단하는 등 필요한 조치를 할 수 있다.

정답 ④

13 방해행위의 제지 등   C

제27조의 2 【방해행위의 제지 등】 소방대원은 제16조 제1항에 따른 소방활동 또는 제16조의3 제1항에 따른 생활안전활동을 방해하는 행위를 하는 사람에게 필요한 경고를 하고, 그 행위로 인하여 사람의 생명·신체에 위해를 끼치거나 재산에 중대한 손해를 끼칠 우려가 있는 긴급한 경우에는 그 행위를 제지할 수 있다.

소방대원은 ① 소방활동 또는 생활안전활동을 방해하는 행위를 하는 사람에게 필요한 경고를 하고, 그 행위로 인하여 사람의 생명·신체에 위해를 끼치거나 재산에 중대한 손해를 끼칠 우려가 있는 ② 긴급한 경우에는 그 행위를 제지할 수 있다.

14 소방용수시설 또는 비상소화장치의 사용금지 등   B

제28조 【소방용수시설 또는 비상소화장치의 사용금지 등】 누구든지 다음 각 호의 어느 하나에 해당하는 행위를 하여서는 아니 된다.
1. 정당한 사유 없이 소방용수시설 또는 비상소화장치를 사용하는 행위
2. 정당한 사유 없이 손상·파괴, 철거 또는 그 밖의 방법으로 소방용수시설 또는 비상소화장치의 효용(效用)을 해치는 행위
3. 소방용수시설 또는 비상소화장치의 정당한 사용을 방해하는 행위

(1) 사용금지 등
① 정당한 사유 없이 사용하는 행위
② 정당한 사유 없이 손상·파괴, 철거 또는 그 밖의 방법으로 효용을 해치는 행위
③ 정당한 사용을 방해하는 행위

(2) 벌칙 – 5년 이하의 징역 또는 5천만원 이하의 벌금(제50조)
제28조를 위반하여 정당한 사유 없이 소방용수시설 또는 비상소화장치를 사용하거나 소방용수시설 또는 비상소화장치의 효용을 해치거나 그 정당한 사용을 방해한 사람

제4장 소방산업의 육성·진흥 및 지원 등

1 국가의 책무   C

제39조의3【국가의 책무】국가는 소방산업(소방용 기계·기구의 제조, 연구·개발 및 판매 등에 관한 일련의 산업을 말한다. 이하 같다)의 육성·진흥을 위하여 필요한 계획의 수립 등 행정상·재정상의 지원시책을 마련하여야 한다.

(1) 국가의 책무
국가는 소방산업의 육성·진흥을 위하여 필요한 계획의 수립 등 행정상·재정상의 지원시책을 마련하여야 한다.

(2) 소방산업
소방용 기계·기구의 제조, 연구·개발 및 판매 등에 관한 산업을 말한다.

2 소방산업과 소방기술   C

제39조의5【소방산업과 관련된 기술개발 등의 지원】① 국가는 소방산업과 관련된 기술(이하 "소방기술"이라 한다)의 개발을 촉진하기 위하여 기술개발을 실시하는 자에게 그 기술개발에 드는 자금의 전부나 일부를 출연하거나 보조할 수 있다.
② 국가는 우수소방제품의 전시·홍보를 위하여 「대외무역법」 제4조 제2항에 따른 무역전시장 등을 설치한 자에게 다음 각 호에서 정한 범위에서 재정적인 지원을 할 수 있다.
1. 소방산업전시회 운영에 따른 경비의 일부
2. 소방산업전시회 관련 국외 홍보비
3. 소방산업전시회 기간 중 국외의 구매자 초청 경비

(1) 소방산업과 관련된 기술개발 지원
국가는 기술의 개발을 촉진하기 위하여 기술개발을 실시하는 자에게 그 기술개발에 드는 자금의 전부나 일부를 출연하거나 보조할 수 있다.

(2) 재정적인 지원
국가는 우수소방제품의 전시·홍보를 위하여 다음의 재정적인 지원을 할 수 있다.
① 소방산업전시회 운영에 따른 경비의 일부
② 소방산업전시회 관련 국외 홍보비
③ 소방산업전시회 기간 중 국외의 구매자 초청 경비

제39조의6【소방기술의 연구·개발사업 수행】 ① 국가는 국민의 생명과 재산을 보호하기 위하여 다음 각 호의 어느 하나에 해당하는 기관이나 단체로 하여금 소방기술의 연구·개발사업을 수행하게 할 수 있다.

1. 국공립 연구기관
2. 「과학기술분야 정부출연연구기관 등의 설립·운영 및 육성에 관한 법률」에 따라 설립된 연구기관
3. 「특정연구기관 육성법」 제2조에 따른 특정연구기관
4. 「고등교육법」에 따른 대학·산업대학·전문대학 및 기술대학
5. 「민법」이나 다른 법률에 따라 설립된 소방기술 분야의 법인인 연구기관 또는 법인 부설 연구소
6. 「기초연구진흥 및 기술개발지원에 관한 법률」 제14조의2 제1항에 따라 인정받은 기업부설연구소
7. 「소방산업의 진흥에 관한 법률」 제14조에 따른 한국소방산업기술원
8. 그 밖에 대통령령으로 정하는 소방에 관한 기술개발 및 연구를 수행하는 기관·협회

② 국가가 제1항에 따른 기관이나 단체로 하여금 소방기술의 연구·개발사업을 수행하게 하는 경우에는 필요한 경비를 지원하여야 한다.

(1) 연구·개발사업 수행기관

국가는 국민의 생명과 재산을 보호하기 위하여 다음의 어느 하나에 해당하는 기관이나 단체로 하여금 소방기술의 연구·개발사업을 수행하게 할 수 있다.

① 국공립 연구기관
② 연구기관
③ 특정연구기관
④ 대학·산업대학·전문대학 및 기술대학
⑤ 소방기술 분야의 법인인 연구기관 또는 법인 부설 연구소
⑥ 기업부설연구소
⑦ 한국소방산업기술원
⑧ 그 밖에 대통령령으로 정하는 소방에 관한 기술개발 및 연구를 수행하는 기관·협회

(2) 경비의 지원

국가가 기관이나 단체로 하여금 소방기술의 연구·개발사업을 수행하게 하는 경우에는 필요한 경비를 지원하여야 한다.

제39조의7【소방기술 및 소방산업의 국제화사업】 ① 국가는 소방기술 및 소방산업의 국제경쟁력과 국제적 통용성을 높이는 데에 필요한 기반 조성을 촉진하기 위한 시책을 마련하여야 한다.

② 소방청장은 소방기술 및 소방산업의 국제경쟁력과 국제적 통용성을 높이기 위하여 다음 각 호의 사업을 추진하여야 한다.

1. 소방기술 및 소방산업의 국제 협력을 위한 조사 · 연구
2. 소방기술 및 소방산업에 관한 국제 전시회, 국제 학술회의 개최 등 국제 교류
3. 소방기술 및 소방산업의 국외시장 개척
4. 그 밖에 소방기술 및 소방산업의 국제경쟁력과 국제적 통용성을 높이기 위하여 필요하다고 인정하는 사업

(1) 소방기술의 연구 · 개발사업 수행

① 국가는 기관이나 단체로 하여금 소방기술의 연구 · 개발사업을 수행하게 할 수 있다.

② 국가가 기관이나 단체로 하여금 소방기술의 연구 · 개발사업을 수행하게 하는 경우에는 필요한 경비를 지원하여야 한다.

(2) 소방기술 및 소방산업의 국제화사업

① **국가:** 국제경쟁력 및 국제적 통용성 향상에 필요한 기반 조성을 촉진하기 위한 시책을 수립하여야 한다.

② **소방청장:** 소방기술 및 국제경쟁력과 국제적 통용성을 위한 사업을 추진하여야 한다.

    ㉠ 국제 협력을 위한 조사 · 연구

    ㉡ 국제 전시회, 국제 학술회의 개최 등 국제 교류

    ㉢ 국외시장 개척

    ㉣ 국제경쟁력과 국제적 통용성을 높이기 위하여 필요하다고 인정하는 사업

제5장 한국소방안전원

1 한국소방안전원의 설립 등   B

제40조【한국소방안전원의 설립 등】① 소방기술과 안전관리기술의 향상 및 홍보, 그 밖의 교육·훈련 등 행정기관이 위탁하는 업무의 수행과 소방 관계 종사자의 기술 향상을 위하여 한국소방안전원(이하 "안전원"이라 한다)을 소방청장의 인가를 받아 설립한다.
② 제1항에 따라 설립되는 안전원은 법인으로 한다.
③ 안전원에 관하여 이 법에 규정된 것을 제외하고는 「민법」 중 재단법인에 관한 규정을 준용한다.

(1) 설립
　① 한국소방안전원을 소방청장의 인가를 받아 설립한다.
　② 설립 목적
　　㉠ 소방기술과 안전관리기술의 향상 및 홍보
　　㉡ 교육·훈련 등 행정기관이 위탁하는 업무의 수행
　　㉢ 소방 관계 종사자의 기술 향상

(2) 설립되는 안전원은 법인으로 한다.

(3) 규정의 준용
　「민법」 중 재단법인에 관한 규정을 준용한다.

정희's 톡talk

재단법인
재단법인은 특정한 목적에 바쳐진 재산으로서 주무관청의 허가를 받아 설립된 재단을 말합니다.
1. 재단법인은 일정한 목적을 위해 출연한 재산이 필수요소이고, 재단법인의 의사는 설립자의 의사에 따라야 합니다.
2. 재단법인은 임의해산을 할 수 없고, 그 설립목적이 비영리를 추구하는 경우에만 설립할 수 있습니다.

사단법인
일정한 목적을 위해 사람들이 결합한 단체로서 주무관청의 허가를 받아 설립한 단체를 말합니다.
1. 사단법인은 사람이라는 구성원이 필수요소이고 사단법인의 의사는 사원총회를 통해 형성됩니다.
2. 사단법인은 임의해산이 가능하고, 그 설립목적이 영리를 추구하든 비영리를 추구하든 설립할 수 있습니다(「민법」 제32조 및 제39조).

2 교육계획의 수립 및 평가 등   A

제40조의2【교육계획의 수립 및 평가 등】① 안전원의 장(이하 "안전원장"이라 한다)은 소방기술과 안전관리의 기술향상을 위하여 매년 교육 수요조사를 실시하여 교육계획을 수립하고 소방청장의 승인을 받아야 한다.
② 안전원장은 소방청장에게 해당 연도 교육결과를 평가·분석하여 보고하여야 하며, 소방청장은 교육평가 결과를 제1항의 교육계획에 반영하게 할 수 있다.
③ 안전원장은 제2항의 교육결과를 객관적이고 정밀하게 분석하기 위하여 필요한 경우 교육 관련 전문가로 구성된 위원회를 운영할 수 있다.
④ 제3항에 따른 위원회의 구성·운영에 필요한 사항은 대통령령으로 정한다.

(1) 교육계획의 수립 및 평가 등

안전원장은 매년 교육 수요조사·교육계획을 실시·수립하여 소방청장의 승인을 받아야 한다.

(2) 교육결과 보고

① 안전원장은 소방청장에게 해당 연도 교육결과를 평가·분석하여 보고하여야 한다.

② 소방청장은 교육평가 결과를 교육계획에 반영하게 할 수 있다.

(3) 교육평가위원회의 구성

안전원장은 교육결과를 객관적이고 정밀하게 분석하기 위하여 필요한 경우 교육 관련 전문가로 구성된 위원회를 운영할 수 있다.

(4) 교육평가위원회의 구성·운영(영 제9조)

① 평가위원회 심의사항

㉠ 교육평가 및 운영에 관한 사항

㉡ 교육결과 분석 및 개선에 관한 사항

㉢ 다음 연도의 교육계획에 관한 사항

② 평가위원회 구성: 위원장 1명을 포함하여 9명 이하의 위원으로 성별을 고려하여 구성한다.

③ 평가위원회의 위원의 자격 요건

㉠ 소방안전교육 업무 담당 소방공무원 중 소방청장이 추천하는 사람

㉡ 소방안전교육 전문가

㉢ 소방안전교육 수료자

㉣ 소방안전에 관한 학식과 경험이 풍부한 사람

④ 수당의 지급

㉠ 평가위원회에 참석한 위원에게는 예산의 범위에서 수당을 지급할 수 있다.

㉡ 공무원인 위원이 소관 업무와 직접 관련되어 참석하는 경우에는 수당을 지급하지 아니한다.

관계법규 교육평가심의위원회의 구성·운영

시행령

제9조【교육평가심의위원회의 구성·운영】 ① 안전원의 장(이하 "안전원장"이라 한다)은 법 제40조의2 제3항에 따라 다음 각 호의 사항을 심의하기 위하여 교육평가심의위원회(이하 "평가위원회"라 한다)를 둔다.
1. 교육평가 및 운영에 관한 사항
2. 교육결과 분석 및 개선에 관한 사항
3. 다음 연도의 교육계획에 관한 사항
② 평가위원회는 위원장 1명을 포함하여 【 ① 】의 위원으로 성별을 고려하여 구성한다.
③ 평가위원회의 위원장은 위원 중에서 호선(互選)한다.
④ 평가위원회의 위원은 다음 각 호의 어느 하나에 해당하는 사람 중에서 안전원장이 임명 또는 위촉한다.

1. 소방안전교육 업무 담당 소방공무원 중 소방청장이 추천하는 사람
2. 소방안전교육 전문가
3. 소방안전교육 수료자
4. 소방안전에 관한 학식과 경험이 풍부한 사람
⑤ 평가위원회에 참석한 위원에게는 예산의 범위에서 수당을 지급할 수 있다. 다만, 공무원인 위원이 소관 업무와 직접 관련되어 참석하는 경우에는 수당을 지급하지 아니한다.
⑥ 제1항부터 제5항까지에서 규정한 사항 외에 평가위원회의 운영 등에 필요한 사항은 안전원장이 정한다.

① 9명 이하

제41조【안전원의 업무】 안전원은 다음 각 호의 업무를 수행한다.

1. 소방기술과 안전관리에 관한 교육 및 조사·연구
2. 소방기술과 안전관리에 관한 각종 간행물 발간
3. 화재예방과 안전관리의식 고취를 위한 대국민 홍보
4. 소방업무에 관하여 행정기관이 위탁하는 업무
5. 소방안전에 관한 국제협력

제42조【회원의 관리】 안전원은 소방기술과 안전관리 역량의 향상을 위하여 다음 각 호의 사람을 회원으로 관리할 수 있다.

1. 「소방시설 설치 및 관리에 관한 법률」, 「소방시설공사업법」 또는 「위험물안전관리법」에 따라 등록을 하거나 허가를 받은 사람으로서 회원이 되려는 사람
2. 「화재의 예방 및 안전관리에 관한 법률」, 「소방시설공사업법」 또는 「위험물안전관리법」에 따라 소방안전관리자, 소방기술자 또는 위험물안전관리자로 선임되거나 채용된 사람으로서 회원이 되려는 사람
3. 그 밖에 소방 분야에 관심이 있거나 학식과 경험이 풍부한 사람으로서 회원이 되려는 사람

제43조【안전원의 정관】 ① 안전원의 정관에는 다음 각 호의 사항이 포함되어야 한다.

1. 목적
2. 명칭
3. 주된 사무소의 소재지
4. 사업에 관한 사항
5. 이사회에 관한 사항
6. 회원과 임원 및 직원에 관한 사항
7. 재정 및 회계에 관한 사항
8. 정관의 변경에 관한 사항

② 안전원은 정관을 변경하려면 소방청장의 인가를 받아야 한다.

제44조【안전원의 운영 경비】 안전원의 운영 및 사업에 소요되는 경비는 다음 각 호의 재원으로 충당한다.

1. 제41조 제1호 및 제4호의 업무 수행에 따른 수입금
2. 제42조에 따른 회원의 회비
3. 자산운영수익금
4. 그 밖의 부대수입

제44조의2【안전원의 임원】 ① 안전원에 임원으로 원장 1명을 포함한 9명 이내의 이사와 1명의 감사를 둔다.

② 제1항에 따른 원장과 감사는 소방청장이 임명한다.

제44조의3【유사명칭의 사용금지】 이 법에 따른 안전원이 아닌 자는 한국소방안전원 또는 이와 유사한 명칭을 사용하지 못한다.

「소방기본법」상 한국소방안전원의 업무에 관한 내용으로 옳지 않은 것은? 24. 경채

① 소방안전에 관한 국제협력
② 소방기술과 안전관리에 관한 각종 간행물 발간
③ 화재 예방과 안전관리의식 고취를 위한 대국민 홍보
④ 소방기술과 소방산업의 국외시장 개척에 관한 사업추진

정답 ④

(1) 안전원의 업무

① 소방기술과 안전관리에 관한 교육 및 조사·연구

② 소방기술과 안전관리에 관한 각종 간행물 발간

③ 화재 예방과 안전관리의식 고취를 위한 대국민 홍보

④ 소방업무에 관하여 행정기관이 위탁하는 업무

⑤ 소방안전에 관한 국제협력

(2) 회원의 관리

① 「소방시설 설치 및 관리에 관한 법률」,「소방시설공사업법」또는 「위험물안전관리법」에 따라 등록을 하거나 허가를 받은 사람으로서 회원이 되려는 사람

② 「화재의 예방 및 안전관리에 관한 법률」,「소방시설공사업법」또는 「위험물안전관리법」에 따라 소방안전관리자, 소방기술자 또는 위험물안전관리자로 선임되거나 채용된 사람으로서 회원이 되려는 사람

③ 소방 분야에 관심이 있거나 학식과 경험이 풍부한 사람으로서 회원이 되려는 사람

(3) 안전원의 정관

① 정관 사항

ㄱ 목적

ㄴ 명칭

ㄷ 주된 사무소의 소재지

ㄹ 사업에 관한 사항

ㅁ 이사회에 관한 사항

ㅂ 회원과 임원 및 직원에 관한 사항

ㅅ 재정 및 회계에 관한 사항

ㅇ 정관의 변경에 관한 사항

② 정관 변경: 소방청장의 인가를 받아야 한다.

(4) 안전원의 운영경비 등

① 경비 재원의 충당

ㄱ 업무 수행에 따른 수입금

ⓐ 소방기술과 안전관리에 관한 교육 및 조사·연구

ⓑ 소방업무에 관하여 행정기관이 위탁하는 업무

ㄴ 회원의 회비

ㄷ 자산운영수익금

ㄹ 부대수입

② 안전원의 임원

ㄱ 임원: 원장 1명을 포함한 9명 이내의 이사, 감사 1명으로 구성한다.

ㄴ 원장과 감사는 소방청장이 임명한다.

③ 유사명칭의 사용금지: 안전원이 아니면 '한국소방안전원' 또는 유사한 명칭을 사용하지 못한다(벌칙 – 200만원 이하 과태료).

제6장 보칙

1   감독   D

제48조【감독】① 소방청장은 안전원의 업무를 감독한다.

② 소방청장은 안전원에 대하여 업무·회계 및 재산에 관하여 필요한 사항을 보고
하게 하거나, 소속 공무원으로 하여금 안전원의 장부·서류 및 그 밖의 물건을 검사
하게 할 수 있다.

③ 소방청장은 제2항에 따른 보고 또는 검사의 결과 필요하다고 인정되면 시정명
령 등 필요한 조치를 할 수 있다.

(1) 안전원 업무의 감독권자: 소방청장

(2) 소방청장의 업무지시 및 검사 지시

① 소방청장은 안전원에 대하여 업무·회계 및 재산에 대한 보고하게 할 수 있다.

② 소방청장은 소속 공무원이 안전원 장부·서류 및 그 밖의 물건을 검사하게 할
수 있다.

(3) 시정명령 및 조치

소방청장은 보고 또는 검사 결과 후 시정명령 조치를 할 수 있다.

🖐 **관계법규 감독 등**

시행령	NOTE
제10조【감독 등】① 소방청장은 법 제48조 제1항에 따라 안전원의 다음 각 호의 업무를 감독하여야 한다. 1. 이사회의 중요의결 사항 2. 회원의 가입·탈퇴 및 회비에 관한 사항 3. 사업계획 및 예산에 관한 사항 4. 기구 및 조직에 관한 사항 5. 그 밖에 소방청장이 위탁한 업무의 수행 또는 정관에서 정하고 있는 업무의 수행에 관한 사항 ② 협회의 사업계획 및 예산에 관하여는【 ① 】의 승인을 얻어야 한다. ③ 소방청장은 협회의 업무감독을 위하여 필요한 자료의 제출을 명하거나「소방시설 설치 및 관리에 관한 법률」제50조,「소방시설공사업법」제33조 및「위험물안전관리법」제30조의 규정에 의하여 위탁된 업무와 관련된 규정의 개선을 명할 수 있다. 이 경우 협회는 정당한 사유가 없는 한 이에 따라야 한다.	
① 소방청장	

2 권한의 위임 D

> **제49조【권한의 위임】** 소방청장은 이 법에 따른 권한의 일부를 대통령령으로 정하는 바에 따라 시 · 도지사, 소방본부장 또는 소방서장에게 위임할 수 있다.

소방청장 권한의 일부를 대통령령으로 정하는 바에 따라 시 · 도지사, 소방본부장 또는 소방서장에게 위임할 수 있다.

2-2 손실보상 A

> **제49조의2【손실보상】** ① 소방청장 또는 시 · 도지사는 다음 각 호의 어느 하나에 해당하는 자에게 제3항의 손실보상심의위원회의 심사 · 의결에 따라 정당한 보상을 하여야 한다.
> 1. 제16조의3 제1항에 따른 조치로 인하여 손실을 입은 자
> 2. 제24조 제1항 전단에 따른 소방활동 종사로 인하여 사망하거나 부상을 입은 자
> 3. 제25조 제2항 또는 제3항에 따른 처분으로 인하여 손실을 입은 자. 다만, 같은 조 제3항에 해당하는 경우로서 법령을 위반하여 소방자동차의 통행과 소방활동에 방해가 된 경우는 제외한다.
> 4. 제27조 제1항 또는 제2항에 따른 조치로 인하여 손실을 입은 자
> 5. 그 밖에 소방기관 또는 소방대의 적법한 소방업무 또는 소방활동으로 인하여 손실을 입은 자
> ② 제1항에 따라 손실보상을 청구할 수 있는 권리는 손실이 있음을 안 날부터 3년, 손실이 발생한 날부터 5년간 행사하지 아니하면 시효의 완성으로 소멸한다.
> ③ 소방청장 또는 시 · 도지사는 제1항에 따른 손실보상청구사건을 심사 · 의결하기 위하여 필요한 경우 손실보상심의위원회를 구성 · 운영할 수 있다.
> ④ 소방청장 또는 시 · 도지사는 손실보상심의위원회의 구성 목적을 달성하였다고 인정하는 경우에는 손실보상심의위원회를 해산할 수 있다.
> ⑤ 제1항에 따른 손실보상의 기준, 보상금액, 지급절차 및 방법, 제3항에 따른 손실보상심의위원회의 구성 및 운영, 그 밖에 필요한 사항은 대통령령으로 정한다.

(1) 손실보상
　① 소방청장 또는 시 · 도지사는 손실보상심의위원회의 심사 · 의결에 따라 정당한 보상을 하여야 한다.
　② 손실보상 대상자
　　㉠ 생활안전활동의 조치로 손실을 입은 자
　　　ⓐ 붕괴, 낙하 등이 우려되는 고드름, 나무, 위험 구조물 등의 제거활동
　　　ⓑ 위해동물, 벌 등의 포획 및 퇴치 활동
　　　ⓒ 끼임, 고립 등에 따른 위험제거 및 구출 활동

　　　　ⓓ 단전사고 시 비상전원 또는 조명의 공급

　　　　ⓔ 그 밖에 방치하면 급박해질 우려가 있는 위험을 예방하기 위한 활동

　　ⓛ 소방활동 종사자로 인하여 사망하거나 부상을 입은 자

　　ⓒ 강제처분으로 인하여 손실을 입은 자(필요할 때에는 해당되지 않음). 다만, 법령을 위반하여 소방자동차의 통행과 소방활동에 방해가 된 경우는 제외한다.

　　ⓔ 위험시설등에 대한 긴급조치로 인하여 손실을 입은 자

　　ⓜ 그 밖에 소방기관 또는 소방대의 적법한 소방업무 또는 소방활동으로 인하여 손실을 입은 자

(2) 소멸시효

손실보상을 청구할 수 있는 권리는 손실이 있음을 안 날부터 3년, 손실이 발생한 날부터 5년간 행사하지 아니하면 시효의 완성으로 소멸한다.

(3) 손실보상심의위원회

소방청장 또는 시·도지사는 손실보상청구 사건을 심사·의결하기 위하여 손실보상심의위원회를 구성·운영할 수 있다.

(4) 손실보상심의위원회 해산

① **해산권자:** 소방청장 또는 시·도지사

② **해산시기:** 손실보상심의위원회의 구성 목적을 달성하였다고 인정하는 경우

(5) 위임규정

손실보상의 기준, 보상금액, 지급절차 및 방법, 손실보상심의위원회의 구성 및 운영 그 밖에 필요한 사항은 대통령령으로 정한다.

(6) 손실보상의 기준 및 보상금액(영 제11조)

① **손실을 입은 물건을 수리할 수 있는 때:** 수리비에 상당하는 금액

② **손실을 입은 물건을 수리할 수 없는 때:** 손실을 입은 당시의 해당 물건의 교환가액

(7) 손실보상의 지급절차 및 방법(영 제12조)

① **서류의 제출:** 소방기관 또는 소방대의 적법한 소방업무 또는 소방활동으로 인하여 발생한 손실을 보상받으려는 자는 행정안전부령으로 정하는 보상금 지급 청구서에 손실내용과 손실금액을 증명할 수 있는 서류를 첨부하여 소방청장 또는 시·도지사(소방청장 등)에게 제출하여야 한다.

② **보상금의 결정:** 소방청장 등은 손실보상심의위원회의 심사·의결을 거쳐 특별한 사유가 없으면 보상금 지급 청구서를 받은 날부터 60일 이내에 보상금 지급 여부 및 보상금액을 결정하여야 한다.

③ **소방청장 등의 청구 각하 결정에 해당하는 사항**

　　ⓛ 청구인이 같은 청구 원인으로 보상금 청구를 하여 보상금 지급 여부 결정을 받은 경우. 다만, 기각 결정을 받은 청구인이 손실을 증명할 수 있는 새로운 증거가 발견되었음을 소명(疎明)하는 경우는 제외한다.

01 「소방기본법」상 소방청장 또는 시·도지사가 손실보상심의위원회의 심사·의결에 따라 정당한 손실보상을 하여야 하는 대상으로 옳지 않은 것은?　18. 공채(10월)

① 생활안전활동에 따른 조치로 인하여 손실을 입은 자

② 화재가 확대되는 것을 막기 위하여 가스·전기 또는 유류 등의 시설에 대하여 위험물질의 공급을 차단하는 등의 조치로 인하여 손실을 입은 자

③ 소방활동 종사명령으로 인하여 사망하거나 부상을 입은 자

④ 소방활동에 방해가 되는 불법 주차 차량을 제거하거나 이동시키는 처분으로 인하여 손실을 입은 자

정답 ④

02 「소방기본법」 및 같은 법 시행령상 손실보상에 관한 내용 중 소방청장 또는 시·도지사가 '손실보상심의위원회'의 심사·의결에 따라 정당한 보상을 하여야 하는 대상으로 옳지 않은 것은?　19. 경채(4월)

① 생활안전활동에 따른 조치로 인하여 손실을 입은 자

② 소방활동 종사 명령에 따른 소방활동 종사로 인하여 사망하거나 부상을 입은 자

③ 위험물 또는 물건의 보관기간 경과 후 매각이나 폐기로 손실을 입은 자

④ 소방기관 또는 소방대의 적법한 소방업무 또는 소방활동으로 손실을 입은 자

정답 ③

1

해커스소방 김정희 소방관계법규 기본서

> · 손실보상을 청구할 권리는 손실이 있음을 안 날부터 (가)년, 손실이 발생한 날부터 (나)년간 행사하지 아니하면 시효의 완성으로 소멸한다.
> · 소방청장 등은 손실보상심의위원회의 심사·의결을 거쳐 특별한 사유가 없으면 보상금 지급 청구서를 받은 날부터 (다)일 이내에 보상금 지급 여부 및 보상금액을 결정하여야 한다.
> · 소방청장 등은 결정일부터 (라)일 이내에 행정안전부령으로 정하는 바에 따라 결정 내용을 청구인에게 통지하고, 보상금을 지급하기로 결정한 경우에는 특별한 사유가 없으면 통지한 날부터 (마)일 이내에 보상금을 지급하여야 한다.

	가	나	다	라	마
①	3	5	60	10	30
②	5	3	60	12	20
③	3	5	50	10	30
④	5	3	50	12	20

정답 ①

ⓛ 손실보상 청구가 요건과 절차를 갖추지 못한 경우. 다만, 그 잘못된 부분을 시정할 수 있는 경우는 제외한다.

④ **통지 및 지급**: 소방청장 등은 결정일부터 10일 이내에 행정안전부령으로 정하는 바에 따라 결정 내용을 청구인에게 통지하고, 보상금을 지급하기로 결정한 경우에는 특별한 사유가 없으면 통지한 날부터 30일 이내에 보상금을 지급하여야 한다.

(8) 손실보상심의위원회의 설치 및 구성(영 제13조)

① 위원회의 설치 및 구성

ⓖ **설치·구성권자**: 소방청장등(소방청장 또는 시·도지사)

ⓛ **설치·구성 목적**: 손실보상청구 사건을 심사·의결하기 위하여 필요한 경우 각각 손실보상심의위원회(이하 "보상위원회"라 한다)를 구성·운영할 수 있다.

② 보상위원회의 구성

ⓖ 보상위원회는 위원장 1명을 포함하여 5명 이상 7명 이하의 위원으로 구성한다.

ⓛ 다만, 청구금액이 100만원 이하인 사건에 대해서는 위원 3명으로만 구성할 수 있다.

③ **보상위원회의 위원**: 다음의 어느 하나에 해당하는 사람 중에서 소방청장등이 위촉하거나 임명한다. 이 경우 위원의 과반수는 성별을 고려하여 소방공무원이 아닌 사람으로 하여야 한다.

ⓖ 소속 소방공무원

ⓛ 판사·검사 또는 변호사로 5년 이상 근무한 사람

ⓒ 「고등교육법」 제2조에 따른 학교에서 법학 또는 행정학을 가르치는 부교수 이상으로 5년 이상 재직한 사람

ⓔ 「보험업법」 제186조에 따른 손해사정사

ⓜ 소방안전 또는 의학 분야에 관한 학식과 경험이 풍부한 사람

④ 위원의 임기

ⓖ 위촉되는 위원의 임기는 2년으로 한다.

ⓛ 다만, 보상위원회가 해산되는 경우에는 그 해산되는 때에 임기가 만료되는 것으로 한다.

⑤ **간사의 지명**: 보상위원회의 사무를 처리하기 위하여 보상위원회에 간사 1명을 두되, 간사는 소속 소방공무원 중에서 소방청장등이 지명한다.

(9) 보상위원회의 위원장(영 제14조)

① 보상위원회의 위원장은 위원 중에서 소방청장등이 지명한다.

② 보상위원장은 보장위원회를 대표하며, 보상위원회 업무를 총괄한다.

시행령	시행규칙
제11조【손실보상의 기준 및 보상금액】 ① 법 제49조의2 제1항에 따라 같은 항 각 호(제2호는 제외한다)의 어느 하나에 해당하는 자에게 물건의 멸실·훼손으로 인한 손실보상을 하는 때에는 다음 각 호의 기준에 따른 금액으로 보상한다. 이 경우 영업자가 손실을 입은 물건의 수리나 교환으로 인하여 영업을 계속할 수 없는 때에는 영업을 계속할 수 없는 기간의 영업이익액에 상당하는 금액을 더하여 보상한다. 1. 손실을 입은 물건을 수리할 수 있는 때: 수리비에 상당하는 금액 2. 손실을 입은 물건을 수리할 수 없는 때: 손실을 입은 당시의 해당 물건의【 ① 】 ② 물건의 멸실·훼손으로 인한 손실 외의 재산상 손실에 대해서는 직무집행과 상당한 인과관계가 있는 범위에서 보상한다. ③ 법 제49조의2 제1항 제2호에 따른 사상자의 보상금액 등의 기준은 별표 2의4와 같다. **제12조【손실보상의 지급절차 및 방법】** ① 법 제49조의2 제1항에 따라 소방기관 또는 소방대의 적법한 소방업무 또는 소방활동으로 인하여 발생한 손실을 보상받으려는 자는 행정안전부령으로 정하는 보상금 지급 청구서에 손실내용과 손실금액을 증명할 수 있는 서류를 첨부하여 소방청장 또는【 ② 】(이하 "소방청장 등"이라 한다)에게 제출하여야 한다. 이 경우 소방청장 등은 손실보상금의 산정을 위하여 필요하면 손실보상을 청구한 자에게 증빙·보완 자료의 제출을 요구할 수 있다. ② 소방청장 등은 제13조에 따른 손실보상심의위원회의 심사·의결을 거쳐 특별한 사유가 없으면 보상금 지급 청구서를 받은 날부터【 ③ 】이내에 보상금 지급 여부 및 보상금액을 결정하여야 한다. ③ 소방청장 등은 다음 각 호의 어느 하나에 해당하는 경우에는 그 청구를 각하(却下)하는 결정을 하여야 한다. 1. 청구인이 같은 청구 원인으로 보상금 청구를 하여 보상금 지급 여부 결정을 받은 경우. 다만, 기각 결정을 받은 청구인이 손실을 증명할 수 있는 새로운 증거가 발견되었음을 소명(疎明)하는 경우는 제외한다. 2. 손실보상 청구가 요건과 절차를 갖추지 못한 경우. 다만, 그 잘못된 부분을 시정할 수 있는 경우는 제외한다. ④ 소방청장 등은 제2항 또는 제3항에 따른 결정일부터【 ④ 】이내에 행정안전부령으로 정하는 바에 따라 결정 내용을 청구인에게 통지하고, 보상금을 지급하기로 결정한 경우에는 특별한 사유가 없으면 통지한 날부터【 ⑤ 】이내에 보상금을 지급하여야 한다. ⑤ 소방청장 등은 보상금을 지급받을 자가 지정하는 예금계좌(「우체국예금·보험에 관한 법률」에 따른 체신관서 또는 「은행법」에 따른 은행의 계좌를 말한다)에 입금하는 방법으로 보상금을 지급한다. 다만, 보상금을 지급받을 자가 체신관서 또는 은행이 없는 지역에 거주하는 등 부득이한 사유가 있는 경우에는 그 보상금을 지급받을 자의 신청에 따라 현금으로 지급할 수 있다.	**제14조【보상금 지급 청구서 등의 서식】** ① 영 제12조 제1항에 따른 보상금 지급 청구서는 별지 제8호 서식에 따른다. ② 영 제12조 제4항에 따라 결정 내용을 청구인에게 통지하는 경우에는 다음 각 호의 서식에 따른다. 1. 보상금을 지급하기로 결정한 경우: 별지 제9호 서식의 보상금 지급 결정 통지서 2. 보상금을 지급하지 아니하기로 결정하거나 보상금 지급 청구를 각하한 경우: 별지 제10호 서식의 보상금 지급 청구(기각·각하) 통지서

① 교환가액 ② 시·도지사 ③ 60일 ④ 10일 ⑤ 30일

⑥ 보상금은 일시불로 지급하되, 예산 부족 등의 사유로 일시불로 지급할 수 없는 특별한 사정이 있는 경우에는 청구인의 동의를 받아 분할하여 지급할 수 있다.

⑦ 제1항부터 제6항까지에서 규정한 사항 외에 보상금의 청구 및 지급에 필요한 사항은 소방청장이 정한다.

제13조【손실보상심의위원회의 설치 및 구성】① 소방청장 등은 법 제49조의2 제3항에 따라 손실보상청구 사건을 심사·의결하기 위하여 필요한 경우 각각 손실보상심의위원회(이하 "보상위원회"라 한다)를 구성·운영할 수 있다.

② 보상위원회는 위원장 1명을 포함하여 5명 이상 7명 이하의 위원으로 구성한다. 다만, 청구금액이 100만원 이하인 사건에 대해서는 제3조 제1호에 해당하는 위원 3명으로만 구성할 수 있다.

③ 보상위원회의 위원은 다음 각 호의 어느 하나에 해당하는 사람 중에서 소방청장 등이 위촉하거나 임명한다. 이 경우 제2항 본문에 따라 보상위원회를 구성할 때에는 위원의 과반수는 성별을 고려하여 【 ⑥ 】이 아닌 사람으로 하여야 한다.

1. 소속 소방공무원
2. 판사·검사 또는 변호사로 5년 이상 근무한 사람
3. 「고등교육법」 제2조에 따른 학교에서 법학 또는 행정학을 가르치는 부교수 이상으로 5년 이상 재직한 사람
4. 「보험업법」 제186조에 따른 손해사정사
5. 소방안전 또는 의학 분야에 관한 학식과 경험이 풍부한 사람

④ 제3항에 따라 위촉되는 위원의 임기는 2년으로 한다. 다만 법 제49조의2 제4항에 따라 보상위원회가 해산되는 경우에는 그 해산되는 때에 임기가 만료되는 것으로 한다.

⑤ 보상위원회의 사무를 처리하기 위하여 보상위원회에 간사 1명을 두되, 간사는 소속 소방공무원 중에서 소방청장 등이 지명한다.

제14조【보상위원회의 위원장】① 보상위원회의 위원장(이하 "보상위원장"이라 한다)은 제13조 제3항 제1호에 따른 위원 중에서 소방청장등이 지명한다.

② 보상위원장은 보상위원회를 대표하며, 보상위원회의 업무를 총괄한다.

③ 보상위원장이 부득이한 사유로 직무를 수행할 수 없는 때에는 보상위원장이 미리 지명한 위원이 그 직무를 대행한다.

제15조【보상위원회의 운영】① 【 ⑦ 】은 보상위원회의 회의를 소집하고, 그 의장이 된다.

② 보상위원회의 회의는 재적위원 과반수의 출석으로 개의(開議)하고, 출석위원 과반수의 찬성으로 의결한다.

③ 보상위원회는 심의를 위하여 필요한 경우에는 관계 공무원이나 관계 기관에 사실조사나 자료의 제출 등을 요구할 수 있으며, 관계 전문가에게 필요한 정보의 제공이나 의견의 진술 등을 요청할 수 있다.

제16조【보상위원회 위원의 제척·기피·회피】① 보상위원회의 위원이 다음 각 호의 어느 하나에 해당하는 경우에는 보상위원회의 심의·의결에서 【 ⑧ 】된다.

1. 위원 또는 그 배우자나 배우자였던 사람이 심의 안건의 청구인인 경우
2. 위원이 심의 안건의 청구인과 친족이거나 친족이었던 경우
3. 위원이 심의 안건에 대하여 증언, 진술, 자문, 용역 또는 감정을 한 경우
4. 위원이나 위원이 속한 법인(법무조합 및 공중인가합동법률사무소를 포함한다)이 심의 안건 청구인의 대리인이거나 대리인이었던 경우
5. 위원이 해당 심의 안건의 청구인인 법인의 임원인 경우

② 청구인은 보상위원회의 위원에게 공정한 심의·의결을 기대하기 어려운 사정이 있는 때에는 보상위원회에 기피 신청을 할 수 있고, 보상위원회는 의결로 이를 결정한다. 이 경우 기피 신청의 대상인 위원은 그 의결에 참여하지 못한다.

③ 보상위원회의 위원이 제1항 각 호에 따른 제척 사유에 해당하는 경우에는 스스로 해당 안건의 심의·의결에서 회피(回避)하여야 한다.

제17조【보상위원회 위원의 해촉 및 해임】소방청장 등은 보상위원회의 위원이 다음 각 호의 어느 하나에 해당하는 경우에는 해당 위원을 해촉(解囑)하거나 해임할 수 있다.

1. 심신장애로 인하여 직무를 수행할 수 없게 된 경우
2. 직무태만, 품위손상이나 그 밖의 사유로 위원으로 적합하지 아니하다고 인정되는 경우
3. 제16조 제1항 각 호의 어느 하나에 해당하는 데에도 불구하고 회피하지 아니한 경우
4. 제17조의2를 위반하여 직무상 알게 된 비밀을 누설한 경우

제17조의2【보상위원회의 비밀 누설 금지】보상위원회의 회의에 참석한 사람은 직무상 알게 된 비밀을 누설해서는 아니 된다.

제18조【보상위원회의 운영 등에 필요한 사항】제13조부터 제17조까지 및 제17조의2에서 규정한 사항 외에 보상위원회의 운영 등에 필요한 사항은 소방청장 등이 정한다.

⑥ 소방공무원 ⑦ 보상위원장 ⑧ 제척(除斥)

제49조의3【벌칙 적용에서 공무원 의제】 제41조 제4호에 따라 위탁받은 업무에 종사하는 안전원의 임직원은 「형법」 제129조부터 제132조까지를 적용할 때에는 공무원으로 본다.

(1) 벌칙 적용 시의 공무원 의제 대상자

소방업무에 관하여 행정기관이 위탁하는 업무에 종사하는 안전원의 임직원은 「형법」 제129조부터 제132조를 적용할 때 공무원으로 의제된다.

참고 「형법」 제129조 ~ 제132조 규정	
제129조 (수뢰, 사전수뢰)	1. 공무원 또는 중재인이 그 직무에 관하여 뇌물을 수수, 요구 또는 약속한 때에는 5년 이하의 징역 또는 10년 이하의 자격정지에 처한다. 2. 공무원 또는 중재인이 될 자가 그 담당할 직무에 관하여 청탁을 받고 뇌물을 수수, 요구 또는 약속한 후 공무원 또는 중재인이 된 때에는 3년 이하의 징역 또는 7년 이하의 자격정지에 처한다.
제130조 (제삼자뇌물제공)	공무원 또는 중재인이 그 직무에 관하여 부정한 청탁을 받고 제3자에게 뇌물을 공여하게 하거나 공여를 요구 또는 약속한 때에는 5년 이하의 징역 또는 10년 이하의 자격정지에 처한다.
제131조 (수뢰후부정처사, 사후수뢰)	1. 공무원 또는 중재인이 제129조, 제130조의 죄를 범하여 부정한 행위를 한 때에는 1년 이상의 유기징역에 처한다. 2. 공무원 또는 중재인이 그 직무상 부정한 행위를 한 후 뇌물을 수수, 요구 또는 약속하거나 제3자에게 이를 공여하게 하거나 공여를 요구 또는 약속한 때에도 1.의 형과 같다. 3. 공무원 또는 중재인이었던 자가 그 재직 중에 청탁을 받고 직무상 부정한 행위를 한 후 뇌물을 수수, 요구 또는 약속한 때에는 5년 이하의 징역 또는 10년 이하의 자격정지에 처한다. 4. 3.의 경우에는 10년 이하의 자격정지를 병과할 수 있다.
제132조 (알선수뢰)	공무원이 그 지위를 이용하여 다른 공무원의 직무에 속한 사항의 알선에 관하여 뇌물을 수수, 요구 또는 약속한 때에는 3년 이하의 징역 또는 7년 이하의 자격정지에 처한다.

제7장 벌칙

제50조 【벌칙】 다음 각 호의 어느 하나에 해당하는 사람은 5년 이하의 징역 또는 5천만원 이하의 벌금에 처한다.

1. 제16조 제2항을 위반하여 다음 각 목의 어느 하나에 해당하는 행위를 한 사람
   가. 위력(威力)을 사용하여 출동한 소방대의 화재진압·인명구조 또는 구급활동을 방해하는 행위
   나. 소방대가 화재진압·인명구조 또는 구급활동을 위하여 현장에 출동하거나 현장에 출입하는 것을 고의로 방해하는 행위
   다. 출동한 소방대원에게 폭행 또는 협박을 행사하여 화재진압·인명구조 또는 구급활동을 방해하는 행위
   라. 출동한 소방대의 소방장비를 파손하거나 그 효용을 해하여 화재진압·인명구조 또는 구급활동을 방해하는 행위
2. 제21조 제1항을 위반하여 소방자동차의 출동을 방해한 사람
3. 제24조 제1항에 따른 사람을 구출하는 일 또는 불을 끄거나 불이 번지지 아니하도록 하는 일을 방해한 사람
4. 제28조를 위반하여 정당한 사유 없이 소방용수시설 또는 비상소화장치를 사용하거나 소방용수시설 또는 비상소화장치의 효용을 해치거나 그 정당한 사용을 방해한 사람

제51조 【벌칙】 제25조 제1항에 따른 처분을 방해한 자 또는 정당한 사유 없이 그 처분에 따르지 아니한 자는 3년 이하의 징역 또는 3천만원 이하의 벌금에 처한다.

제52조 【벌칙】 다음 각 호의 어느 하나에 해당하는 자는 300만원 이하의 벌금에 처한다.

1. 제25조 제2항 및 제3항에 따른 처분을 방해한 자 또는 정당한 사유 없이 그 처분에 따르지 아니한 자
2. 삭제

제54조 【벌칙】 다음 각 호의 어느 하나에 해당하는 자는 100만원 이하의 벌금에 처한다.

1. 삭제
1의2. 제16조의3 제2항을 위반하여 정당한 사유 없이 소방대의 생활안전활동을 방해한 자
2. 제20조 제1항을 위반하여 정당한 사유 없이 소방대가 현장에 도착할 때까지 사람을 구출하는 조치 또는 불을 끄거나 불이 번지지 아니하도록 하는 조치를 하지 아니한 사람
3. 제26조 제1항에 따른 피난 명령을 위반한 사람
4. 제27조 제1항을 위반하여 정당한 사유 없이 물의 사용이나 수도의 개폐장치의 사용 또는 조작을 하지 못하게 하거나 방해한 자
5. 제27조 제2항에 따른 조치를 정당한 사유 없이 방해한 자

제54조의2 【「형법」상 감경규정에 관한 특례】 음주 또는 약물로 인한 심신장애 상태에서 제50조 제1호 다목의 죄를 범한 때에는 「형법」 제10조 제1항 및 제2항을 적용하지 아니할 수 있다.

(1) 5년 이하의 징역 또는 5천만원 이하의 벌금(제50조)
   ① 다음의 행위를 한 사람(제1호)

   > 제16조 【소방활동】 ② 누구든지 정당한 사유 없이 제1항에 따라 출동한 소방대의 소방활동을 방해하여서는 아니 된다.

   ㉠ 위력을 사용하여 소방대의 화재진압·인명구조 또는 구급활동을 방해하는 행위
   ㉡ 소방대가 화재진압·인명구조 또는 구급활동을 위해 현장에 출동·출입하는 것을 고의로 방해하는 행위
   ㉢ 소방대원에게 폭행·협박을 행사하여 화재진압·인명구조 또는 구급활동을 방해하는 행위
   ㉣ 소방대의 소방장비를 파손하거나 그 효용을 해하여 화재진압·인명구조 또는 구급활동을 방해하는 행위
   ② 소방자동차의 출동을 방해한 사람(제2호)

   > 제21조 【소방자동차의 우선 통행 등】 ① 모든 차와 사람은 소방자동차(지휘를 위한 자동차와 구조·구급차를 포함한다. 이하 같다)가 화재진압 및 구조·구급 활동을 위하여 출동을 할 때에는 이를 방해하여서는 아니 된다.

   ③ 소방활동을 하는 것을 방해한 사람(제3호): 제24조 제1항에 따른 사람을 구출하는 일 또는 불을 끄거나 불이 번지지 아니하도록 하는 일을 방해한 사람
   ④ 정당한 사유 없이 소방용수시설·비상소화장치를 사용하거나 효용을 해치거나 정당한 사용을 방해한 사람(제4호)

   > 제28조 【소방용수시설 또는 비상소화장치의 사용금지 등】 누구든지 다음 각 호의 어느 하나에 해당하는 행위를 하여서는 아니 된다.
   > 1. 정당한 사유 없이 소방용수시설 또는 비상소화장치를 사용하는 행위
   > 2. 정당한 사유 없이 손상·파괴, 철거 또는 그 밖의 방법으로 소방용수시설 또는 비상소화장치의 효용(效用)을 해치는 행위
   > 3. 소방용수시설 또는 비상소화장치의 정당한 사용을 방해하는 행위

(2) 3년 이하의 징역 또는 3천만원 이하의 벌금

> 제25조【강제처분 등】① 소방본부장, 소방서장 또는 소방대장은 사람을 구출하거나 불이 번지는 것을 막기 위하여 필요할 때에는 화재가 발생하거나 불이 번질 우려가 있는 소방대상물 및 토지를 일시적으로 사용하거나 그 사용의 제한 또는 소방활동에 필요한 처분을 할 수 있다.

화재 발생 또는 불이 번질 우려가 있는 소방대상물·토지에 대한 강제처분을 방해하거나 정당한 사유 없이 처분을 따르지 않은 사람

(3) 300만원 이하의 벌금

> 제25조【강제처분 등】② 소방본부장, 소방서장 또는 소방대장은 사람을 구출하거나 불이 번지는 것을 막기 위하여 긴급하다고 인정할 때에는 제1항에 따른 소방대상물 또는 토지 외의 소방대상물과 토지에 대하여 제1항에 따른 처분을 할 수 있다.
> ③ 소방본부장, 소방서장 또는 소방대장은 소방활동을 위하여 긴급하게 출동할 때에는 소방자동차의 통행과 소방활동에 방해가 되는 주차 또는 정차된 차량 및 물건 등을 제거하거나 이동시킬 수 있다.

(2) 외의 소방대상물·토지 및 차량·물건에 대한 강제처분을 방해하거나 정당한 사유 없이 처분을 따르지 않은 사람

(4) 100만원 이하의 벌금에 해당하는 사항
① 정당한 사유 없이 소방대의 생활안전활동을 방해한 사람

> 제16조의3【생활안전활동】② 누구든지 정당한 사유 없이 제1항에 따라 출동하는 소방대의 생활안전활동을 방해하여서는 아니 된다.

② 관계인이 소방대가 도착할 때까지 정당한 사유 없이 소방활동을 하지 않은 사람

> 제20조【관계인의 소방활동 등】① 관계인은 소방대상물에 화재, 재난·재해, 그 밖의 위급한 상황이 발생한 경우에는 소방대가 현장에 도착할 때까지 경보를 울리거나 대피를 유도하는 등의 방법으로 사람을 구출하는 조치 또는 불을 끄거나 불이 번지지 아니하도록 필요한 조치를 하여야 한다.

③ 피난 명령을 위반한 사람

> 제26조【피난 명령】① 소방본부장, 소방서장 또는 소방대장은 화재, 재난·재해, 그 밖의 위급한 상황이 발생하여 사람의 생명을 위험하게 할 것으로 인정할 때에는 일정한 구역을 지정하여 그 구역에 있는 사람에게 그 구역 밖으로 피난할 것을 명할 수 있다.

✎ **핵심기출**

「소방기본법」상 벌칙 중 벌금의 상한이 나머지 셋과 다른 것은?　　23. 공채·경채
① 정당한 사유 없이 소방대의 생활안전활동을 방해한 자
② 화재진압 및 구조·구급 활동을 위하여 출동하는 소방자동차의 출동을 방해한 사람
③ 정당한 사유 없이 화재진압 등 소방활동을 위하여 필요할 때 물의 사용이나 수도의 개폐장치의 사용 또는 조작을 하지 못하게 하거나 방해한 자
④ 정당한 사유 없이 소방대가 현장에 도착할 때까지 사람을 구출하는 조치 또는 불을 끄거나 불이 번지지 아니하도록 하는 조치를 하지 아니한 관계인

정답 ②

④ 긴급조치를 위반하여 정당한 사유 없이 물의 사용이나 수도의 개폐장치의 사용 또는 조작을 하지 못하게 하거나 방해한 자

> **제27조【위험시설등에 대한 긴급조치】** ① 소방본부장, 소방서장 또는 소방대장은 화재 진압 등 소방활동을 위하여 필요할 때에는 소방용수 외에 댐·저수지 또는 수영장 등의 물을 사용하거나 수도(水道)의 개폐장치 등을 조작할 수 있다.

⑤ 긴급조치를 정당한 사유 없이 방해한 자

> **제27조【위험시설등에 대한 긴급조치】** ② 소방본부장, 소방서장 또는 소방대장은 화재 발생을 막거나 폭발 등으로 화재가 확대되는 것을 막기 위하여 가스·전기 또는 유류 등의 시설에 대하여 위험물질의 공급을 차단하는 등 필요한 조치를 할 수 있다.

📖 **SUMMARY** 6분법상의 벌칙

벌칙	1분법	2분법	3분법	4분법	5분법	6분법
· 위험: 1년 이상 10년 이하 · 상해: 무기 또는 3년 이상 · 사망: 무기 또는 5년 이상						○
업무상 과실 · 위험: 7년 이하 금고, 7천만원 이하 · 사상: 10년 이하의 징역 또는 금고, 1억원 이하						○
5년 또는 1억원						○
5년 또는 5천만원	○			○		
· 상해: 7년 이하의 징역, 7천만원 이하 · 사망: 10년 이하의 징역, 1억원 이하				○		
3년 또는 3천만원	○		○	○	○	○
1년 또는 1천만원			○	○	○	○
1천5백만원						○
1,000만원						○
300만원	○	○	○	○	○	
200만원						
100만원	○				○	

제54조의2【「형법」상 감경규정에 관한 특례】 음주 또는 약물로 인한 심신장애 상태에서 제50조 제1호 다목의 죄를 범한 때에는 「형법」 제10조 제1항 및 제2항을 적용하지 아니할 수 있다.

(1) 「형법」상 감경규정에 관한 특례
   ① 음주 또는 약물로 인한 심신장애 상태에서 제50조 제1호 다목의 죄를 범한 때에는 「형법」 제10조 제1항 및 제2항을 적용하지 아니할 수 있다.
   ② 제50조 제1호 다목: 출동한 소방대원에게 폭행 또는 협박을 행사하여 화재진압·인명구조 또는 구급활동을 방해하는 행위

(2) 「형법」 제10조 제1항 및 제2항
   ① 제10조 제1항: 심신장애로 인하여 사물을 변별할 능력이 없거나 의사를 결정할 능력이 없는 자의 행위는 벌하지 아니한다.
   ② 제10조 제2항: 심신장애로 인하여 전항의 능력이 미약한 자의 행위는 형을 감경할 수 있다.

2   양벌규정   D

제55조【양벌규정】 법인의 대표자나 법인 또는 개인의 대리인, 사용인, 그 밖의 종업원이 그 법인 또는 개인의 업무에 관하여 제50조부터 제54조까지의 어느 하나에 해당하는 위반행위를 하면 그 행위자를 벌하는 외에 그 법인 또는 개인에게도 해당 조문의 벌금형을 과(科)한다. 다만, 법인 또는 개인이 그 위반행위를 방지하기 위하여 해당 업무에 관하여 상당한 주의와 감독을 게을리하지 아니한 경우에는 그러하지 아니하다.

① 법인의 대표자나 법인 또는 개인의 대리인, 사용인, 그 밖의 종업원이 그 법인 또는 개인의 업무에 관하여 제50조부터 제54조까지의 어느 하나에 해당하는 위반행위를 하면 그 행위자를 벌하는 외에 그 법인 또는 개인에게도 해당 조문의 벌금형을 과(科)한다.
② 다만, 법인 또는 개인이 그 위반행위를 방지하기 위하여 해당 업무에 관하여 상당한 주의와 감독을 게을리하지 아니한 경우에는 그러하지 아니하다.

제56조【과태료】 ① 다음 각 호의 어느 하나에 해당하는 자에게는 500만원 이하의 과태료를 부과한다.

1. 제19조 제1항을 위반하여 화재 또는 구조·구급이 필요한 상황을 거짓으로 알린 사람
2. 정당한 사유 없이 제20조 제2항을 위반하여 화재, 재난·재해, 그 밖의 위급한 상황을 소방본부, 소방서 또는 관계 행정기관에 알리지 아니한 관계인

② 다음 각 호의 어느 하나에 해당하는 자에게는 200만원 이하의 과태료를 부과한다.

1. 삭제
2. 삭제

2의2. 제17조의6 제5항을 위반하여 한국119청소년단 또는 이와 유사한 명칭을 사용한 자

3. 삭제

3의2. 제21조 제3항을 위반하여 소방자동차의 출동에 지장을 준 자

4. 제23조 제1항을 위반하여 소방활동구역을 출입한 사람
5. 삭제
6. 제44조의3을 위반하여 한국소방안전원 또는 이와 유사한 명칭을 사용한 자

③ 제21조의2 제2항을 위반하여 전용구역에 차를 주차하거나 전용구역에의 진입을 가로막는 등의 방해행위를 한 자에게는 100만원 이하의 과태료를 부과한다.

④ 제1항부터 제4항까지에 따른 과태료는 대통령령으로 정하는 바에 따라 관할 시·도지사, 소방본부장 또는 소방서장이 부과·징수한다.

제57조【과태료】 ① 제19조 제2항에 따른 신고를 하지 아니하여 소방자동차를 출동하게 한 자에게는 20만원 이하의 과태료를 부과한다.

② 제1항에 따른 과태료는 조례로 정하는 바에 따라 관할 소방본부장 또는 소방서장이 부과·징수한다.

(1) 500만원 이하의 과태료

① 화재 또는 구조·구급이 필요한 상황을 거짓으로 알린 사람
② 정당한 사유 없이 규정을 위반하여 화재, 재난·재해, 그 밖의 위급한 상황을 소방본부, 소방서 또는 관계 행정기관에 알리지 아니한 관계인

(2) 200만원 이하의 과태료

① 한국119청소년단 또는 이와 유사한 명칭을 사용한 자
② 규정을 위반하여 소방자동차의 출동에 지장을 준 자
③ 규정을 위반하여 소방활동구역을 출입한 사람
④ 한국소방안전원 또는 이와 유사한 명칭을 사용한 자

✏️ **핵심기출**

「소방기본법」상 과태료 부과대상으로 옳은 것은? 19. 경채(4월)

① 화재 또는 구조·구급이 필요한 상황을 거짓으로 알린 사람
② 화재경계지구 안의 소방대상물에 대한 소방특별조사를 거부·방해 또는 기피한 자
③ 소방자동차가 화재진압 및 구조활동을 위하여 출동할 때, 소방자동차의 출동을 방해한 사람
④ 소방활동 종사 명령에 따라 사람을 구출하는 일 또는 불을 끄거나 불이 번지지 아니 하도록 하는 일을 방해한 사람

정답 ①

(3) 100만원 이하의 과태료

전용구역에 차를 주차하거나 전용구역에의 진입을 가로막는 등 방해행위를 한 자

> **참고** **과태료**
>
> (1) ~ (3)까지의 과태료는 대통령령으로 정하는 바에 따라 관할 시·도지사, 소방본부장 또는 소방서장이 부과·징수한다.

(4) 20만원 이하의 과태료(제57조)

① 화재 등의 통지에 따른 신고를 하지 아니하여 소방자동차를 출동하게 한 자에게는 20만원 이하의 과태료를 부과한다.

② ①에 따른 과태료는 조례로 정하는 바에 따라 관할 소방본부장 또는 소방서장이 부과·징수한다.

(5) 과태료의 부과기준(일반기준, 영 [별표 3])

① 위반행위의 횟수에 따른 과태료의 가중된 부과기준은 최근 1년간 같은 위반행위로 과태료 부과처분을 받은 경우에 적용한다. 이 경우 기간의 계산은 위반행위에 대하여 과태료 부과처분을 받은 날과 그 처분 후 다시 같은 위반행위를 하여 적발된 날을 기준으로 한다.

② ①에 따라 가중된 부과처분을 하는 경우 가중처분의 적용 차수는 그 위반행위 전 부과처분 차수(①에 따른 기간 내에 과태료 부과처분이 둘 이상 있었던 경우에는 높은 차수를 말한다)의 다음 차수로 한다.

③ 부과권자는 다음의 어느 하나에 해당하는 경우에는 개별기준에 따른 과태료의 2분의 1 범위에서 그 금액을 줄여 부과할 수 있다. 다만, 과태료를 체납하고 있는 위반행위자에 대해서는 그렇지 않다.

ㄱ 위반행위가 사소한 부주의나 오류로 인한 것으로 인정되는 경우

ㄴ 위반행위자가 법 위반상태를 시정하거나 해소하기 위하여 노력한 사실이 인정되는 경우

ㄷ 위반행위자가 화재 등 재난으로 재산에 현저한 손실을 입거나 사업 여건의 악화로 그 사업이 중대한 위기에 처하는 등 사정이 있는 경우

ㄹ 그 밖에 위반행위의 정도, 위반행위의 동기와 그 결과 등을 고려하여 감경할 필요가 있다고 인정되는 경우

✏️ **핵심기출**

「소방기본법」 및 같은 법 시행령상 과태료 부과기준으로 옳은 것은? 24. 공채·경채

① 정당한 사유 없이 관계인의 소방활동 등에 따른 법을 위반하여 화재, 재난·재해, 그 밖의 위급한 상황을 소방본부, 소방서 또는 관계 행정기관에 알리지 아니한 관계인에게는 200만원 이하의 과태료를 부과한다.

② 소방자동차 전용구역에 차를 주차하거나 전용구역에의 진입을 가로막는 등의 방해행위를 한 자에게는 100만원 이하의 과태료를 부과한다.

③ 위반행위의 횟수에 따른 과태료의 가중된 부과기준은 최근 2년간 같은 위반행위로 과태료 부과처분을 받은 경우에 적용한다.

④ 위반행위자가 법 위반상태를 시정하거나 해소하기 위하여 노력한 사실이 인정되는 경우, 부과권자는 개별기준에 따른 과태료의 3분의 1 범위에서 그 금액을 줄여 부과할 수 있다.

정답 ②

📖 SUMMARY 6분법상의 과태료

과태료	1분법	2분법	3분법	4분법	5분법	6분법
500만원	○					○
300만원			○	○		
200만원	○	○	○		○	
100만원	○		○			
20만원	○					

(6) 과태료의 부과기준(개별기준, 영 [별표 3])

위반행위	근거 법조문	과태료 금액(만원)		
		1회	2회	3회 이상
가. 법 제17조의6 제5항을 위반하여 한국119청소년단 또는 이와 유사한 명칭을 사용한 경우	법 제56조 제2항 제2호의2	100	150	200
나. 법 제19조 제1항을 위반하여 화재 또는 구조·구급이 필요한 상황을 거짓으로 알린 경우	법 제56조 제1항 제1호	200	400	500
다. 정당한 사유 없이 법 제20조 제2항을 위반하여 화재, 재난·재해, 그 밖의 위급한 상황을 소방본부, 소방서 또는 관계 행정기관에 알리지 않은 경우	법 제56조 제1항 제2호	500		
라. 법 제21조 제3항을 위반하여 소방자동차의 출동에 지장을 준 경우	법 제56조 제2항 제3호의2	100		
마. 법 제21조의2 제2항을 위반하여 전용구역에 차를 주차하거나 전용구역에의 진입을 가로막는 등의 방해행위를 한 경우	법 제56조 제3항	50	100	100
바. 법 제23조 제1항을 위반하여 소방활동구역을 출입한 경우	법 제56조 제2항 제4호	100		
사. 법 제44조의3을 위반하여 한국소방안전원 또는 이와 유사한 명칭을 사용한 경우	법 제56조 제2항 제6호	200		

관계법규 과태료 부과기준

시행령	시행규칙
제19조【과태료 부과기준】 법 제56조 제1항부터 제3항까지의 규정에 따른 과태료의 부과기준은 별표 3과 같다.	제15조【과태료의 징수절차】 영 제19조 제4항의 규정에 의한 과태료의 징수절차에 관하여는 「국고금관리법 시행규칙」을 준용한다. 이 경우 납입고지서에는 이의방법 및 이의기간 등을 함께 기재하여야 한다.

📖 SUMMARY 위원회·평가단 구성·운영 등 Ⅰ

소방기본법	1. 소방기술민원센터: 센터장 포함 18명 이내 2. 소방박물관: 관장 1인, 부관장 1인, 운영위원회 7인 이내 3. 한국소방안전원: 원장 1명 포함한 9명 이내의 이사와 1명의 감사 4. 교육평가위원회: 위원장 1명 포함하여 9명 이하의 위원 5. 손실보상심의위원회: 위원장 1명 포함하여 5명 이상 7명 이하의 위원
화재조사법	1. 화재조사전담부서: 화재조사관 2명 이상 배치 2. 화재합동조사단 　· 사망자가 5명 이상 발생한 화재 　· 화재로 인한 사회적·경제적 영향이 광범위하다고 소방관서장이 인정하는 화재
화재예방법	1. 중앙·지방화재안전조사단: 각각 단장 포함하여 50명 내외 성별 고려 2. 화재안전조사위원회: 위원장 1명 포함 7명 이내의 위원 성별 고려 3. 화재안전영향평가심의회: 위원장 1명 포함한 12명 이내의 위원 4. 우수 소방대상물의 선정을 위한 평가위원회(규칙): 2명 이상 포함된 평가위원회
소방시설법	1. 성능위주설계 평가단: 평가단장 1명 포함하여 50명 이내 단원 2. 성능위주설계 평가단 회의: 평가단장과 평가단장이 회의마다 지명하는 6명 이상 8명 이하의 평가단원(변경신고: 성능위주설계를 검토·평가한 평가단원 중 5명 이상으로 평가단 구성) 3. 중앙소방기술심의위원회 구성: 위원장을 포함한 60명 이내의 위원으로 구성 4. 중앙소방기술심의위원회 회의: 위원장과 위원장이 회의마다 지정하는 6명 이상 12명 이하의 위원 5. 지방소방기술심의위원회 구성: 위원장을 포함하여 5명 이상 9명 이하의 위원
소방시설공사업법	1. 하도급계약심사위원회(영): 위원장 1명과 부위원장 1명을 포함하여 10명 이내의 위원 2. 소방기술자 양성·인정 교육훈련 전담인력: 6명 이상 3. 소방기술자 실무교육에 필요한 기술인력(규칙 [별표 6]): 강사 4명 및 교무인원 2명 이상 4. 소방시설업자협회 설립인가: 소방시설업자 10명 이상 발기
위험물안전관리법	사고조사위원회: 위원장 1명을 포함하여 7명 이하의 위원

📖 SUMMARY 위원회·평가단 구성·운영 등 Ⅱ

구분	5명 이상 7명 이하	6명 이상 8명 이하	5명 이상 9명 이하	6명 이상 12명 이하
소방기본법	손실보상심의위원회 (위원장 포함)			
화재조사법				
화재예방법				
소방시설법		단장 + 성능위주설계 평가단(회의) (변경신고: 5명 이상)	지방소방기술심의위원회 [구성(위원장 포함)]	위원장 + 중앙소방기술 심의위원회(회의)
소방시설공사업법				
위험물안전관리법				

구분	60명 이내	50명 내외	18명 이내	12명 이내	10명 이내	9명 이내	7명 이내
소방기본법			소방기술 민원센터 (선테장 포함)			한국소방안전원 이사 (위원장 포함) +1명의 감사 교육평가위원회	관장 1인, 부관장 1인, 소방박물관 (운영위원회)
화재조사법							
화재예방법		중앙 · 지방화재 안전조사단 (단장 포함)		화재안전영향 평가심의회 (위원장 포함)			
소방시설법	중앙소방기술 심위위원회	성능위주설계 평가단 (단장 포함)					화재안전조사 위원회 (위원장 포함)
소방시설 공사업법					하도급계약 심사위원회		
위험물 안전관리법							사고조사위원회 (위원장 포함)

제2편

화재의 예방 및
안전관리에 관한 법률

화재의 예방 및 안전관리에 관한 법률

본문 내용을 중요도에 따라 A ~ D단계로 분류함으로써 학습 단계에 맞춰 중요 내용을 선별적으로 학습할 수 있습니다.

제1장 총칙

화재의 예방 및 안전관리에 관한 법률
[시행 2024.5.17][법률 제19590호, 2023.
8.8., 타법개정]

화재의 예방 및 안전관리에 관한 법률 시행령
[시행 2023.1.3.][대통령령 제33199호,
2023.1.3., 일부개정]

화재의 예방 및 안전관리에 관한 법률 시행
규칙
[시행 2022.12.1.][행정안전부령 제361호,
2022.12.1., 제정]

 정희's 톡talk

「화재의 예방 및 안전관리에 관한 법률」은
이하 '화재예방법'이라 합니다.

📍 제·개정 내용

법률
1. 화재로 인한 인명과 재산 피해를 줄이기
   위해서는 체계적이고 일관된 화재 예방정
   책 추진이 필요하나 현행 화재 예방과 관
   련된 제도와 법률 규정이 「소방기본법」
   과 「화재예방, 소방시설 설치·유지 및 안
   전관리에 관한 법률」에 분산되어 있고, 잦
   은 개정으로 법체계가 복잡하여 국민이 이
   해하기 어려울 뿐만 아니라 법 제도적으로
   화재 예방과 안전관리가 체계적이고 일관
   되지 않은 문제가 있다.
2. 이에 화재 예방과 안전관리에 관련된 법
   률 규정을 하나로 통합하여 국민이 이해
   하기 쉽고 화재 예방에 관하여 일관되고
   체계적인 정책을 추진할 수 있도록 화재
   예방에 관한 법률을 별도로 제정하려는 것
   이다.

1 「화재의 예방 및 안전관리에 관한 법률」의 목적   B

제1조【목적】 이 법은 화재의 예방과 안전관리에 필요한 사항을 규정함으로써 화재
로부터 국민의 생명·신체 및 재산을 보호하고 공공의 안전과 복리 증진에 이바지
함을 목적으로 한다.

화재예방법은 다음을 그 목적으로 한다.
① 화재의 예방과 안전관리에 필요한 사항을 규정함
② 화재로부터 국민의 생명·신체 및 재산을 보호함
③ 공공의 안전과 복리 증진

📖 SUMMARY 6개분법상 '목적'

구분	핵심내용	궁극적인 목적
소방기본법	· 화재의 예방·경계·진압 · 화재, 재난·재해, 그 밖의 위급한 상황으로부터 구조·구급 활동 등 · 국민의 생명·신체 및 재산을 보호함	공공의 안녕질서 유지 복리증진
화재예방법	· 화재의 예방과 안전관리에 필요한 사항을 규정함 · 화재로부터 국민의 생명·신체 및 재산을 보호함	공공의 안전 복리증진
소방시설법	· 특정소방대상물 등에 설치하여야 하는 소방시설등의 설치·관리와 소방용품 성능관리에 필요한 사항 규정 · 국민의 생명·신체 및 재산 보호	공공의 안전 복리증진
화재조사법	· 화재예방 및 소방정책에 활용 · 화재원인, 화재성장 및 확산, 피해현황 등에 관한 과학적·전문적인 조사에 필요한 사항을 규정함	
소방시설 공사업법	· 소방시설공사 및 소방기술 · 소방시설업 건전한 발전과 소방기술 진흥	화재로부터 공공의 안전 국민경제 이바지
위험물 안전관리법	· 위험물의 저장·취급 및 운반과 안전관리사항 규정 · 위험물로 인한 위해 방지	공공의 안전

제2조【정의】 ① 이 법에서 사용하는 용어의 뜻은 다음과 같다.

1. "예방"이란 화재의 위험으로부터 사람의 생명·신체 및 재산을 보호하기 위하여 화재발생을 사전에 제거하거나 방지하기 위한 모든 활동을 말한다.

2. "안전관리"란 화재로 인한 피해를 최소화하기 위한 예방, 대비, 대응 등의 활동을 말한다.

3. "화재안전조사"란 소방청장, 소방본부장 또는 소방서장(이하 "소방관서장"이라 한다)이 소방대상물, 관계지역 또는 관계인에 대하여 소방시설등이 소방 관계 법령에 적합하게 설치·관리되고 있는지, 소방대상물에 화재의 발생 위험이 있는지 등을 확인하기 위하여 실시하는 현장조사·문서열람·보고요구 등을 하는 활동을 말한다.

4. "화재예방강화지구"란 특별시장·광역시장·특별자치시장·도지사 또는 특별자치도지사(이하 "시·도지사"라 한다)가 화재발생 우려가 크거나 화재가 발생할 경우 피해가 클 것으로 예상되는 지역에 대하여 화재의 예방 및 안전관리를 강화하기 위해 지정·관리하는 지역을 말한다.

5. "화재예방안전진단"이란 화재가 발생할 경우 사회·경제적으로 피해 규모가 클 것으로 예상되는 소방대상물에 대하여 화재위험요인을 조사하고 그 위험성을 평가하여 개선대책을 수립하는 것을 말한다.

② 이 법에서 사용하는 용어의 뜻은 제1항에서 규정하는 것을 제외하고는 「소방기본법」, 「소방시설 설치 및 관리에 관한 법률」, 「소방시설공사업법」, 「위험물안전관리법」 및 「건축법」에서 정하는 바에 따른다.

(1) 예방

화재의 위험으로부터 사람의 생명·신체 및 재산을 보호하기 위하여 화재발생을 사전에 제거하거나 방지하기 위한 모든 활동

(2) 안전관리

화재로 인한 피해를 최소화하기 위한 예방, 대비, 대응 등의 활동

(3) 화재안전조사

소방관서장이 소방대상물, 관계지역 또는 관계인에 대하여 소방시설등이 소방 관계 법령에 적합하게 설치·관리되고 있는지, 소방대상물에 화재의 발생 위험이 있는지 등을 확인하기 위하여 실시하는 현장조사·문서열람·보고요구 등을 하는 활동

(4) 화재예방강화지구

시·도지사가 화재발생 우려가 크거나 화재가 발생할 경우 피해가 클 것으로 예상되는 지역에 대하여 화재의 예방 및 안전관리를 강화하기 위해 지정·관리하는 지역

(5) 화재예방안전진단

화재가 발생할 경우 사회·경제적으로 피해 규모가 클 것으로 예상되는 소방대상물에 대하여 화재위험요인을 조사하고 그 위험성을 평가하여 개선대책을 수립하는 것

✐ **핵심기출**

화재예방법상 용어의 정의로 옳지 않은 것은?
24. 경채

① "예방"이란 화재의 위험으로부터 사람의 생명·신체 및 재산을 보호하기 위하여 화재발생을 사전에 제거하거나 방지하기 위한 모든 활동을 말한다.

② "안전관리"란 화재로 인한 피해를 최소화하기 위한 예방, 대비, 대응 등의 활동을 말한다.

③ "화재예방안전진단"이란 화재가 발생할 경우 사회·경제적으로 피해 규모가 클 것으로 예상되는 소방대상물에 대하여 화재위험요인을 조사하고 그 위험성을 평가하여 개선대책을 수립하는 것을 말한다.

④ "화재안전조사"란 소방청장, 소방본부장 또는 소방서장이 화재원인, 피해상황, 대응활동 등을 파악하기 위하여 자료의 수집, 관계인등에 대한 질문, 현장 확인, 감식, 감정 및 실험 등을 하는 일련의 행위를 말한다.

정답 ④

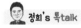 **정회's 톡talk**

소방관서장

소방관서장은 소방청장, 소방본부장 또는 소방서장을 말합니다.

제3조【국가와 지방자치단체 등의 책무】① 국가는 화재로부터 국민의 생명과 재산을 보호할 수 있도록 화재의 예방 및 안전관리에 관한 정책(이하 "화재예방정책"이라 한다)을 수립·시행하여야 한다.
② 지방자치단체는 국가의 화재예방정책에 맞추어 지역의 실정에 부합하는 화재예방정책을 수립·시행하여야 한다.
③ 관계인은 국가와 지방자치단체의 화재예방정책에 적극적으로 협조하여야 한다.

(1) 국가의 책무

화재로부터 국민의 생명과 재산을 보호할 수 있도록 화재의 예방 및 안전관리에 관한 정책(화재예방정책)을 수립·시행하여야 한다.

(2) 지방자치단체의 책무

국가의 화재예방정책에 맞추어 지역의 실정에 부합하는 화재예방정책을 수립·시행하여야 한다.

(3) 관계인의 책무

국가와 지방자치단체의 화재예방정책에 적극적으로 협조하여야 한다.

 정희's 톡talk

국가 및 지방자치단체의 책무(소방시설법 제3조)

1. 국가와 지방자치단체는 소방시설등의 설치·관리와 소방용품의 품질 향상 등을 위하여 필요한 정책을 수립하고 시행하여야 합니다.
2. 국가와 지방자치단체는 새로운 소방 기술·기준의 개발 및 조사·연구, 전문인력 양성 등 필요한 노력을 하여야 합니다.
3. 국가와 지방자치단체는 1. 및 2.에 따른 정책을 수립·시행하는 데 있어 필요한 행정적·재정적 지원을 하여야 합니다.

1 기본계획 등의 수립·시행   A

제4조【화재의 예방 및 안전관리 기본계획 등의 수립·시행】 ① 소방청장은 화재예방정책을 체계적·효율적으로 추진하고 이에 필요한 기반 확충을 위하여 화재의 예방 및 안전관리에 관한 기본계획(이하 "기본계획"이라 한다)을 5년마다 수립·시행하여야 한다.

② 기본계획은 대통령령으로 정하는 바에 따라 소방청장이 관계 중앙행정기관의 장과 협의하여 수립한다.

③ 기본계획에는 다음 각 호의 사항이 포함되어야 한다.

1. 화재예방정책의 기본목표 및 추진방향

2. 화재의 예방과 안전관리를 위한 법령·제도의 마련 등 기반 조성

3. 화재의 예방과 안전관리를 위한 대국민 교육·홍보

4. 화재의 예방과 안전관리 관련 기술의 개발·보급

5. 화재의 예방과 안전관리 관련 전문인력의 육성·지원 및 관리

6. 화재의 예방과 안전관리 관련 산업의 국제경쟁력 향상

7. 그 밖에 대통령령으로 정하는 화재의 예방과 안전관리에 필요한 사항

④ 소방청장은 기본계획을 시행하기 위하여 매년 시행계획을 수립·시행하여야 한다.

⑤ 소방청장은 제1항 및 제4항에 따라 수립된 기본계획과 시행계획을 관계 중앙행정기관의 장과 시·도지사에게 통보하여야 한다.

⑥ 제5항에 따라 기본계획과 시행계획을 통보받은 관계 중앙행정기관의 장과 시·도지사는 소관 사무의 특성을 반영한 세부시행계획을 수립·시행하고 그 결과를 소방청장에게 통보하여야 한다.

⑦ 소방청장은 기본계획 및 시행계획을 수립하기 위하여 필요한 경우에는 관계 중앙행정기관의 장 또는 시·도지사에게 관련 자료의 제출을 요청할 수 있다. 이 경우 자료 제출을 요청받은 관계 중앙행정기관의 장 또는 시·도지사는 특별한 사유가 없으면 이에 따라야 한다.

⑧ 제1항부터 제7항까지에서 규정한 사항 외에 기본계획, 시행계획 및 세부시행계획의 수립·시행에 필요한 사항은 대통령령으로 정한다.

(1) 기본계획의 수립·시행

① **기본계획의 수립·시행권자:** 소방청장

② **목적:** 화재예방정책을 체계적·효율적으로 추진하고 이에 필요한 기반 확충

③ **기본계획 수립주기:** 5년

④ 기본계획은 대통령령으로 정하는 바에 따라 소방청장이 관계 중앙행정기관의 장과 협의하여 수립한다.

(2) 기본계획의 협의 및 수립(영 제2조)
  ① 기본계획 협의기한: 계획 시행 전년도 8월 31일 까지
  ② 기본계획 수립기한: 계획 시행 전년도 9월 30일 까지

(3) 기본계획 내용
  ① 화재예방정책의 기본목표 및 추진방향
  ② 화재의 예방과 안전관리를 위한 법령·제도의 마련 등 기반 조성
  ③ 화재의 예방과 안전관리를 위한 대국민 교육·홍보
  ④ 화재의 예방과 안전관리 관련 기술의 개발·보급
  ⑤ 화재의 예방과 안전관리 관련 전문인력의 육성·지원 및 관리
  ⑥ 화재의 예방과 안전관리 관련 산업의 국제경쟁력 향상
  ⑦ 그 밖에 대통령령으로 정하는 화재의 예방과 안전관리에 필요한 사항
    ㉠ 화재발생 현황
    ㉡ 소방대상물의 환경 및 화재위험특성 변화 추세 등 화재예방정책의 여건 변화에 관한 사항
    ㉢ 소방시설의 설치·관리 및 화재안전기준의 개선에 관한 사항
    ㉣ 계절별·시기별·소방대상물별 화재예방대책의 추진 및 평가 등에 관한 사항
    ㉤ 그 밖에 화재의 예방 및 안전관리와 관련하여 소방청장이 필요하다고 인정하는 사항

(4) 시행계획의 수립·시행
  ① **소방청장**: 기본계획을 시행하기 위하여 매년 시행계획을 수립·시행하여야 한다.
  ② 시행계획 수립기한: 계획 시행 전년도 10월 31일 까지
  ③ 시행계획의 내용
    ㉠ 기본계획의 시행을 위하여 필요한 사항
    ㉡ 그 밖에 화재의 예방 및 안전관리와 관련하여 소방청장이 필요하다고 인정하는 사항

(5) 기본계획과 시행계획의 통보 등
  ① 소방청장은 수립된 기본계획과 시행계획을 관계 중앙행정기관의 장과 시·도지사에게 통보하여야 한다.
  ② 통보기한: 계획 시행 전년도 10월 31일까지

(6) 세부시행계획의 수립·시행
  ① 기본계획과 시행계획을 통보받은 관계 중앙행정기관의 장과 시·도지사는 소관 사무의 특성을 반영한 세부시행계획을 수립·시행하고 그 결과를 소방청장에게 통보하여야 한다.
  ② **세부시행계획 통보기한**: 계획 시행 전년도 12월 31일까지

정희's 톡talk

구분	협의·수립·통보 기한	
기본계획	협의기한	8월 31일
	수립기한	9월 30일
시행계획	수립기한	10월 31일
기본·시행계획	통보기한	10월 31일
세부시행계획	수립기한	12월 31일
	통보기한	12월 31일

③ 세부시행계획의 내용

    ㉠ 기본계획 및 시행계획에 대한 관계 중앙행정기관 또는 특별시·광역시·특별자치시·도·특별자치도(이하 "시·도"라 한다)의 세부 집행계획

    ㉡ 직전 세부시행계획의 시행 결과

    ㉢ 그 밖에 화재안전과 관련하여 관계 중앙행정기관의 장 또는 시·도지사가 필요하다고 결정한 사항

(7) 자료제출의 요청 등

① 소방청장은 기본계획 및 시행계획을 수립하기 위하여 필요한 경우에는 관계 중앙행정기관의 장 또는 시·도지사에게 관련 자료의 제출을 요청할 수 있다.

② 이 경우 자료 제출을 요청받은 관계 중앙행정기관의 장 또는 시·도지사는 특별한 사유가 없으면 이에 따라야 한다.

(8) 위임규정

제1항부터 제7항까지에서 규정한 사항 외에 기본계획, 시행계획 및 세부시행계획의 수립·시행에 필요한 사항은 대통령령으로 정한다.

관계법규 화재의 예방 및 안전관리 기본계획 등

시행령

제2조【화재의 예방 및 안전관리 기본계획의 협의 및 수립】소방청장은 「화재의 예방 및 안전관리에 관한 법률」(이하 "법"이라 한다) 제4조 제1항에 따른 화재의 예방 및 안전관리에 관한 기본계획(이하 "기본계획"이라 한다)을 계획 시행 전년도 8월 31일까지 관계 중앙행정기관의 장과 협의한 후 계획 시행 전년도 9월 30일까지 수립해야 한다.

제3조【기본계획의 내용】법 제4조 제3항 제7호에서 "대통령령으로 정하는 화재의 예방과 안전관리에 필요한 사항"이란 다음 각 호의 사항을 말한다.

1. 화재발생 현황
2. 소방대상물의 환경 및 화재위험특성 변화 추세 등 화재예방정책의 여건 변화에 관한 사항
3. 소방시설의 설치·관리 및 화재안전기준의 개선에 관한 사항
4. 계절별·시기별·소방대상물별 화재예방대책의 추진 및 평가 등에 관한 사항
5. 그 밖에 화재의 예방 및 안전관리와 관련하여 소방청장이 필요하다고 인정하는 사항

제4조【시행계획의 수립·시행】① 소방청장은 법 제4조 제4항에 따라 기본계획을 시행하기 위한 계획(이하 "시행계획"이라 한다)을 계획 시행 전년도 10월 31일까지 수립해야 한다.

② 시행계획에는 다음 각 호의 사항이 포함되어야 한다.

1. 기본계획의 시행을 위하여 필요한 사항
2. 그 밖에 화재의 예방 및 안전관리와 관련하여 소방청장이 필요하다고 인정하는 사항

제5조【세부시행계획의 수립·시행】① 소방청장은 법 제4조 제5항에 따라 관계 중앙행정기관의 장과 특별시장·광역시장·특별자치시장·도지사 또는 특별자치도지사(이하 "시·도지사"라 한다)에게 기본계획 및 시행계획을 각각 계획 시행 전년도 10월 31일까지 통보해야 한다.

② 제1항에 따라 통보를 받은 관계 중앙행정기관의 장 및 시·도지사는 법 제4조 제6항에 따른 세부시행계획(이하 "세부시행계획"이라 한다)을 수립하여 계획 시행 전년도 12월 31일까지 소방청장에게 통보해야 한다.

③ 세부시행계획에는 다음 각 호의 사항이 포함되어야 한다.

1. 기본계획 및 시행계획에 대한 관계 중앙행정기관 또는 특별시·광역시·특별자치시·도·특별자치도(이하 "시·도"라 한다)의 세부 집행계획
2. 직전 세부시행계획의 시행 결과
3. 그 밖에 화재안전과 관련하여 관계 중앙행정기관의 장 또는 시·도지사가 필요하다고 결정한 사항

제5조【실태조사】① 소방청장은 기본계획 및 시행계획의 수립·시행에 필요한 기초 자료를 확보하기 위하여 다음 각 호의 사항에 대하여 실태조사를 할 수 있다. 이 경우 관계 중앙행정기관의 장의 요청이 있는 때에는 합동으로 실태조사를 할 수 있다.
1. 소방대상물의 용도별·규모별 현황
2. 소방대상물의 화재의 예방 및 안전관리 현황
3. 소방대상물의 소방시설등 설치·관리 현황
4. 그 밖에 기본계획 및 시행계획의 수립·시행을 위하여 필요한 사항
② 소방청장은 소방대상물의 현황 등 관련 정보를 보유·운용하고 있는 관계 중앙 행정기관의 장, 지방자치단체의 장, 「공공기관의 운영에 관한 법률」 제4조에 따른 공공기관(이하 "공공기관"이라 한다)의 장 또는 관계인 등에게 제1항에 따른 실태조 사에 필요한 자료의 제출을 요청할 수 있다. 이 경우 자료 제출을 요청받은 자는 특 별한 사유가 없으면 이에 따라야 한다.
③ 제1항에 따른 실태조사의 방법 및 절차 등에 필요한 사항은 행정안전부령으로 정한다.

(1) 실태조사

① **실태조사권자:** 소방청장

② **목적:** 기본계획 및 시행계획의 수립·시행에 필요한 기초자료의 확보

③ **실태조사 항목**

    ㉠ 소방대상물의 용도별·규모별 현황

    ㉡ 소방대상물의 화재의 예방 및 안전관리 현황

    ㉢ 소방대상물의 소방시설등 설치·관리 현황

    ㉣ 그 밖에 기본계획 및 시행계획의 수립·시행을 위하여 필요한 사항

④ 관계 중앙행정기관의 장의 요청이 있는 때에는 합동으로 실태조사를 할 수 있다.

(2) 자료제출의 요청 등

① 소방청장은 소방대상물의 현황 등 관련 정보를 보유·운용하고 있는 관계 중앙 행정기관의 장, 지방자치단체의 장, 공공기관의 장 또는 관계인 등에게 실태조 사에 필요한 자료의 제출을 요청할 수 있다.

② 이 경우 자료 제출을 요청받은 자는 특별한 사유가 없으면 이에 따라야 한다.

(3) 위임규정

실태조사의 방법 및 절차 등에 필요한 사항은 행정안전부령으로 정한다.

(4) 실태조사의 방법 및 절차 등(규칙 제2조)

① **실태조사 방법**

    ㉠ 통계조사, 문헌조사 또는 현장조사 방법

    ㉡ 정보통신망 또는 전자적인 방식

② **실태조사 절차**

　㉠ **통보기한:** 실태조사 시작 7일 전까지

　㉡ **통보내용:** 조사 일시, 조사 사유 및 조사 내용 등 조사계획

　㉢ **통보방법:** 조사대상자에게 서면 또는 전자우편 등의 방법

③ **증표의 제시:** 실태조사 업무를 수행하는 관계 공무원 및 관계 전문가 등이 소방
시설등의 설치 및 관리 현황 등을 파악하기 위하여 소방대상물에 출입할 때에
는 출입자의 성명, 출입일시, 출입목적 등이 표시된 문서를 관계인에게 보여주
어야 한다.

④ **실태조사 의뢰:** 소방청장은 실태조사를 전문연구기관·단체나 관계 전문가에게
의뢰하여 실시할 수 있다.

⑤ **결과의 공표:** 소방청장은 실태조사의 결과를 인터넷 홈페이지 등에 공표할 수
있다.

👆 **관계법규** **실태조사**

NOTE	시행규칙
	제2조【**실태조사의 방법 및 절차 등**】① 「화재의 예방 및 안전관리에 관한 법률」(이하 "법"이라 한다) 제5조 제1항에 따른 실태조사는 통계조사, 문헌조사 또는 현장조사의 방법으로 하며, 정보통신망 또는 전자적인 방식을 사용할 수 있다.
	② 소방청장은 제1항에 따른 실태조사를 실시하려는 경우 실태조사 시작 【 ① 】 전까지 조사 일시, 조사 사유 및 조사 내용 등을 포함한 조사계획을 조사대상자에게 서면 또는 전자우편 등의 방법으로 미리 알려야 한다.
	③ 관계 공무원 및 제4항에 따라 실태조사를 의뢰받은 관계 전문가 등이 실태조사를 위하여 소방대상물에 출입할 때에는 그 권한 또는 자격을 표시하는 증표를 지니고 이를 관계인에게 내보여야 한다.
	④ 소방청장은 실태조사를 전문연구기관·단체나 관계 전문가에게 의뢰하여 실시할 수 있다.
	⑤ 소방청장은 실태조사의 결과를 인터넷 홈페이지 등에 공표할 수 있다.
	⑥ 제1항부터 제5항까지에서 규정한 사항 외에 실태조사 방법 및 절차 등에 관하여 필요한 사항은 소방청장이 정한다.
	① 7일

제6조【통계의 작성 및 관리】 ① 소방청장은 화재의 예방 및 안전관리에 관한 통계를 매년 작성·관리하여야 한다.

② 소방청장은 제1항의 통계자료를 작성·관리하기 위하여 관계 중앙행정기관의 장, 지방자치단체의 장, 공공기관의 장 또는 관계인 등에게 필요한 자료와 정보의 제공을 요청할 수 있다. 이 경우 자료와 정보의 제공을 요청받은 자는 특별한 사정이 없으면 이에 따라야 한다.

③ 소방청장은 제1항에 따른 통계자료의 작성·관리에 관한 업무의 전부 또는 일부를 행정안전부령으로 정하는 바에 따라 전문성이 있는 기관을 지정하여 수행하게 할 수 있다.

④ 제1항에 따른 통계의 작성·관리 등에 필요한 사항은 대통령령으로 정한다.

(1) 통계의 작성·관리

① **통계의 작성·관리권자:** 소방청장

② **작성 주기:** 화재의 예방 및 안전관리에 관한 통계를 매년 작성·관리하여야 한다.

(2) 자료와 정보의 제공 요청

① 소방청장은 통계자료를 작성·관리하기 위하여 관계 중앙행정기관의 장, 지방자치단체의 장, 공공기관의 장 또는 관계인 등에게 필요한 자료와 정보의 제공을 요청할 수 있다.

② 이 경우 자료와 정보의 제공을 요청받은 자는 특별한 사정이 없으면 이에 따라야 한다.

(3) 전문기관의 지정

소방청장은 통계자료의 작성·관리에 관한 업무의 전부 또는 일부를 행정안전부령으로 정하는 바에 따라 전문성이 있는 기관을 지정하여 수행하게 할 수 있다.

(4) 위임규정

통계의 작성·관리 등에 필요한 사항은 대통령령으로 정한다.

(5) 통계의 작성관리(영 제6조)

① **전산시스템의 구축·운용권자 – 소방청장:** 소방청장은 통계를 체계적으로 작성·관리하고 분석하기 위하여 전산시스템을 구축·운영할 수 있다.

② 통계의 작성 · 관리 항목

　　㉠ 소방대상물의 현황 및 안전관리에 관한 사항

　　㉡ 소방시설등의 설치 및 관리에 관한 사항

　　㉢ 「다중이용업소의 안전관리에 관한 특별법」에 따른 다중이용업 현황 및 안전관리에 관한 사항

　　㉣ 「위험물안전관리법」에 따른 제조소등 현황

　　㉤ 화재발생 이력 및 화재안전조사 등 화재예방 활동에 관한 사항

　　㉥ 실태조사 결과

　　㉦ 화재예방강화지구의 현황 및 안전관리에 관한 사항

　　㉧ 어린이, 노인, 장애인 등 화재의 예방 및 안전관리에 취약한 자에 대한 **지역별 · 성별 · 연령별 지원 현황**

　　㉨ **소방안전관리자 자격증 발급 및 선임 관련 지역별 · 성별 · 연령별 현황**

　　㉩ 화재예방안전진단 대상의 현황 및 그 실시 결과

　　㉪ 소방시설업자, 소방기술자 및 「소방시설 설치 및 관리에 관한 법률」 제29조에 따른 **소방시설관리업 등록을 한 자의 지역별 · 성별 · 연령별 현황**

　　㉫ 그 밖에 화재의 예방 및 안전관리에 관한 자료로서 소방청장이 작성 · 관리가 필요하다고 인정하는 사항

③ **소방청장**은 통계를 작성 · 관리하는 경우 다른 법령에 따라 ②의 항목에 관하여 조사한 자료가 있는 경우 그 자료를 활용할 수 있다.

④ 화재발생 동향 분석 및 전망

　　㉠ **소방청장**은 전산시스템을 구축 · 운영하는 경우 빅데이터를 활용하여 화재발생 동향 분석 및 전망 등을 할 수 있다.

　　㉡ 빅데이터: 대용량의 정형 또는 비정형의 데이터 세트를 말한다.

⑤ **위임규정**: 빅데이터를 활용하기 위한 방법 · 절차 등에 필요한 사항은 소방청장이 정한다.

⑥ **통계의 작성 · 관리(규칙 제3조)**: 소방청장은 다음의 기관으로 하여금 통계자료의 작성 · 관리에 관한 업무를 수행하게 할 수 있다.

　　㉠ 「소방기본법」에 따라 설립된 **한국소방안전원**

　　㉡ 「정부출연연구기관 등의 설립 · 운영 및 육성에 관한 법률」에 따라 설립된 정부출연연구기관

　　㉢ 「통계법」에 따라 지정된 통계작성지정기관

시행령	시행규칙
제6조【통계의 작성·관리】 ① 법 제6조 제1항에 따른 통계의 작성·관리 항목은 다음 각 호와 같다. 　1. 소방대상물의 현황 및 안전관리에 관한 사항 　2. 소방시설등의 설치 및 관리에 관한 사항 　3.「다중이용업소의 안전관리에 관한 특별법」제2조 제1항 제1호에 따른 다중이용업 현황 및 안전관리에 관한 사항 　4.「위험물안전관리법」제2조 제1항 제6호에 따른 제조소등(이하 "제조소등"이라 한다) 현황 　5. 화재발생 이력 및 화재안전조사 등 화재예방 활동에 관한 사항 　6. 법 제5조에 따른 실태조사 결과 　7. 화재예방강화지구의 현황 및 안전관리에 관한 사항 　8. 법 제23조에 따른 어린이, 노인, 장애인 등 화재의 예방 및 안전관리에 취약한 자에 대한 지역별·【 ① 】연령별 지원 현황 　9. 법 제24조 제1항에 따른 소방안전관리자 자격증 발급 및 선임 관련 지역별·성별·연령별 현황 　10. 화재예방안전진단 대상의 현황 및 그 실시 결과 　11. 소방시설업자, 소방기술자 및「소방시설 설치 및 관리에 관한 법률」제29조에 따른 소방시설관리업 등록을 한 자의 지역별·성별·연령별 현황 　12. 그 밖에 화재의 예방 및 안전관리에 관한 자료로서 소방청장이 작성·관리가 필요하다고 인정하는 사항 ②【 ② 】은 법 제6조 제1항에 따라 통계를 체계적으로 작성·관리하고 분석하기 위하여 전산시스템을 구축·운영할 수 있다. ③ 소방청장은 제2항에 따른 전산시스템을 구축·운영하는 경우 빅데이터(대용량의 정형 또는 비정형의 데이터 세트를 말한다. 이하 같다)를 활용하여 화재발생 동향 분석 및 전망 등을 할 수 있다. ④ 제3항에 따른 빅데이터를 활용하기 위한 방법·절차 등에 관하여 필요한 사항은 소방청장이 정한다. ① 성별　② 소방청장	**제3조【통계의 작성·관리】** 소방청장은 법 제6조 제3항에 따라 다음 각 호의 기관으로 하여금 통계자료의 작성·관리에 관한 업무를 수행하게 할 수 있다. 　1.「소방기본법」제40조 제1항에 따라 설립된 한국소방안전원(이하 "안전원"이라 한다) 　2.「정부출연연구기관 등의 설립·운영 및 육성에 관한 법률」제8조에 따라 설립된 정부출연연구기관 　3.「통계법」제15조에 따라 지정된 통계작성지정기관

제3장 화재안전조사

1 화재안전조사   A

제7조【화재안전조사】① 소방관서장은 다음 각 호의 어느 하나에 해당하는 경우 화재안전조사를 실시할 수 있다. 다만, 개인의 주거(실제 주거용도로 사용되는 경우에 한정한다)에 대한 화재안전조사는 관계인의 승낙이 있거나 화재발생의 우려가 뚜렷하여 긴급한 필요가 있는 때에 한정한다.

1. 「소방시설 설치 및 관리에 관한 법률」 제22조에 따른 자체점검이 불성실하거나 불완전하다고 인정되는 경우
2. 화재예방강화지구 등 법령에서 화재안전조사를 하도록 규정되어 있는 경우
3. 화재예방안전진단이 불성실하거나 불완전하다고 인정되는 경우
4. 국가적 행사 등 주요 행사가 개최되는 장소 및 그 주변의 관계 지역에 대하여 소방안전관리 실태를 조사할 필요가 있는 경우
5. 화재가 자주 발생하였거나 발생할 우려가 뚜렷한 곳에 대한 조사가 필요한 경우
6. 재난예측정보, 기상예보 등을 분석한 결과 소방대상물에 화재의 발생 위험이 크다고 판단되는 경우
7. 제1호부터 제6호까지에서 규정한 경우 외에 화재, 그 밖의 긴급한 상황이 발생할 경우 인명 또는 재산 피해의 우려가 현저하다고 판단되는 경우

② 화재안전조사의 항목은 대통령령으로 정한다. 이 경우 화재안전조사의 항목에는 화재의 예방조치 상황, 소방시설등의 관리 상황 및 소방대상물의 화재 등의 발생 위험과 관련된 사항이 포함되어야 한다.

③ 소방관서장은 화재안전조사를 실시하는 경우 다른 목적을 위하여 조사권을 남용하여서는 아니 된다.

(1) 화재안전조사

① **화재안전조사권자:** 소방관서장(소방청장, 소방본부장 및 소방서장)

② **개인의 주거**(실제 주거용도로 사용되는 경우에 한정한다)**에 대한 조사**

    ㉠ 관계인의 승낙이 있을 때

    ㉡ 화재발생의 우려가 뚜렷하여 긴급한 필요가 있는 때

③ **화재안전조사를 실시할 수 있는 경우**

    ㉠ 자체점검이 불성실하거나 불완전하다고 인정되는 경우

    ㉡ 화재예방강화지구 등 법령에서 화재안전조사를 하도록 규정되어 있는 경우

    ㉢ 화재예방안전진단이 불성실하거나 불완전하다고 인정되는 경우

    ㉣ 국가적 행사 등 주요 행사가 개최되는 장소 및 그 주변의 관계 지역에 대하여 소방안전관리 실태를 조사할 필요가 있는 경우

    ㉤ 화재가 자주 발생하였거나 발생할 우려가 뚜렷한 곳에 대한 조사가 필요한 경우

📍 **제 · 개정 내용**

법률

소방특별조사를 조사의 목적이 분명히 드러날 수 있도록 "화재안전조사"로 명칭을 변경하고, 화재안전조사의 투명성 확보를 위하여 사전에 조사대상, 조사기간 및 조사사유 등을 관계인에게 통지토록 하며, 화재안전조사를 실시한 경우 그 결과를 인터넷 홈페이지나 전산시스템 등에 공개할 수 있도록 함

ⓗ 재난예측정보, 기상예보 등을 분석한 결과 소방대상물에 화재의 발생 위험이 크다고 판단되는 경우

ⓢ 화재, 그 밖의 긴급한 상황이 발생할 경우 인명 또는 재산 피해의 우려가 현저하다고 판단되는 경우

④ 벌칙 - 300만원 이하의 벌금(제50조 제3항): 제7조 제1항에 따른 화재안전조사를 정당한 사유 없이 거부·방해 또는 기피한 자

(2) 화재안전조사의 항목

① 위임규정: 화재안전조사의 항목은 대통령령으로 정한다.

② 화재안전조사의 항목에는 화재의 예방조치 상황, 소방시설등의 관리 상황 및 소방대상물의 화재 등의 발생 위험과 관련된 사항이 포함되어야 한다.

(3) 조사권의 남용 금지

소방관서장은 화재안전조사를 실시하는 경우 다른 목적을 위하여 조사권을 남용하여서는 아니 된다.

관계법규 화재안전조사의 항목

시행령

제7조 【화재안전조사의 항목】 법 제7조 제2항에 따른 화재안전조사 항목은 다음 각 호와 같다.

1. 법 제17조에 따른 화재의 예방조치 등에 관한 사항
2. 법 제24조, 제25조, 제27조, 제29조 및 제36조에 따른 소방안전관리 업무 수행에 관한 사항
3. 법 제37조에 따른 소방훈련 및 교육에 관한 사항
4. 「소방기본법」 제21조의2에 따른 소방자동차 전용구역 등에 관한 사항
5. 「소방시설공사업법」 제12조, 제16조 및 제18조에 따른 소방기술자 및 감리원 배치 등에 관한 사항
6. 「소방시설 설치 및 관리에 관한 법률」 제12조에 따른 소방시설의 설치 및 관리 등에 관한 사항
7. 「소방시설 설치 및 관리에 관한 법률」 제15조에 따른 건설현장의 임시소방시설의 설치 및 관리에 관한 사항
8. 「소방시설 설치 및 관리에 관한 법률」 제16조에 따른 피난시설, 방화구획 및 방화시설의 관리에 관한 사항
9. 「소방시설 설치 및 관리에 관한 법률」 제20조 및 제21조에 따른 방염에 관한 사항
10. 「소방시설 설치 및 관리에 관한 법률」 제22조에 따른 소방시설등의 자체점검에 관한 사항
11. 「다중이용업소의 안전관리에 관한 특별법」 제8조, 제9조, 제9조의2, 제10조, 제10조의2 및 제11조부터 제13조까지의 규정에 따른 안전관리에 관한 사항
12. 「위험물안전관리법」 제5조, 제6조, 제14조, 제15조 및 제18조에 따른 안전관리에 관한 사항
13. 「초고층 및 지하연계 복합건축물 재난관리에 관한 특별법」 제9조, 제11조, 제12조, 제14조, 제16조 및 제22조에 따른 초고층 및 지하연계 복합건축물의 안전관리에 관한 사항
14. 그 밖에 화재의 발생 위험 등 소방청장, 소방본부장 또는 소방서장(이하 "소방관서장"이라 한다)이 화재안전조사의 목적을 달성하기 위하여 필요하다고 인정하는 사항

제8조【화재안전조사의 방법·절차 등】① 소방관서장은 화재안전조사를 조사의 목적에 따라 제7조 제2항에 따른 화재안전조사의 항목 전체에 대하여 종합적으로 실시하거나 특정 항목에 한정하여 실시할 수 있다.

② 소방관서장은 화재안전조사를 실시하려는 경우 사전에 관계인에게 조사대상, 조사기간 및 조사사유 등을 우편, 전화, 전자메일 또는 문자전송 등을 통하여 통지하고 이를 대통령령으로 정하는 바에 따라 인터넷 홈페이지나 제16조 제3항의 전산시스템 등을 통하여 공개하여야 한다. 다만, 다음 각 호의 어느 하나에 해당하는 경우에는 그러하지 아니하다.

1. 화재가 발생할 우려가 뚜렷하여 긴급하게 조사할 필요가 있는 경우

2. 제1호 외에 화재안전조사의 실시를 사전에 통지하거나 공개하면 조사목적을 달성할 수 없다고 인정되는 경우

③ 화재안전조사는 관계인의 승낙 없이 소방대상물의 공개시간 또는 근무시간 이외에는 할 수 없다. 다만, 제2항 제1호에 해당하는 경우에는 그러하지 아니하다.

④ 제2항에 따른 통지를 받은 관계인은 천재지변이나 그 밖에 대통령령으로 정하는 사유로 화재안전조사를 받기 곤란한 경우에는 화재안전조사를 통지한 소방관서장에게 대통령령으로 정하는 바에 따라 화재안전조사를 연기하여 줄 것을 신청할 수 있다. 이 경우 소방관서장은 연기신청 승인 여부를 결정하고 그 결과를 조사 시작 전까지 관계인에게 알려 주어야 한다.

⑤ 제1항부터 제4항까지에서 규정한 사항 외에 화재안전조사의 방법 및 절차 등에 필요한 사항은 대통령령으로 정한다.

(1) 화재안전조사의 실시

① 소방관서장은 화재안전조사를 조사의 목적에 따라 화재안전조사의 항목 전체에 대하여 종합적으로 실시하거나 특정 항목에 한정하여 실시할 수 있다.

② **종합조사 및 부분조사(영 제8조)**: 소방관서장은 화재안전조사의 목적에 따라 다음의 어느 하나에 해당하는 방법으로 화재안전조사를 실시할 수 있다.

㉠ 종합조사: 화재안전조사 항목 전부를 확인하는 조사

㉡ 부분조사: 화재안전조사 항목 중 일부를 확인하는 조사

(2) 화재안전조사 절차

① 소방관서장은 화재안전조사를 실시하려는 경우 사전에 관계인에게 조사대상, 조사기간 및 조사사유 등을 우편, 전화, 전자메일 또는 문자전송 등을 통하여 통지하고 이를 대통령령으로 정하는 바에 따라 인터넷 홈페이지나 제16조 제3항의 전산시스템 등을 통하여 공개하여야 한다.

② **사전통지 없이 실시할 수 있는 경우**

㉠ 화재가 발생할 우려가 뚜렷하여 긴급하게 조사할 필요가 있는 경우

㉡ ㉠ 외에 화재안전조사의 실시를 사전에 통지하거나 공개하면 조사목적을 달성할 수 없다고 인정되는 경우

ⓒ 소방관서장은 법 제8조 제2항 각 호 외의 부분 단서에 따라 사전 통지 없이 화재안전조사를 실시하는 경우에는 화재안전조사를 실시하기 전에 관계인에게 조사사유 및 조사범위 등을 현장에서 설명해야 한다(영 제8조 제3항).

③ **조사계획 공개(영 제8조 제2항):** 소방관서장은 화재안전조사를 실시하려는 경우 사전에 조사대상, 조사기간 및 조사사유 등 조사계획을 소방관서의 인터넷 홈페이지나 전산시스템을 통해 7일 이상 공개해야 한다.

(3) 실시시간

① **원칙:** 화재안전조사는 관계인의 승낙 없이 소방대상물의 공개시간 또는 근무시간 이외에는 할 수 없다.

② **예외사항:** 화재가 발생할 우려가 뚜렷하여 긴급하게 조사할 필요가 있는 경우

(4) 연기신청 및 승인

① 통지를 받은 관계인은 천재지변이나 그 밖에 대통령령으로 정하는 사유로 화재안전조사를 받기 곤란한 경우에는 화재안전조사를 통지한 소방관서장에게 **대통령령으로 정하는 바에 따라 화재안전조사를 연기하여 줄 것을 신청할 수 있다.**

② 이 경우 소방관서장은 연기신청 승인 여부를 결정하고 그 결과를 조사 시작 전까지 관계인에게 알려 주어야 한다.

③ **화재안전조사 연기 사유(영 제9조)**

ⓐ 「재난 및 안전관리 기본법」 제3조 제1호에 해당하는 재난이 발생한 경우

ⓑ 관계인의 질병, 사고, 장기출장의 경우

ⓒ 권한 있는 기관에 자체점검기록부, 교육·훈련일지 등 화재안전조사에 필요한 장부·서류 등이 압수되거나 영치(領置)되어 있는 경우

ⓓ 소방대상물의 증축·용도변경 또는 대수선 등의 공사로 화재안전조사를 실시하기 어려운 경우

④ **연기사유의 소멸 등:** 소방관서장은 화재안전조사의 연기를 승인한 경우라도 연기기간이 끝나기 전에 연기사유가 없어졌거나 긴급히 조사를 하여야 할 사유가 발생하였을 때에는 관계인에게 통보하고 화재안전조사를 할 수 있다.

⑤ **화재안전조사의 연기 신청 등(규칙 제4조)**

ⓐ 화재안전조사의 연기를 신청하려는 관계인은 **화재안전조사 시작 3일 전까지** 화재안전조사 연기신청서에 화재안전조사를 받기가 곤란함을 증명할 수 있는 서류를 첨부하여 소방관서장에게 제출해야 한다.

ⓑ 연기신청서를 제출받은 소방관서장은 연기신청의 승인 여부를 결정한 때에는 화재안전조사 연기신청 결과 통지서를 연기신청을 한 자에게 통지해야 하고, 연기기간이 종료되면 **지체 없이** 화재안전조사를 시작해야 한다.

(5) 위임규정

화재안전조사의 방법 및 절차 등에 필요한 사항은 **대통령령**으로 정한다.

관계법규 화재안전조사의 방법 · 절차 등

시행령

제8조【화재안전조사의 방법 · 절차 등】① 소방관서장은 화재안 전조사의 목적에 따라 다음 각 호의 어느 하나에 해당하는 방법으로 화재안전조사를 실시할 수 있다.

1. 종합조사: 제7조의 화재안전조사 항목 전부를 확인하는 조사
2. 【 ① 】: 제7조의 화재안전조사 항목 중 일부를 확인하는 조사

② 소방관서장은 화재안전조사를 실시하려는 경우 사전에 법 제8조 제2항 각 호 외의 부분 본문에 따라 조사대상, 조사기간 및 조사사유 등 조사계획을 소방청, 소방본부 또는 소방서(이하 "소방관서"라 한다)의 인터넷 홈페이지나 법 제16조 제3항에 따른 전산시스템을 통해 【 ② 】 이상 공개해야 한다.

③ 소방관서장은 법 제8조 제2항 각 호 외의 부분 단서에 따라 사전 통지 없이 화재안전조사를 실시하는 경우에는 화재안전조사를 실시하기 전에 관계인에게 조사사유 및 조사범위 등을 현장에서 설명해야 한다.

④ 소방관서장은 화재안전조사를 위하여 소속 공무원으로 하여금 관계인에게 보고 또는 자료의 제출을 요구하거나 소방대상물의 위치 · 구조 · 설비 또는 관리 상황에 대한 조사 · 질문을 하게 할 수 있다.

⑤ 소방관서장은 화재안전조사를 효율적으로 실시하기 위하여 필요한 경우 다음 각 호의 기관의 장과 합동으로 조사반을 편성하여 화재안전조사를 할 수 있다.

1. 관계 중앙행정기관 또는 지방자치단체
2. 「소방기본법」 제40조에 따른 한국소방안전원(이하 "안전원"이라 한다)
3. 「소방산업의 진흥에 관한 법률」 제14조에 따른 한국소방산업기술원(이하 "기술원"이라 한다)
4. 「화재로 인한 재해보상과 보험가입에 관한 법률」 제11조에 따른 한국화재보험협회(이하 "화재보험협회"라 한다)
5. 「고압가스 안전관리법」 제28조에 따른 한국가스안전공사(이하 "가스안전공사"라 한다)
6. 「전기안전관리법」 제30조에 따른 한국전기안전공사(이하 "전기안전공사"라 한다)
7. 그 밖에 소방청장이 정하여 고시하는 소방 관련 법인 또는 단체

⑥ 제1항부터 제5항까지에서 규정한 사항 외에 화재안전조사 계획의 수립 등 화재안전조사에 필요한 사항은 소방청장이 정한다.

① 부분조사 ② 7일

관계법규 화재안전조사의 연기

시행령	시행규칙

제9조【화재안전조사의 연기】① 법 제8조 제4항 전단에서 "대통령령으로 정하는 사유"란 다음 각 호의 어느 하나에 해당하는 사유를 말한다.

1. 「재난 및 안전관리 기본법」 제3조 제1호에 해당하는 재난이 발생한 경우
2. 관계인의 질병, 사고, 장기출장의 경우
3. 권한 있는 기관에 자체점검기록부, 교육 · 훈련일지 등 화재안전조사에 필요한 장부 · 서류 등이 압수되거나 영치(領置)되어 있는 경우
4. 소방대상물의 증축 · 용도변경 또는 【 ① 】 등의 공사로 화재안전조사를 실시하기 어려운 경우

② 법 제8조 제4항 전단에 따라 화재안전조사의 연기를 신청하려는 관계인은 행정안전부령으로 정하는 바에 따라 연기신청서에 연기의 사유 및 기간 등을 적어 소방관서장에게 제출해야 한다.

③ 소방관서장은 법 제8조 제4항 후단에 따라 화재안전조사의 연기를 승인한 경우라도 연기기간이 끝나기 전에 연기사유가 없어졌거나 긴급히 조사를 해야 할 사유가 발생하였을 때는 관계인에게 미리 알리고 화재안전조사를 할 수 있다.

제4조【화재안전조사의 연기신청 등】① 「화재의 예방 및 안전관리에 관한 법률 시행령」(이하 "영"이라 한다) 제9조 제2항에 따라 화재안전조사의 연기를 신청하려는 관계인은 화재안전조사 시작 【 ① 】 전까지 별지 제1호 서식의 화재안전조사 연기신청서(전자문서를 포함한다)에 화재안전조사를 받기 곤란함을 증명할 수 있는 서류(전자문서를 포함한다)를 첨부하여 소방청장, 소방본부장 또는 소방서장(이하 "소방관서장"이라 한다)에게 제출해야 한다.

② 제1항에 따른 신청서를 제출받은 소방관서장은 3일 이내에 연기신청의 승인 여부를 결정하여 별지 제2호 서식의 화재안전조사 연기신청 결과 통지서를 연기신청을 한 자에게 통지해야 하며 연기기간이 종료되면 지체 없이 화재안전조사를 시작해야 한다.

① 대수선

① 3일

제9조【화재안전조사단 편성 · 운영】 ① 소방관서장은 화재안전조사를 효율적으로 수행하기 위하여 대통령령으로 정하는 바에 따라 소방청에는 중앙화재안전조사단을, 소방본부 및 소방서에는 지방화재안전조사단을 편성하여 운영할 수 있다.

② 소방관서장은 제1항에 따른 중앙화재안전조사단 및 지방화재안전조사단의 업무 수행을 위하여 필요한 경우에는 관계 기관의 장에게 그 소속 공무원 또는 직원의 파견을 요청할 수 있다. 이 경우 공무원 또는 직원의 파견 요청을 받은 관계 기관의 장은 특별한 사유가 없으면 이에 협조하여야 한다.

(1) 화재안전조사단 편성 · 운영

① 소방관서장은 화재안전조사를 효율적으로 수행하기 위하여 대통령령으로 정하는 바에 따라 소방청에는 중앙화재안전조사단을, 소방본부 및 소방서에는 지방화재안전조사단을 편성하여 운영할 수 있다.

    ㉠ 중앙화재안전조사단: 소방청

    ㉡ 지방화재안전조사단: 소방본부 및 소방서

    ㉢ 목적: 화재안전조사의 효율적 수행

② 화재안전조사단의 편성 · 운영(영 제10조): 중앙화재안전조사단 및 지방화재안전조사단(이하 "조사단"이라 한다)은 각각 단장을 포함하여 50명 이내의 단원으로 성별을 고려하여 구성한다.

(2) 소속 공무원 또는 직원의 파견 요청

① 소방관서장은 중앙화재안전조사단 및 지방화재안전조사단의 업무 수행을 위하여 필요한 경우에는 관계 기관의 장에게 그 소속 공무원 또는 직원의 파견을 요청할 수 있다.

② 이 경우 공무원 또는 직원의 파견 요청을 받은 관계 기관의 장은 특별한 사유가 없으면 이에 협조하여야 한다.

정희's 톡talk

화재안전조사단
화재안전조사단은 화재안전조사를 효율적으로 수행하기 위하여 편성 · 운영합니다.

화재안전조사위원회
화재안전조사위원회는 화재안전조사의 대상을 객관적이고 공정하게 선정하기 위함입니다.

✏️ **핵심적중**

화재예방법 및 같은 법 시행령상 화재안전조사단의 편성 · 운영에 관한 내용으로 옳지 않은 것은?

① 소방관서장은 화재안전조사를 효율적으로 수행하기 위하여 행정안전부령으로 정하는 바에 따라 소방청에는 중앙화재안전조사단을, 소방본부 및 소방서에는 지방화재안전조사단을 편성하여 운영할 수 있다.

② 소방관서장은 중앙화재안전조사단 및 지방화재안전조사단의 업무 수행을 위하여 필요한 경우에는 관계 기관의 장에게 그 소속 공무원 또는 직원의 파견을 요청할 수 있다.

③ 중앙화재안전조사단 및 지방화재안전조사단은 각각 단장을 포함하여 50명 이내의 단원으로 성별을 고려하여 구성한다.

④ 조사단의 단원은 소방관서장이 임명하거나 위촉하고, 단장은 단원 중에서 소방관서장이 임명하거나 위촉한다.

정답 ①

👆 **관계법규** 화재안전조사단

시행령	NOTE
제10조【화재안전조사단 편성 · 운영】 ① 법 제9조 제1항에 따른 중앙화재안전조사단 및 지방화재안전조사단(이하 "조사단"이라 한다)은 각각 단장을 포함하여 【 ① 】 이내의 단원으로 성별을 고려하여 구성한다. ② 조사단의 단원은 다음 각 호의 어느 하나에 해당하는 사람 중에서 소방관서장이 임명하거나 위촉하고, 단장은 단원 중에서 소방관서장이 임명하거나 위촉한다. 1. 소방공무원 2. 소방업무와 관련된 단체 또는 연구기관 등의 임직원 3. 소방 관련 분야에서 전문적인 지식이나 경험이 풍부한 사람	
① 50명	

제10조 【화재안전조사위원회 구성·운영】 ① 소방관서장은 화재안전조사의 대상을 객관적이고 공정하게 선정하기 위하여 필요한 경우 화재안전조사위원회를 구성하여 화재안전조사의 대상을 선정할 수 있다.

② 화재안전조사위원회의 구성·운영 등에 필요한 사항은 대통령령으로 정한다.

(1) 화재안전조사위원회

① **목적**: 화재안전조사의 대상을 객관적이고 공정하게 선정하기 위함

② **구성**: 소방관서장은 화재안전조사위원회를 구성하여 화재안전조사의 대상을 선정할 수 있다.

(2) 위임규정

화재안전조사위원회의 구성·운영 등에 필요한 사항은 대통령령으로 정한다.

(3) 화재안전조사위원회의 구성·운영 등(영 제11조)

① **구성 및 위원장**: 위원장 1명을 포함한 7명 이내의 위원으로 성별을 고려하여 구성하고, 위원장은 소방관서장이 된다.

② **위원회의 위원**: 다음의 어느 하나에 해당하는 사람 중에서 소방관서장이 임명하거나 위촉한다.

　㉠ 과장급 직위 이상의 소방공무원

　㉡ 소방기술사

　㉢ 소방시설관리사

　㉣ 소방 관련 분야의 석사학위 이상을 취득한 사람

　㉤ 소방 관련 법인 또는 단체에서 소방 관련 업무에 5년 이상 종사한 사람

　㉥ 소방공무원 교육훈련기관, 학교 또는 연구소에서 소방과 관련한 교육 또는 연구에 5년 이상 종사한 사람

③ 위촉위원의 임기는 2년으로 하고, 한 차례만 연임할 수 있다.

④ **해임·해촉**: 소방관서장은 위원회의 위원이 다음의 어느 하나에 해당하는 경우에는 해당 위원을 해임하거나 해촉(解囑)할 수 있다.

　㉠ 심신장애로 직무를 수행할 수 없게 된 경우

　㉡ 직무와 관련된 비위사실이 있는 경우

　㉢ 직무태만, 품위손상이나 그 밖의 사유로 위원으로 적합하지 않다고 인정되는 경우

　㉣ 제12조 제1항 각 호의 어느 하나에 해당함에도 불구하고 회피하지 않은 경우

　㉤ 위원 스스로 직무를 수행하기 어렵다는 의사를 밝히는 경우

⑤ **경비의 지급**

　㉠ 위원회에 출석한 위원에게는 예산의 범위에서 수당, 여비, 그 밖에 필요한 경비를 지급할 수 있다.

　㉡ 다만, 공무원인 위원이 그 소관 업무와 관련하여 위원회에 출석하는 경우는 그러하지 아니하다.

✎ **핵심 적중**

화재예방법 및 같은 법 시행령상 화재안전조사위원회의 구성·운영에 관한 내용으로 옳지 않은 것은?

① 소방관서장은 화재안전조사의 대상을 객관적이고 공정하게 선정하기 위하여 필요한 경우 화재안전조사위원회를 구성하여 화재안전조사의 대상을 선정할 수 있다.

② 화재안전조사위원회는 위원장 1명을 포함한 21명 이내의 위원으로 성별을 고려하여 구성하고, 위원장은 소방관서장이 된다.

③ 화재안전조사위원회의 구성·운영 등에 필요한 사항은 대통령령으로 정한다.

④ 화재안전조사위원회의 위촉위원의 임기는 2년으로 하고, 한 차례만 연임할 수 있다.

정답 ②

시행령

제11조【화재안전조사위원회의 구성·운영 등】 ① 법 제10조 제1항에 따른 화재안전조사위원회(이하 "위원회"라 한다)는 위원장 1명을 포함하여【 ① 】이내의 위원으로 성별을 고려하여 구성한다.

② 위원회의 위원장은 소방관서장이 된다.

③ 위원회의 위원은 다음 각 호의 어느 하나에 해당하는 사람 중에서 소방관서장이 임명하거나 위촉한다.

1. 과장급 직위 이상의 소방공무원

2. 소방기술사

3. 소방시설관리사

4. 소방 관련 분야의【 ② 】이상 학위를 취득한 사람

5. 소방 관련 법인 또는 단체에서 소방 관련 업무에 5년 이상 종사한 사람

6. 「소방공무원 교육훈련규정」 제3조 제2항에 따른 소방공무원 교육훈련기관, 「고등교육법」 제2조의 학교 또는 연구소에서 소방과 관련한 교육 또는 연구에 5년 이상 종사한 사람

④ 위촉위원의 임기는 2년으로 하며, 한 차례만 연임할 수 있다.

⑤ 소방관서장은 위원회의 위원이 다음 각 호의 어느 하나에 해당하는 경우에는 해당 위원을 해임하거나 해촉(解囑)할 수 있다.

1. 심신장애로 직무를 수행할 수 없게 된 경우

2. 직무와 관련된 비위사실이 있는 경우

3. 직무태만, 품위손상이나 그 밖의 사유로 위원으로 적합하지 않다고 인정되는 경우

4. 제12조 제1항 각 호의 어느 하나에 해당함에도 불구하고 회피하지 않은 경우

5. 위원 스스로 직무를 수행하기 어렵다는 의사를 밝히는 경우

⑥ 위원회에 출석한 위원에게는 예산의 범위에서 수당, 여비, 그 밖에 필요한 경비를 지급할 수 있다. 다만, 공무원인 위원이 소관 업무와 직접 관련하여 위원회에 출석하는 경우에는 그렇지 않다.

제12조【위원의 제척·기피·회피】 ① 위원회의 위원이 다음 각 호의 어느 하나에 해당하는 경우에는 위원회의 심의·의결에서 제척(除斥)된다.

1. 위원, 그 배우자나 배우자였던 사람 또는 위원의 친족이거나 친족이었던 사람이 다음 각 목의 어느 하나에 해당하는 경우

   가. 해당 소방대상물의 관계인이거나 그 관계인과 공동권리자 또는 공동의무자인 경우

   나. 해당 소방대상물의 설계, 공사, 감리 또는 자체점검 등을 수행한 경우

   다. 해당 소방대상물에 대하여 제7조 각 호의 업무를 수행한 경우 등 소방대상물과 직접적인 이해관계가 있는 경우

2. 위원이 해당 소방대상물에 관하여 자문, 연구, 용역(하도급을 포함한다), 감정 또는 조사를 한 경우

3. 위원이 임원 또는 직원으로 재직하고 있거나 최근 3년 내에 재직하였던 기업 등이 해당 소방대상물에 관하여 자문, 연구, 용역(하도급을 포함한다), 감정 또는 조사를 한 경우

② 당사자는 제1항에 따른 제척사유가 있거나 위원에게 공정한 심의·의결을 기대하기 어려운 사정이 있는 경우에는 위원회에 기피 신청을 할 수 있고, 위원회는 의결로 기피 여부를 결정한다. 이 경우 기피 신청의 대상인 위원은 그 의결에 참여하지 못한다.

③ 위원이 제1항 또는 제2항의 사유에 해당하는 경우에는 스스로 해당 안건의 심의·의결에서 회피(回避)해야 한다.

제13조【위원회 운영 세칙】 제11조 및 제12조에서 규정한 사항 외에 위원회의 구성 및 운영에 필요한 사항은 소방청장이 정한다.

① 7명 ② 석사

5 전문가 참여 B

제11조【화재안전조사 전문가 참여】 ① 소방관서장은 필요한 경우에는 소방기술사, 소방시설관리사, 그 밖에 화재안전 분야에 전문지식을 갖춘 사람을 화재안전조사에 참여하게 할 수 있다.

② 제1항에 따라 조사에 참여하는 외부 전문가에게는 예산의 범위에서 수당, 여비, 그 밖에 필요한 경비를 지급할 수 있다.

(1) 전문가 참여

소방관서장은 필요한 경우에는 화재안전조사에 전문가를 참여하게 할 수 있다.

① 소방기술사 　② 소방시설관리사 　③ 화재안전 분야에 전문지식을 갖춘 사람

(2) 수당 등의 지급

조사에 참여하는 외부 전문가에게는 예산의 범위에서 수당, 여비, 그 밖에 필요한 경비를 지급할 수 있다.

6 증표의 제시 및 비밀유지 의무 등 C

제12조【증표의 제시 및 비밀유지 의무 등】 ① 화재안전조사 업무를 수행하는 관계 공무원 및 관계 전문가는 그 권한 또는 자격을 표시하는 증표를 지니고 이를 관계인에게 내보여야 한다.

② 화재안전조사 업무를 수행하는 관계 공무원 및 관계 전문가는 관계인의 정당한 업무를 방해하여서는 아니 되며, 조사업무를 수행하면서 취득한 자료나 알게 된 비밀을 다른 사람 또는 기관에 제공 또는 누설하거나 목적 외의 용도로 사용하여서는 아니 된다.

(1) 증표의 제시

관계 공무원 및 관계 전문가는 그 권한 또는 자격을 표시하는 증표를 지니고 이를 관계인에게 제시하여야 한다.

(2) 업무방해금지 및 비밀누설금지 의무

① 화재안전조사 업무를 수행하는 관계 공무원 및 관계 전문가는 관계인의 정당한 업무를 방해하여서는 아니 된다.

② 조사업무를 수행하면서 취득한 자료나 알게 된 비밀을 다른 사람 또는 기관에 제공 또는 누설하거나 목적 외의 용도로 사용하여서는 아니 된다.

(3) 벌칙 – 1년 이하의 징역 또는 1천만원 이하의 벌금(제50조 제2항)

제12조 제2항을 위반하여 관계인의 정당한 업무를 방해하거나, 조사업무를 수행하면서 취득한 자료나 알게 된 비밀을 다른 사람 또는 기관에게 제공 또는 누설하거나 목적 외의 용도로 사용한 자

제13조【화재안전조사 결과 통보】 소방관서장은 화재안전조사를 마친 때에는 그 조사 결과를 관계인에게 서면으로 통지하여야 한다. 다만, 화재안전조사의 현장에서 관계인에게 조사의 결과를 설명하고 화재안전조사 결과서의 부본을 교부한 경우에는 그러하지 아니하다.

(1) 조사결과 서면 통보

소방관서장은 화재안전조사를 마친 때에는 그 조사 결과를 관계인에게 서면으로 통지하여야 한다.

(2) 예외사항

화재안전조사의 현장에서 관계인에게 조사의 결과를 설명하고 화재안전조사 결과서의 부본을 교부한 경우에는 그러하지 아니하다.

제14조【화재안전조사 결과에 따른 조치명령】 ① 소방관서장은 화재안전조사 결과에 따른 소방대상물의 위치·구조·설비 또는 관리의 상황이 화재예방을 위하여 보완될 필요가 있거나 화재가 발생하면 인명 또는 재산의 피해가 클 것으로 예상되는 때에는 행정안전부령으로 정하는 바에 따라 관계인에게 그 소방대상물의 개수(改修)·이전·제거, 사용의 금지 또는 제한, 사용폐쇄, 공사의 정지 또는 중지, 그 밖에 필요한 조치를 명할 수 있다.
② 소방관서장은 화재안전조사 결과 소방대상물이 법령을 위반하여 건축 또는 설비되었거나 소방시설등, 피난시설·방화구획, 방화시설등이 법령에 적합하게 설치 또는 관리되고 있지 아니한 경우에는 관계인에게 제1항에 따른 조치를 명하거나 관계 행정기관의 장에게 필요한 조치를 하여 줄 것을 요청할 수 있다.

(1) 조치명령권자: 소방관서장
① 조치명령을 할 수 있는 경우
㉠ 소방대상물의 위치·구조·설비 또는 관리의 상황이 화재예방을 위하여 보완될 필요가 있을 때
㉡ 화재가 발생하면 인명 또는 재산의 피해가 클 것으로 예상되는 때
② 조치명령: 행정안전부령으로 정하는 바에 따라 관계인에게 그 소방대상물의 개수(改修)·이전·제거, 사용의 금지 또는 제한, 사용폐쇄, 공사의 정지 또는 중지, 그 밖에 필요한 조치를 명할 수 있다.

㉠ 소방대상물의 개수(改修)·이전·제거

　　　㉡ 사용의 금지 또는 제한

　　　㉢ 사용폐쇄

　　　㉣ 공사의 정지 또는 중지

　　　㉤ 그 밖에 필요한 조치

　③ 화재안전조사에 따른 조치명령 등의 절차(규칙 제5조)

　　㉠ 소방관서장은 소방대상물의 개수(改修)·이전·제거, 사용의 금지 또는 제한, 사용폐쇄, 공사의 정지 또는 중지, 그 밖의 필요한 조치를 명할 때에는 화재안전조사 조치명령서를 해당 소방대상물의 관계인에게 발급하고, 화재안전조사 조치명령대장에 이를 기록하여 관리해야 한다.

　　㉡ 소방관서장은 화재안전조사 결과에 따른 조치명령으로 인하여 손실을 입은 자가 있는 경우에는 화재안전조사 조치명령 손실확인서를 작성하여 관련 사진 및 그 밖의 증빙자료와 함께 보관해야 한다.

(2) 조치 요청 등

소방관서장은 화재안전조사 결과 소방대상물이 법령을 위반하여 건축 또는 설비되었거나 소방시설등, 피난시설·방화구획, 방화시설등이 법령에 적합하게 설치 또는 관리되고 있지 아니한 경우 다음을 요청할 수 있다.

① 관계인에게 제14조 제1항에 따른 조치명령

② 관계 행정기관의 장에게 필요한 조치의 요청

(3) 벌칙 - 3년 이하의 징역 또는 3천만원 이하의 벌금(제50조 제1항)

제14조 제1항 및 제2항에 따른 조치명령을 정당한 사유 없이 위반한 자

✏ **핵심적중**

화재예방법 및 같은 법 시행규칙상 화재안전조사 결과에 따른 조치명령에 관한 내용으로 옳지 않은 것은?

① 소방관서장은 화재안전조사 결과에 따른 소방대상물의 위치·구조·설비 또는 관리의 상황이 화재예방을 위하여 보완될 필요가 있을 때에는 행정안전부령으로 정하는 바에 따라 관계인에게 조치를 명할 수 있다.

② 소방관서장은 화재안전조사 결과에 따른 소방대상물의 위치·구조·설비 또는 관리의 상황이 화재가 발생하면 인명 또는 재산의 피해가 클 것으로 예상되는 때에는 행정안전부령으로 정하는 바에 따라 관계인에게 조치를 명할 수 있다.

③ 소방관서장은 화재안전조사 결과 사용폐쇄, 공사의 정지 또는 중지를 명할 때는 관계 중앙행정기관의 장과 사전에 협의한 후 관계인에게 조치를 명할 수 있다.

④ 소방관서장은 화재안전조사 결과 소방대상물이 법령을 위반하여 건축 또는 설비된 경우에는 관계인에게 조치를 명하거나 관계 행정기관의 장에게 필요한 조치를 하여 줄 것을 요청할 수 있다.

정답 ③

👆 **관계법규 조치명령 등의 절차**

NOTE	시행규칙
	제5조【화재안전조사에 따른 조치명령 등의 절차】① 【 ① 】은 법 제14조에 따라 소방대상물의 개수(改修)·이전·제거, 사용의 금지 또는 제한, 사용폐쇄, 공사의 정지 또는 중지, 그 밖에 필요한 조치를 명할 때에는 별지 제3호 서식의 화재안전조사 조치명령서를 해당 소방대상물의 관계인에게 발급하고, 별지 제4호 서식의 화재안전조사 조치명령 대장에 이를 기록하여 관리해야 한다. ② 소방관서장은 법 제14조에 따른 명령으로 인하여 손실을 입은 자가 있는 경우에는 별지 제5호 서식의 화재안전조사 조치명령 손실확인서를 작성하여 관련 사진 및 그 밖의 증명자료와 함께 보관해야 한다.
	① 소방관서장

제15조【손실보상】 소방청장 또는 시·도지사는 제14조 제1항에 따른 명령으로 인하여 손실을 입은 자가 있는 경우에는 대통령령으로 정하는 바에 따라 보상하여야 한다.

(1) 손실보상(제15조)

소방청장 또는 시·도지사는 제14조 제1항에 따른 조치명령으로 인하여 손실을 입은 자가 있는 경우에는 대통령령으로 정하는 바에 따라 보상하여야 한다.

(2) 화재예방법 시행령상 손실보상(영 13조)

① 소방청장 또는 시·도지사가 손실을 보상하는 경우에는 시가(時價)로 보상해야 한다.

② 손실 보상에 관하여는 소방청장, 시·도지사와 손실을 입은 자가 협의해야 한다.

③ 손실 보상금액에 관한 협의가 성립되지 아니한 경우에는 소방청장 또는 시·도지사는 그 보상금액을 지급하거나 공탁하고 이를 상대방에게 알려야 한다.

④ 보상금의 지급 또는 공탁의 통지에 불복하는 자는 지급 또는 공탁의 통지를 받은 날부터 30일 이내에 「공익사업을 위한 토지 등의 취득 및 보상에 관한 법률」 제49조에 따라 설치된 중앙토지수용위원회 또는 관할 지방토지수용위원회에 재결(裁決)을 신청할 수 있다.

👆 **관계법규　손실보상**

시행령	시행규칙
제14조【손실보상】 ① 법 제15조에 따라 소방청장 또는 시·도지사가 손실을 보상하는 경우에는 【 ① 】로 보상해야 한다. 　② 제1항에 따른 손실보상에 관하여는 소방청장 또는 시·도지사와 손실을 입은 자가 협의해야 한다. 　③ 소방청장 또는 시·도지사는 제2항에 따른 보상금액에 관한 협의가 성립되지 않은 경우에는 그 보상금액을 지급하거나 공탁하고 이를 상대방에게 알려야 한다. 　④ 제3항에 따른 보상금의 지급 또는 공탁의 통지에 불복하는 자는 지급 또는 공탁의 통지를 받은 날부터 30일 이내에 「공익사업을 위한 토지 등의 취득 및 보상에 관한 법률」 제49조에 따른 중앙토지수용위원회 또는 관할 지방토지수용위원회에 재결(裁決)을 신청할 수 있다. ① 시가(時價)	**제6조【손실보상 청구자가 제출해야 하는 서류 등】** ① 법 제14조에 따른 명령으로 인하여 손실을 입은 자가 손실보상을 청구하려는 경우에는 별지 제6호 서식의 손실보상 청구서(전자문서를 포함한다)에 다음 각 호의 서류(전자문서를 포함한다)를 첨부하여 소방청장, 특별시장·광역시장·특별자치시장·도지사 또는 특별자치도지사(이하 "시·도지사"라 한다)에게 제출해야 한다. 이 경우 담당 공무원은 「전자정부법」 제36조 제1항에 따른 행정정보의 공동이용을 통하여 건축물대장(소방대상물의 관계인임을 증명할 수 있는 서류가 건축물대장인 경우만 해당한다)을 확인해야 한다. 1. 소방대상물의 관계인임을 증명할 수 있는 서류(건축물대장은 제외한다) 2. 손실을 증명할 수 있는 사진 및 그 밖의 증빙자료 ② 소방청장 또는 시·도지사는 영 제14조 제2항에 따라 손실보상에 관하여 협의가 이루어진 경우에는 손실보상을 청구한 자와 연명으로 별지 제7호 서식의 손실보상 합의서를 작성하고 이를 보관해야 한다.

제16조【화재안전조사 결과 공개】 ① 소방관서장은 화재안전조사를 실시한 경우 다음 각 호의 전부 또는 일부를 인터넷 홈페이지나 제3항의 전산시스템 등을 통하여 공개할 수 있다.

1. 소방대상물의 위치, 연면적, 용도 등 현황
2. 소방시설등의 설치 및 관리 현황
3. 피난시설, 방화구획 및 방화시설의 설치 및 관리 현황
4. 그 밖에 대통령령으로 정하는 사항

② 제1항에 따라 화재안전조사 결과를 공개하는 경우 공개 절차, 공개 기간 및 공개 방법 등에 필요한 사항은 대통령령으로 정한다.

③ 소방청장은 제1항에 따른 화재안전조사 결과를 체계적으로 관리하고 활용하기 위하여 전산시스템을 구축·운영하여야 한다.

④ 소방청장은 건축, 전기 및 가스 등 화재안전과 관련된 정보를 소방활동 등에 활용하기 위하여 제3항에 따른 전산시스템과 관계 중앙행정기관, 지방자치단체 및 공공기관 등에서 구축·운용하고 있는 전산시스템을 연계하여 구축할 수 있다.

(1) 결과 공개

① 소방관서장은 화재안전조사를 실시한 경우 공개 내용 대상의 전부 또는 일부를 인터넷 홈페이지나 전산시스템 등을 통하여 공개할 수 있다.

② 공개 내용

    ㉠ 소방대상물의 위치, 연면적, 용도 등 현황

    ㉡ 소방시설등의 설치 및 관리 현황

    ㉢ 피난시설, 방화구획 및 방화시설의 설치 및 관리 현황

    ㉣ 그 밖에 대통령령으로 정하는 사항(영 제15조)

      ⓐ 제조소등 설치 현황

      ⓑ 소방안전관리자 선임 현황

      ⓒ 화재예방안전진단 실시 결과

(2) 위임규정

화재안전조사 결과를 공개하는 경우 공개 절차, 공개 기간 및 공개 방법 등에 필요한 사항은 대통령령으로 정한다.

(3) 전산시스템의 구축·운영 등

① 소방청장은 화재안전조사 결과를 체계적으로 관리하고 활용하기 위하여 전산시스템을 구축·운영하여야 한다.

② 소방청장은 건축, 전기 및 가스 등 화재안전과 관련된 정보를 소방활동 등에 활용하기 위하여 전산시스템과 관계 중앙행정기관, 지방자치단체 및 공공기관 등에서 구축·운용하고 있는 전산시스템을 연계하여 구축할 수 있다.

✏️ **핵심 적중**

화재예방법 및 같은 법 시행령상 화재안전조사 결과 공개에 관한 내용으로 옳지 않은 것은?

① 소방관서장은 화재안전조사를 실시한 경우 공개내용의 전부 또는 일부를 인터넷 홈페이지나 전산시스템 등을 통하여 공개할 수 있다.

② 화재안전조사 결과를 공개하는 경우 공개 절차, 공개 기간 및 공개 방법 등에 필요한 사항은 대통령령으로 정한다.

③ 소방관서장은 화재안전조사 결과를 공개하려는 경우 공개 내용과 공개 방법 등을 공개대상 소방 대상물의 관계인에게 미리 알려야 한다.

④ 소방관서장은 화재안전조사 결과를 체계적으로 관리하고 활용 하기 위하여 전산시스템을 구축·운영하여야 한다.

정답 ④

(4) 화재안전조사 결과 공개

① **공개 기간**: 소방관서장은 화재안전조사 결과를 공개하는 경우 30일 이상 해당 소방관서 인터넷 홈페이지나 전산시스템을 통해 공개해야 한다.

② **사전 통지**: 소방관서장은 화재안전조사 결과를 공개하려는 경우 공개 기간, 공개 내용 및 공개방법을 해당 소방대상물의 관계인에게 미리 알려야 한다.

③ **이의신청 등**

  ㉠ 소방대상물의 관계인은 화재안전조사 결과 공개에 대한 공개내용을 통보받은 날부터 10일 이내에 관할 소방관서장에게 이의신청을 할 수 있다.

  ㉡ 소방관서장은 이의신청을 받은 날부터 10일 이내에 심사·결정하여 그 결과를 지체없이 신청인에게 알려야 한다.

④ **제3자 법익 침해**: 화재안전조사 결과의 공개가 제3자의 법익을 침해하는 경우에는 제3자와 관련된 사실을 제외하고 공개해야 한다.

관계법규 화재안전조사 결과 공개

시행령	NOTE
제15조【화재안전조사 결과 공개】 ① 법 제16조 제1항 제4호에서 "대통령령으로 정하는 사항"이란 다음 각 호의 사항을 말한다. 1. 제조소등 설치 현황 2. 소방안전관리자 선임 현황 3. 화재예방안전진단 실시 결과 ② 소방관서장은 법 제16조 제1항에 따라 화재안전조사 결과를 공개하는 경우【 ① 】이상 해당 소방관서 인터넷 홈페이지나 같은 조 제3항에 따른 전산시스템을 통해 공개해야 한다. ③ 소방관서장은 제2항에 따라 화재안전조사 결과를 공개하려는 경우【 ② 】, 공개 내용 및 공개 방법을 해당 소방대상물의 관계인에게 미리 알려야 한다. ④ 소방대상물의 관계인은 제3항에 따른 공개 내용 등을 통보받은 날부터 10일 이내에 소방관서장에게 이의신청을 할 수 있다. ⑤ 소방관서장은 제4항에 따라 이의신청을 받은 날부터 10일 이내에 심사·결정하여 그 결과를 지체 없이 신청인에게 알려야 한다. ⑥ 화재안전조사 결과의 공개가 제3자의 법익을 침해하는 경우에는 제3자와 관련된 사실을 제외하고 공개해야 한다.	**「소방시설 설치 및 관리에 관한 법률 시행령」** **제36조【자체점검 결과 공개】** ① 소방본부장 또는 소방서장은 법 제24조 제2항에 따라 자체점검 결과를 공개하는 경우 30일 이상 법 제48조에 따른 전산시스템 또는 인터넷 홈페이지 등을 통해 공개해야 한다. ② 소방본부장 또는 소방서장은 제1항에 따라 자체점검 결과를 공개하려는 경우 공개 기간, 공개 내용 및 공개 방법을 해당 특정소방대상물의 관계인에게 미리 알려야 한다. ③ 특정소방대상물의 관계인은 제2항에 따라 공개 내용 등을 통보받은 날부터 10일 이내에 관할 소방본부장 또는 소방서장에게 이의신청을 할 수 있다. ④ 소방본부장 또는 소방서장은 제3항에 따라 이의신청을 받은 날부터 10일 이내에 심사·결정하여 그 결과를 지체 없이 신청인에게 알려야 한다. ⑤ 자체점검 결과의 공개가 제3자의 법익을 침해하는 경우에는 제3자와 관련된 사실을 제외하고 공개해야 한다.
① 30일 ② 공개 기간	

📖 SUMMARY 화재예방법 처리기한

1. 기본계획 수립주기(법): 5년 마다

2. 시행계획(법): 매년

3. 실태조사(규칙): 시작 7일 전까지

4. 화재안전조사 실시(영): 7일 이상 공개

5. 화재안전조사 연기 신청(규칙): 시작 3일 전까지

6. 화재안전조사 손실보상 지급 또는 공탁 통지 불복(영): 통지 받은 날부터 30일 이내

7. 화재안전조사 결과 공개: 30일 이상 공개, 10일 이내 이의신청, 10일 이내 심사 · 결정

8. 화재예방 안전조치의 적절성 검토(규칙): 5일 이내

9. 화재의 예방조치(영)
   · 옮긴물건등을 보관하는 경우 공고기간: 그 날부터 14일까지
   · 옮긴물건등의 보관기간: 공고기간 종료일 다음 날부터 7일까지

10. 화재예방강화지구 훈련 · 교육 통지(영): 10일 전까지

11. 소방안전관리자 선임신고(법): 14일 이내 소방본부장 또는 소방서장에게 신고

12. 소방안전관리자 선임(규칙): 30일 이내

13. 소방안전관리자 선임연기신청서(규칙): 3일 이내

14. 건설현장의 소방안전관리자의 선임신고(규칙): 선임한 날부터 14일 이내

15. 소방안전관리자의 자격의 정지(법): 1년 이하의 기간

16. 강습교육(규칙): 실시 20일 전까지

17. 실무교육(규칙): 실시 30일 전까지

18. 실무교육(규칙): 선임된 날로부터 6개월 이내

19. 소방안전관리업무의 전담이 필요한 대통령령으로 정하는 특정소방대상물(규칙): 훈련 및 교육결과 30일 이내 제출

20. 불시 소방훈련 · 교육 사전통지(규칙): 교육 실시 10일 전까지

21. 소방본부장 또는 소방서장이 불시 소방훈련 · 교육 평가를 실시한 경우(규칙): 관계인에게 10일 이내 결과통지

22. 소방안전교육 대상자 통보(규칙): 교육일 10일 전까지

23. 특별관리기본계획(영): 5년 마다

24. 특별관리시행계획(영): 매년

25. 화재예방안전진단 결과의 제출(규칙): 완료된 날부터 60일 이내

26. 화재예방안전진단 지정절차(규칙): 접수한 경우 60일 이내

27. 우수소방대상물의 선정(규칙): 매년

28. 조치명령 등의 기간연장(규칙): 3일 이내에 조치명령 등의 기간연장 여부 결정

29. 수수료 또는 교육비(영): 20일 전까지 – 전액, 10일 전까지 – 100분의 50

📖 SUMMARY 조사단 및 위원회 구성

1. 중앙 · 지방화재안전조사단: 각각 단장 포함하여 50명 내외 성별 고려

2. 화재안전조사위원회: 위원장 1명 포함 7명 이내의 위원 성별 고려

3. 화재안전영향평가심의회: 위원장 1명 포함한 12명 이내의 위원

4. 우수 소방대상물의 선정을 위한 평가위원회(규칙): 2명 이상 포함된 평가위원회

제4장 화재의 예방조치 등

1 화재의 예방조치 등   A

제17조【화재의 예방조치 등】 ① 누구든지 화재예방강화지구 및 이에 준하는 대통령
령으로 정하는 장소에서는 다음 각 호의 어느 하나에 해당하는 행위를 하여서는 아
니 된다. 다만, 행정안전부령으로 정하는 바에 따라 안전조치를 한 경우에는 그러하
지 아니한다.
1. 모닥불, 흡연 등 화기의 취급
2. 풍등 등 소형열기구 날리기
3. 용접·용단 등 불꽃을 발생시키는 행위
4. 그 밖에 대통령령으로 정하는 화재 발생 위험이 있는 행위
② 소방관서장은 화재 발생 위험이 크거나 소화 활동에 지장을 줄 수 있다고 인정
되는 행위나 물건에 대하여 행위 당사자나 그 물건의 소유자, 관리자 또는 점유자에
게 다음 각 호의 명령을 할 수 있다. 다만, 제2호 및 제3호에 해당하는 물건의 소유
자, 관리자 또는 점유자를 알 수 없는 경우 소속 공무원으로 하여금 그 물건을 옮기
거나 보관하는 등 필요한 조치를 하게 할 수 있다.
1. 제1항 각 호의 어느 하나에 해당하는 행위의 금지 또는 제한
2. 목재, 플라스틱 등 가연성이 큰 물건의 제거, 이격, 적재 금지 등
3. 소방차량의 통행이나 소화 활동에 지장을 줄 수 있는 물건의 이동
③ 제2항 단서에 따라 옮긴물건등에 대한 보관기간 및 보관기간 경과 후 처리 등에
필요한 사항은 대통령령으로 정한다.

(1) 화재의 예방조치

① **행위금지**: 누구든지 화재예방강화지구 및 이에 준하는 대통령령으로 정하는 장소
에서는 다음의 어느 하나에 해당하는 행위를 하여서는 아니 된다. 다만, 행정안
전부령으로 정하는 바에 따라 안전조치를 한 경우에는 그러하지 아니한다.
㉠ 모닥불, 흡연 등 화기의 취급
㉡ 풍등 등 소형열기구 날리기
㉢ 용접·용단 등 불꽃을 발생시키는 행위
㉣ **그 밖에 대통령령으로 정하는 화재 발생 위험이 있는 행위**: 화재발생 위험이 있
는 가연성·폭발성 물질을 안전조치 없이 방치하는 행위(영 제16조 제2항)
② **과태료 - 300만원 이하의 과태료(제52조)**: 정당한 사유 없이 제17조 제1항 각 호
의 어느 하나에 해당하는 행위를 한 자

③ 화재예방강화지구에 준하는 대통령령으로 정하는 장소(영 제16조)

ㄱ 「위험물안전관리법」에 따른 제조소등이 있는 장소

ㄴ 「고압가스 안전관리법」에 따른 저장소가 있는 장소

ㄷ 「액화석유가스의 안전관리 및 사업법」에 따른 액화석유가스의 저장소·판매소가 있는 장소

ㄹ 「수소경제 육성 및 수소 안전관리에 관한 법률」에 따른 수소연료공급시설 및 수소연료사용시설이 있는 장소

ㅁ 「총포·도검·화약류 등의 안전관리에 관한 법률」에 따른 화약류를 저장하는 장소

> **참고** 화재예방강화지구 지정 대상지역
>
> 1. 시장지역
> 2. 공장·창고가 밀집한 지역
> 3. 목조건물이 밀집한 지역
> 4. 노후·불량건축물이 밀집한 지역
> 5. 위험물의 저장 및 처리 시설이 밀집한 지역
> 6. 석유화학제품을 생산하는 공장이 있는 지역
> 7. 「산업입지 및 개발에 관한 법률」 제2조 제8호에 따른 산업단지
> 8. 소방시설·소방용수시설 또는 소방출동로가 없는 지역
> 9. 「물류시설의 개발 및 운영에 관한 법률」 제2조 제6호에 따른 물류단지
> 10. 그 밖에 1.~9.에 준하는 지역으로서 소방관서장이 화재예방강화지구로 지정할 필요가 있다고 인정하는 지역

④ 화재예방 안전조치 등(규칙 제7조)

ㄱ 화재예방강화지구 및 영 제16조 제1항 각 호의 장소에서는 다음의 **안전조치**를 한 경우에 법 제17조 제1항 각 호의 행위를 할 수 있다.

ⓐ 흡연실 등 법령에 따라 지정된 장소에서 화기 등을 취급하는 경우

ⓑ 소화기 등 소방시설을 비치 또는 설치한 장소에서 화기 등을 취급하는 경우

ⓒ 화재감시자 등 안전요원이 배치된 장소에서 화기 등을 취급하는 경우

ⓓ 그 밖에 소방관서장과 사전 협의하여 안전조치한 경우

ㄴ **협의 신청서 제출:** 소방관서장과 사전 협의하여 안전조치를 하려는 자는 화재예방 안전조치 협의 신청서를 작성하여 소방관서장에게 제출해야 한다.

ㄷ **적절성 검토 및 결과 통보:** 소방관서장은 협의 신청서를 받은 경우에는 화재예방 안전조치의 적절성을 검토하고 5일 이내에 화재예방 안전조치 협의 결과 통보서를 협의를 신청한 자에게 통보해야 한다.

ㄹ **화재예방 조치명령서:** 소방관서장은 법 제17조 제2항 각 호의 명령을 할 때에는 화재예방 조치명령서를 해당 관계인에게 발급해야 한다.

(2) 예방조치 명령

① 소방관서장은 화재 발생 위험이 크거나 소화 활동에 지장을 줄 수 있다고 인정되는 행위나 물건에 대하여 행위 당사자나 그 물건의 소유자, 관리자 또는 점유자에게 다음의 명령을 할 수 있다.

　㉠ 제1항에 해당하는 행위의 금지 또는 제한

　㉡ 목재, 플라스틱 등 가연성이 큰 물건의 제거, 이격, 적재 금지 등

　㉢ 소방차량의 통행이나 소화 활동에 지장을 줄 수 있는 물건의 이동

② 벌칙 – 300만원 이하의 벌금(제50조 제3항): 제17조 제2항 각 호의 어느 하나에 따른 명령을 정당한 사유 없이 따르지 아니하거나 방해한 자

③ 다만, ①의 ㉡, ㉢에 해당하는 물건의 소유자, 관리자 또는 점유자를 알 수 없는 경우 소속 공무원으로 하여금 그 물건을 옮기거나 보관하는 등 필요한 조치를 하게 할 수 있다.

(3) 위임규정

제2항 단서에 따라 옮긴물건등에 대한 보관기간 및 보관기간 경과 후 처리 등에 필요한 사항은 대통령령으로 정한다.

(4) 옮긴 물건의 보관기간 및 보관기간 경과 후 처리 등(영 제17조)

① **공고기간**: 소방관서장은 법 제17조 제2항에 따라 옮긴 물건 등(이하 "옮긴물건등"이라 한다)을 보관하는 경우에는 그 날부터 14일 동안 해당 소방관서의 인터넷 홈페이지에 그 사실을 공고해야 한다.

② **보관기간**: 옮긴물건등에 대한 보관기간은 공고 기간의 종료일 다음 날부터 7일로 한다.

③ **보관기간 경과 후 처리 등**: 소방관서장은 보관기간이 종료되는 때에는 보관하고 있는 옮긴물건등을 매각해야 한다. 다만, 보관하고 있는 옮긴물건등이 부패·파손 또는 이와 유사한 사유로 정해진 용도로 계속 사용할 수 없는 경우에는 폐기할 수 있다.

④ 소방관서장은 보관하던 옮긴 물건을 매각한 경우에는 지체 없이 「국가재정법」에 따라 세입조치를 해야 한다.

⑤ 소방관서장은 매각되거나 폐기된 옮긴 물건의 소유자가 보상을 요구하는 경우에는 보상금액에 대하여 소유자와 협의를 거쳐 이를 보상해야 한다.

⑥ 제5항의 손실보상의 방법 및 절차 등에 관하여는 제14조를 준용한다.

참고 옮긴물건등의 보관기간 및 보관기간 경과 후 처리

소방관서장 ⇨	사실의 공고	⇨	보관기간 및 보관기간 경과 후 처리
	보관하는 경우: 그 날로부터 14일 동안 인터넷 홈페이지		• 공고기간 종료일 다음 날부터 7일 • 보관기간 종료: 매각(~) • 부패, 파손 등: 폐기(^)

시행령	시행규칙
제16조【화재의 예방조치 등】 ① 법 제17조 제1항 각 호 외의 부분 본문에서 "대통령령으로 정하는 장소"란 다음 각 호의 장소를 말한다. 1. 제조소등 2. 「고압가스 안전관리법」 제3조 제1호에 따른 저장소 3. 「액화석유가스의 안전관리 및 사업법」 제2조 제1호에 따른 액화석유가스의 저장소·판매소 4. 「수소경제 육성 및 수소 안전관리에 관한 법률」 제2조 제7호에 따른 수소연료공급시설 및 같은 조 제9호에 따른 수소연료사용시설 5. 「총포·도검·화약류 등의 안전관리에 관한 법률」 제2조 제3항에 따른 화약류를 저장하는 장소 ② 법 제17조 제1항 제4호에서 "대통령령으로 정하는 화재 발생 위험이 있는 행위"란 「위험물안전관리법」 제2조 제1항 제1호에 따른 위험물을 방치하는 행위를 말한다. **제17조【옮긴물건등의 보관기간 및 보관기간 경과 후 처리】** ① 소방관서장은 법 제17조 제2항 각 호 외의 부분 단서에 따라 옮긴 물건 등(이하 "옮긴물건등"이라 한다)을 보관하는 경우에는 그 날부터 【 ① 】 동안 해당 소방관서의 인터넷 홈페이지에 그 사실을 공고해야 한다. ② 옮긴물건등의 보관기간은 제1항에 따른 공고기간의 종료일 다음 날부터 7일까지로 한다. ③ 소방관서장은 제2항에 따른 보관기간이 종료된 때에는 보관하고 있는 옮긴물건등을 매각해야 한다. 다만, 보관하고 있는 옮긴물건등이 부패·파손 또는 이와 유사한 사유로 정해진 용도로 계속 사용할 수 없는 경우에는 【 ② 】. ④ 소방관서장은 보관하던 옮긴물건등을 제3항 본문에 따라 매각한 경우에는 지체 없이 「국가재정법」에 따라 세입조치를 해야 한다. ⑤ 소방관서장은 제3항에 따라 매각되거나 폐기된 옮긴물건등의 소유자가 보상을 요구하는 경우에는 보상금액에 대하여 소유자와의 협의를 거쳐 이를 보상해야 한다. ⑥ 제5항의 손실보상의 방법 및 절차 등에 관하여는 제14조를 준용한다.	**제7조【화재예방 안전조치 등】** ① 화재예방강화지구 및 영 제16조 제1항 각 호의 장소에서는 다음 각 호의 안전조치를 한 경우에 법 제17조 제1항 각 호의 행위를 할 수 있다. 1. 「국민건강증진법」 제9조 제4항 각 호 외의 부분 후단에 따라 설치한 흡연실 등 법령에 따라 지정된 장소에서 화기 등을 취급하는 경우 2. 소화기 등 소방시설을 비치 또는 설치한 장소에서 화기 등을 취급하는 경우 3. 「산업안전보건기준에 관한 규칙」 제241조의2 제1항에 따른 화재감시자 등 안전요원이 배치된 장소에서 화기 등을 취급하는 경우 4. 그 밖에 소방관서장과 사전 협의하여 안전조치를 한 경우 ② 제1항 제4호에 따라 소방관서장과 사전 협의하여 안전조치를 하려는 자는 별지 제8호 서식의 화재예방 안전조치 협의 신청서를 작성하여 소방관서장에게 제출해야 한다. ③ 소방관서장은 제2항에 따라 협의 신청서를 받은 경우에는 화재예방 안전조치의 적절성을 검토하고 【 ① 】 이내에 별지 제9호 서식의 화재예방 안전조치 협의 결과 통보서를 협의를 신청한 자에게 통보해야 한다. ④ 소방관서장은 법 제17조 제2항 각 호의 명령을 할 때에는 별지 제10호 서식의 화재예방 조치명령서를 해당 관계인에게 발급해야 한다.
① 14일 ② 폐기할 수 있다	① 5일

2 불을 사용하는 설비의 관리기준   A

제17조【화재의 예방조치 등】 ④ 보일러, 난로, 건조설비, 가스·전기시설, 그 밖에 화재 발생 우려가 있는 대통령령으로 정하는 설비 또는 기구 등의 위치·구조 및 관리와 화재 예방을 위하여 불을 사용할 때 지켜야 하는 사항은 대통령령으로 정한다.

(1) 불을 사용하는 설비

① 보일러, 난로, 건조설비, 가스·전기시설, 그 밖에 화재 발생 우려가 있는 대통령령으로 정하는 설비 또는 기구 등의 위치·구조 및 관리와 화재 예방을 위하여 불을 사용할 때 지켜야 하는 사항은 대통령령으로 정한다.

② 과태료 – 200만원 이하의 과태료(제52조 제2항): 제17조 제4항에 따른 불을 사용할 때 지켜야 하는 사항 및 같은 조 제5항에 따른 특수가연물의 저장 및 취급 기준을 위반한 자

(2) 불을 사용하는 설비의 관리기준 등(영 제18조)

① 보일러, 난로, 건조설비, 가스·전기시설, 그 밖에 화재발생의 우려가 있는 설비 또는 기구 등의 위치·구조 및 관리와 화재예방을 위하여 불을 사용할 때 지켜야 하는 사항은 별표 1과 같다.

② ①에 규정된 것 외에 불을 사용하는 설비의 종류와 세부관리기준은 시·도의 조례로 정한다.

(3) 보일러의 관리기준 등

보일러라 함은 사업장 또는 영업장 등에서 사용하는 것을 말하며 주택에서 사용하는 가정용 보일러는 제외한다.

① 가연성 벽·바닥 또는 천장과 접촉하는 증기기관 또는 연통의 부분은 규조토 등 난연성 또는 불연성 단열재로 덮어씌워야 한다.

② 경유·등유 등 액체연료를 사용하는 경우

㉠ 연료탱크는 보일러본체로부터 수평거리 1미터 이상의 간격을 두어 설치할 것

㉡ 연료탱크에는 화재 등 긴급상황이 발생하는 경우 연료를 차단 할 수 있는 개폐밸브를 연료탱크로부터 0.5미터 이내에 설치할 것

㉢ 연료탱크 또는 연료를 공급하는 배관에는 여과장치를 설치할 것

㉣ 사용이 허용된 연료 외의 것을 사용하지 아니할 것

㉤ 연료탱크가 넘어지지 않도록 받침대를 설치하고, 연료탱크 및 연료탱크 받침대는 「건축법 시행령」제2조 제10호에 따른 불연재료(이하 "불연재료"라 한다)로 할 것

③ 기체연료를 사용하는 경우

㉠ 보일러를 설치하는 장소에는 환기구를 설치하는 등 가연성가스가 머무르지 아니하도록 할 것

㉡ 연료를 공급하는 배관은 금속관으로 할 것

✏️ **핵심 기출**

화재예방법 시행령상 불을 사용하는 설비의 관리기준 등에 관한 내용으로 옳지 않은 것은?

23. 경채

① 보일러: 가연성 벽·바닥 또는 천장과 접촉하는 증기기관 또는 연통의 부분은 규조토 등 난연성 또는 불연성 단열재로 덮어씌워야 한다.

② 난로: 가연성 벽·바닥 또는 천장과 접촉하는 연통의 부분은 규조토 등 난연성 또는 불연성 단열재로 덮어씌워야 한다.

③ 건조설비: 실내에 설치하는 경우에 벽·천장 및 바닥은 준불연재료로 해야 한다.

④ 노·화덕설비: 노 또는 화덕을 설치하는 장소의 벽·천장은 불연재료로 된 것이어야 한다.

정답 ③

© 화재 등 긴급시 연료를 차단할 수 있는 개폐밸브를 연료용기 등으로부터 0.5미터 이내에 설치할 것

② 보일러가 설치된 장소에는 가스누설경보기를 설치할 것

④ 화목 등 고체연료를 사용하는 경우

　㉠ 고체연료는 보일러 본체와 수평거리 2미터 이상 간격을 두어 보관하거나 불연재료로 된 별도의 구획된 공간에 보관할 것

　㉡ 연통은 천장으로부터 0.6미터, 연통의 배출구는 건물 밖으로 0.6미터 이상 나오도록 설치할 것

　㉢ 연통의 배출구는 보일러보다 2미터 이상 높게 연장하여 설치할 것

　㉣ 연통이 관통하는 벽면, 지붕 등은 불연재료로 처리할 것

　㉤ 연통재질은 불연재료로 사용하고 연결부에 청소구를 설치할 것

⑤ 보일러와 벽·천장 사이의 거리는 0.6미터 이상 되도록 하여야 한다.

⑥ 보일러를 실내에 설치하는 경우에는 콘크리트바닥 또는 금속 외의 불연재료로 된 바닥 위에 설치하여야 한다.

📖 **SUMMARY** 보일러의 관리 기준

액체연료	기체연료	고체연료
· 연료탱크는 보일러본체로 부터 수평거리 1m 이상 · **개폐밸브**: 연료탱크로부터 0.5m 이내 · **배관**: 여과장치 설치 · 허용된 연료만 사용 · 연료탱크 받침대 설치(연료탱크 및 연료탱크 받침대: 불연재료)	· 환기구 설치 · **연료 공급배관**: 금속관 · 가스누설경보기 · **개폐밸브**: 연료용기로부터 0.5m 이내	· **고체연료**: 보일러 본체와 수평거리 2m 이상, 별도 구획(불연재료) · **연통**: 천장 0.6m 이격 · **연통의 배출구**: 건물 밖 0.6m 이상 도출 · **연통의 배출구**: 보일러보다 2m 이상 높게 · **연통**: 관통부분 불연재료 · **연통재질**: 불연재료, 청소구설치

---

(4) 난로의 관리기준 등

① 연통은 천장으로부터 0.6미터 이상 떨어지고, 연통의 배출구는 건물 밖으로 0.6미터 이상 나오게 설치하여야 한다.

② 가연성 벽·바닥 또는 천장과 접촉하는 연통의 부분은 규조토 등 난연성 또는 불연성 단열재로 덮어씌워야 한다.

③ 이동식난로는 다음의 장소에서 사용하여서는 아니된다. 다만, 난로가 쓰러지지 아니하도록 받침대를 두어 고정시키거나 쓰러지는 경우 즉시 소화되고 연료의 누출을 차단할 수 있는 장치가 부착된 경우에는 그러하지 아니하다.

　㉠ 「다중이용업소의 안전관리에 관한 특별법」에 따른 다중이용업소

　㉡ 「학원의 설립·운영 및 과외교습에 관한 법률」에 따른 학원

　㉢ 「학원의 설립·운영 및 과외교습에 관한 법률 시행령」에 따른 독서실

　㉣ 「공중위생관리법」에 따른 숙박업, 목욕장업 및 세탁업의 영업장

📎 **핵심적중**

01 화재예방법 시행령상 화목 등 고체연료를 사용하는 보일러의 위치·구조 및 관리와 화재예방을 위하여 불을 사용할 때 지켜야 하는 사항으로 옳지 않은 것은? (보일러라 함은 사업장 또는 영업장 등에서 사용하는 것을 말하며 주택에서 사용하는 가정용 보일러는 제외한다)

① 고체연료는 보일러 본체와 수평거리 2미터 이상 간격을 두어 보관하거나 불연재료로 된 별도의 구획된 공간에 보관할 것

② 연통은 천장으로부터 0.6미터 이상, 연통의 배출구는 건물 밖으로 0.6미터 이상 나오도록 설치할 것

③ 연통의 배출구는 보일러보다 1미터 이상 높게 연장하여 설치할 것

④ 연통재질은 불연재료로 사용하고 연결부에 청소구를 설치할 것

정답 ③

02 화재예방법 시행령상 보일러 등의 위치·구조 및 관리와 화재예방을 위하여 불의 사용에 있어서 지켜야 하는 사항으로 옳지 않은 것은? 19. 경채(4월)(기출변형)

① '보일러'와 벽·천장 사이의 거리는 0.6미터 이상 되도록 하여야 한다.

② '난로' 연통은 천장으로부터 0.6미터 이상 떨어지고, 건물 밖으로 0.6미터 이상 나오게 설치하여야 한다.

③ '건조설비'와 벽·천장 사이의 거리는 0.5미터 이상 되도록 하여야 한다.

④ '불꽃을 사용하는 용접·용단기구' 작업장에서는 용접 또는 용단 작업장 주변 반경 10미터 이내에 소화기를 갖추어야 한다.

정답 ④

03 화재예방법 시행령상 보일러 등의 위치·구조 및 관리와 화재예방을 위하여 불의 사용에 있어서 지켜야 하는 사항 중 '난로'에 대한 설명이다. ( ) 안의 내용으로 옳게 연결된 것은? 18. 경채(10월)(기출변형)

> 연통은 천장으로부터 (㉠)미터 이상 떨어지고, 건물 밖으로 (㉡)미터 이상 나오게 설치하여야 한다.

	㉠	㉡		㉠	㉡
①	0.5	0.6	②	0.6	0.6
③	0.5	0.5	④	0.6	0.5

정답 ②

01 화재예방법 시행령상 규정하고 있는 설명으로 ( ) 안에 들어갈 숫자를 옳게 연결한 것은?

> 가. 화재예방강화지구에서 소방관서장은 소방상 필요한 훈련 및 교육을 실시하고자 하는 때에는 화재예방강화지구 안의 관계인에게 훈련 또는 교육(㉠)일 전까지 그 사실을 통보하여야 한다.
> 나. 기체연료를 사용하는 보일러의 경우에는 화재 등 긴급시 연료를 차단할 수 있는 개폐밸브를 연료용기 등으로부터 (㉡)미터 이내에 설치하여야 한다.

	㉠	㉡		㉠	㉡
①	7	7	②	7	10
③	10	0.5	④	10	0.6

정답 ③

02 화재예방법 시행령상 불을 사용하는 설비의 관리기준에 관한 내용으로 옳은 것은? 24. 공채·경채

① 경유·등유 등 액체 연료탱크는 보일러 본체로부터 수평거리 0.5미터 이상의 간격을 두어 설치한다.
② 화목(火木) 등 고체연료를 사용하는 연통의 배출구는 보일러 본체보다 1미터 이상 높게 설치한다.
③ 음식조리를 위하여 설치하는 설비의 경우, 열을 발생하는 조리기구로부터 0.15미터 이내의 거리에 있는 가연성 주요구조부는 단열성이 있는 불연재료로 덮어 씌운다.
④ 대통령령에서 규정한 사항 외에 화재 발생 우려가 있는 설비 또는 기구의 종류, 해당 설비 또는 기구의 위치·구조 및 관리와 화재 예방을 위하여 불을 사용할 때 지켜야 하는 사항은 행정안전부령으로 정한다.

정답 ③

㉢ 「의료법」에 따른 의원·치과의원·한의원, 조산원 및 병원·치과병원·한방병원·요양병원·정신병원·종합병원
㉣ 「식품위생법 시행령」에 따른 식품접객업의 영업장
㉤ 「영화 및 비디오물의 진흥에 관한 법률」에 따른 영화상영관
㉥ 「공연법」에 따른 공연장
㉦ 「박물관 및 미술관 진흥법」에 따른 박물관 및 미술관
㉧ 「유통산업발전법」에 따른 상점가
㉨ 「건축법」 제20조에 따른 가설건축물
㉩ 역·터미널

(5) 건조설비의 관리기준 등

건조설비라 함은 산업용 건조설비를 말하며, 주택에서 사용하는 건조설비는 제외한다.

㉠ 건조설비와 벽·천장 사이의 거리는 0.5미터 이상 되도록 하여야 한다.
㉡ 건조물품이 열원과 직접 접촉하지 아니하도록 하여야 한다.
㉢ 실내에 설치하는 경우에 벽·천장 또는 바닥은 불연재료로 하여야 한다.

(6) 가스·전기시설

① 가스시설의 경우 「고압가스 안전관리법」, 「도시가스사업법」 및 「액화석유가스의 안전관리 및 사업법」에서 정하는 바에 따른다.
② 전기시설의 경우 「전기사업법」 및 「전기안전관리법」에서 정하는 바에 따른다.

(7) 불꽃을 사용하는 용접·용단기구의 관리기준 등(다만, 「산업안전보건법」 제38조의 적용을 받는 사업장의 경우에는 적용하지 아니한다)

① 용접 또는 용단 작업장 주변 반경 5미터 이내에 소화기를 갖추어 둘 것
② 용접 또는 용단 작업장 주변 반경 10미터 이내에는 가연물을 쌓아두거나 놓아두지 말 것. 다만, 가연물의 제거가 곤란하여 방화포 등으로 방호조치를 한 경우는 제외한다.

(8) 노·화덕설비의 관리기준 등

노·화덕설비라 함은 제조업, 가공업에서 사용되는 것을 말하며, 주택에서 조리용으로 사용되는 화덕은 제외한다.

① 실내에 설치하는 경우에는 흙바닥 또는 금속 외의 불연재료로 된 바닥에 설치해야 한다.
② 노 또는 화덕을 설치하는 장소의 벽·천장은 불연재료로 된 것이어야 한다.
③ 노 또는 화덕의 주위에는 녹는 물질이 확산되지 아니하도록 높이 0.1미터 이상의 턱을 설치해야 한다.
④ 시간당 열량이 30만킬로칼로리 이상인 노를 설치하는 경우
　㉠ 주요구조부(「건축법」 제2조 제1항 제7호에 따른 것을 말한다. 이하 이 표에서 같다)는 불연재료로 할 것
　㉡ 창문과 출입구는 「건축법 시행령」 제64조의 규정에 의한 60+ 방화문 또는 60분 방화문으로 설치할 것
　㉢ 노 주위에는 1미터 이상 공간을 확보할 것

(9) 음식조리를 위하여 설치하는 설비의 관리기준 등(「식품위생법 시행령」 제21조 제8호에 따른 식품접객업 중 일반음식점 주방에서 조리를 위하여 불을 사용하는 설비를 설치하는 경우)

① 주방설비에 부속된 배출덕트(공기 배출통로)는 0.5밀리미터 이상의 아연도금강판 또는 이와 동등 이상의 내식성 불연재료로 설치할 것

② 주방시설에는 동물 또는 식물의 기름을 제거할 수 있는 필터 등을 설치할 것

③ 열을 발생하는 조리기구는 반자 또는 선반으로부터 0.6미터 이상 떨어지게 할 것

④ 열을 발생하는 조리기구로부터 0.15미터 이내의 거리에 있는 가연성 주요구조부는 단열성이 있는 불연재료로 덮어 씌울 것

(10) 소화기 비치

보일러, 난로, 건조설비, 불꽃을 사용하는 용접·용단기구 및 노·화덕설비가 설치된 장소에는 소화기 1개 이상을 비치하여야 한다.

👆 관계법규 불을 사용하는 설비의 관리기준 등

시행령	NOTE
제18조【불을 사용하는 설비의 관리기준 등】① 법 제17조 제4항에서 "대통령령으로 정하는 설비 또는 기구 등"이란 다음 각 호의 설비 또는 기구를 말한다. 1. 보일러 2. 난로 3. 건조설비 4. 가스·전기시설 5. 불꽃을 사용하는 용접·용단 기구 6. 노(爐)·화덕설비 7. 음식조리를 위하여 설치하는 설비 ② 제1항 각 호에 따른 설비 또는 기구의 위치·구조 및 관리와 화재 예방을 위하여 불을 사용할 때 지켜야 하는 사항은 별표 1과 같다. ③ 제1항 및 제2항에서 규정한 사항 외에 화재 발생 우려가 있는 설비 또는 기구의 종류, 해당 설비 또는 기구의 위치·구조 및 관리와 화재 예방을 위하여 불을 사용할 때 지켜야 하는 사항은 시·도의 조례로 정한다.	

불을 사용하는 설비(수치)	불을 사용하는 설비(불연재료)

1. 보일러
  · 보일러 본체와 벽 · 천장 사이 거리 0.6미터 이상
  · 액체연료
    – **연료탱크**: 보일러 본체로부터 1미터 이상
    – **개폐밸브**: 연료탱크로부터 0.5미터 이상
  · 기체연료
    – **개폐밸브**: 연료용기로부터 0.5미터 이상
  · 고체연료
    – **연료탱크**: 보일러 본체로부터 2미터 이상
    – **연통의 배출구**: 보일러 본체보다 2미터 이상
2. 난로
  · 연통은 천장으로부터 0.6미터 이상
  · 연통의 배출구는 건물 밖으로 0.6미터 이상
3. 건조설비: 건조설비와 벽 · 천장 사이 거리 0.5미터 이상
4. 용접 · 용단 기구
  · 작업장 주변 반경 5미터 이내 소화기 비치
  · 작업장 주변 반경 10미터 이내 가연물 적재금지
5. 노 · 화덕 설비
  · 녹는 물질 확산 방지: 0.1미터 이상의 턱 설치
  · 시간당 열량 30만킬로칼로리 이상: 1미터 이상 공간 확보
6. 음식조리를 위한 설비
  · 주방설비에 부속된 배출덕트: 0.5밀리미터 이상의 아연도금강판
  · 열을 발생하는 조리기구는 반자 또는 선반으로부터 0.6미터 이상
  · 조리기구로부터 0.15미터 이내의 거리에 있는 가연성 주요구조부는 단열성이 있는 불연재료
	1. 보일러
	  · **액체연료**: 연료탱크 및 연료탱크 받침대는 불연재료
	  · **고체연료**: 불연재료로 된 별도의 구획된 공간
	  · **고체연료**: 연통이 관통하는 벽면, 지붕 등 불연재료
	  · **고체연료의 연통재질**: 불연재료
	  · **보일러 실내 설치**: 콘크리트바닥 또는 금속 외의 불연재료로 된 바닥 위에 설치
	2. 건조설비 실내 설치: 벽 · 천장 및 바닥은 불연재료
	3. 노 · 화덕 설비
	  · **노 · 화덕 설비 실내 설치**: 흙바닥 또는 금속 외의 불연재료로 된 바닥에 설치
	  · **설치 장소의 벽 · 천장**: 불연재료
	  · **시간당 열량 30만킬로칼로리 이상**: 주요구조부는 불연재료 이상
	4. 음식조리를 위한 설비
	  · 주방설비에 부속된 배출덕트: 0.5밀리미터 이상의 아연도금강판, 내식성 불연재료
	  · 조리기구로부터 0.15미터 이내의 거리에 있는 가연성 주요구조부는 단열성이 있는 불연재료

	불을 사용하는 설비(실내에 설치하는 경우)
	1. 보일러 실내 설치: 콘크리트 바닥 또는 금속 외의 불연재료로 된 바닥 위에 설치 2. 건조설비 실내 설치: 벽 · 천장 및 바닥은 불연재료 3. 노 · 화덕 설비 실내 설치: 흙바닥 또는 금속 외의 불연재료로 된 바닥에 설치
불을 사용하는 설비(규조토 등 난연성 또는 불연성 단열재)	**불을 사용하는 설비(금속관)**

1. 보일러: 증기기관 또는 연통의 부분
2. 난로: 증기기관 또는 연통의 부분
	1. 보일러
	  · 보일러: 기체연료(연료를 공급하는 배관은 금속관)
	  · 보일러 실내 설치: 콘크리트바닥 또는 금속 외의 불연재료로 된 바닥 위에 설치
	2. 음식조리를 위한 설비
	  · 주방설비에 부속된 배출덕트: 0.5밀리미터 이상의 아연도금강판, 내식성 불연재료

⌖ 제·개정 내용

시행령

특수가연물 저장·취급 기준을 실내·실외 구분하여 기준을 다르게 정하고, "특수가연물의 표지"를 부착하도록 관계인에게 의무를 부과함

제17조【화재의 예방조치 등】 ⑤ 화재가 발생하는 경우 불길이 빠르게 번지는 고무류·플라스틱류·석탄 및 목탄 등 대통령령으로 정하는 특수가연물(特殊可燃物)의 저장 및 취급 기준은 대통령령으로 정한다.

(1) 위임규정 및 벌칙

① 화재가 발생하는 경우 불길이 빠르게 번지는 고무류·플라스틱류·석탄 및 목탄 등 대통령령으로 정하는 특수가연물(特殊可燃物)의 저장 및 취급 기준은 대통령령으로 정한다.

② 과태료 - 200만원 이하의 과태료(제52조 제2항): 제17조 제4항에 따른 불을 사용할 때 지켜야 하는 사항 및 같은 조 제5항에 따른 특수가연물의 저장 및 취급 기준을 위반한 자

(2) 화재의 확대가 빠른 특수가연물(영 제19조 [별표 2])

① 특수가연물

품명	수량(이상)	품명		수량(이상)
면화류	200kg	대팻밥		400kg
나무껍질	400kg	가연성 고체류		3,000kg
넝마 및 종이부스러기	1,000kg	가연성 액체류		2m³
사류(絲類)	1,000kg	목재가공품 및 나무부스러기		10m³
볏짚류	1,000kg	고무류·플라스틱류	발포시킨 것	20m³
석탄·목탄류	10,000kg		그 밖의 것	3,000kg

② 정의

면화류	불연성 또는 난연성이 아닌 면상 또는 팽이모양의 섬유와 마사(麻絲)원료
넝마 및 종이부스러기	불연성 또는 난연성이 아닌 것(동식물유가 깊이 스며들어 있는 옷감·종이 및 이들의 제품을 포함한다)으로 한정
사류(絲類)	불연성 또는 난연성이 아닌 실(실부스러기와 솜털을 포함한다)과 누에고치
볏짚류	마른 볏짚·북데기와 이들의 제품 및 건초를 말한다. 다만, 축산용도로 사용하는 것은 제외한다.
석탄·목탄류	코크스, 석탄가루를 물에 갠 것, 마세크탄(조개탄), 연탄, 석유코크스, 활성탄 등
고무류·플라스틱류	불연성 또는 난연성이 아닌 고체의 합성수지제품, 합성수지반제품, 원료합성수지 및 합성수지 부스러기를 말한다. 다만, 합성수지의 섬유·옷감·종이 및 실과 이들의 넝마와 부스러기를 제외한다.

🧑 정희's 톡talk

플라스틱류

불연성 또는 난연성이 아닌 고무제품, 고무반제품, 원료고무 및 고무 부스러기를 포함합니다.

③ 가연성고체류
　　㉠ 인화점이 섭씨 40도 이상 100도 미만인 것
　　㉡ 인화점이 섭씨 100도 이상 200도 미만이고, 연소열량이 1그램당 8킬로칼로리 이상인 것
　　㉢ 인화점이 섭씨 200도 이상이고 연소열량이 1그램당 8킬로칼로리 이상인 것으로서 융점이 100도 미만인 것
　　㉣ 1기압과 섭씨 20도 초과 40도 이하에서 액상인 것으로서 인화점이 섭씨 70도 이상 섭씨 200도 미만이거나 ㉡ 또는 ㉢에 해당하는 것
④ 가연성액체류
　　㉠ 1기압과 섭씨 20도 이하에서 액상인 것으로서 가연성 액체량이 40중량퍼센트 이하이면서 인화점이 섭씨 40도 이상 섭씨 70도 미만이고 연소점이 섭씨 60도 이상인 물품
　　㉡ 1기압과 섭씨 20도에서 액상인 것으로서 가연성 액체량이 40중량퍼센트 이하이고 인화점이 섭씨 70도 이상 섭씨 250도 미만인 물품
　　㉢ 동물의 기름기와 살코기 또는 식물의 씨나 과일의 살로부터 추출한 것으로서 다음의 하나에 해당하는 것
　　　ⓐ 1기압과 섭씨 20도에서 액상이고 인화점이 250도 미만인 것으로서 「위험물안전관리법」 제20조 제1항의 규정에 의한 용기기준과 수납·저장기준에 적합하고 용기외부에 물품명·수량 및 "화기엄금" 등의 표시를 한 것
　　　ⓑ 1기압과 섭씨 20도에서 액상이고 인화점이 섭씨 250도 이상인 것

(3) 특수가연물의 저장 및 취급의 기준(영 제19조 [별표 3])
① 저장 기준(단, 석탄·목탄류 발전용으로 저장하는 경우 제외)
　　㉠ 품명별로 구분하여 쌓을 것
　　㉡ 쌓는 높이·면적
　　　ⓐ 쌓는 높이는 10미터 이하가 되도록 하고, 쌓는 부분의 바닥면적은 50제곱미터(석탄·목탄류의 경우에는 200제곱미터) 이하가 되도록 하여야 한다.
　　　ⓑ 다만, 살수설비를 설치하거나, 방사능력 범위에 해당 특수가연물이 포함되도록 대형수동식소화기를 설치하는 경우에는 쌓는 높이를 15미터 이하, 쌓는 부분의 바닥면적을 200제곱미터(석탄·목탄류의 경우에는 300제곱미터)가 되도록 하여야 한다.

구분		일반	완화조건*
쌓는 높이		10m 이하	15m 이하
쌓는 면적	석탄·목탄류 외	50m² 이하	200m² 이하
	석탄·목탄류	200m² 이하	300m² 이하

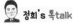

✎ 핵심 적중

01 화재예방법 시행령상 특수가연물의 저장 및 취급기준에 관한 설명이다. ( ) 안의 내용으로 옳게 연결된 것은?

> 원칙적으로 쌓는 높이는 10미터 이하가 되도록 하고, 쌓는 부분의 바닥면적은 (㉠)제곱미터[석탄·목탄류의 경우에는 (㉡)제곱미터] 이하가 되도록 한다.

	㉠	㉡		㉠	㉡
①	30	200	②	50	200
③	30	300	④	50	300

정답 ②

02 화재예방법 시행령상 화재의 확대가 빠른 특수가연물의 저장 및 취급 기준으로 옳은 것은? [단, 석탄·목탄류를 발전용(發電用)으로 저장하는 경우는 제외한다]

24. 경채

① 실외에 쌓아 저장하는 경우 쌓는 부분이 대지경계선, 도로 및 인접 건축물과 최소 6미터 이상 간격을 둘 것. 다만, 쌓는 높이보다 0.9미터 이상 높은 내화구조 벽체를 설치한 경우는 그렇지 않다.
② 실내에 쌓아 저장하는 경우 주요구조부는 불연재료 또는 준불연재료여야 하고, 다른 종류의 특수가연물과 같은 공간에 보관하지 않을 것. 다만, 방화구조의 벽으로 분리하는 경우는 그렇지 않다.
③ 쌓는 부분 바닥면적의 사이는 실내의 경우 1미터 또는 쌓는 높이의 1/2 중 큰 값 이상으로 간격을 둘 것
④ 쌓는 부분 바닥면적의 사이는 실외의 경우 3미터 또는 쌓는 높이의 1/2 중 큰 값 이상으로 간격을 둘 것

정답 ①

🧑 정희's 톡talk

완화조건*
'살수설비·대형수동식소화기 설치 시'를 의미합니다.

ⓒ 실내·외 저장 기준

ⓐ 실외에 쌓아 저장하는 경우 쌓는 부분과 대지경계선 또는 도로, 인접 건축물과 최소 6미터 이상 간격을 둘 것. 다만, 쌓은 높이보다 0.9미터 이상 높은 내화구조 벽체를 설치한 경우는 그렇지 않다.

ⓑ 실내에 쌓아 저장하는 경우 주요구조부는 내화구조이면서 불연재료여야 하고, 다른 종류의 특수가연물과 같은 공간에 보관하지 않은 것. 다만, 내화구조의 벽으로 분리하는 경우 그러하지 아니하다.

ⓒ 쌓는 부분의 바닥면적 사이는 실내의 경우 1.2미터 또는 쌓는 높이의 1/2 중 큰 값 이상으로 간격을 두어야 하며, 실외의 경우 3미터 또는 쌓는 높이 중 큰 값 이상으로 간격을 둘 것

구분	이격 및 저장 원칙	예외대상	쌓는 부분의 바닥면적 사이 이격
실내	· 주요구조부: 내화구조이면서 불연재료 · 혼용저장 금지	내화구조의 벽으로 분리하는 경우	1.2m 또는 쌓는 높이 1/2 중 큰 값
실외	대지경계선·도로·인접 건축물과 6미터 이상	0.9미터 이상 높은 내화구조 벽체 설치 시	3m 또는 쌓는 높이 중 큰 값

(4) 특수가연물의 표지(영 제19조 [별표 3])

① 표지 설치: 특수가연물을 저장 또는 취급하는 장소에는 품명, 최대저장수량, 단위부피당 질량 또는 단위체적당 질량, 관리책임자 성명·직책, 연락처 및 화기취급의 금지표시가 포함된 특수가연물 표지를 설치해야 한다.

② 특수가연물의 표지 설치 기준

㉠ 표지는 한변의 길이가 0.3미터 이상, 다른 한변의 길이가 0.6미터 이상인 직사각형으로 할 것

㉡ 특수가연물 표지의 바탕은 흰색으로, 문자는 검은색으로 할 것. 다만, "화기엄금" 표시 부분은 제외한다.

㉢ 특수가연물 표지 중 화기엄금 표시 부분의 바탕은 붉은색으로, 문자는 백색으로 할 것

③ 특수가연물의 표지는 특수가연물을 저장 또는 취급하는 장소 중 보기 쉬운 곳에 설치하여야 한다.

정희's 톡talk

특수가연물 표지

특수가연물	
화기엄금	
품명	합성수지류
최대수량 (배수)	000톤(00배)
단위체적당 질량	000kg/m³
관리책임자	홍길동 팀장
연락처	02-000-0000

👆 관계법규 특수가연물

시행령	NOTE
제19조【화재의 확대가 빠른 특수가연물】① 법 제17조 제5항에서 "고무류·플라스틱류·석탄 및 목탄 등 대통령령으로 정하는 특수가연물(特殊可燃物)"이란 별표 2에서 정하는 품명별 수량 이상의 가연물을 말한다. ② 법 제17조 제5항에 따른 특수가연물의 저장 및 취급 기준은 별표 3과 같다.	

제18조【화재예방강화지구의 지정 등】 ① 시 · 도지사는 다음 각 호의 어느 하나에 해당하는 지역을 화재예방강화지구로 지정하여 관리할 수 있다.

　1. 시장지역

　2. 공장 · 창고가 밀집한 지역

　3. 목조건물이 밀집한 지역

　4. 노후 · 불량건축물이 밀집한 지역

　5. 위험물의 저장 및 처리 시설이 밀집한 지역

　6. 석유화학제품을 생산하는 공장이 있는 지역

　7. 「산업입지 및 개발에 관한 법률」 제2조 제8호에 따른 산업단지

　8. 소방시설 · 소방용수시설 또는 소방출동로가 없는 지역

　9. 「물류시설의 개발 및 운영에 관한 법률」 제2조 제6호에 따른 물류단지

　10. 그 밖에 제1호부터 제8호까지에 준하는 지역으로서 소방관서장이 화재예방강화지구로 지정할 필요가 있다고 인정하는 지역

② 제1항에도 불구하고 시 · 도지사가 화재예방강화지구로 지정할 필요가 있는 지역을 화재예방강화지구로 지정하지 아니하는 경우 소방청장은 해당 시 · 도지사에게 해당 지역의 화재예방강화지구 지정을 요청할 수 있다.

③ 소방관서장은 대통령령으로 정하는 바에 따라 제1항에 따른 화재예방강화지구 안의 소방대상물의 위치 · 구조 및 설비 등에 대하여 화재안전조사를 하여야 한다.

④ 소방관서장은 제3항에 따른 화재안전조사를 한 결과 화재의 예방강화를 위하여 필요하다고 인정할 때에는 관계인에게 소화기구, 소방용수시설 또는 그 밖에 소방에 필요한 설비(이하 "소방설비등"이라 한다)의 설치(보수, 보강을 포함한다. 이하 같다)를 명할 수 있다.

⑤ 소방관서장은 화재예방강화지구 안의 관계인에 대하여 대통령령으로 정하는 바에 따라 소방에 필요한 훈련 및 교육을 실시할 수 있다.

⑥ 시 · 도지사는 대통령령으로 정하는 바에 따라 제1항에 따른 화재예방강화지구의 지정 현황, 제3항에 따른 화재안전조사의 결과, 제4항에 따른 소방설비등의 설치 명령 현황, 제5항에 따른 소방훈련 및 교육 현황 등이 포함된 화재예방강화지구에서의 화재예방에 필요한 자료를 매년 작성 · 관리하여야 한다.

(1) 화재예방강화지구 지정 · 관리 대상지역

　시 · 도지사는 다음의 어느 하나에 해당하는 지역을 화재예방강화지구로 지정하여 관리할 수 있다.

　① 시장지역

　② 공장 · 창고가 밀집한 지역

　③ 목조건물이 밀집한 지역

　④ 노후 · 불량건축물이 밀집한 지역

　⑤ 위험물의 저장 및 처리 시설이 밀집한 지역

　⑥ 석유화학제품을 생산하는 공장이 있는 지역

　⑦ 「산업입지 및 개발에 관한 법률」 제2조 제8호에 따른 산업단지

✏️ **핵심기출**

화재예방법상 화재예방강화지구로 지정할 수 있는 지역으로 옳은 것만을 있는 대로 고른 것은? (단, 소방관서장이 화재예방강화지구로 지정할 필요가 있다고 인정하는 지역은 제외한다)
　　　　　　　　　　24. 경채

> ㄱ. 시장지역
> ㄴ. 목조건물이 밀집한 지역
> ㄷ. 전력용 및 통신용 지하구가 있는 지역
> ㄹ. 소방시설 · 소방용수시설 또는 소방출동로가 없는 지역
> ㅁ. 「물류시설의 개발 및 운영에 관한 법률」 제2조 제6호에 따른 물류단지

① ㄱ, ㄴ, ㄷ
② ㄱ, ㄷ, ㄹ
③ ㄱ, ㄴ, ㄹ, ㅁ
④ ㄴ, ㄷ, ㄹ, ㅁ

정답 ③

⑧ 소방시설·소방용수시설 또는 소방출동로가 없는 지역

⑨ 「물류시설의 개발 및 운영에 관한 법률」에 따른 물류단지

⑩ 소방관서장이 화재예방강화지구로 지정할 필요가 있다고 인정하는 지역

(2) 지정 요청

시·도지사가 화재예방강화지구로 지정할 필요가 있는 지역을 화재예방강화지구로 지정하지 아니하는 경우 소방청장은 해당 시·도지사에게 해당 지역의 화재예방강화지구 지정을 요청할 수 있다.

(3) 화재안전조사

① 소방관서장은 대통령령으로 정하는 바에 따라 화재예방강화지구 안의 소방대상물의 위치·구조 및 설비등에 대하여 화재안전조사를 하여야 한다.

② 화재안전조사의 실시: 소방관서장은 화재예방강화지구 안의 소방대상물의 위치·구조 및 설비등에 대한 화재안전조사를 연 1회 이상 실시해야 한다.

(4) 소방설비등의 설치 명령

① 소방관서장은 화재안전조사를 한 결과 화재의 예방강화를 위하여 필요하다고 인정할 때

② 관계인에게 소화기구, 소방용수시설 또는 그 밖에 소방에 필요한 설비(이하 "소방설비등"이라 한다)의 설치(보수, 보강을 포함한다. 이하 같다)를 명할 수 있다.

③ 과태료 − 200만원 이하의 과태료(제52조): 제18조 제4항에 따른 소방설비등의 설치 명령을 정당한 사유 없이 따르지 아니한 자

(5) 교육 및 훈련

① 소방관서장은 화재예방강화지구 안의 관계인에 대하여 대통령령으로 정하는 바에 따라 소방에 필요한 훈련 및 교육을 실시할 수 있다.

② 훈련·교육 및 통보

㉠ 소방관서장은 화재예방강화지구 안의 관계인에 대하여 소방에 필요한 훈련 및 교육을 연 1회 이상 실시할 수 있다.

㉡ 소방관서장은 소방에 필요한 훈련 및 교육을 실시하려는 경우에는 화재예방강화지구 안의 관계인에게 훈련 또는 교육 10일 전까지 그 사실을 통보해야 한다.

(6) 화재예방에 필요한 자료의 작성·관리

① 시·도지사는 대통령령으로 정하는 바에 따라 화재예방강화지구의 지정 현황, 화재안전조사의 결과, 소방설비등의 설치 명령 현황, 소방훈련 및 교육 현황 등이 포함된 화재예방강화지구에서의 화재예방에 필요한 자료를 매년 작성·관리하여야 한다.

② 시·도지사는 다음의 사항을 행정안전부령으로 정하는 화재예방강화지구 관리대장에 작성하고 관리하여야 한다.

㉠ 화재예방강화지구의 지정 현황

㉡ 화재안전조사의 결과

 정희's 톡talk

화재예방강화지구 관리대장(규칙 제8조)

영 제21조 제4항에 따른 화재예방강화지구 관리대장은 별지 제9호 서식에 따릅니다.

ⓒ 소방설비등의 설치 명령 현황

ⓔ 소방훈련 및 교육의 실시 현황

ⓜ 그 밖에 화재예방 강화를 위하여 필요한 사항

관계법규 화재예방강화지구

시행령	시행규칙
제20조【화재예방강화지구의 관리】 ① 소방관서장은 법 제18조 제3항에 따라 화재예방강화지구 안의 소방대상물의 위치·구조 및 설비등에 대한 화재안전조사를【 ① 】이상 실시해야 한다. ② 소방관서장은 법 제18조 제5항에 따라 화재예방강화지구 안의 관계인에 대하여 소방에 필요한 훈련 및 교육을【 ② 】이상 실시할 수 있다. ③ 소방관서장은 제2항에 따라 훈련 및 교육을 실시하려는 경우에는 화재예방강화지구 안의 관계인에게 훈련 또는 교육【 ③ 】전까지 그 사실을 통보해야 한다. ④ 시·도지사는 법 제18조 제6항에 따라 다음 각 호의 사항을 【 ④ 】으로 정하는 화재예방강화지구 관리대장에 작성하고 관리해야 한다. 1. 화재예방강화지구의 지정 현황 2. 화재안전조사의 결과 3. 법 제18조 제4항에 따른 소화기구, 소방용수시설 또는 그 밖에 소방에 필요한 설비(이하 "소방설비등"이라 한다)의 설치(보수, 보강을 포함한다) 명령 현황 4. 법 제18조 제5항에 따른 소방훈련 및 교육의 실시 현황 5. 그 밖에 화재예방 강화를 위하여 필요한 사항	**제8조【화재예방강화지구 관리대장】** 영 제20조 제4항 각 호 외의 부분에 따른 화재예방강화지구 관리대장은 별지 제11호 서식에 따른다.
① 연 1회 ② 연 1회 ③ 10일 ④ 행정안전부령	

제19조【화재의 예방 등에 대한 지원】 ① 소방청장은 제18조 제4항에 따라 소방설비
등의 설치를 명하는 경우 해당 관계인에게 소방설비등의 설치에 필요한 지원을 할
수 있다.

② 소방청장은 관계 중앙행정기관의 장 및 시·도지사에게 제1항에 따른 지원에 필
요한 협조를 요청할 수 있다.

③ 시·도지사는 제2항에 따라 소방청장의 요청이 있거나 화재예방강화지구 안의
소방대상물의 화재안전성능 향상을 위하여 필요한 경우 특별시·광역시·특별자치
시·도 또는 특별자치도(이하 "시·도"라 한다)의 조례로 정하는 바에 따라 소방설
비등의 설치에 필요한 비용을 지원할 수 있다.

(1) 소방설비등의 설치에 필요한 지원

소방청장은 소방설비등의 설치를 명하는 경우 해당 관계인에게 소방설비등의 설
치에 필요한 지원을 할 수 있다.

(2) 소방청장의 지원 요청

소방청장은 관계 중앙행정기관의 장 및 시·도지사에게 지원에 필요한 협조를 요
청할 수 있다.

(3) 시·도지사의 비용 지원

시·도지사는 소방청장의 요청이 있거나 화재예방강화지구 안의 소방대상물의 화
재안전성능 향상을 위하여 필요한 경우 시·도의 조례로 정하는 바에 따라 소방설
비등의 설치에 필요한 비용을 지원할 수 있다.

제20조【화재 위험경보】 소방관서장은 「기상법」 제13조, 제13조의2 및 제13조의4에 따른 기상현상 및 기상영향에 대한 예보·특보·태풍특보에 따라 화재의 발생 위험이 높다고 분석·판단되는 경우에는 행정안전부령으로 정하는 바에 따라 화재에 관한 위험경보를 발령하고 그에 따른 필요한 조치를 할 수 있다.

(1) 화재 위험경보

① 화재 위험경보권자: 소방관서장

② 소방관서장은 기상현상 및 기상영향에 대한 예보·특보·태풍특보에 따라 화재의 발생 위험이 높다고 분석·판단되는 경우

③ 행정안전부령으로 정하는 바에 따라 화재에 관한 위험경보를 발령하고 그에 따른 필요한 조치를 할 수 있다.

(2) 행정안전부령으로 정하는 화재 위험경보(규칙 제9조)

① 소방관서장은 기상청에서 한파·건조·폭염·강풍 등에 대한 예보 또는 특보가 있는 경우 화재에 관한 위험경보를 발령하고 그 발령 사실을 언론 등을 통해 국민에게 알려야 한다.

② 화재 위험경보 발령 절차 및 조치사항 등에 필요한 사항은 소방청장이 정한다.

🖐 관계법규 화재 위험경보

NOTE	시행규칙
	제9조【화재 위험경보】① 소방관서장은 법 제20조에 따라 기상청에서 한파·건조·폭염·강풍 등에 대한 예보 또는 특보가 있는 경우 화재에 관한 위험경보를 발령하고 그 발령 사실을 언론 등을 통해 국민에게 알려야 한다. ② 제1항에 따른 화재 위험경보 발령 절차 및 조치사항 등에 필요한 사항은 소방청장이 정한다.

📍 **제·개정 내용**

법률
소방청장은 화재발생 원인 및 연소과정을 조사·분석하는 등의 과정에서 법령이나 정책의 개선이 필요하다고 인정되는 경우 그 법령이나 정책에 대한 화재 위험성의 유발요인 및 완화 방안에 대한 "화재안전영향평가"를 실시할 수 있도록 하고, 화재안전영향평가에 관한 업무를 수행하기 위하여 화재안전영향평가심의회를 구성·운영할 수 있도록 함

제21조【화재안전영향평가】 ① 소방청장은 화재발생 원인 및 연소과정을 조사·분석하는 등의 과정에서 법령이나 정책의 개선이 필요하다고 인정되는 경우 그 법령이나 정책에 대한 화재 위험성의 유발요인 및 완화 방안에 대한 평가(이하 "화재안전영향평가"라 한다)를 실시할 수 있다.
② 소방청장은 제1항에 따라 화재안전영향평가를 실시한 경우 그 결과를 해당 법령이나 정책의 소관 기관의 장에게 통보하여야 한다.
③ 제2항에 따라 결과를 통보받은 소관 기관의 장은 특별한 사정이 없는 한 이를 해당 법령이나 정책에 반영하도록 노력하여야 한다.
④ 화재안전영향평가의 방법·절차·기준 등에 필요한 사항은 대통령령으로 정한다.

(1) 화재안전영향평가의 실시
① 화재발생 원인 및 연소과정을 조사·분석하는 등의 과정에서 법령이나 정책의 개선이 필요하다고 인정되는 경우
② 소방청장은 법령이나 정책에 대한 화재 위험성의 유발요인 및 완화 방안에 대한 평가(이하 "화재안전영향평가"라 한다)를 실시할 수 있다.

(2) 결과 통보
소방청장은 화재안전영향평가를 실시한 경우 그 결과를 해당 법령이나 정책의 소관 기관의 장에게 통보하여야 한다.

(3) 소관기관의 장의 정책 반영
결과를 통보받은 소관 기관의 장은 특별한 사정이 없는 한 이를 해당 법령이나 정책에 반영하도록 노력하여야 한다.

(4) 위임규정
화재안전영향평가의 방법·절차·기준 등에 필요한 사항은 대통령령으로 정한다.

(5) 화재안전영향평가의 방법·절차·기준 등(영 제21조)
① **예측·분석 방법:** 화재현장 및 자료 조사 등을 기초로 화재·피난 모의실험 등 과학적인 예측·분석 방법으로 실시할 수 있다.
② **자료의 제출 요청 등**
㉠ 소관 기관의 장에게 관련 자료의 제출을 요청할 수 있다.
㉡ 이 경우 자료 제출을 요청받은 소관 기관의 장은 특별한 사정이 없으면 그 요청에 따라야 한다.
③ **화재안전영향평가의 기준:** 소방청장은 다음의 사항이 포함된 화재안전영향평가의 기준을 화재안전영향평가심의회(이하 "심의회"라 한다)의 심의를 거쳐 정한다.

ⓐ 법령이나 정책의 화재위험 유발요인

ⓑ 법령이나 정책이 소방대상물의 재료, 공간, 이용자 특성 및 화재 확산 경로에 미치는 영향

ⓒ 법령이나 정책이 화재피해에 미치는 영향 등 사회경제적 파급 효과

ⓓ 화재위험 유발요인을 제어 또는 관리할 수 있는 법령이나 정책의 개선 방안

④ ①부터 ③까지에서 규정한 사항 외에 화재안전영향평가의 방법·절차·기준 등에 관하여 필요한 사항은 소방청장이 정한다.

시행령	
제21조【화재안전영향평가의 방법·절차·기준 등】① 소방청장은 법 제21조 제1항에 따른 화재안전영향평가(이하 "화재안전영향평가"라 한다)를 하는 경우 화재현장 및 자료 조사 등을 기초로 화재·피난 모의실험 등 과학적인 예측·분석 방법으로 실시할 수 있다. ② 소방청장은 화재안전영향평가를 위하여 필요한 경우 해당 법령이나 정책의 소관 기관의 장에게 관련 자료의 제출을 요청할 수 있다. 이 경우 자료 제출을 요청받은 소관 기관의 장은 특별한 사유가 없으면 이에 따라야 한다. ③ 【 ① 】은 다음 각 호의 사항이 포함된 화재안전영향평가의 기준을 법 제22조에 따른 화재안전영향평가심의회(이하 "심의회"라 한다)의 심의를 거쳐 정한다.	1. 법령이나 정책의 화재위험 유발요인 2. 법령이나 정책이 소방대상물의 재료, 공간, 이용자 특성 및 화재 확산 경로에 미치는 영향 3. 법령이나 정책이 화재피해에 미치는 영향 등 사회경제적 파급 효과 4. 화재위험 유발요인을 제어 또는 관리할 수 있는 법령이나 정책의 개선 방안 ④ 제1항부터 제3항까지에서 규정한 사항 외에 화재안전영향평가의 방법·절차·기준 등에 관하여 필요한 사항은 소방청장이 정한다.

① 소방청장

참고 **화재안전영향평가제도의 도입 필요성**

1. 화재안전영향평가제도의 도입 필요성은 현재까지 화재안전을 관장하는 대표적인 법률이었던 소방시설법이 변화하는 소방대상물이나 다양화되는 사업적 요구에 부응하는 화재예방이나 화재안전을 더 이상 실현할 수 없어 보다 적극적인 화재예방과 안전관리에 필요한 제도의 도입에 있다.
   - 2010.11.12. 포항 인덕동에 있는 인덕노인요양센터에서 전기 스파크가 원인인 화재가 발생하여 10명이 사망하고 17명이 부상
   - 2014.5.28. 전남 장성 효사랑요양병원에서 발생한 화재로 인하여 21명이 사망
   - 2017.12.21. 제천 스포츠센터에서 발생한 화재로 29명 사망, 40명의 부상자가 발생
   - 2018.1.26. 밀양 요양원화재로 31명이 사망하고, 81명이 부상사고가 발생
   - 2020.4.29. 이천 물류창고 화재로 인하여 사망자 38명과 부상자 10명이 발생

2. 대규모 인명사고 발생을 통해서 소방당국의 지속적인 노력만으로는 화재사고로 인한 국민의 생명과 재산을 보호하는 데에 한계가 있음을 알 수 있다.

3. 결과적으로 요양병원이나 요양시설의 허가요건에서 화재발생 시에 대피할 수 있도록 하는 데에 적합한 시설기준 중 화재안전기준을 정하지 못함으로 인하여 많은 사상자가 발생하게 되었다. 요양병원이나 요양시설은 소방시설법, 「의료법」, 「건축법」 등에 명시된 규정을 충족하여 허가를 받은 곳임에도 불구하고 화재로 인한 피해를 키웠다는 점에서 현 제도의 운영상 미비점이 있다는 것을 알 수 있다.

4. 이러한 문제점 개선이 이루어 질 수 있도록 소방대상물을 기반으로 하는 사업 관련 법령의 제·개정 시 화재영향에 대한 심의를 사전에 받도록 하는 화재안전영향평가제도의 도입이 필요하다는 공감대가 형성되었다.

8 화재안전영향평가심의회(심의회)   B

제22조【화재안전영향평가심의회】 ① 소방청장은 화재안전영향평가에 관한 업무를 수행하기 위하여 화재안전영향평가심의회(이하 "심의회"라 한다)를 구성·운영할 수 있다.

② 심의회는 위원장 1명을 포함한 12명 이내의 위원으로 구성한다.

③ 위원장은 위원 중에서 호선하고, 위원은 다음 각 호의 사람으로 한다.

1. 화재안전과 관련되는 법령이나 정책을 담당하는 관계 기관의 소속 직원으로서 대통령령으로 정하는 사람

2. 소방기술사 등 대통령령으로 정하는 화재안전과 관련된 분야의 학식과 경험이 풍부한 전문가로서 소방청장이 위촉한 사람

④ 제2항 및 제3항에서 규정한 사항 외에 심의회의 구성·운영 등에 필요한 사항은 대통령령으로 정한다.

(1) 화재안전영향평가심의회의 구성·운영

① 소방청장은 화재안전영향평가에 관한 업무를 수행하기 위하여 심의회를 구성·운영할 수 있다.

② 심의회는 위원장 1명을 포함한 12명 이내의 위원으로 구성한다.

③ 위원장은 위원 중에서 호선하고, 위원은 다음의 사람으로 한다.

    ㉠ 화재안전과 관련되는 법령이나 정책을 담당하는 관계 기관의 소속 직원으로서 대통령령으로 정하는 사람(법 제22조 제3항 제1호)

    ㉡ 소방기술사 등 대통령령으로 정하는 화재안전과 관련된 분야의 학식과 경험이 풍부한 전문가로서 소방청장이 위촉한 사람(법 제22조 제3항 제2호)

(2) 심의회의 위원(영 제22조)

① 법 제22조 제3항 제1호에서 "대통령령으로 정하는 사람"

    ㉠ 다음의 중앙행정기관에서 화재안전 관련 법령이나 정책을 담당하는 고위공무원단에 속하는 일반직공무원(이에 상당하는 특정직공무원 및 별정직공무원을 포함한다) 중에서 해당 중앙행정기관의 장이 지명하는 사람 각 1명

        ⓐ 행정안전부·산업통상자원부·보건복지부·고용노동부·국토교통부

        ⓑ 그 밖에 심의회의 심의에 부치는 안건과 관련된 중앙행정기관

    ㉡ 소방청에서 화재안전 관련 업무를 수행하는 소방준감 이상의 소방공무원 중에서 소방청장이 지명하는 사람

② 법 제22조 제3항 제2호에서 "소방기술사 등 대통령령으로 정하는 화재안전과 관련된 분야의 학식과 경험이 풍부한 전문가"(위촉위원의 임기는 2년으로 하며 한 차례만 연임할 수 있다)

    ㉠ 소방기술사

✏️ **핵심 적중**

화재예방법 및 같은법 시행령상 화재안전영향평가심의회(심의회)의 구성·운영 등에 대한 내용으로 옳지 않은 것은?

① 심의회는 위원장 1명을 포함한 12명 이내의 위원으로 구성한다.

② 시·도지사는 화재안전영향평가에 관한 업무를 수행하기 위하여 심의회를 구성·운영할 수 있다.

③ 위원 중 위촉위원의 임기는 2년으로 하되, 1회에 한하여 연임할 수 있다.

④ 심의회에 그 업무를 효율적으로 수행하기 위하여 분야별로 전문위원회를 둘 수 있다.

정답 ②

      ⓛ 다음의 기관이나 법인 또는 단체에서 화재안전 관련 업무를 수행하는 사람으로 서 해당 기관이나 법인 또는 단체의 장이 추천하는 사람

        ⓐ 안전원

        ⓑ 기술원

        ⓒ 화재보험협회

        ⓓ 가스안전공사

        ⓔ 전기안전공사

      ⓒ 「고등교육법」 제2조에 따른 학교 또는 이에 준하는 학교나 공인된 연구기 관에서 부교수 이상의 직(職) 또는 이에 상당하는 직에 있거나 있었던 사람 으로서 화재안전 또는 관련 법령이나 정책에 전문성이 있는 사람

(3) 위임규정

제2항 및 제3항에서 규정한 사항 외에 심의회의 구성 · 운영 등에 필요한 사항은 대통령령으로 정한다.

(4) 심의회의 구성 등(영 제22조)

① 법 제22조 제3항 제2호에 따른 위원 중 위촉위원의 임기는 2년으로 하며, 한 차 례만 연임할 수 있다.

② 심의회의 위원장은 심의회 업무를 총괄하고 심의회를 대표한다.

③ 위원장이 부득이한 사유로 직무를 수행할 수 없을 때에는 위원장이 지정한 위 원이 그 직무를 대행한다.

④ **위원의 해임 · 해촉(解囑) 사유**

    ⓖ 심신장애로 인하여 직무를 수행할 수 없게 된 경우

    ⓛ 직무와 관련된 비위사실이 있는 경우

    ⓒ 직무태만, 품위손상이나 그 밖의 사유로 인하여 위원으로 적합하지 아니하 다고 인정되는 경우

    ⓔ 위원 스스로 직무를 수행하는 것이 곤란하다고 의사를 밝히는 경우

(5) 심의회의 운영(영 제23조)

① **분야별 전문위원회**: 심의회에 그 업무를 효율적으로 수행하기 위하여 분야별로 전문위원회를 둘 수 있다.

② **수당 등의 지급**

    ⓖ 심의회 및 전문위원회에 출석한 위원 및 전문위원회의 위원에게는 예산의 범위에서 수당, 여비, 그 밖에 필요한 경비를 지급할 수 있다.

    ⓛ 다만, 공무원인 위원 또는 전문위원회의 위원이 소관 업무와 직접 관련하 여 심의회에 출석하는 경우는 그렇지 않다.

③ **위임규정**: 제1항부터 제2항까지에서 정한 것 외에 심의회의 운영 등에 필요한 사항은 소방청장이 정한다.

시행령

제22조【심의회의 구성】 ① 법 제22조 제3항 제1호에서 "대통령령으로 정하는 사람"이란 다음 각 호의 사람을 말한다.

1. 다음 각 목의 중앙행정기관에서 화재안전 관련 법령이나 정책을 담당하는 고위공무원단에 속하는 일반직공무원(이에 상당하는 특정직공무원 및 별정직공무원을 포함한다) 중에서 해당 중앙행정기관의 장이 지명하는 사람 각 1명
   가. 행정안전부·산업통상자원부·보건복지부·고용노동부·국토교통부
   나. 그 밖에 심의회의 심의에 부치는 안건과 관련된 중앙행정기관
2. 소방청에서 화재안전 관련 업무를 수행하는 【 ① 】 이상의 소방공무원 중에서 소방청장이 지명하는 사람

② 법 제22조 제3항 제2호에서 "소방기술사 등 대통령령으로 정하는 화재안전과 관련된 분야의 학식과 경험이 풍부한 전문가"란 다음 각 호의 어느 하나에 해당하는 사람을 말한다.

1. 소방기술사
2. 다음 각 목의 기관이나 법인 또는 단체에서 화재안전 관련 업무를 수행하는 사람으로서 해당 기관이나 법인 또는 단체의 장이 추천하는 사람
   가. 안전원
   나. 기술원
   다. 화재보험협회
   라. 가스안전공사
   마. 전기안전공사
3. 「고등교육법」 제2조에 따른 학교 또는 이에 준하는 학교나 공인된 연구기관에서 부교수 이상의 직(職) 또는 이에 상당하는 직에 있거나 있었던 사람으로서 화재안전 또는 관련 법령이나 정책에 전문성이 있는 사람

③ 법 제22조 제3항 제2호에 따른 위촉위원의 임기는 【 ② 】으로 하며 한 차례만 연임할 수 있다.

④ 심의회의 위원장은 심의회를 대표하고 심의회 업무를 총괄한다.

⑤ 위원장이 부득이한 사유로 직무를 수행할 수 없을 때에는 위원장이 지명한 위원이 그 직무를 대행한다.

⑥ 소방청장은 심의회의 위원이 다음 각 호의 어느 하나에 해당하는 경우에는 해당 위원을 해촉할 수 있다.

1. 심신장애로 직무를 수행할 수 없게 된 경우
2. 직무와 관련된 비위사실이 있는 경우
3. 직무태만, 품위손상이나 그 밖의 사유로 위원으로 적합하지 않다고 인정되는 경우
4. 위원 스스로 직무를 수행하기 어렵다는 의사를 밝히는 경우

제23조【심의회의 운영】 ① 심의회의 업무를 효율적으로 수행하기 위하여 심의회에 분야별로 전문위원회를 둘 수 있다.

② 심의회 및 전문위원회에 출석한 위원 및 전문위원회의 위원에게는 예산의 범위에서 수당, 여비, 그 밖에 필요한 경비를 지급할 수 있다. 다만, 공무원인 위원 또는 전문위원회의 위원이 소관 업무와 직접 관련하여 심의회에 출석하는 경우는 그렇지 않다.

③ 제1항 및 제2항에서 규정한 사항 외에 심의회의 운영 등에 필요한 사항은 【 ③ 】이 정한다.

---

① 소방준감 ② 2년 ③ 소방청장

제23조【화재안전취약자에 대한 지원】 ① 소방관서장은 어린이, 노인, 장애인 등 화재의 예방 및 안전관리에 취약한 자(이하 "화재안전취약자"라 한다)의 안전한 생활환경을 조성하기 위하여 소방용품의 제공 및 소방시설의 개선 등 필요한 사항을 지원하기 위하여 노력하여야 한다.

② 제1항에 따른 화재안전취약자에 대한 지원의 대상·범위·방법 및 절차 등에 필요한 사항은 대통령령으로 정한다.

③ 소방관서장은 관계 행정기관의 장에게 제1항에 따른 지원이 원활히 수행되는 데 필요한 협력을 요청할 수 있다. 이 경우 요청받은 관계 행정기관의 장은 특별한 사정이 없으면 요청에 따라야 한다.

(1) 화재안전취약자에 대한 지원

① **화재안전취약자:** 어린이, 노인, 장애인 등 화재의 예방 및 안전관리에 취약한 자

② 소방관서장은 화재안전취약자의 안전한 생활환경을 조성하기 위하여 소방용품의 제공 및 소방시설의 개선 등 필요한 사항을 지원하기 위하여 노력하여야 한다.

③ 화재안전취약자에 대한 지원의 대상·범위·방법 및 절차 등에 필요한 사항은 대통령령으로 정한다.

(2) 지원 요청

① 소방관서장은 관계 행정기관의 장에게 지원이 원활히 수행되는 데 필요한 협력을 요청할 수 있다.

② 이 경우 요청받은 관계 행정기관의 장은 특별한 사정이 없으면 요청에 따라야 한다.

관계법규 지원 대상 및 방법 등

시행령
제24조【화재안전취약자 지원 대상 및 방법 등】 ① 법 제23조 제1항에 따른 어린이, 노인, 장애인 등 화재의 예방 및 안전관리에 취약한 자(이하 "화재안전취약자"라 한다)에 대한 지원의 대상은 다음 각 호와 같다. 1. 「국민기초생활 보장법」 제2조 제2호에 따른 수급자 2. 「장애인복지법」 제6조에 따른 중증장애인 3. 「한부모가족지원법」 제5조에 따른 지원대상자 4. 「노인복지법」 제27조의2에 따른 홀로 사는 노인 5. 「다문화가족지원법」 제2조 제1호에 따른 다문화가족의 구성원 6. 그 밖에 화재안전에 취약하다고 소방관서장이 인정하는 사람	② 소방관서장은 법 제23조 제1항에 따라 제1항 각 호의 사람에게 다음 각 호의 사항을 지원할 수 있다. 1. 소방시설등의 설치 및 개선 2. 소방시설등의 안전점검 3. 소방용품의 제공 4. 전기·가스 등 화재위험 설비의 점검 및 개선 5. 그 밖에 화재안전을 위하여 필요하다고 인정되는 사항 ③ 제1항 및 제2항에서 규정한 사항 외에 지원의 방법 및 절차 등에 관하여 필요한 사항은 소방청장이 정한다.

제5장 소방대상물의 안전관리

1 특정소방대상물의 소방안전관리   A

제24조【특정소방대상물의 소방안전관리】 ① 특정소방대상물 중 전문적인 안전관리가 요구되는 대통령령으로 정하는 특정소방대상물(이하 "소방안전관리대상물"이라 한다)의 관계인은 소방안전관리업무를 수행하기 위하여 제30조 제1항에 따른 소방안전관리자 자격증을 발급받은 사람을 소방안전관리자로 선임하여야 한다. 이 경우 소방안전관리자의 업무에 대하여 보조가 필요한 대통령령으로 정하는 소방안전관리대상물의 경우에는 소방안전관리자 외에 소방안전관리보조자를 추가로 선임하여야 한다.
② 다른 안전관리자(다른 법령에 따라 전기·가스·위험물 등의 안전관리 업무에 종사하는 자를 말한다. 이하 같다)는 소방안전관리대상물 중 소방안전관리업무의 전담이 필요한 대통령령으로 정하는 소방안전관리대상물의 소방안전관리자를 겸할 수 없다. 다만, 다른 법령에 특별한 규정이 있는 경우에는 그러하지 아니하다.

(1) 소방안전관리자·소방안전관리자의 선임

① 특정소방대상물 중 전문적인 안전관리가 요구되는 대통령령으로 정하는 특정소방대상물(소방안전관리대상물)의 관계인은 소방안전관리업무를 수행하기 위하여 소방안전관리자 자격증을 발급받은 사람을 소방안전관리자로 선임하여야 한다.
② 이 경우 소방안전관리자의 업무에 대하여 보조가 필요한 대통령령으로 정하는 소방안전관리대상물의 경우에는 소방안전관리자 외에 소방안전관리보조자를 추가로 선임하여야 한다.
③ 벌칙 – 300만원 이하의 벌금(제50조): 제24조 제1항·제3항, 제29조 제1항 및 제35조 제1항·제2항을 위반하여 소방안전관리자, 총괄소방안전관리자 또는 소방안전관리보조자를 선임하지 아니한 자

(2) 소방안전관리업무의 전담

① 다른 안전관리자는 소방안전관리대상물 중 소방안전관리업무의 전담이 필요한 대통령령으로 정하는 소방안전관리대상물의 소방안전관리자를 겸할 수 없다. 다만, 다른 법령에 특별한 규정이 있는 경우에는 그러하지 아니하다.
② 소방안전관리업무 전담 대상물(영 제26조)
　㉠ 특급 소방안전관리대상물
　㉡ 1급 소방안전관리대상물
③ 과태료 – 300만원 이하의 과태료(제52조): 제24조 제2항을 위반하여 소방안전관리자를 겸한 자

제·개정 내용

법률
1. 특정소방대상물 중 전문적인 안전관리가 요구되는 대통령령으로 정하는 특정소방대상물(소방안전관리대상물)의 관계인은 소방안전관리업무를 수행하기 위하여 소방안전관리자 자격증을 발급받은 사람을 소방안전관리자로 선임하도록 함
2. 다른 안전관리자는 소방안전관리업무의 전담이 필요한 대통령령으로 정하는 소방안전관리대상물의 소방안전관리자를 겸할 수 없도록 함

정회's 톡talk

면적 등의 산정방법(건축법 시행령 제119조)
승강기탑, 계단탑, 망루, 장식탑, 옥탑, 그 밖
에 이와 비슷한 건축물의 옥상 부분으로서 그
수평투영면적의 합계가 해당 건축물 건축면
적의 8분의 1 이하인 것과 지하층은 건축물
의 층수에 산입하지 아니하고, 층의 구분이
명확하지 아니한 건축물은 그 건축물의 높이
4미터마다 하나의 층으로 보고 그 층수를 산
정합니다. 건축물의 층수가 다른 경우에는 그
중 가장 많은 층수를 그 건축물의 층수로 봅
니다.

(3) 소방안전관리대상물(영 [별표 4])

① 특급 소방안전관리대상물: 동·식물원, 철강 등 불연성 물품을 저장·취급하는 창고, 위험물 저장 및 처리시설 중 위험물 제조소등과 지하구는 특급 소방안전관리대상물에서 제외한다.

㉠ 50층 이상(지하층은 제외한다)이거나 지상으로부터 높이가 200미터 이상인 아파트

㉡ 30층 이상(지하층을 포함한다)이거나 지상으로부터 높이가 120미터 이상인 특정소방대상물(아파트는 제외한다)

㉢ ㉡에 해당하지 아니하는 특정소방대상물로서 연면적이 10만제곱미터 이상인 특정소방대상물(아파트는 제외한다)

② 1급 소방안전관리대상물: 동·식물원, 철강 등 불연성 물품을 저장·취급하는 창고, 위험물 저장 및 처리시설 중 위험물 제조소등과 지하구, 특급 소방안전관리대상물을 제외한 다음에 해당하는 것

㉠ 30층 이상(지하층은 제외한다)이거나 지상으로부터 높이가 120미터 이상인 아파트

㉡ 연면적 1만5천제곱미터 이상인 특정소방대상물(아파트는 제외한다)

㉢ ㉡에 해당하지 아니하는 특정소방대상물로서 지상층의 층수가 11층 이상인 특정소방대상물(아파트는 제외한다)

㉣ 가연성 가스를 1천톤 이상 저장·취급하는 시설

③ 2급 소방안전관리대상물: 특급·1급 소방안전관리대상물을 제외한 다음에 해당하는 것

㉠ 다음의 해당하는 소방시설을 설치하여야 하는 특정소방대상물

ⓐ 옥내소화전설비를 설치해야 하는 특정소방대상물

ⓑ 스프링클러설비를 설치해야 하는 특정소방대상물

ⓒ 물분무등소화설비[화재안전기준에 따라 호스릴(hose reel) 방식의 물분무등소화설비만을 설치할 수 있는 특정소방대상물은 제외한다]를 설치해야 하는 특정소방대상물

㉡ 가스 관련 시설

ⓐ 가스 제조설비를 갖추고 도시가스사업의 허가를 받아야 하는 시설

ⓑ 가연성 가스를 100톤 이상 1천톤 미만 저장·취급하는 시설

㉢ 지하구

㉣ 공동주택(옥내소화전설비 또는 스프링클러설비가 설치된 공동주택으로 한정한다)

㉤ 보물 또는 국보로 지정된 목조건축물

④ 3급 소방안전관리대상물: 특급·1급·2급 소방안전관리대상물을 제외한 다음에 해당하는 것

㉠ 간이 스프링클러설비(주택전용 간이스프링클러설비는 제외한다)를 설치하여야 하는 특정소방대상물

㉡ 자동화재탐지설비를 설치하여야 하는 특정소방대상물

(4) 소방안전관리대상물 선임자격(해당 자격증을 받은 사람)(영 [별표 4])

① 특급 소방안전관리대상물

ㄱ 소방기술사 또는 소방시설관리사의 자격이 있는 사람

ㄴ 소방설비기사의 자격을 취득한 후 5년 이상 1급 소방안전관리대상물의 소방안전관리자로 근무한 실무경력이 있는 사람

ㄷ 소방설비산업기사의 자격을 취득한 후 7년 이상 1급 소방안전관리대상물의 소방안전관리자로 근무한 실무경력이 있는 사람

ㄹ 소방공무원으로 20년 이상 근무한 경력이 있는 사람

ㅁ 소방청장이 실시하는 특급 소방안전관리대상물의 소방안전관리에 관한 시험에 합격한 사람

② 1급 소방안전관리대상물

ㄱ 소방설비기사 또는 소방설비산업기사의 자격이 있는 사람

ㄴ 소방공무원으로 7년 이상 근무한 경력이 있는 사람

ㄷ 소방청장이 실시하는 1급 소방안전관리대상물의 소방안전관리에 관한 시험에 합격한 사람

ㄹ 특급 소방안전관리대상물의 소방안전관리자 자격이 인정되는 사람

③ 2급 소방안전관리대상물

ㄱ 위험물기능장 · 위험물산업기사 또는 위험물기능사 자격을 가진 사람

ㄴ 소방공무원으로 3년 이상 근무한 경력이 있는 사람

ㄷ 소방청장이 실시하는 2급 소방안전관리대상물의 소방안전관리에 관한 시험에 합격한 사람

ㄹ 특급 또는 1급 소방안전관리대상물의 소방안전관리자 자격이 인정되는 사람

④ 3급 소방안전관리대상물

ㄱ 소방공무원으로 1년 이상 근무한 경력이 있는 사람

ㄴ 소방청장이 실시하는 3급 소방안전관리대상물의 소방안전관리에 관한 시험에 합격한 사람

ㄷ 특급 소방안전관리대상물, 1급 소방안전관리대상물 또는 2급 소방안전관리대상물의 소방안전관리자 자격이 인정되는 사람

⑤ 선임인원 - 특급, 1급, 2급, 3급 소방아전관리대상물: 1명 이상

⑥ 자격기준 및 실무경력 인정기준

ㄱ 특급 소방안전관리대상물에 선임해야 하는 소방안전관리자의 자격을 산정할 때 동일한 기간에 수행한 경력이 두 가지 이상의 자격기준에 해당하는 경우 하나의 자격기준에 대해서만 그 기간을 인정하고, 기간이 중복되지 않는 소방안전관리자 실무경력의 경우에는 각각의 기간을 실무경력으로 인정한다.

ㄴ 이 경우 자격기준별 실무경력 기간을 해당 실무경력 기준기간으로 나누어 합한 값이 1 이상이면 선임자격을 갖춘 것으로 본다.

소방안전관리보조자를 두어야 하는 특정소
방대상물에 대한 설명이다. (   ) 안에 들어
갈 용어로 옳은 것은?   20. 공채(6월)

· 「건축법 시행령」 별표 1 제2호 가목에 따른
  아파트[(가)세대 이상인 아파트만 해당]
· 아파트를 제외한 연면적이 (나) 이상인
  특정소방대상물

	(가)	(나)
①	150	1만제곱미터
②	150	1만5천제곱미터
③	300	1만제곱미터
④	300	1만5천제곱미터

정답 ④

(5) 소방안전관리보조자(영 [별표 5])

① 선임대상물

　㉠ 「건축법 시행령」 별표 1 제2호 가목에 따른 아파트 중 300세대 이상인 아파트

　㉡ 연면적이 1만5천제곱미터 이상인 특정소방대상물(아파트 및 연립주택은 제외한다)

　㉢ ㉠ 및 ㉡에 따른 특정소방대상물을 제외한 특정소방대상물 중 다음의 어느 하나에 해당하는 특정소방대상물

　　ⓐ 공동주택 중 기숙사

　　ⓑ 의료시설

　　ⓒ 노유자시설

　　ⓓ 수련시설

　　ⓔ 숙박시설(숙박시설로 사용되는 바닥면적의 합계가 1천500제곱미터 미만이고 관계인이 24시간 상시 근무하고 있는 숙박시설은 제외한다)

② 선임자격

　㉠ 특급·1급·2급·3급 소방안전관리대상물의 소방안전관리자 자격이 있는 사람

　㉡ 직무분야에서 건축, 기계제작, 기계장비설비·설치, 화공, 위험물, 전기, 전자 및 안전관리에 해당하는 국가기술자격이 있는 사람

　㉢ 「공공기관의 소방안전관리에 관한 규정」에 따른 강습교육을 수료한 사람

　㉣ 특급·1급·2급·3급 소방안전관리대상물의 소방안전관리에 대한 강습교육을 수료한 사람

　㉤ 소방안전관리대상물에서 소방안전 관련 업무에 2년 이상 근무한 경력이 있는 사람

③ 선임인원: 선임대상물별 1명을 기본으로 하되 다음에 따라 추가하여야 한다.

　㉠ 아파트: 초과되는 300세대마다 1명 이상을 추가로 선임

　㉡ (5) ①의 ㉡의 경우: 초과되는 연면적 1만5천제곱미터(특정소방대상물의 종합방재실에 자위소방대가 24시간 상시 근무하고 「소방장비관리법 시행령」 별표 1 제1호 가목에 따른 소방자동차 중 소방펌프차, 소방물탱크차, 소방화학차 또는 무인방수차를 운용하는 경우에는 3만제곱미터로 한다)마다 1명 이상을 추가로 선임

　㉢ (5) ①의 ㉢의 경우: 해당 특정소방대상물이 소재하는 지역을 관할하는 소방서장이 야간이나 휴일에 해당 특정소방대상물이 이용되지 아니한다는 것을 확인한 경우에는 소방안전관리보조자를 선임하지 아니할 수 있음

관계법규 소방안전관리자 및 소방안전관리보조자를 두어야 하는 특정소방대상물

시행령	시행규칙
제25조【소방안전관리자 및 소방안전관리보조자를 두어야 하는 특정소방대상물】 ① 법 제24조 제1항 전단에 따라 특정소방대상물 중 전문적인 안전관리가 요구되는 특정소방대상물(이하 "소방안전관리대상물"이라 한다)의 범위와 같은 조 제4항에 따른 소방안전관리자의 선임 대상별 자격 및 인원기준은 별표 4와 같다. ② 법 제24조 제1항 후단에 따라 소방안전관리보조자를 추가로 선임해야 하는 소방안전관리대상물의 범위와 같은 조 제4항에 따른 소방안전관리보조자의 선임 대상별 자격 및 인원기준은 별표 5와 같다. ③ 제1항에도 불구하고 건축물대장의 건축물현황도에 표시된 대지경계선 안의 지역 또는 인접한 2개 이상의 대지에 제1항에 따라 소방안전관리자를 두어야 하는 특정소방대상물이 둘 이상 있고, 그 관리에 관한 권원(權原)을 가진 자가 동일인인 경우에는 이를 하나의 특정소방대상물로 본다. 이 경우 해당 특정소방대상물이 별표 4에 따른 등급 중 둘 이상에 해당하면 그중에서 등급이 높은 특정소방대상물로 본다. **제26조【소방안전관리업무 전담 대상물】** 법 제24조 제2항 본문에서 "대통령령으로 정하는 소방안전관리대상물"이란 다음 각 호의 소방안전관리대상물을 말한다. 1. 별표 4 제1호에 따른 특급 소방안전관리대상물 2. 별표 4 제2호에 따른 【 ① 】 소방안전관리대상물	**제10조【소방안전관리업무 수행에 관한 기록·유지】** ① 영 제25조 제1항의 소방안전관리대상물(이하 "소방안전관리대상물"이라 한다)의 소방안전관리자는 법 제24조 제5항 제7호에 따른 소방안전관리업무 수행에 관한 기록을 별지 제12호 서식에 따라 【 ① 】 이상 작성·관리해야 한다. ② 소방안전관리자는 소방안전관리업무 수행 중 보수 또는 정비가 필요한 사항을 발견한 경우에는 이를 지체 없이 관계인에게 알리고, 별지 제12호 서식에 기록해야 한다. ③ 소방안전관리자는 제1항에 따른 업무 수행에 관한 기록을 작성한 날부터 2년간 보관해야 한다.
① 1급	① 월 1회

구분	특급	1급	2급	3급
아파트	· 50층 이상(지·제) · 높이 200미터 이상	· 30층 이상(지·제) · 높이 120미터 이상		
층수(아·제)	30층 이상(지·포)	지상층의 층수: 11층 이상		
높이(아·제)	높이 120미터 이상			
연면적(아·제)	10만제곱미터 이상	1만 5천제곱미터 이상		
가연성가스 등		1천톤 이상	· 100톤 이상 1천톤 미만 · 도시가스 사업 허가	
소방시설			· 옥내소화전설비 · 스프링클러설비 · 물분무등소화설비(호스릴 제외)	· 간이 스프링클러설비(주택전용 간이 S.P 제외) · 자동화재탐지설비
지하구			○	
공동주택 (옥내소화전설비, S.P)			○	
보물·국보(목조건축)			○	
비고		특급 제외	특급·1급 제외	특급·1급·2급 제외
제외대상	동·식물원, 철강 등 불연성 물품을 저장·취급하는 창고, 위험물 저장 및 처리시설 중 위험물 제조소등과 지하구			

구분	특급	1급	2급	3급
소방기술사	○			
소방시설관리사	○			
소방설비기사	1급 5년 이상*	○		
소방설비산업기사	1급 7년 이상*	○		
소방공무원	20년 이상	7년 이상	3년 이상	1년 이상
시험합격자 (소방청장 실시)	특급	1급	2급	3급
위험물기능장 위험물산업기사 위험물기능사			○	
포함사항		특급	특급·1급	특급·1급·2급
비고	* 실무경력(법 제24조 제3항에 따라 소방안전관리자로 선임되어 근무한 경력은 제외한다)			

제24조【특정소방대상물의 소방안전관리】 ③ 제1항에도 불구하고 제25조 제1항에 따른 소방안전관리대상물의 관계인은 소방안전관리업무를 대행하는 관리업자(「소방시설 설치 및 관리에 관한 법률」 제29조 제1항에 따른 소방시설관리업의 등록을 한 자를 말한다. 이하 "관리업자"라 한다)를 감독할 수 있는 사람을 지정하여 소방안전관리자로 선임할 수 있다. 이 경우 소방안전관리자로 선임된 자는 선임된 날부터 3개월 이내에 제34조에 따른 교육을 받아야 한다.

④ 소방안전관리자 및 소방안전관리보조자의 선임 대상별 자격 및 인원기준은 대통령령으로 정하고, 선임 절차 등 그 밖에 필요한 사항은 행정안전부령으로 정한다.

⑤ 특정소방대상물(소방안전관리대상물은 제외한다)의 관계인과 소방안전관리대상물의 소방안전관리자는 다음 각 호의 업무를 수행한다. 다만, 제1호·제2호·제5호 및 제7호의 업무는 소방안전관리대상물의 경우에만 해당한다.

1. 제36조에 따른 피난계획에 관한 사항과 대통령령으로 정하는 사항이 포함된 소방계획서의 작성 및 시행
2. 자위소방대(自衛消防隊) 및 초기대응체계의 구성, 운영 및 교육
3. 「소방시설 설치 및 관리에 관한 법률」 제16조에 따른 피난시설, 방화구획 및 방화시설의 관리
4. 소방시설이나 그 밖의 소방 관련 시설의 관리
5. 제37조에 따른 소방훈련 및 교육
6. 화기(火氣) 취급의 감독
7. 행정안전부령으로 정하는 바에 따른 소방안전관리에 관한 업무수행에 관한 기록·유지(제3호·제4호 및 제6호의 업무를 말한다)
8. 화재발생 시 초기대응
9. 그 밖에 소방안전관리에 필요한 업무

⑥ 제5항 제2호에 따른 자위소방대와 초기대응체계의 구성, 운영 및 교육 등에 필요한 사항은 행정안전부령으로 정한다.

(1) 안전관리업무 대행

① 원칙적으로 소방안전관리자를 선임하여야 하나, 제25조 제1항에 따른 소방안전관리대상물의 관계인은 소방안전관리업무를 대행하는 관리업자를 감독할 수 있는 사람을 지정하여 소방안전관리자로 선임할 수 있다.

② 이 경우 소방안전관리자로 선임된 자는 선임된 날부터 3개월 이내에 제34조에 따른 교육을 받아야 한다.

(2) 소방안전관리자 및 소방안전관리보조자의 선임 대상별 자격 및 인원기준은 대통령령으로 정하고, 선임 절차 등 그 밖에 필요한 사항은 행정안전부령으로 정한다.

(3) 소방안전관리 업무

특정소방대상물(소방안전관리대상물은 제외한다)의 관계인과 소방안전관리대상물의 소방안전관리자는 다음의 업무를 수행한다. 다만, 제1호·제2호·제5호 및 제7호의 업무는 소방안전관리대상물의 경우에만 해당한다.

① 소방안전관리대상물의 소방안전관리자의 업무

  ㉠ 제36조에 따른 피난계획에 관한 사항과 대통령령으로 정하는 사항이 포함된 소방계획서의 작성 및 시행

  ㉡ 자위소방대(自衛消防隊) 및 초기대응체계의 구성, 운영 및 교육

  ㉢ 피난시설, 방화구획 및 방화시설의 관리

  ㉣ 소방시설이나 그 밖의 소방 관련 시설의 관리

  ㉤ 제37조에 따른 소방훈련 및 교육

  ㉥ 화기(火氣) 취급의 감독

  ㉦ 행정안전부령으로 정하는 바에 따른 소방안전관리에 관한 업무수행에 관한 기록·유지(㉢·㉣ 및 ㉥의 업무를 말한다)

  ㉧ 화재발생 시 초기대응

  ㉨ 그 밖에 소방안전관리에 필요한 업무

② 특정소방대상물(소방안전관리대상물은 제외한다)의 관계인의 업무

  ㉠ 「소방시설 설치 및 관리에 관한 법률」 제16조에 따른 피난시설, 방화구획 및 방화시설의 관리

  ㉡ 소방시설이나 그 밖의 소방 관련 시설의 관리

  ㉢ 화기(火氣) 취급의 감독

  ㉣ 화재발생 시 초기대응

  ㉤ 그 밖에 소방안전관리에 필요한 업무

③ 과태료 - 300만원 이하의 과태료(제52조): 제24조 제5항에 따른 소방안전관리 업무를 하지 아니한 특정소방대상물의 관계인 또는 소방안전관리대상물의 소방안전관리자

📖 **SUMMARY** 안전관리업무

특정소방대상물의 관계인 업무	소방안전관리대상물의 소방안전관리자 업무
· 「소방시설 설치 및 관리에 관한 법률」 제16조에 따른 피난시설, 방화구획 및 방화시설의 관리 · 소방시설이나 그 밖의 소방 관련 시설의 관리 · 화기(火氣) 취급의 감독 · 화재발생 시 초기대응 · 그 밖에 소방안전관리에 필요한 업무	· 피난계획에 관한 사항과 대통령령으로 정하는 사항이 포함된 소방계획서의 작성 및 시행 · 자위소방대 및 초기대응체계의 구성, 운영 및 교육 · 피난시설, 방화구획 및 방화시설의 관리 · 소방시설이나 그 밖의 소방 관련 시설의 관리 · 제37조에 따른 소방훈련 및 교육 · 화기 취급의 감독 · 행정안전부령으로 정하는 바에 따른 소방안전관리에 관한 업무수행에 관한 기록·유지(밑줄친 업무를 말한다) · 화재발생 시 초기대응 · 그 밖에 소방안전관리에 필요한 업무

(4) 소방안전관리대상물의 소방계획서 작성 등(영 제27조)

① 소방계획서 작성 내용

㉠ 소방안전관리대상물의 위치 · 구조 · 연면적(「건축법 시행령」 제119조 제1항 제4호에 따라 산정된 면적을 말한다. 이하 같다) · 용도 및 수용인원 등 일반현황

㉡ 소방안전관리대상물에 설치한 소방시설, 방화시설, 전기시설, 가스시설 및 위험물시설의 현황

㉢ 화재 예방을 위한 자체점검계획 및 대응대책

㉣ 소방시설 · 피난시설 및 방화시설의 점검 · 정비계획

㉤ 피난층 및 피난시설의 위치와 피난경로의 설정, 화재안전취약자의 피난계획 등을 포함한 피난계획

㉥ 방화구획, 제연구획(除煙區劃), 건축물의 내부 마감재료 및 방염대상물품의 사용 현황과 그 밖의 방화구조 및 설비의 유지 · 관리계획

㉦ 관리의 권원이 분리된 특정소방대상물의 소방안전관리에 관한 사항

㉧ 소방훈련 · 교육에 관한 계획

㉨ 법 제37조를 적용받는 소방안전관리대상물의 근무자 및 거주자의 자위소방대 조직과 대원의 임무(화재안전취약자의 피난 보조 임무를 포함한다)에 관한 사항

㉩ 화기 취급 작업에 대한 사전 안전조치 및 감독 등 공사 중 소방안전관리에 관한 사항

㉪ 소화에 관한 사항과 연소 방지에 관한 사항

㉫ 위험물의 저장 · 취급에 관한 사항(「위험물안전관리법」 제17조에 따라 예방규정을 정하는 제조소등은 제외한다)

㉬ 소방안전관리에 대한 업무수행에 관한 기록 및 유지에 관한 사항

㉭ 화재발생 시 화재경보, 초기소화 및 피난유도 등 초기대응에 관한 사항

㉮ 그 밖에 소방본부장 또는 소방서장이 소방안전관리대상물의 위치 · 구조 · 설비 또는 관리 상황 등을 고려하여 소방안전관리에 필요하여 요청하는 사항

② 소방본부장 또는 소방서장은 소방안전관리대상물의 소방계획서의 작성 및 그 실시에 관하여 지도 · 감독한다.

(5) 위임규정

자위소방대와 초기대응체계의 구성, 운영 및 교육 등에 필요한 사항은 **행정안전부령**으로 정한다.

(6) 자위소방대 및 초기대응체계의 구성, 운영 및 교육 등(규칙 제11조)

① 자위소방대의 기능

㉠ 소방안전관리대상물의 소방안전관리자는 자위소방대를 다음의 기능을 효율적으로 수행할 수 있도록 편성 · 운영한다.

ⓐ 화재 발생 시 비상연락, 초기소화 및 피난유도

ⓑ 화재 발생 시 인명 · 재산피해 최소화를 위한 조치

ⓛ 소방안전관리대상물의 규모 · 용도 등의 특성을 고려하여 응급구조 및 방호
안전기능 등을 추가하여 수행할 수 있도록 편성할 수 있다.

② 자위소방대 편성조직 · 임무

　ⓐ 편성조직의 구성: 자위소방대에는 대장과 부대장 1명을 각각 두며, 편성 조직
의 인원은 해당 소방안전관리대상물의 수용인원 등을 고려하여 구성한다.

　ⓛ 편성조직의 임무

　　ⓐ 대장은 자위소방대를 총괄 지휘한다.

　　ⓑ 부대장은 대장을 보좌하고 대장이 부득이한 사유로 임무를 수행할 수 없
는 때에는 그 임무를 대행한다.

　　ⓒ 비상연락팀은 화재사실의 전파 및 신고 업무를 수행한다.

　　ⓓ 초기소화팀은 화재 발생 시 초기화재 진압 활동을 수행한다.

　　ⓔ 피난유도팀은 재실자(在室者) 및 장애인, 노인, 임산부, 영유아 및 어린이
등 이동이 어려운 사람(이하 "피난약자"라 한다)을 안전한 장소로 대피
시키는 업무를 수행한다.

　　ⓕ 응급구조팀은 인명을 구조하고, 부상자에 대한 응급조치를 수행한다.

　　ⓖ 방호안전팀은 화재확산방지 및 위험시설의 비상정지 등 방호안전 업무
를 수행한다.

③ 소방안전관리대상물의 소방안전관리자는 법 제24조 제5항 제2호에 따른 초기대
응체계를 제1항에 따른 자위소방대에 포함하여 편성하되, 화재 발생 시 초기에
신속하게 대처할 수 있도록 해당 소방안전관리대상물에 근무하는 사람의 근
무위치, 근무인원 등을 고려한다.

④ 소방안전관리대상물의 소방안전관리자는 해당 특정소방대상물이 이용되고
있는 동안 초기대응체계를 상시적으로 운영해야 한다.

⑤ 자위소방대의 소집 · 편성상태 점검 및 소방교육 실시

　ⓐ 소방안전관리대상물의 소방안전관리자는 연 1회 이상 자위소방대(초기대응체
계를 포함한다)를 소집하여 그 편성 상태를 점검하고, 소방교육을 실시해
야 한다.

　ⓛ 이 경우 초기대응체계에 편성된 근무자 등에 대하여는 화재 발생 초기대응
에 필요한 기본 요령을 숙지할 수 있도록 소방교육을 실시해야 한다.

⑥ 소방안전관리대상물의 소방안전관리자는 ⑤에 따른 소방교육을 제36조 제1항에
따른 소방훈련과 병행하여 실시할 수 있다.

⑦ 소방안전관리대상물의 소방안전관리자는 ⑤에 따른 소방교육을 실시하였을 때
에는 그 실시 결과를 자위소방대 및 초기대응체계 교육 · 훈련 실시결과기록부
에 기록하고, 교육을 실시한 날부터 2년간 보관해야 한다.

⑧ 소방청장은 자위소방대의 구성, 운영 및 교육, 초기대응체계의 편성 · 운영 등에
필요한 지침을 작성하여 배포할 수 있으며, 소방본부장 또는 소방서장은 소방
안전관리대상물의 소방안전관리자가 해당 지침을 준수하도록 지도할 수 있다.

✐ 핵심 적중

화재예방법 시행규칙상 자위소방대 및 초기
대응체계의 구성, 운영 및 교육 등에 관한 내
용으로 옳지 않은 것은?

① 소방안전관리대상물의 규모 · 용도 등의
특성을 고려하여 응급구조 및 방호안전기
능 등을 추가하여 수행할 수 있도록 편성
할 수 있다.

② 소방안전관리대상물의 소방안전관리자는
해당 특정소방대상물이 이용되고 있는 동
안 초기대응체계를 상시적으로 운영하여
야 한다.

③ 소방안전관리대상물의 소방안전관리자는
월 1회 이상 자위소방대(초기대응체계를
포함한다)를 소집하여 그 편성 상태를 점
검하고, 소방교육을 실시하여야 한다.

④ 소방안전관리대상물의 소방안전관리자는
소방교육을 실시하였을 때에는 그 실시 결
과를 자위소방대 및 초기대응체계 교육 ·
훈련 실시결과기록부에 기록하고, 교육을
실시한 날부터 2년간 보관하여야 한다.

정답 ③

시행령	시행규칙
제27조【소방안전관리대상물의 소방계획서 작성 등】 ① 법 제24조 제5항 제1호에서 "대통령령으로 정하는 사항"이란 다음 각 호의 사항을 말한다.	**제11조【자위소방대 및 초기대응체계의 구성·운영 및 교육 등】** ① 소방안전관리대상물의 소방안전관리자는 법 제24조 제5항 제2호에 따른 자위소방대를 다음 각 호의 기능을 효율적으로 수행할 수 있도록 편성·운영하되, 소방안전관리대상물의 규모·용도 등의 특성을 고려하여 응급구조 및 방호안전기능 등을 추가하여 수행할 수 있도록 편성할 수 있다.

제27조【소방안전관리대상물의 소방계획서 작성 등】 ① 법 제24조 제5항 제1호에서 "대통령령으로 정하는 사항"이란 다음 각 호의 사항을 말한다.

1. 소방안전관리대상물의 위치·구조·연면적(「건축법 시행령」 제119조 제1항 제4호에 따라 산정된 면적을 말한다. 이하 같다)·용도 및 수용인원 등 일반 현황
2. 소방안전관리대상물에 설치한 소방시설, 방화시설, 전기시설, 가스시설 및 위험물시설의 현황
3. 화재 예방을 위한 자체점검계획 및 대응대책
4. 소방시설·피난시설 및 방화시설의 점검·정비계획
5. 피난층 및 피난시설의 위치와 피난경로의 설정, 화재안전취약자의 피난계획 등을 포함한 피난계획
6. 방화구획, 제연구획(除煙區劃), 건축물의 내부 마감재료 및 방염대상물품의 사용 현황과 그 밖의 방화구조 및 설비의 유지·관리계획
7. 법 제35조 제1항에 따른 관리의 권원이 분리된 특정소방대상물의 소방안전관리에 관한 사항
8. 소방훈련·교육에 관한 계획
9. 법 제37조를 적용받는 소방안전관리대상물의 근무자 및 거주자의 자위소방대 조직과 대원의 임무(화재안전취약자의 피난 보조 임무를 포함한다)에 관한 사항
10. 화기 취급 작업에 대한 사전 안전조치 및 감독 등 공사 중 소방안전관리에 관한 사항
11. 소화에 관한 사항과 연소 방지에 관한 사항
12. 위험물의 저장·취급에 관한 사항(「위험물안전관리법」 제17조에 따라 예방규정을 정하는 제조소등은 제외한다)
13. 소방안전관리에 대한 업무수행에 관한 기록 및 유지에 관한 사항
14. 화재발생 시 화재경보, 초기소화 및 피난유도 등 초기대응에 관한 사항
15. 그 밖에 소방본부장 또는 소방서장이 소방안전관리대상물의 위치·구조·설비 또는 관리 상황 등을 고려하여 소방안전관리에 필요하여 요청하는 사항

② 소방본부장 또는 소방서장은 소방안전관리대상물의 소방계획서의 작성 및 그 실시에 관하여 지도·감독한다.

제11조【자위소방대 및 초기대응체계의 구성·운영 및 교육 등】 ① 소방안전관리대상물의 소방안전관리자는 법 제24조 제5항 제2호에 따른 자위소방대를 다음 각 호의 기능을 효율적으로 수행할 수 있도록 편성·운영하되, 소방안전관리대상물의 규모·용도 등의 특성을 고려하여 응급구조 및 방호안전기능 등을 추가하여 수행할 수 있도록 편성할 수 있다.

1. 화재 발생 시 비상연락, 초기소화 및 피난유도
2. 화재 발생 시 인명·재산피해 최소화를 위한 조치

② 제1항에 따른 자위소방대에는 대장과 부대장 1명을 각각 두며, 편성 조직의 인원은 해당 소방안전관리대상물의 수용인원 등을 고려하여 구성한다. 이 경우 자위소방대의 대장·부대장 및 편성조직의 임무는 다음 각 호와 같다.

1. 대장은 자위소방대를 총괄 지휘한다.
2. 부대장은 대장을 보좌하고 대장이 부득이한 사유로 임무를 수행할 수 없는 때에는 그 임무를 대행한다.
3. 비상연락팀은 화재사실의 전파 및 신고 업무를 수행한다.
4. 초기소화팀은 화재 발생 시 초기화재 진압 활동을 수행한다.
5. 피난유도팀은 재실자(在室者) 및 장애인, 노인, 임산부, 영유아 및 어린이 등 이동이 어려운 사람(이하 "피난약자"라 한다)을 안전한 장소로 대피시키는 업무를 수행한다.
6. 응급구조팀은 인명을 구조하고, 부상자에 대한 응급조치를 수행한다.
7. 방호안전팀은 화재확산방지 및 위험시설의 비상정지 등 방호안전 업무를 수행한다.

③ 소방안전관리대상물의 소방안전관리자는 법 제24조 제5항 제2호에 따른 초기대응체계를 제1항에 따른 자위소방대에 포함하여 편성하되, 화재 발생 시 초기에 신속하게 대처할 수 있도록 해당 소방안전관리대상물에 근무하는 사람의 근무위치, 근무인원 등을 고려한다.

④ 소방안전관리대상물의 소방안전관리자는 해당 소방안전관리대상물이 이용되고 있는 동안 제3항에 따른 초기대응체계를 상시적으로 운영해야 한다.

⑤ 소방안전관리대상물의 소방안전관리자는 연 1회 이상 자위소방대를 소집하여 그 편성 상태 및 초기대응체계를 점검하고, 편성된 근무자에 대한 소방교육을 실시해야 한다. 이 경우 초기대응체계에 편성된 근무자 등에 대해서는 화재 발생 초기대응에 필요한 기본 요령을 숙지할 수 있도록 소방교육을 실시해야 한다.

⑥ 소방안전관리대상물의 소방안전관리자는 제5항에 따른 소방교육을 제36조 제1항에 따른 소방훈련과 병행하여 실시할 수 있다.

⑦ 소방안전관리대상물의 소방안전관리자는 제5항에 따른 소방교육을 실시하였을 때는 그 실시 결과를 별지 제13호 서식의 자위소방대 및 초기대응체계 교육·훈련 실시 결과 기록부에 기록하고, 교육을 실시한 날부터 2년간 보관해야 한다.

시행령	시행규칙
	⑧ 소방청장은 자위소방대의 구성·운영 및 교육, 초기대응체계의 편성·운영 등에 필요한 지침을 작성하여 배포할 수 있으며, 소방본부장 또는 소방서장은 소방안전관리대상물의 소방안전관리자가 해당 지침을 준수하도록 지도할 수 있다.

2 소방안전관리업무의 대행 B

제25조【소방안전관리업무의 대행】 ① 소방안전관리대상물 중 연면적 등이 일정규모 미만인 대통령령으로 정하는 소방안전관리대상물의 관계인은 제24조 제1항에도 불구하고 관리업자로 하여금 같은 조 제5항에 따른 소방안전관리업무 중 대통령령으로 정하는 업무를 대행하게 할 수 있다. 이 경우 제24조 제3항에 따라 선임된 소방안전관리자는 관리업자의 대행업무 수행을 감독하고 대행업무 외의 소방안전관리업무는 직접 수행하여야 한다.
② 제1항 전단에 따라 소방안전관리업무를 대행하는 자는 대행인력의 배치기준·자격·방법 등 행정안전부령으로 정하는 준수사항을 지켜야 한다.
③ 제1항에 따라 소방안전관리업무를 관리업자에게 대행하게 하는 경우의 대가(代價)는 「엔지니어링산업 진흥법」 제31조에 따른 엔지니어링사업의 대가 기준 가운데 행정안전부령으로 정하는 방식에 따라 산정한다.

(1) 소방안전관리 업무의 대행 대상 및 업무

① 소방안전관리대상물 중 연면적 등이 일정규모 미만인 대통령령으로 정하는 소방안전관리대상물의 관계인은 제24조 제1항에도 불구하고 관리업자로 하여금 같은 조 제5항에 따른 소방안전관리업무 중 대통령령으로 정하는 업무를 대행하게 할 수 있다.

　㉠ **소방안전관리 업무의 대행 대상 특정소방대상물(영 제28조 제1항)**

　　ⓐ 지상층의 층수가 11층 이상인 1급 소방안전관리대상물(연면적 1만5천제곱미터 이상인 특정소방대상물과 아파트는 제외한다)

　　ⓑ 2급 소방안전관리대상물

　　ⓒ 3급 소방안전관리대상물

　㉡ **소방안전관리 업무의 대행 업무(영 제28조 제2항)**

　　ⓐ 피난시설, 방화구획 및 방화시설의 관리

　　ⓑ 소방시설이나 그 밖의 소방 관련 시설의 관리

② 이 경우 제24조 제3항에 따라 선임된 소방안전관리자는 관리업자의 대행업무 수행을 감독하고 대행업무 외의 소방안전관리업무는 직접 수행하여야 한다.

③ 소방안전관리업무를 대행하는 자는 대행인력의 배치기준·자격·방법 등 행정안전부령으로 정하는 준수사항을 지켜야 한다.

(2) 대가 기준

① 소방안전관리업무를 관리업자에게 대행하게 하는 경우의 대가(代價)는 「엔지니어링산업 진흥법」 제31조에 따른 엔지니어링사업의 대가 기준 가운데 행정안전부령으로 정하는 방식에 따라 산정한다.

② 소방안전관리 업무대행 등의 대가(규칙 제13조): "행정안전부령으로 정하는 방식"이란 「엔지니어링산업 진흥법」 제31조에 따라 산업통상자원부장관이 고시한 엔지니어링사업대가의 기준 중 실비정액가산방식을 말한다.

👆 관계법규 소방안전관리 업무의 대행 대상 및 업무

시행령	시행규칙
제28조【소방안전관리 업무의 대행 대상 및 업무】① 법 제25조 제1항 전단에서 "대통령령으로 정하는 소방안전관리대상물"이란 다음 각 호의 소방안전관리대상물을 말한다. 1. 별표 4 제2호 가목 3)에 따른 지상층의 층수가【 ① 】인 1급 소방안전관리대상물(연면적 1만5천제곱미터 이상인 특정소방대상물과 아파트는 제외한다) 2. 별표 4 제3호에 따른 2급 소방안전관리대상물 3. 별표 4 제4호에 따른 3급 소방안전관리대상물 ② 법 제25조 제1항 전단에서 "대통령령으로 정하는 업무"란 다음 각 호의 업무를 말한다. 1. 법 제24조 제5항 제3호에 따른 피난시설, 방화구획 및 방화시설의 관리 2. 법 제24조 제5항 제4호에 따른 소방시설이나 그 밖의 소방 관련 시설의 관리	제12조【소방안전관리업무 대행 기준】법 제25조 제2항에 따른 소방안전관리업무 대행인력의 배치기준·자격·방법 등 준수사항은 별표 1과 같다. 제13조【소방안전관리업무 대행의 대가】법 제25조 제3항에서 "행정안전부령으로 정하는 방식"이란 「엔지니어링산업 진흥법」 제31조에 따라 산업통상자원부장관이 고시한 엔지니어링사업 대가의 기준 중 실비정액가산방식을 말한다.
① 11층 이상	

시행규칙 제12조 【소방안전관리 업무대행 기준】 법 제25조 제2항에 따른 소방안전
관리 업무 대행인력의 배치기준·자격·방법 등 준수사항은 별표 1과 같다.

(1) 업무대행 인력의 배치기준

「소방시설 설치 및 관리에 관한 법률」 제29조에 따라 소방시설관리업을 등록한
소방시설관리업자가 법 제25조 제1항에 따라 영 제28조 제2항 각 호의 소방안전
관리업무를 대행하는 경우에는 다음에 따른 소방안전관리업무 대행인력(이하
"대행인력"이라 한다)을 배치해야 한다.

① [표 1] 소방안전관리등급 및 설치된 소방시설에 따른 대행인력의 배치 등급

소방안전관리 대상물의 등급	설치된 소방시설의 종류	대행인력의 기술등급
1급 또는 2급	스프링클러설비, 물분무등소화설비 또는 제연설비	중급점검자 이상 1명 이상
	옥내소화전설비 또는 옥외소화전설비	초급점검자 이상 1명 이상
3급	자동화재탐지설비 또는 간이스프링클러설비	초급점검자 이상 1명 이상

▶ 비고
1. 소방안전관리대상물의 등급은 영 별표 4에 따른 소방안전관리대상물의 등급을 말한다.
2. 대행인력의 기술등급은 「소방시설공사업법 시행규칙」 별표 4의2에 따른 소방기술자의
   자격 등급에 따른다.
3. 연면적 5천제곱미터 미만으로서 스프링클러설비가 설치된 1급 또는 2급 소방안전관리
   대상물의 경우에는 초급점검자를 배치할 수 있다. 다만, 스프링클러설비 외에 제연설비
   또는 물분무등소화설비가 설치된 경우에는 그렇지 않다
4. 스프링클러설비에는 화재조기진압용 스프링클러설비를 포함하고, 물분무등소화설비에는
   호스릴(hose reel)방식은 제외한다.

② 대행인력 1명의 1일 소방안전관리업무 대행 업무량은 [표 2] 및 [표 3]에 따라
산정한 배점을 합산하여 산정하며, 이 합산점수는 8점(이하 "1일 한도점수"라
한다)을 초과할 수 없다.

㉠ [표 2] 하나의 소방안전관리대상물의 면적별 배점기준표(아파트는 제외한다)

소방안전관리 대상물의 등급	연면적	대행인력 등급별 배점		
		초급점검자	중급점검자	고급점검자 이상
3급	전체	0.7		
1급 또는 2급	1,500m² 미만	0.8	0.7	0.6
	1,500m² 이상 3,000m² 미만	1.0	0.8	0.7

	3,000m² 이상 5,000m² 미만	1.2	1.0	0.8
1급 또는 2급	5,000m² 이상 10,000m² 이하	1.9	1.3	1.1
	10,000m² 초과 15,000m² 이하	–	1.6	1.4

▶ 비고

주상복합아파트의 경우 세대부를 제외한 연면적과 세대수에 「소방시설 설치 및 관리에 관한 법률 시행규칙」 별표 3의 종합점검 대상의 경우 32, 작동점검 대상의 경우 40을 곱하여 계산된 값을 더하여 연면적을 산정한다. 다만, 환산한 연면적이 1만5천제곱미터를 초과한 경우에는 1만5천제곱미터로 본다.

ⓒ [표 3] 하나의 소방안전관리대상물 중 아파트 배점기준표

소방안전관리 대상물의 등급	세대구분	대행인력 등급별 배점		
		초급점검자	중급점검자	고급점검자 이상
3급	전체	0.7		
1급 또는 2급	30세대 미만	0.8	0.7	0.6
	30세대 이상 50세대 미만	1.0	0.8	0.7
	50세대 이상 150세대 미만	1.2	1.0	0.8
	150세대 이상 300세대 미만	1.9	1.3	1.1
	300세대 이상 500세대 미만	–	1.6	1.4
	500세대 이상 1,000세대 미만	–	2.0	1.8
	1,000세대 초과	–	2.3	2.1

③ 하루에 2개 이상의 대행 업무를 수행하는 경우에는 소방안전관리대상물 간의 이동거리(좌표거리를 말한다) 5킬로미터 마다 1일 한도점수에 0.01를 곱하여 계산된 값을 1일 한도점수에서 뺀다. 다만, 육지와 도서지역 간에 차량 출입이 가능한 교량으로 연결되지 않은 지역 또는 소방시설관리업자가 없는 시·군 지역은 제외한다.

④ 2명 이상의 대행인력이 함께 대행업무를 수행하는 경우 [표 2] 및 [표 3]의 배점을 인원수로 나누어 적용하되, 소수점 둘째자리에서 절사한다.

⑤ 영 별표 4 제2호 가목 3)에 해당하는 1급 소방안전관리대상물은 [표 2]의 배점에 10%를 할증하여 적용한다.

(2) 대행인력의 자격기준 및 점검표

① 대행인력은 「소방시설 설치 및 관리에 관한 법률」 제29조에 따라 소방시설관리업에 등록된 기술인력을 말한다.

② 대행인력의 기술등급은 「소방시설공사업법 시행규칙」 별표 4의2 제3호 다목의 소방시설 자체점검 점검자의 기술등급 자격에 따른다.

③ 대행인력은 소방안전관리업무 대행 시 [표 4]에 따른 소방안전관리업무 대행 점검표를 작성하고 관계인에게 제출해야 한다.

④ [표 4]에 따른 소방안전관리업무 대행 점검표

건물명			점검일	년 월 일(요일)
주소				
점검업체명			건물등급	급
설비명	점검결과 세부 내용			
소방시설				
피난시설				
방화시설				
방화구획				
기타				

확인자	관계인 (서명)
기술인력	대행인력의 기술등급: 대행인력: (서명)

▶ 비고
1. 소방시설 점검 시 공용부 점검을 원칙으로 한다. 다만, 단독경보형 감지기 등이 동작(오동작)한 경우에는 단독경보형 감지기 등이 동작한 장소도 점검을 실시한다.
2. 방문 시 리모델링 또는 내부 구획변경 등이 있는 경우에는 해당 부분을 점검하여 점검표에 그 결과를 기재한다.
3. 계단, 통로 등 피난통로 상에 피난에 장애가 되는 물건 등이 쌓여 있는 경우에는 즉시 이동조치 하도록 관계인에게 설명한다.
4. 방화문은 항시 닫힘 상태를 유지하거나 정상 작동될 수 있도록 관계인에게 설명한다.
5. 점검 완료 시 해당 소방안전관리자(또는 관계인)에게 점검결과를 설명하고 점검표에 기재한다.

제26조【소방안전관리자 선임신고 등】 ① 소방안전관리대상물의 관계인이 제24조에 따라 소방안전관리자 또는 소방안전관리보조자를 선임한 경우에는 행정안전부령으로 정하는 바에 따라 선임한 날부터 14일 이내에 소방본부장 또는 소방서장에게 신고하고, 소방안전관리대상물의 출입자가 쉽게 알 수 있도록 소방안전관리자의 성명과 그 밖에 행정안전부령으로 정하는 사항을 게시하여야 한다.

② 소방안전관리대상물의 관계인이 소방안전관리자 또는 소방안전관리보조자를 해임한 경우에는 그 관계인 또는 해임된 소방안전관리자 또는 소방안전관리보조자는 소방본부장이나 소방서장에게 그 사실을 알려 해임한 사실의 확인을 받을 수 있다.

(1) 선임신고

① 소방안전관리대상물의 관계인이 소방안전관리자 또는 소방안전관리보조자를 선임한 경우

② 행정안전부령으로 정하는 바에 따라 선임한 날부터 14일 이내에 소방본부장 또는 소방서장에게 신고하여야 한다.

③ 소방안전관리대상물의 출입자가 쉽게 알 수 있도록 소방안전관리자의 성명과 그 밖에 행정안전부령으로 정하는 사항을 게시하여야 한다.

④ 소방안전관리자 정보의 게시(규칙 제15조 제1항)

    ㉠ 소방안전관리대상물의 명칭 및 등급

    ㉡ 소방안전관리자의 성명 및 선임일자

    ㉢ 소방안전관리자의 연락처

    ㉣ 소방안전관리자의 근무 위치(화재 수신기 또는 종합방재실을 말한다)

⑤ 소방안전관리자 현황표(규칙 제15조 제2항): 소방안전관리자 성명 등의 게시는 별표 2의 소방안전관리자 현황표에 따른다. 이 경우 「소방시설 설치 및 관리에 관한 법률 시행규칙」 별표 5에 따른 소방시설등 자체점검기록표를 함께 게시할 수 있다.

⑥ 과태료 - 200만원 이하의 과태료(제52조): 제26조 제1항을 위반하여 기간 내에 선임신고를 하지 아니하거나 소방안전관리자의 성명 등을 게시하지 아니한 자

(2) 해임 사실의 확인

① 소방안전관리대상물의 관계인이 소방안전관리자 또는 소방안전관리보조자를 해임한 경우

② 그 관계인 또는 해임된 소방안전관리자 또는 소방안전관리보조자는 소방본부장이나 소방서장에게 그 사실을 알려 해임한 사실의 확인을 받을 수 있다.

(3) 소방안전관리자의 선임신고 등(규칙 제14조)

① 소방안전관리대상물의 관계인은 소방안전관리자를 다음의 구분에 따라 정하는 날부터 30일 이내에 선임해야 한다.

핵심 기출

01 화재예방법 및 같은 법 시행규칙상 소방안전관리대상물의 관계인이 소방안전관리자를 선임한 경우 소방안전관리대상물의 출입자가 쉽게 알 수 있도록 게시해야 하는 사항으로 옳지 않은 것은?
24. 공채·경채

① 소방안전관리자의 성명 및 선임일자
② 소방안전관리대상물의 명칭 및 등급
③ 소방안전관리대상물의 용도 및 수용인원
④ 소방안전관리자의 근무 위치(화재수신기 또는 종합방재실을 말한다)

정답 ③

02 화재예방법 및 같은 법 시행규칙상 소방안전관리자의 선임신고 등에 관한 설명이다. ( ) 안에 들어갈 내용으로 옳은 것은?
23. 공채·경채

> · 소방안전관리대상물의 관계인이 소방안전관리자를 선임한 경우에는 선임한 날부터 (ㄱ)일 이내에 선임사실을 소방본부장 또는 소방서장에게 신고하여야 한다.
> · 소방안전관리대상물의 관계인은 소방안전관리자를 선임사유가 발생한 날부터 (ㄴ)일 이내에 선임해야 한다.

	ㄱ	ㄴ
①	14	30
②	14	60
③	30	30
④	30	60

정답 ①

화재예방법 시행규칙상 소방안전관리자의 선임신고 등에 대한 설명이다. ( ) 안에 들어갈 용어로 옳은 것은?

> • 용도변경으로 해당 특정소방대상물의 소방안전관리자를 신규로 선임하여야 하는 경우: 해당 특정소방대상물의 사용승인일(건축물의 경우에는 「건축법」 제22조에 따라 건축물을 사용할 수 있게 된 날을 말한다)로부터 (가) 이내에 소방안전관리자를 선임하여야 한다.
> • (나) 소방안전관리대상물의 관계인은 제25조에 따른 소방안전관리자에 대한 강습교육이나 제20조에 따른 소방안전관리대상물의 소방안전관리에 관한 시험이 소방안전관리자 선임기간 내에 있지 아니하여 소방안전관리자를 선임할 수 없는 경우에는 소방안전관리자 선임의 연기를 신청할 수 있다.

	(가)	(나)
①	14일	특급
②	14일	특급 또는 1급
③	30일	1급 또는 2급
④	30일	2급 또는 3급

정답 ④

㉠ 신축·증축·개축·재축·대수선 또는 용도변경으로 해당 특정소방대상물의 소방안전관리자를 신규로 선임해야 하는 경우: 해당 특정소방대상물의 사용승인일(건축물의 경우에는 「건축법」 제22조에 따라 건축물을 사용할 수 있게 된 날을 말한다. 이하 이 조 및 제16조에서 같다)

㉡ 증축 또는 용도변경으로 인하여 특정소방대상물이 영 제25조 제1항에 따른 소방안전관리대상물로 된 경우 또는 특정소방대상물의 소방안전관리 등급이 변경된 경우: 증축공사의 사용승인일 또는 용도변경 사실을 건축물관리대장에 기재한 날

㉢ 특정소방대상물을 양수하거나 「민사집행법」에 따른 경매, 「채무자 회생 및 파산에 관한 법률」에 따른 환가(換價), 「국세징수법」·「관세법」 또는 「지방세기본법」에 따른 압류재산의 매각이나 그 밖에 이에 준하는 절차에 따라 관계인의 권리를 취득한 경우: 해당 권리를 취득한 날 또는 관할 소방서장으로부터 소방안전관리자 선임 안내를 받은 날. 다만, 새로 권리를 취득한 관계인이 종전의 특정소방대상물의 관계인이 선임신고한 소방안전관리자를 해임하지 않는 경우는 제외한다.

㉣ 법 제35조에 따른 특정소방대상물의 경우: 관리의 권원이 분리되거나 소방본부장 또는 소방서장이 관리의 권원을 조정한 날

㉤ 소방안전관리자의 해임, 퇴직 등으로 해당 소방안전관리자의 업무가 종료된 경우: 소방안전관리자가 해임된 날, 퇴직한 날 등 근무를 종료한 날

㉥ 법 제24조 제3항에 따라 소방안전관리업무를 대행하는 자를 감독할 수 있는 사람을 소방안전관리자로 선임한 경우로서 그 업무대행 계약이 해지 또는 종료된 경우: 소방안전관리업무 대행이 끝난 날

㉦ 법 제31조 제1항에 따라 소방안전관리자 자격이 정지 또는 취소된 경우: 소방안전관리자 자격이 정지 또는 취소된 날

② 선임의 연기 신청

㉠ 2급 또는 3급 소방안전관리대상물의 관계인은 제25조에 따른 소방안전관리자에 대한 강습교육이나 제20조에 따른 소방안전관리대상물의 소방안전관리에 관한 시험이 소방안전관리자 선임기간 내에 있지 아니하여 소방안전관리자를 선임할 수 없는 경우에는 소방안전관리자 선임의 연기를 신청할 수 있다.

㉡ 소방안전관리자 선임의 연기를 신청하려는 2급 또는 3급 소방안전관리대상물의 관계인은 소방안전관리자·소방안전관리보조자 선임 연기 신청서를 작성하여 소방본부장 또는 소방서장에게 제출해야 한다. 이 경우 소방본부장 또는 소방서장은 법 제33조에 따른 종합정보망에서 강습교육의 접수 또는 시험응시 여부를 확인해야 하며, 2급 또는 3급 소방안전관리대상물의 관계인은 소방안전관리자가 선임될 때까지 법 제24조 제5항의 소방안전관리업무를 수행해야 한다.

㉢ 소방본부장 또는 소방서장은 선임 연기 신청서를 제출받은 경우에는 3일 이내에 소방안전관리자 선임기간을 정하여 2급 또는 3급 소방안전관리대상물의 관계인에게 통보해야 한다.

③ 선임증 발급 등

㉠ 소방본부장 또는 소방서장은 소방안전관리대상물의 관계인이 소방안전관리자 등을 선임하여 신고하는 경우에는 신고인에게 선임증을 발급해야 한다. 이 경우 소방본부장 또는 소방서장은 신고인이 종전의 선임이력에 관한 확인을 신청하는 경우에는 소방안전관리자 선임 이력 확인서를 발급해야 한다.

㉡ 소방본부장 또는 소방서장은 소방안전관리자의 선임신고를 접수하거나 해임 사실을 확인한 경우에는 지체 없이 관련 사실을 종합정보망에 입력해야 한다.

㉢ 소방본부장 또는 소방서장은 선임신고의 효율적 처리를 위하여 소방안전관리대상물이 완공된 경우에는 지체 없이 해당 소방안전관리대상물의 위치, 연면적 등의 정보를 종합정보망에 입력해야 한다.

(4) 소방안전관리보조자의 선임신고 등(규칙 제16조)

① 소방안전관리대상물의 관계인은 소방안전관리보조자를 다음의 구분에 따라 정하는 날부터 30일 이내에 선임해야 한다.

㉠ 신축·증축·개축·재축·대수선 또는 용도변경으로 해당 소방안전관리대상물의 소방안전관리보조자를 신규로 선임해야 하는 경우: 해당 소방안전관리대상물의 사용승인일

㉡ 소방안전관리대상물을 양수하거나 「민사집행법」에 따른 경매, 「채무자 회생 및 파산에 관한 법률」에 따른 환가, 「국세징수법」·「관세법」 또는 「지방세기본법」에 따른 압류재산의 매각이나 그 밖에 이에 준하는 절차에 따라 관계인의 권리를 취득한 경우: 해당 권리를 취득한 날 또는 관할 소방서장으로부터 소방안전관리보조자 선임 안내를 받은 날. 다만, 새로 권리를 취득한 관계인이 종전의 소방안전관리대상물의 관계인이 선임신고한 소방안전관리보조자를 해임하지 않는 경우는 제외한다.

㉢ 소방안전관리보조자의 해임, 퇴직 등으로 해당 소방안전관리보조자의 업무가 종료된 경우: 소방안전관리보조자가 해임된 날, 퇴직한 날 등 근무를 종료한 날

② 선임의 연기 신청 등

㉠ 소방안전관리보조자를 선임하여야 하는 특정소방대상물(이하 "보조자선임대상 특정소방대상물"이라 한다)의 관계인은 제25조의 강습교육이 제1항에 따른 소방안전관리보조자 선임기간 내에 있지 아니하여 소방안전관리보조자를 선임할 수 없는 경우에는 소방안전관리보조자 선임의 연기를 신청할 수 있다.

㉡ 소방안전관리보조자 선임의 연기를 신청하려는 보조자선임대상 소방안전관리대상물의 관계인은 선임 연기 신청서를 작성하여 소방본부장 또는 소방서장에게 제출해야 한다. 이 경우 소방본부장 또는 소방서장은 종합정보망에서 강습교육의 접수 여부를 확인해야 한다.

㉢ 소방본부장 또는 소방서장은 선임 연기 신청서를 제출받은 경우에는 3일 이내에 소방안전관리보조자 선임기간을 정하여 보조자선임대상 소방안전관리대상물의 관계인에게 통보해야 한다.

시행규칙

제14조【소방안전관리자의 선임신고 등】① 소방안전관리대상물의 관계인은 법 제24조 및 제35조에 따라 소방안전관리자를 다음 각 호의 구분에 따라 해당 호에서 정하는 날부터【 ① 】이내에 선임해야 한다.

1. 신축·증축·개축·재축·대수선 또는 용도변경으로 해당 특정소방대상물의 소방안전관리자를 신규로 선임해야 하는 경우: 해당 특정소방대상물의 사용승인일(건축물의 경우에는「건축법」제22조에 따라 건축물을 사용할 수 있게 된 날을 말한다. 이하 이 조 및 제16조에서 같다)

2. 증축 또는 용도변경으로 인하여 특정소방대상물이 영 제25조 제1항에 따른 소방안전관리대상물로 된 경우 또는 특정소방대상물의 소방안전관리 등급이 변경된 경우: 증축공사의 사용승인일 또는 용도변경 사실을 건축물관리대장에 기재한 날

3. 특정소방대상물을 양수하거나「민사집행법」에 따른 경매,「채무자 회생 및 파산에 관한 법률」에 따른 환가(換價),「국세징수법」·「관세법」또는「지방세기본법」에 따른 압류재산의 매각이나 그 밖에 이에 준하는 절차에 따라 관계인의 권리를 취득한 경우: 해당 권리를 취득한 날 또는 관할 소방서장으로부터 소방안전관리자 선임 안내를 받은 날. 다만, 새로 권리를 취득한 관계인이 종전의 특정소방대상물의 관계인이 선임신고한 소방안전관리자를 해임하지 않는 경우는 제외한다.

4. 법 제35조에 따른 특정소방대상물의 경우: 관리의 권원이 분리되거나 소방본부장 또는 소방서장이 관리의 권원을 조정한 날

5. 소방안전관리자의 해임, 퇴직 등으로 해당 소방안전관리자의 업무가 종료된 경우: 소방안전관리자가 해임된 날, 퇴직한 날 등 근무를 종료한 날

6. 법 제24조 제3항에 따라 소방안전관리업무를 대행하는 자를 감독할 수 있는 사람을 소방안전관리자로 선임한 경우로서 그 업무대행 계약이 해지 또는 종료된 경우: 소방안전관리업무 대행이 끝난 날

7. 법 제31조 제1항에 따라 소방안전관리자 자격이 정지 또는 취소된 경우: 소방안전관리자 자격이 정지 또는 취소된 날

② 영 별표 4 제3호 및 제4호에 따른 2급 또는 3급 소방안전관리대상물의 관계인은 제20조에 따른 소방안전관리자 자격시험이나 제25조에 따른 소방안전관리자에 대한 강습교육이 제1항에 따른 소방안전관리자 선임기간 내에 있지 않아 소방안전관리자를 선임할 수 없는 경우에는 소방안전관리자 선임의 연기를 신청할 수 있다.

③ 제2항에 따라 소방안전관리자 선임의 연기를 신청하려는 2급 또는 3급 소방안전관리대상물의 관계인은 별지 제14호 서식의 소방안전관리자·소방안전관리보조자 선임 연기 신청서를 작성하여 소방본부장 또는 소방서장에게 제출해야 한다. 이 경우 소방본부장 또는 소방서장은 법 제33조에 따른 종합정보망(이하 "종합정보망"이라 한다)에서 강습교육의 접수 또는 시

험응시 여부를 확인해야 하며, 2급 또는 3급 소방안전관리대상물의 관계인은 소방안전관리자가 선임될 때까지 법 제24조 제5항의 소방안전관리업무를 수행해야 한다.

④ 소방본부장 또는 소방서장은 제3항에 따라 선임 연기 신청서를 제출받은 경우에는 3일 이내에 소방안전관리자 선임기간을 정하여 2급 또는 3급 소방안전관리대상물의 관계인에게 통보해야 한다.

⑤ 소방안전관리대상물의 관계인은 법 제24조 또는 제35조에 따라 소방안전관리자 또는 총괄소방안전관리자(「기업활동 규제완화에 관한 특별조치법」제29조 제2항·제3항, 제30조 제2항 또는 제32조 제2항에 따라 소방안전관리자를 겸임하거나 공동으로 선임되는 사람을 포함한다)를 선임한 경우에는 법 제26조 제1항에 따라 별지 제15호 서식의 소방안전관리자 선임신고서(전자문서를 포함한다)에 다음 각 호의 어느 하나에 해당하는 서류(전자문서를 포함한다)를 첨부하여 소방본부장 또는 소방서장에게 제출해야 한다. 이 경우 소방안전관리대상물의 관계인은 종합정보망을 이용하여 선임신고를 할 수 있다.

1. 제18조에 따른 소방안전관리자 자격증

2. 소방안전관리대상물의 소방안전관리에 관한 업무를 감독할 수 있는 직위에 있는 사람임을 증명하는 서류 및 소방안전관리업무의 대행 계약서 사본(법 제24조 제3항에 따라 소방안전관리대상물의 관계인이 소방안전관리업무를 대행하게 하는 경우만 해당한다)

3.「기업활동 규제완화에 관한 특별조치법」제29조 제2항·제3항, 제30조 제2항 또는 제32조 제2항에 따라 해당 소방안전관리대상물의 소방안전관리자를 겸임할 수 있는 안전관리자로 선임된 사실을 증명할 수 있는 서류 또는 선임사항이 기록된 자격증(자격수첩을 포함한다)

4. 계약서 또는 권원이 분리됨을 증명하는 관련 서류(법 제35조에 따른 권원별 소방안전관리자를 선임한 경우만 해당한다)

⑥ 소방본부장 또는 소방서장은 소방안전관리대상물의 관계인이 제5항에 따라 소방안전관리자 등을 선임하여 신고하는 경우에는 신고인에게 별지 제16호 서식의 선임증을 발급해야 한다. 이 경우 소방본부장 또는 소방서장은 신고인이 종전의 선임이력에 관한 확인을 신청하는 경우에는 별지 제17호 서식의 소방안전관리자 선임 이력 확인서를 발급해야 한다.

⑦ 소방본부장 또는 소방서장은 소방안전관리자의 선임신고를 접수하거나 해임 사실을 확인한 경우에는 지체 없이 관련 사실을 종합정보망에 입력해야 한다.

⑧ 소방본부장 또는 소방서장은 선임신고의 효율적 처리를 위하여 소방안전관리대상물이 완공된 경우에는 지체 없이 해당 소방안전관리대상물의 위치, 연면적 등의 정보를 종합정보망에 입력해야 한다.

① 30일

시행규칙

제15조【소방안전관리자 정보의 게시】 ① 법 제26조 제1항에서 "행정안전부령으로 정하는 사항"이란 다음 각 호의 사항을 말한다.

1. 소방안전관리대상물의 명칭 및 등급
2. 소방안전관리자의 성명 및 선임일자
3. 소방안전관리자의 연락처
4. 소방안전관리자의 근무 위치(화재 수신기 또는【 ② 】을 말한다)

② 제1항에 따른 소방안전관리자 성명 등의 게시는 별표 2의 소방안전관리자 현황표에 따른다. 이 경우 「소방시설 설치 및 관리에 관한 법률 시행규칙」 별표 5에 따른 소방시설등 자체점검 기록표를 함께 게시할 수 있다.

제16조【소방안전관리보조자의 선임신고 등】 ① 소방안전관리대상물의 관계인은 법 제24조 제1항 후단에 따라 소방안전관리자보조자를 다음 각 호의 구분에 따라 해당 호에서 정하는 날부터【 ③ 】이내에 선임해야 한다.

1. 신축·증축·개축·재축·대수선 또는 용도변경으로 해당 소방안전관리대상물의 소방안전관리보조자를 신규로 선임해야 하는 경우: 해당 소방안전관리대상물의 사용승인일

2. 소방안전관리대상물을 양수하거나 「민사집행법」에 따른 경매, 「채무자 회생 및 파산에 관한 법률」에 따른 환가, 「국세징수법」·「관세법」 또는 「지방세기본법」에 따른 압류재산의 매각이나 그 밖에 이에 준하는 절차에 따라 관계인의 권리를 취득한 경우: 해당 권리를 취득한 날 또는 관할 소방서장으로부터 소방안전관리보조자 선임 안내를 받은 날. 다만, 새로 권리를 취득한 관계인이 종전의 소방안전관리대상물의 관계인이 선임신고한 소방안전관리보조자를 해임하지 않는 경우는 제외한다.

3. 소방안전관리보조자의 해임, 퇴직 등으로 해당 소방안전관리보조자의 업무가 종료된 경우: 소방안전관리보조자가 해임된 날, 퇴직한 날 등 근무를 종료한 날

② 법 제24조 제1항 후단에 따라 소방안전관리보조자를 선임해야 하는 소방안전관리대상물(이하 "보조자선임대상 소방안전관리대상물"이라 한다)의 관계인은 제25조에 따른 강습교육이 제1항에 따른 소방안전관리보조자 선임기간 내에 있지 않아 소방안전관리보조자를 선임할 수 없는 경우에는 소방안전관리보조자 선임의 연기를 신청할 수 있다.

③ 제2항에 따라 소방안전관리보조자 선임의 연기를 신청하려는 보조자선임대상 소방안전관리대상물의 관계인은 별지 제14호 서식의 선임 연기 신청서를 작성하여 소방본부장 또는 소방서장에게 제출해야 한다. 이 경우 소방본부장 또는 소방서장은 종합정보망에서 강습교육의 접수 여부를 확인해야 한다.

④ 소방본부장 또는 소방서장은 제3항에 따라 선임 연기 신청서를 제출받은 경우에는【 ④ 】이내에 소방안전관리보조자 선임기간을 정하여 보조자선임대상 소방안전관리대상물의 관계인에게 통보해야 한다.

⑤ 보조자선임대상 소방안전관리대상물의 관계인은 법 제24조 제1항에 따른 소방안전관리보조자를 선임한 경우에는 법 제26조 제1항에 따라 별지 제18호 서식의 소방안전관리보조자 선임신고서(전자문서를 포함한다)에 다음 각 호의 어느 하나에 해당하는 서류(영 별표 5 제2호의 자격요건 중 해당 자격을 증명할 수 있는 서류를 말하며, 전자문서를 포함한다)를 첨부하여 소방본부장 또는 소방서장에게 제출해야 한다. 이 경우 보조자선임대상 소방안전관리대상물의 관계인은 종합정보망을 이용하여 선임신고를 할 수 있다.

1. 제18조에 따른 소방안전관리자 자격증
2. 영 별표 4에 따른 특급, 1급, 2급 또는 3급 소방안전관리대상물의 소방안전관리자가 되려는 사람에 대한 강습교육 수료증
3. 소방안전관리대상물의 소방안전 관련 업무에 2년 이상 근무한 경력이 있는 사람임을 증명할 수 있는 서류

⑥ 소방본부장 또는 소방서장은 제5항에 따라 보조자선임대상 소방안전관리대상물의 관계인이 선임신고를 하는 경우 「전자정부법」 제36조 제1항에 따른 행정정보의 공동이용을 통하여 선임된 소방안전관리보조자의 국가기술자격증(영 별표 5 제2호 나목에 해당하는 사람만 해당한다)을 확인해야 한다. 이 경우 선임된 소방안전관리보조자가 확인에 동의하지 않으면 국가기술자격증의 사본을 제출하도록 해야 한다.

⑦ 소방본부장 또는 소방서장은 보조자선임대상 소방안전관리대상물의 관계인이 법 제26조 제1항에 따른 소방안전관리보조자를 선임하고 제5항에 따라 신고하는 경우에는 신고인에게 별지 제16호 서식의 소방안전관리보조자 선임증을 발급해야 한다. 이 경우 소방본부장 또는 소방서장은 신고인이 종전의 선임 이력에 관한 확인을 신청하는 경우에는 별지 제17호 서식의 소방안전관리보조자 선임 이력 확인서를 발급해야 한다.

⑧ 소방본부장 또는 소방서장은 소방안전관리보조자의 선임신고를 접수하거나 해임 사실을 확인한 경우에는 지체 없이 관련 사실을 종합정보망에 입력해야 한다.

---

② 종합방재실 ③ 30일 ④ 3일

제27조 【관계인 등의 임무】 ① 특정소방대상물의 관계인은 그 특정소방대상물에 대하여 제24조 제5항에 따른 소방안전관리업무를 수행하여야 한다.

② 소방안전관리대상물의 관계인은 소방안전관리자가 소방안전관리업무를 성실하게 수행할 수 있도록 지도·감독하여야 한다.

③ 소방안전관리자는 인명과 재산을 보호하기 위하여 소방시설·피난시설·방화시설 및 방화구획 등이 법령에 위반된 것을 발견한 때에는 지체 없이 소방안전관리대상물의 관계인에게 소방대상물의 개수·이전·제거·수리 등 필요한 조치를 할 것을 요구하여야 하며, 관계인이 시정하지 아니하는 경우 소방본부장 또는 소방서장에게 그 사실을 알려야 한다. 이 경우 소방안전관리자는 공정하고 객관적으로 그 업무를 수행하여야 한다.

④ 소방안전관리자로부터 제3항에 따른 조치요구 등을 받은 소방안전관리대상물의 관계인은 지체 없이 이에 따라야 하며, 이를 이유로 소방안전관리자를 해임하거나 보수(報酬)의 지급을 거부하는 등 불이익한 처우를 하여서는 아니 된다.

(1) 특정소방대상물 관계인의 임무

특정소방대상물에 대하여 제24조 제5항에 따른 소방안전관리업무를 수행하여야 한다.

(2) 소방안전관리대상물의 관계인의 임무

① 소방안전관리자가 소방안전관리업무를 성실하게 수행할 수 있도록 지도·감독하여야 한다.

② 과태료 - 300만원 이하의 과태료(제52조): 제27조 제2항을 위반하여 소방안전관리업무의 지도·감독을 하지 아니한 자

(3) 소방안전관리자의 임무

① 인명과 재산을 보호하기 위하여 소방시설·피난시설·방화시설 및 방화구획 등이 법령에 위반된 것을 발견한 때

② 지체 없이 소방안전관리대상물의 관계인에게 소방대상물의 개수·이전·제거·수리 등 필요한 조치를 할 것을 요구하여야 한다.

③ 관계인이 시정하지 아니하는 경우 소방본부장 또는 소방서장에게 그 사실을 알려야 한다.

④ 이 경우 소방안전관리자는 공정하고 객관적으로 그 업무를 수행하여야 한다.

⑤ 벌칙 - 300만원 이하의 벌금(제50조 제3항): 제27조 제3항을 위반하여 소방시설·피난시설·방화시설 및 방화구획 등이 법령에 위반된 것을 발견하였음에도 필요한 조치를 할 것을 요구하지 아니한 소방안전관리자

정희's 톡talk

소방안전관리대상물의 관계인의 의무
(제27조 제4항 관련)

1. 소방안전관리자로부터 조치요구 등을 받은 소방안전관리대상물의 관계인은 지체 없이 이에 따라야 합니다.
2. 이를 이유로 소방안전관리자를 해임하거나 보수(報酬)의 지급을 거부하는 등 불이익한 처우를 하여서는 안됩니다.
3. 벌칙 - 300만원 이하의 벌금(제50조 제3항): 제27조 제4항을 위반하여 소방안전관리자에게 불이익한 처우를 한 관계인

제28조【소방안전관리자의 선임명령 등】① 소방본부장 또는 소방서장은 제24조 제
　1항에 따른 소방안전관리자 또는 소방안전관리보조자를 선임하지 아니한 소방안전
　관리대상물의 관계인에게 소방안전관리자 또는 소방안전관리보조자를 선임하도록
　명할 수 있다.
　② 소방본부장 또는 소방서장은 제24조 제5항에 따른 업무를 다하지 아니하는 특정소
　방대상물의 관계인 또는 소방안전관리자에게 그 업무의 이행을 명할 수 있다.

(1) 선임명령

① 선임명령권자: 소방본부장 또는 소방서장

② 소방안전관리자 또는 소방안전관리보조자를 선임하지 아니한 소방안전관리
　대상물의 관계인에게 소방안전관리자 또는 소방안전관리보조자를 선임하도
　록 명할 수 있다.

③ 벌칙 – 3년 이하의 징역 또는 3천만원 이하의 벌금(제50조): 제28조 제1항에 따른
　명령을 정당한 사유 없이 위반한 자

(2) 업무 이행 명령

① 소방안전관리업무 이행명령권자: 소방본부장 또는 소방서장

② 소방본부장 또는 소방서장은 소방안전관리업무를 다하지 아니하는 특정소방대
　상물의 관계인 또는 소방안전관리자에게 그 업무의 이행을 명할 수 있다.

③ 벌칙 – 3년 이하의 징역 또는 3천만원 이하의 벌금(제50조): 제28조 제2항에 따른
　명령을 정당한 사유 없이 위반한 자

참고　특정소방대상물의 소방안전관리(제24조 제5항 참조)

특정소방대상물(소방안전관리대상물은 제외한다)의 관계인과 소방안전관리대상물의 소방안전
관리자는 다음 각 호의 업무를 수행한다. 다만, 제1호 · 제2호 · 제5호 및 제7호의 업무는 소방안
전관리대상물의 경우에만 해당한다.

1. 제36조에 따른 피난계획에 관한 사항과 대통령령으로 정하는 사항이 포함된 소방계획서의
　작성 및 시행

2. 자위소방대(自衛消防隊) 및 초기대응체계의 구성, 운영 및 교육

3. 「소방시설 설치 및 관리에 관한 법률」 제16조에 따른 피난시설, 방화구획 및 방화시설의 관리

4. 소방시설이나 그 밖의 소방 관련 시설의 관리

5. 제37조에 따른 소방훈련 및 교육

6. 화기(火氣) 취급의 감독

7. 행정안전부령으로 정하는 바에 따른 소방안전관리에 관한 업무수행에 관한 기록 · 유지(제3
　호 · 제4호 및 제6호의 업무를 말한다)

8. 화재발생 시 초기대응

9. 그 밖에 소방안전관리에 필요한 업무

✎ 핵심적중

화재예방법상 소방안전관리자 또는 소방안
전관리보조자를 선임하지 아니한 소방안전
관리대상물의 관계인에게 소방안전관리자
또는 소방안전관리보조자를 선임하도록 명
할 수 있는 자는?

① 시 · 도지사
② 소방청장
③ 소방본부장 또는 소방서장
④ 소방대장

정답 ③

📍 제·개정 내용

법률

체계적인 화재안전관리를 위해 일정규모 이상의 건설 공사현장은 착공 신고일부터 사용승인일까지 건설현장 소방안전관리자를 선임하도록 함

✏️ **핵심 기출**

01 화재예방법 시행령상 건설현장 소방안전관리대상물에 관한 내용이다. (   ) 안에 들어갈 내용으로 옳은 것은?

24. 공채·경채

> ・신축·증축·개축·재축·이전·용도변경 또는 대수선을 하려는 부분의 연면적의 합계가 (ㄱ) 이상인 것
> ・신축·증축·개축·재축·이전·용도변경 또는 대수선을 하려는 부분의 연면적이 (ㄴ) 이상인 것으로서 다음 각 목의 어느 하나에 해당하는 것
> 　가. 지하층의 층수가 2개 층 이상인 것
> 　나. 지상층의 층수가 (ㄷ) 이상인 것
> 　다. 냉동창고, 냉장창고 또는 냉동·냉장창고

	ㄱ	ㄴ	ㄷ
①	1만5천 제곱미터	5천 제곱미터	6층
②	1만5천 제곱미터	5천 제곱미터	11층
③	1만5천 제곱미터	1만 제곱미터	6층
④	1만 제곱미터	5천 제곱미터	11층

정답 ②

02 화재예방법 및 같은 법 시행령상 소방안전관리자를 선임해야 하는 건설현장 소방안전관리대상물에 해당하지 않는 것은?

23. 공채·경채

① 신축을 하려는 부분의 연면적이 5천제곱미터인 냉동·냉장창고
② 신축을 하려는 부분의 연면적의 합계가 2만제곱미터인 복합건축물
③ 증축을 하려는 부분의 연면적의 합계가 3만제곱미터인 업무시설
④ 증축을 하려는 부분의 연면적이 5천제곱미터이고, 지상층의 층수가 10층인 업무시설

정답 ④

제29조【건설현장 소방안전관리】 ① 「소방시설 설치 및 관리에 관한 법률」 제15조 제1항에 따른 공사시공자가 화재발생 및 화재피해의 우려가 큰 대통령령으로 정하는 특정소방대상물(이하 "건설현장 소방안전관리대상물"이라 한다)을 신축·증축·개축·재축·이전·용도변경 또는 대수선 하는 경우에는 제24조 제1항에 따른 소방안전관리자로서 제34조에 따른 교육을 받은 사람을 소방시설공사 착공 신고일부터 건축물 사용승인일(「건축법」 제22조에 따라 건축물을 사용할 수 있게 된 날을 말한다)까지 소방안전관리자로 선임하고 행정안전부령으로 정하는 바에 따라 소방본부장 또는 소방서장에게 신고하여야 한다.
② 제1항에 따른 건설현장 소방안전관리대상물의 소방안전관리자의 업무는 다음 각 호와 같다.
1. 건설현장의 소방계획서의 작성
2. 「소방시설 설치 및 관리에 관한 법률」 제15조 제1항에 따른 임시소방시설의 설치 및 관리에 대한 감독
3. 공사진행 단계별 피난안전구역, 피난로 등의 확보와 관리
4. 건설현장의 작업자에 대한 소방안전 교육 및 훈련
5. 초기대응체계의 구성·운영 및 교육
6. 화기취급의 감독, 화재위험작업의 허가 및 관리
7. 그 밖에 건설현장의 소방안전관리와 관련하여 소방청장이 고시하는 업무
③ 그 밖에 건설현장 소방안전관리대상물의 소방안전관리에 관하여는 제26조부터 제28조까지의 규정을 준용한다. 이 경우 "소방안전관리대상물의 관계인" 또는 "특정소방대상물의 관계인"은 "공사시공자"로 본다.

(1) 건설현장 소방안전관리

　① **소방안전관리자 선임**

　　㉠ 공사시공자가 화재발생 및 화재피해의 우려가 큰 대통령으로 정하는 특정소방대상물(건설현장 소방안전관리대상물)을 신축·증축·개축·재축·이전·용도변경 또는 대수선 하는 경우

　　㉡ 소방안전관리자로서 교육을 받은 사람을 소방시설공사 착공 신고일부터 건축물 사용승인일까지 소방안전관리자로 선임하여야 한다.

　　㉢ 벌칙 - 300만원 이하의 벌금(제50조): 제29조 제1항을 위반하여 소방안전관리자를 선임하지 아니한 자

　② **건설현장 소방안전관리대상물(영 제29조)**

　　㉠ 신축·증축·개축·재축·이전·용도변경 또는 대수선을 하려는 부분의 연면적 1만5천제곱미터 이상인 것

　　㉡ **신축·증축·개축·재축·이전·용도변경 또는 대수선을 하려는 부분의 연면적이 5천제곱미터 이상인 것**으로서 다음의 어느 하나에 해당하는 것

　　　ⓐ 지하층의 층수가 2개 층 이상인 것

　　　ⓑ 지상층의 층수가 11층 이상인 것

　　　ⓒ 냉동창고, 냉장창고 또는 냉동·냉장창고

③ 선임신고

    ㉠ 행정안전부령으로 정하는 바에 따라 소방본부장 또는 소방서장에게 신고하여야 한다.

    ㉡ 건설현장 소방안전관리자의 선임신고(규칙 제17조)

        ⓐ 건설현장 소방안전관리대상물의 공사시공자는 같은 항에 따라 소방안전관리자를 선임한 경우에는 선임한 날부터 **14일 이내**에 건설현장 소방안전관리자 선임신고서(전자문서를 포함한다)에 해당 첨부서류를 첨부하여 **소방본부장 또는 소방서장**에게 신고해야 한다.

        ⓑ 소방본부장 또는 소방서장은 건설현장 소방안전관리대상물의 공사시공자가 소방안전관리자를 선임하고 신고하는 경우에는 신고인에게 **건설현장 소방안전관리자 선임증**을 발급해야 한다. 이 경우 소방본부장 또는 소방서장은 신고인이 종전의 선임이력에 관한 확인을 신청하는 경우 건설현장 소방안전관리자 선임 이력 확인서를 발급해야 한다.

        ⓒ 소방본부장 또는 소방서장은 건설현장 소방안전관리자의 선임신고를 접수하거나 해임 사실을 확인한 경우에는 지체 없이 관련 사실을 종합정보망에 입력해야 한다.

        ⓓ 소방본부장 또는 소방서장은 건설현장 소방안전관리대상물 선임신고의 효율적 처리를 위하여 「소방시설 설치 및 안전관리에 관한 법률」 제6조 제1항에 따라 건축허가등의 동의를 하는 경우에는 지체 없이 해당 소방안전관리대상물의 위치, 연면적 등의 정보를 종합정보망에 입력해야 한다.

(2) 건설현장 소방안전관리대상물의 소방안전관리자의 업무

  ① 업무

    ㉠ 건설현장의 소방계획서의 작성

    ㉡ 임시소방시설의 설치 및 관리에 대한 감독

    ㉢ 공사진행 단계별 피난안전구역, 피난로 등의 확보와 관리

    ㉣ 건설현장의 작업자에 대한 소방안전 교육 및 훈련

    ㉤ 초기대응체계의 구성·운영 및 교육

    ㉥ 화기취급의 감독, 화재위험작업의 허가 및 관리

    ㉦ 그 밖에 건설현장의 소방안전관리와 관련하여 소방청장이 고시하는 업무

  ② **과태료 – 300만원 이하의 과태료(제52조)**: 제29조 제2항에 따른 건설현장 소방안전관리대상물의 소방안전관리자의 업무를 하지 아니한 소방안전관리자

(3) 건설현장 소방안전관리대상물의 소방안전관리

  ① 그 밖에 건설현장 소방안전관리대상물의 소방안전관리에 관하여는 제26조부터 제28조까지의 규정을 준용한다.

    ㉠ 제26조 소방안전관리자 선임신고 등

    ㉡ 제27조 관계인 등의 의무

    ㉢ 제28조 소방안전관리자 선임명령 등

  ② 이 경우 "소방안전관리대상물의 관계인" 또는 "특정소방대상물의 관계인"은 "공사시공자"로 본다.

정희's 톡talk

과태료 – 200만원 이하의 과태료(제52조)
제29조 제1항을 위반하여 기간 내에 선임신고를 하지 아니한 자

✎ **핵심기출**

화재예방법법상 건설현장 소방안전관리대상물의 소방안전관리자의 업무에 관한 내용으로 옳지 않은 것은?   23. 공채·경채
① 건설현장의 소방계획서의 작성
② 화기취급의 감독, 화재위험작업의 허가 및 관리
③ 공사진행 단계별 피난안전구역, 피난로 등의 확보와 관리
④ 건설현장 작업자를 제외한 책임자에 대한 소방안전 교육 및 훈련

정답 ④

1. 건설현장 화재안전관리를 강화하기 위해 소방안전관리자를 선임하여야 하는 대상 선정
   - 화재는 대부분 대형 공사장에서 공정율 70~80% 정도일 때 발생하고 있기에 공사장의 규모와 화재 위험성 등을 고려하여 연면적 15,000 제곱미터 이상, 연면적 5,000제곱미터 이상(지하 2층 이하 또는 지상 11층 이상, 냉동·냉장 창고)으로 정한다.
   - 소방안전관리자를 선임하여야 하는 건설현장은 연 5,000개 정도이다.

2. 최근 5년간 소방시설 착공신고 현황

5,000제곱미터 미만	5,000 이상~ 10,000제곱미터 미만	10,000 이상~ 15,000제곱미터 미만	15,000 이상~ 30,000제곱미터 미만	30,000 이상~ 50,000제곱미터 미만	50,000제곱미터 이상
175,075	13,298	5,760	6,584	3,814	13,830

관계법규 건설현장 소방안전관리대상물 등

시행령	시행규칙
제29조【건설현장 소방안전관리대상물】 법 제29조 제1항에서 "대통령령으로 정하는 특정소방대상물"이란 다음 각 호의 어느 하나에 해당하는 특정소방대상물을 말한다. 1. 신축·증축·개축·재축·이전·용도변경 또는 대수선을 하려는 부분의 연면적의 합계가 1만5천제곱미터 이상인 것 2. 신축·증축·개축·재축·이전·용도변경 또는 대수선을 하려는 부분의 연면적이 【 ① 】 이상인 것으로서 다음 각 목의 어느 하나에 해당하는 것 　가. 지하층의 층수가 2개 층 이상인 것 　나. 지상층의 층수가 11층 이상인 것 　다. 냉동창고, 냉장창고 또는 냉동·냉장창고	**제17조【건설현장 소방안전관리자의 선임신고】** ① 법 제29조 제1항에 따른 건설현장 소방안전관리대상물(이하 "건설현장 소방안전관리대상물"이라 한다)의 공사시공자는 같은 항에 따라 소방안전관리자를 선임한 경우에는 선임한 날부터 【 ① 】 이내에 별지 제19호 서식의 건설현장 소방안전관리자 선임신고서(전자문서를 포함한다)에 다음 각 호의 서류(전자문서를 포함한다)를 첨부하여 【 ② 】에게 신고해야 한다. 이 경우 건설현장 소방안전관리대상물의 공사시공자는 종합정보망을 이용하여 선임신고를 할 수 있다. 1. 제18조에 따른 소방안전관리자 자격증 2. 건설현장 소방안전관리자가 되려는 사람에 대한 강습교육 수료증 3. 건설현장 소방안전관리대상물의 공사 계약서 사본 ② 소방본부장 또는 소방서장은 건설현장 소방안전관리대상물의 공사시공자가 소방안전관리자를 선임하고 제1항에 따라 신고하는 경우에는 신고인에게 별지 제16호 서식의 건설현장 소방안전관리자 선임증을 발급해야 한다. 이 경우 소방본부장 또는 소방서장은 신고인이 종전의 선임이력에 관한 확인을 신청하는 경우 별지 제17호 서식의 건설현장 소방안전관리자 선임 이력 확인서를 발급해야 한다. ③ 소방본부장 또는 소방서장은 건설현장 소방안전관리자의 선임신고를 접수하거나 해임 사실을 확인한 경우에는 지체 없이 관련 사실을 종합정보망에 입력해야 한다. ④ 소방본부장 또는 소방서장은 건설현장 소방안전관리대상물 선임신고의 효율적 처리를 위하여 「소방시설 설치 및 안전관리에 관한 법률」 제6조 제1항에 따라 건축허가등의 동의를 하는 경우에는 지체 없이 해당 소방안전관리대상물의 위치, 연면적 등의 정보를 종합정보망에 입력해야 한다.
① 5천제곱미터	① 14일　② 소방본부장 또는 소방서장

제30조【소방안전관리자 자격 및 자격증의 발급 등】① 제24조 제1항에 따른 소방안전관리자의 자격은 다음 각 호의 어느 하나에 해당하는 사람으로서 소방청장으로부터 소방안전관리자 자격증을 발급받은 사람으로 한다.

1. 소방청장이 실시하는 소방안전관리자 자격시험에 합격한 사람
2. 다음 각 목에 해당하는 사람으로서 대통령령으로 정하는 사람
　가. 소방안전과 관련한 국가기술자격증을 소지한 사람
　나. 가목에 해당하는 국가기술자격증 중 일정 자격증을 소지한 사람으로서 소방안전관리자로 근무한 실무경력이 있는 사람
　다. 소방공무원 경력자
　라. 「기업활동 규제완화에 관한 특별조치법」에 따라 소방안전관리자로 선임된 사람(소방안전관리자로 선임된 기간에 한정한다)

② 소방청장은 제1항 각 호에 따른 자격을 갖춘 사람이 소방안전관리자 자격증 발급을 신청하는 경우 행정안전부령으로 정하는 바에 따라 자격증을 발급하여야 한다.

③ 제2항에 따라 소방안전관리자 자격증을 발급받은 사람이 소방안전관리자 자격증을 잃어버렸거나 못 쓰게 된 경우에는 행정안전부령으로 정하는 바에 따라 소방안전관리자 자격증을 재발급 받을 수 있다.

④ 제2항 또는 제3항에 따라 발급 또는 재발급 받은 소방안전관리자 자격증을 다른 사람에게 빌려 주거나 빌려서는 아니 되며, 이를 알선하여서도 아니 된다.

(1) 소방안전관리자의 자격

다음의 어느 하나에 해당하는 사람으로서 소방청장으로부터 소방안전관리자 자격증을 발급받은 사람으로 한다.

① 소방청장이 실시하는 소방안전관리자 자격시험에 합격한 사람
② 다음에 해당하는 사람으로서 대통령령으로 정하는 사람
　ⓐ 소방안전과 관련한 국가기술자격증을 소지한 사람
　ⓑ ⓐ에 해당하는 국가기술자격증 중 일정 자격증을 소지한 사람으로서 소방안전관리자로 근무한 실무경력이 있는 사람
　ⓒ 소방공무원 경력자
　ⓓ 「기업활동 규제완화에 관한 특별조치법」에 따라 소방안전관리자로 선임된 사람(소방안전관리자로 선임된 기간에 한정한다)
③ 소방안전관리자 자격증의 발급 등(영 제30조): "대통령령으로 정하는 사람"이란 별표 4의 각 호에 따른 선임자격자(법 제30조 제1항 제1호에 따른 선임자격자를 제외한다)를 말한다.

(2) 자격증의 발급 및 재발급

① 자격증 발급자: 소방청장
② 자격을 갖춘 사람이 소방안전관리자 자격증 발급을 신청하는 경우 행정안전부령으로 정하는 바에 따라 자격증을 발급하여야 한다.

📍 **제 · 개정 내용**

법률
소방안전관리자의 역량을 제고하고 체계적인 관리를 위해 소방안전관리자 자격 및 시험 제도를 도입함

정희's 톡talk

법 제30조 제1항 제1호
소방청장이 실시하는 소방안전관리자 자격시험에 합격한 사람을 말합니다.

③ **재발급:** 소방안전관리자 자격증을 발급받은 사람이 소방안전관리자 자격증을 잃어버렸거나 못 쓰게 된 경우에는 **행정안전부령으로 정하는 바에 따라** 소방안 전관리자 자격증을 재발급 받을 수 있다.

(4) 준수사항

① **대여 및 알선 금지:** 발급 또는 재발급 받은 소방안전관리자 자격증을 다른 사람에게 빌려 주거나 빌려서는 아니 되며, 이를 알선하여서도 아니 된다.

② **벌칙 - 1년 이하의 징역 및 1천만원 이하의 벌금(제50조):** 제30조 제4항을 위반하여 자격증을 다른 사람에게 빌려 주거나 빌리거나 이를 알선한 자

관계법규 소방안전관리자 자격증

시행령	시행규칙
제30조【소방안전관리자 자격증의 발급 등】 법 제30조 제1항 제2호 각 목 외의 부분에서 "대통령령으로 정하는 사람"이란 별표 4 각 호의 소방안전관리대상물별로 선임해야 하는 소방안전관리자의 자격을 갖춘 사람(법 제30조 제1항 제1호에 해당하는 사람은 제외한다)을 말한다.	**제18조【소방안전관리자 자격증의 발급 및 재발급 등】** ① 소방안전관리자 자격증을 발급받으려는 사람은 법 제30조 제2항에 따라 별지 제20호 서식의 소방안전관리자 자격증 발급 신청서(전자문서를 포함한다)에 다음 각 호의 서류(전자문서를 포함한다)를 첨부하여 소방청장에게 제출해야 한다. 이 경우 소방청장은「전자정부법」제36조 제1항에 따른 행정정보의 공동이용을 통하여 소방안전관리자 자격증의 발급 요건인 국가기술자격증(자격증 발급을 위하여 필요한 경우만 해당한다)을 확인할 수 있으며, 신청인이 확인에 동의하지 않는 경우에는 그 사본을 제출하도록 해야 한다. 1. 법 제30조 제1항 각 호의 어느 하나에 해당하는 사람임을 증명하는 서류 2. 신분증 사본 3. 사진(가로 3.5센티미터×세로 4.5센티미터) ② 제1항에 따라 소방안전관리자 자격증의 발급을 신청받은 소방청장은 3일 이내에 법 제30조 제1항 각 호에 따른 자격을 갖춘 사람에게 별지 제21호 서식의 소방안전관리자 자격증을 발급해야 한다. 이 경우 소방청장은 별지 제22호 서식의 소방안전관리자 자격증 발급대장에 등급별로 기록하고 관리해야 한다. ③ 제2항에 따라 소방안전관리자 자격증을 발급받은 사람이 그 자격증을 잃어버렸거나 자격증이 못 쓰게 된 경우에는 별지 제20호 서식의 소방안전관리자 자격증 재발급 신청서(전자문서를 포함한다)를 작성하여 소방청장에게 자격증의 재발급을 신청할 수 있다. 이 경우 소방청장은 신청자에게 자격증을 3일 이내에 재발급하고 별지 제22호 서식의 소방안전관리자 자격증 재발급대장에 재발급 사항을 기록하고 관리해야 한다. ④【 ① 】은 별지 제22호 서식의 소방안전관리자 자격증 (재)발급대장을 종합정보망에서 전자적 처리가 가능한 방법으로 작성·관리해야 한다. ① 소방청장

제31조【소방안전관리자 자격의 정지 및 취소】 ① 소방청장은 제30조 제2항에 따라 소방안전관리자 자격증을 발급받은 사람이 다음 각 호의 어느 하나에 해당하는 경우에는 행정안전부령으로 정하는 바에 따라 그 자격을 취소하거나 1년 이하의 기간을 정하여 그 자격을 정지시킬 수 있다. 다만, 제1호 또는 제3호에 해당하는 경우에는 그 자격을 취소하여야 한다.

1. 거짓이나 그 밖의 부정한 방법으로 소방안전관리자 자격증을 발급받은 경우
2. 제24조 제5항에 따른 소방안전관리업무를 게을리한 경우
3. 제30조 제4항을 위반하여 소방안전관리자 자격증을 다른 사람에게 빌려준 경우
4. 제34조에 따른 실무교육을 받지 아니한 경우
5. 이 법 또는 이 법에 따른 명령을 위반한 경우

② 제1항에 따라 소방안전관리자 자격이 취소된 사람은 취소된 날부터 2년간 소방안전관리자 자격증을 발급받을 수 없다.

(1) 소방안전관리자 자격의 정지 및 취소

① 소방안전관리자 자격의 정지 및 취소권자: 소방청장

② 정지 및 취소사유

　㉠ 소방안전관리자 자격증을 발급받은 사람이 다음의 어느 하나에 해당하는 경우에는 행정안전부령으로 정하는 바에 따라 그 자격을 취소하거나 1년 이하의 기간을 정하여 그 자격을 정지시킬 수 있다.

　　ⓐ 거짓이나 그 밖의 부정한 방법으로 소방안전관리자 자격증을 발급받은 경우

　　ⓑ 소방안전관리업무를 게을리한 경우

　　ⓒ 소방안전관리자 자격증을 다른 사람에게 빌려준 경우

　　ⓓ 실무교육을 받지 아니한 경우

　　ⓔ 이 법 또는 이 법에 따른 명령을 위반한 경우

　㉡ **반드시 취소하여야 하는 경우**

　　ⓐ 거짓이나 그 밖의 부정한 방법으로 소방안전관리자 자격증을 발급받은 경우

　　ⓑ 소방안전관리자 자격증을 다른 사람에게 빌려준 경우

(2) 자격증의 발급 제한 규정

소방안전관리자 자격이 취소된 사람은 취소된 날부터 2년간 소방안전관리자 자격증을 발급받을 수 없다.

(3) 소방안전관리자 자격의 정지 및 취소에 관한 일반기준(규칙 [별표 3])

① 위반행위가 둘 이상인 경우로서 그에 해당하는 각각의 처분기준이 다른 경우에는 그 중 무거운 처분기준에 따른다.

② 위반행위의 횟수에 따른 행정처분 기준은 최근 3년간 같은 위반행위로 행정처분을 받은 경우에 적용한다. 이 경우 기준 적용일은 위반행위에 대한 행정처분일과 그 처분 후에 한 위반행위가 다시 적발된 날을 기준으로 한다.

✏️ **핵심 적중**

화재예방법상 소방안전관리자 자격의 정지 및 취소에 대한 설명이다. ( ) 안에 들어갈 용어로 옳은 것은?

· 소방청장은 소방안전관리자 자격증을 발급받은 사람이 제34조에 따른 실무교육을 받지 아니한 경우에는 행정안전부령으로 정하는 바에 따라 그 자격을 취소하거나 (가) 이하의 기간을 정하여 그 자격을 정지시킬 수 있다.

· 거짓이나 그 밖의 부정한 방법으로 소방안전관리자 자격증을 발급받아 그 자격이 취소된 사람은 취소된 날부터 (나)간 소방안전관리자 자격증을 발급받을 수 없다.

	(가)	(나)
①	1년	2년
②	1년	3년
③	2년	2년
④	2년	3년

정답 ①

③ ②에 따라 가중된 부과처분을 하는 경우 가중처분의 적용 차수는 그 위반행위 전 부과처분 차수(②에 따른 기간 내에 처분이 둘 이상 있었던 경우에는 높은 차수를 말한다)의 다음 차수로 한다.

④ 처분권자는 위반행위의 동기·내용·횟수 및 위반 정도 등 다음의 감경 사유에 해당하는 경우 그 처분기준의 2분의 1의 범위에서 감경할 수 있다.

ⓐ 위반행위가 사소한 부주의나 오류 등으로 인한 것으로 인정되는 경우

ⓑ 위반행위를 바로 정정하거나 시정하여 해소한 경우

ⓒ 그 밖에 위반행위의 정도, 위반행위의 동기와 그 결과 등을 고려하여 처분을 줄일 필요가 있다고 인정되는 경우

(4) 소방안전관리자 자격의 정지 및 취소에 관한 개별기준(규칙 [별표 3])

위반사항	근거법령	행정처분기준		
		1차	2차	3차
가. 거짓이나 그 밖의 부정한 방법으로 소방안전관리자 자격증을 발급받은 경우	법 제31조 제1항	자격취소		
나. 법 제24조 제5항에 따른 소방안전관리업무를 게을리한 경우	법 제31조 제1항	경고 (시정명령)	자격정지 (3개월)	자격정지 (6개월)
다. 법 제30조 제4항을 위반하여 소방안전관리자 자격증을 다른 사람에게 빌려준 경우	법 제31조 제1항	자격취소		
라. 제34조에 따른 실무교육을 받지 아니한 경우	법 제31조 제1항	경고 (시정명령)	자격정지 (3개월)	자격정지 (6개월)

👆 **관계법규** 소방안전관리자 자격의 정지 및 취소 기준

시행령	시행규칙
제48조【권한의 위임·위탁 등】 소방청장은 법 제48조 제1항에 따라 법 제31조에 따른 소방안전관리자 자격의 정지 및 취소에 관한 업무를【 ① 】에게 위임한다.	**제19조【소방안전관리자 자격의 정지 및 취소 기준】** 법 제31조 제1항에 따른 소방안전관리자 자격의 정지 및 취소 기준은 별표 3과 같다.
① 소방서장	

제32조【소방안전관리자 자격시험】① 제30조 제1항 제1호에 따른 소방안전관리자 자격시험에 응시할 수 있는 사람의 자격은 대통령령으로 정한다.

② 제1항에 따른 소방안전관리자 자격의 시험방법, 시험의 공고 및 합격자 결정 등 소방안전관리자의 자격시험에 필요한 사항은 행정안전부령으로 정한다.

(1) 소방안전관리자 자격시험

소방안전관리자 자격시험에 응시할 수 있는 사람의 자격은 대통령령으로 정한다.

(2) 위임규정

소방안전관리자 자격의 시험방법, 시험의 공고 및 합격자 결정 등 소방안전관리자의 자격시험에 필요한 사항은 행정안전부령으로 정한다.

(3) 소방안전관리자 자격시험의 방법(규칙 제20조)

① 소방청장은 소방안전관리자 자격시험(소방안전관리자 자격시험)을 다음과 같이 실시한다. 이 경우 특급 소방안전관리자 자격시험은 제1차 시험과 제2차 시험으로 나누어 실시한다.

ㄱ 특급 소방안전관리자 자격시험: 연 2회 이상

ㄴ 1급·2급·3급 소방안전관리자 자격시험: 월 1회 이상

② 소방안전관리자 자격시험에 응시하려는 사람은 소방안전관리자 자격시험 응시원서(전자문서를 포함한다)에 다음의 서류(전자문서를 포함한다)를 첨부하여 소방청장에게 제출해야 한다.

ㄱ 사진(가로 3.5센티미터 × 세로 4.5센티미터)

ㄴ 응시자격 증명서류

③ 소방청장은 소방안전관리자 자격시험 응시원서를 접수한 경우에는 시험응시표를 발급해야 한다.

(4) 자격시험의 공고(규칙 제21조)

소방청장은 특급, 1급, 2급 또는 3급 소방안전관리자시험을 실시하고자 하는 때에는 응시자격·시험과목·일시·장소 및 응시절차 등에 관하여 필요한 사항을 모든 응시 희망자가 알 수 있도록 시험 시행일 30일 전에 인터넷 홈페이지에 공고해야 한다.

(5) 자격시험의 합격자 결정 등(규칙 제22조)

① 특급, 1급, 2급 및 3급 소방안전관리자 시험의 합격자 결정은 매과목을 100점 만점으로 하여 매과목 40점이상, 전과목 평균 70점 이상 득점한 자를 합격자로 한다.

② 특급 소방안전관리자 시험은 제1차 시험과 제2차 시험을 분리하여 채점하되 제2차 시험의 채점은 제1차 시험 합격자에 한하여 실시한다. 이 경우 제1차 시험에 합격한 사람은 제1차 시험에 합격한 날부터 2년간 제1차 시험을 면제한다.

      ㉠ **선택형 문제**: 답안지 기재사항을 전산으로 판독하여 채점

      ㉡ **주관식 서술형 문제**: 임명·위촉된 시험위원이 채점. 이 경우 3명 이상의 채점자가 문항별 배점과 채점 기준표에 따라 별도로 채점하고 그 평균 점수를 해당 문제의 점수로 한다.

  ③ 특급 소방안전관리자 자격시험의 제1차 시험에 합격한 사람은 제1차 시험에 합격한 날부터 2년간 제1차 시험을 면제한다.

  ④ 소방청장은 소방안전관리자 자격시험을 종료한 날부터 30일(특급 소방안전관리 자격시험의 경우에는 60일) 이내에 인터넷 홈페이지에 합격자를 공고하고, 응시자에게 휴대전화 문자 메시지로 합격 여부를 알려 줄 수 있다.

(6) 자격시험 문제의 출제 및 자격시험위원의 위촉 등(규칙 제23조)

  ① 소방안전관리자 시험에 관한 시험과목 및 시험방법은 별표 4와 같다.

  ② 시험방법 및 시험시간 등

      ㉠ 특급 소방안전관리자

구분	과목	문항수	시험방법	시험시간
제1차 시험	제1과목	50문항	선택형	120분
	제2과목	50문항		
제2차 시험	제1과목	10문항	주관식 서술형(단답형, 기입형 또는 계산형 문제를 포함할 수 있다)	90분
	제2과목	10문항		

      ㉡ 1급, 2급, 3급 소방안전관리자

구분	문항수	시험방법	시험시간
1과목	25문항	선택형(기입형을 포함할 수 있다)	60분
2과목	25문항		

  ③ 소방청장은 소방안전관리자 시험에 관한 시험문제 출제, 검토 및 채점을 위하여 다음의 어느 하나에 해당하는 사람 중에서 시험 위원을 위촉하여야 한다.

      ㉠ 소방 관련 분야에서 석사 이상의 학위를 취득한 사람

      ㉡ 「고등교육법」 제2조 제1호부터 제6호까지에 해당하는 학교에서 소방안전 관련 학과의 조교수 이상으로 2년 이상 재직한 사람

      ㉢ 소방위 이상의 소방공무원

      ㉣ 소방기술사

      ㉤ 소방시설관리사

      ㉥ 그 밖에 화재안전 또는 소방 관련 법령이나 정책에 전문성이 있는 사람

  ④ 위촉된 시험위원에게는 예산의 범위에서 수당, 여비 및 그 밖에 필요한 경비를 지급할 수 있다.

  ⑤ 규정한 사항 외에 소방안전관리자 자격시험의 운영 등에 필요한 세부적인 사항은 소방청장이 정한다.

시행령	NOTE
제31조 【소방안전관리자 자격시험 응시자격】 법 제32조 제1항에 따라 소방안전관리자 자격시험에 응시할 수 있는 사람의 자격은 별표 6과 같다.	

📖 **SUMMARY** 소방안전관리자 자격시험에 응시할 수 있는 사람의 자격(시행령 [별표 6])(심화학습)

1. 특급 소방안전관리자

구분	세부규정		1년	2년	3년	5년	7년	10년
강습교육		○						
총괄재난관리자				○				
1급 – 소방안전관리자	소방설비기사				○			
1급 – 소방안전관리자	대학, 고등학교 소방안전관리학과 졸업				○			
1급 – 소방안전관리자	소방행정학·소방안전공학과 – 석사 이상				○			
1급 – 소방안전관리자	소방설비산업기사					○		
1급 – 소방안전관리자	대학, 고등학교(같은 수준) – 12학점					○		
1급 – 소방안전관리자	대학, 고등학교 소방안전관련학과					○		
1급 – 소방안전관리자	실무경력						○	
1급 – 소방안전관리자	선임자격 (특급, 1급 – 소방안전관리보조자)							○	
소방공무원								○
특급 – 소방안전관리보조자	1급 선임 자격을 갖춘 자							○

2. 1급 소방안전관리자

구분	세부규정		1년	2년	3년	5년	7년	10년
강습교육		○						
특급 – 소방안전관리자 시험 응시 자격자		○						
2급, 3급 – 소방안전관리자	산업안전기사(산업기사)			○				
2급, 3급 – 소방안전관리자	대학, 고등학교 소방안전관리학과 졸업			○				
2급, 3급 – 소방안전관리자	대학, 고등학교(같은 수준) – 12학점				○			
2급, 3급 – 소방안전관리자	대학, 고등학교 소방안전관련학과				○			
	소방행정학·소방안전공학과 – 석사 이상	○						
2급 – 소방안전관리자	실무경력					○		
특급, 1급 – 소방안전관리보조자	2급 선임 자격을 갖춘 자					○		
2급 – 소방안전관리보조자	2급 선임 자격을 갖춘 자						○	

3. 2급 소방안전관리자

구분	세부규정		1년	2년	3년	5년	7년	10년
특급, 1급 – 소방안전관리자 시험 응시 자격자		○						
	강습교육	○						
	건축사, 산업안전기사(산업기사) 등	○						
	대학, 고등학교 소방안전관리학과 졸업	○						
	대학, 고등학교(같은 수준) – 6학점	○						
	대학, 고등학교 소방안전관련학과	○						
소방본부 · 소방서	화재진압 또는 그 보조업무		○					
군부대 · 의무소방대 소방대원			○					
3급 – 소방안전관리자				○				
경호공무원, 별정직공무원	안전검측 업무			○				
의용소방대원					○			
자체소방대원					○			
경찰공무원					○			
특급, 1급, 2급 – 소방안전관리보조자					○			

4. 3급 소방안전관리자

구분	세부규정		1년	2년	3년	5년	7년	10년
특급, 1급, 2급 – 소방안전관리자 시험 응시 자격자		○						
	강습교육	○						
경호공무원, 별정직공무원	안전검측 업무		○					
의용소방대원				○				
자체소방대원			○					
경찰공무원				○				
특급, 1급, 2급, 3급 – 소방안전관리보조자	실무경력			○				

시행규칙

제20조【소방안전관리자 자격시험의 방법】 ① 소방청장은 법 제30조 제1항 제1호에 따른 소방안전관리자 자격시험(이하 "소방안전관리자 자격시험"이라 한다)을 다음 각 호와 같이 실시한다. 이 경우 특급 소방안전관리자 자격시험은 제1차 시험과 제2차 시험으로 나누어 실시한다.

1. 특급 소방안전관리자 자격시험:【 ① 】이상
2. 1급·2급·3급 소방안전관리자 자격시험: 월 1회 이상

② 소방안전관리자 자격시험에 응시하려는 사람은 별지 제23호 서식의 소방안전관리자 자격시험 응시원서(전자문서를 포함한다)에 다음 각 호의 서류(전자문서를 포함한다)를 첨부하여 소방청장에게 제출해야 한다.

1. 사진(가로 3.5센티미터×세로 4.5센티미터)
2. 응시자격 증명서류

③ 소방청장은 제2항에 따라 소방안전관리자 자격시험 응시원서를 접수한 경우에는 시험응시표를 발급해야 한다.

제21조【소방안전관리자 자격시험의 공고】 소방청장은 특급, 1급, 2급 또는 3급 소방안전관리자 자격시험을 실시하려는 경우에는 응시자격·시험과목·일시·장소 및 응시절차를 모든 응시희망자가 알 수 있도록 시험 시행일 30일 전에 인터넷 홈페이지에 공고해야 한다.

제22조【소방안전관리자 자격시험의 합격자 결정 등】 ① 특급, 1급, 2급 및 3급 소방안전관리자 자격시험은 매과목을 100점 만점으로 하여 매과목 40점 이상, 전과목 평균 70점 이상 득점한 사람을 합격자로 한다.

② 소방안전관리자 자격시험은 다음 각 호의 방법으로 채점한다. 이 경우 특급 소방안전관리자 자격시험의 제2차 시험 채점은 제1차 시험 합격자의 답안지에 대해서만 실시한다.

1. 선택형 문제: 답안지 기재사항을 전산으로 판독하여 채점
2. 주관식 서술형 문제: 제23조 제2항에 따라 임명·위촉된 시험위원이 채점. 이 경우 3명 이상의 채점자가 문항별 배점과 채점기준표에 따라 별도로 채점하고 그 평균 점수를 해당 문제의 점수로 한다.

③ 특급 소방안전관리자 자격시험의 제1차 시험에 합격한 사람은 제1차 시험에 합격한 날부터 2년간 제1차 시험을 면제한다.

④ 소방청장은 소방안전관리자 자격시험을 종료한 날부터【 ② 】(특급 소방안전관리 자격시험의 경우에는 60일) 이내에 인터넷 홈페이지에 합격자를 공고하고, 응시자에게 휴대전화 문자 메시지로 합격 여부를 알려 줄 수 있다.

제23조【소방안전관리자 자격시험 과목 및 시험위원 위촉 등】 ① 소방안전관리자 자격시험 과목 및 시험방법은 별표 4와 같다.

② 소방청장은 소방안전관리자 자격시험의 시험문제 출제, 검토 및 채점을 위하여 다음 각 호의 어느 하나에 해당하는 사람 중에서 시험 위원을 임명 또는 위촉해야 한다.

1. 소방 관련 분야에서 석사 이상의 학위를 취득한 사람
2. 「고등교육법」 제2조 제1호부터 제6호까지에 해당하는 학교에서 소방안전 관련 학과의 조교수 이상으로 2년 이상 재직한 사람
3. 소방위 이상의 소방공무원
4. 소방기술사
5. 소방시설관리사
6. 그 밖에 화재안전 또는 소방 관련 법령이나 정책에 전문성이 있는 사람

③ 제2항에 따라 위촉된 시험위원에게는 예산의 범위에서 수당, 여비 및 그 밖에 필요한 경비를 지급할 수 있다.

④ 제1항부터 제3항까지에서 규정한 사항 외에 소방안전관리자 자격시험의 운영 등에 필요한 세부적인 사항은 소방청장이 정한다.

제24조【부정행위 기준 등】 ① 소방안전관리자 자격시험에서의 부정행위는 다음 각 호와 같다.

1. 대리시험을 의뢰하거나 대리로 시험에 응시한 행위
2. 다른 수험자의 답안지 또는 문제지를 엿보거나, 다른 수험자에게 이를 알려주는 행위
3. 다른 수험자와 답안지 또는 문제지를 교환하는 행위
4. 시험 중 다른 수험자와 시험과 관련된 대화를 하는 행위
5. 시험 중 시험문제 내용과 관련된 물건을 휴대하여 사용하거나 이를 주고받는 행위(해당 물건의 휴대 여부를 확인하기 위한 검색 요구에 따르지 않는 행위를 포함한다)
6. 시험장 안이나 밖의 사람으로부터 도움을 받아 답안지를 작성하는 행위
7. 다른 수험자와 성명 또는 수험번호를 바꾸어 제출하는 행위
8. 수험자가 시험시간에 통신기기 및 전자기기 등을 사용하여 답안지를 작성하거나 다른 수험자를 위하여 답안을 송신하는 행위(해당 물건의 휴대 여부를 확인하기 위한 검색 요구에 따르지 않는 행위를 포함한다)
9. 감독관의 본인 확인 요구에 따르지 않는 행위
10. 시험 종료 후에도 계속해서 답안을 작성하거나 수정하는 행위
11. 그 밖의 부정 또는 불공정한 방법으로 시험을 치르는 행위

② 제1항 각 호에 따른 부정행위를 하는 응시자를 적발한 경우에는 해당 시험을 정지하고 무효로 처리한다.

---

① 연 2회 ② 30일

제33조 【소방안전관리자 등 종합정보망의 구축·운영】 ① 소방청장은 소방안전관리자 및 소방안전관리보조자에 대한 다음 각 호의 정보를 효율적으로 관리하기 위하여 종합정보망을 구축·운영할 수 있다.
1. 제26조 제1항에 따른 소방안전관리자 및 소방안전관리보조자의 선임신고 현황
2. 제26조 제2항에 따른 소방안전관리자 및 소방안전관리보조자의 해임 사실의 확인 현황
3. 제29조 제1항에 따른 건설현장 소방안전관리자 선임신고 현황
4. 제30조 제1항 및 제2항에 따른 소방안전관리자 자격시험 합격자 및 자격증의 발급 현황
5. 제31조 제1항에 따른 소방안전관리자 자격증의 정지·취소 처분 현황
6. 제34조에 따른 소방안전관리자 및 소방안전관리보조자의 교육 실시현황
② 제1항에 따른 종합정보망의 구축·운영 등에 필요한 사항은 대통령령으로 정한다.

(1) 소방안전관리자 등 종합정보망의 구축·운영

① **종합정보망의 구축·운영권자:** 소방청장

② **목적:** 소방안전관리자 및 소방안전관리보조자에 대한 정보의 효율적 관리

③ **구축·운영 정보**

   ㉠ 소방안전관리자 및 소방안전관리보조자의 선임신고 현황

   ㉡ 소방안전관리자 및 소방안전관리보조자의 해임 사실의 확인 현황

   ㉢ 건설현장 소방안전관리자 선임신고 현황

   ㉣ 소방안전관리자 자격시험 합격자 및 자격증의 발급 현황

   ㉤ 소방안전관리자 자격증의 정지·취소 처분 현황

   ㉥ 소방안전관리자 및 소방안전관리보조자의 교육 실시현황

(2) 위임규정

종합정보망의 구축·운영 등에 필요한 사항은 대통령령으로 정한다.

👆 **관계법규** 종합정보망

시행령	NOTE
제32조 【종합정보망의 구축·운영】 소방청장은 법 제33조 제1항에 따른 종합정보망(이하 "종합정보망"이라 한다)의 효율적인 운영을 위해 필요한 경우 다음 각 호의 업무를 수행할 수 있다. 1. 종합정보망과 유관 정보시스템의 연계·운영 2. 법 제33조 제1항 각 호의 정보를 저장·가공 및 제공하기 위한 시스템의 구축·운영	

제34조【소방안전관리자 등에 대한 교육】 ① 소방안전관리자가 되려고 하는 사람 또는 소방안전관리자(소방안전관리보조자를 포함한다)로 선임된 사람은 소방안전관리업무에 관한 능력의 습득 또는 향상을 위하여 행정안전부령으로 정하는 바에 따라 소방청장이 실시하는 다음 각 호의 강습교육 또는 실무교육을 받아야 한다.

1. 강습교육
　　가. 소방안전관리자의 자격을 인정받으려는 사람으로서 대통령령으로 정하는 사람
　　나. 제24조 제3항에 따른 소방안전관리자로 선임되고자 하는 사람
　　다. 제29조에 따른 소방안전관리자로 선임되고자 하는 사람
2. 실무교육
　　가. 제24조 제1항에 따라 선임된 소방안전관리자 및 소방안전관리보조자
　　나. 제24조 제3항에 따라 선임된 소방안전관리자

② 제1항에 따른 교육실시방법은 다음 각 호와 같다. 다만, 「감염병의 예방 및 관리에 관한 법률」 제2조에 따른 감염병 등 불가피한 사유가 있는 경우에는 행정안전부령으로 정하는 바에 따라 제1호 또는 제3호의 교육을 제2호의 교육으로 실시할 수 있다.

1. 집합교육
2. 정보통신매체를 이용한 원격교육
3. 제1호 및 제2호를 혼용한 교육

(1) 소방안전관리자 등에 대한 교육

소방안전관리자가 되려고 하는 사람 또는 소방안전관리자·소방안전관리보조자로 선임된 사람은 소방안전관리업무에 관한 능력의 습득 또는 향상을 위하여 행정안전부령으로 정하는 바에 따라 소방청장이 실시하는 강습교육 또는 실무교육을 받아야 한다.

① 강습교육

　㉠ 소방안전관리자의 자격을 인정받으려는 사람으로서 대통령령으로 정하는 사람 (영 제33조)

　　ⓐ 특급 소방안전관리대상물의 소방안전관리자가 되려는 사람
　　ⓑ 1급 소방안전관리대상물의 소방안전관리자가 되려는 사람
　　ⓒ 2급 소방안전관리대상물의 소방안전관리자가 되려는 사람
　　ⓓ 3급 소방안전관리대상물의 소방안전관리자가 되려는 사람
　　ⓔ 「공공기관의 소방안전관리에 관한 규정」 제2조에 따른 공공기관의 소방안전관리자가 되려는 사람

ⓛ 제24조 제3항에 따른 소방안전관리자로 선임되고자 하는 사람

> **법 제24조【특정소방대상물의 소방안전관리】** ③ 제25조 제1항에 따른 소방안전관리대상물의 관계인은 소방안전관리업무를 대행하는 관리업자(「소방시설 설치 및 관리에 관한 법률」제29조 제1항에 따른 소방시설관리업의 등록을 한 자를 말한다. 이하 "관리업자"라 한다)를 감독할 수 있는 사람을 지정하여 소방안전관리자로 선임할 수 있다. 이 경우 소방안전관리자로 선임된 자는 선임된 날부터 3개월 이내에 제34조에 따른 교육을 받아야 한다.

ⓒ 건설현장 소방안전관리대상물의 소방안전관리자로 선임되고자 하는 사람
② 실무교육
ⓐ 선임된 소방안전관리자 및 소방안전관리보조자
ⓑ 제24조 제3항에 따라 선임된 소방안전관리자
ⓒ 과태료 - 100만원 이하의 과태료(제52조 제3항): 제34조 제1항 제2호를 위반하여 실무교육을 받지 아니한 소방안전관리자 및 소방안전관리보조자에게는 100만원 이하의 과태료를 부과한다.

(2) 교육실시방법 등
① 교육실시방법
ⓐ 집합교육
ⓑ **정보통신매체를 이용한** 원격교육: 원격교육은 실시간 양방향 교육, 인터넷을 통한 영상강의 등 정보통신매체를 이용하여 실시한다(규칙 제33조).
ⓒ ⓐ 및 ⓑ을 혼용한 교육
② 다만, 「감염병의 예방 및 관리에 관한 법률」에 따른 감염병 등 불가피한 사유가 있는 경우에는 행정안전부령으로 정하는 바에 따라 집합교육 또는 집합교육 및 정보통신매체를 이용한 원격교육을 정보통신매체를 이용한 원격교육으로 실시할 수 있다.

(3) 강습교육의 실시(규칙 제25조)
① 소방청장은 법 제34조 제1항 제1호에 따른 강습교육(이하 "강습교육"이라 한다)의 대상·일정·횟수 등을 포함한 강습교육의 실시계획을 매년 수립·시행해야 한다.
② 소방청장은 강습교육을 실시하려는 경우에는 강습교육 실시 20일 전까지 일시·장소, 그 밖에 강습교육 실시에 필요한 사항을 인터넷 홈페이지에 공고해야 한다.
③ 소방청장은 강습교육을 실시한 경우에는 수료자에게 수료증(전자문서를 포함한다)을 발급하고 강습교육의 과정별로 강습교육수료자 명부대장(전자문서를 포함한다)을 작성·보관해야 한다.

(4) 강습교육 수강신청 등(규칙 제26조)
① 강습교육을 받으려는 사람은 강습교육의 과정별로 강습교육 수강신청서(전자문서를 포함한다)에 다음의 서류(전자문서를 포함한다)를 첨부하여 소방청장에게 제출해야 한다.

ⓐ 사진(가로 3.5센티미터 × 세로 4.5센티미터)

ⓑ 재직증명서(법 제39조 제1항에 따른 공공기관에 재직하는 사람만 해당한다)

② 소방청장은 강습교육 수강신청서를 접수한 경우에는 수강증을 발급해야 한다.

(5) 강습교육의 강사(규칙 제27조)

강습교육을 담당할 강사는 과목별로 다음의 어느 하나에 해당하는 사람 중에서 소방에 관한 학식·경험·능력 등을 고려하여 소방청장이 임명 또는 위촉한다.

① 안전원 직원

② 소방기술사

③ 소방시설관리사

④ 소방안전 관련 학과에서 부교수 이상의 직(職)에 재직 중이거나 재직한 사람

⑤ 소방안전 관련 분야에서 석사 이상의 학위를 취득한 사람

⑥ 소방공무원으로 5년 이상 근무한 사람

(6) 강습교육의 과목, 시간 및 운영방법 등(규칙 제28조 관련, [별표 5])

① 교육과정별 교육시간

구분	교육시간
특급 소방안전관리자	160시간
1급 소방안전관리자	80시간
2급 소방안전관리자	40시간
3급 소방안전관리자	24시간
공공기관 소방안전관리자	40시간
건설현장 소방안전관리자	24시간
업무대행 감독자	16시간

② 교육과정별 교육시간 운영 편성기준

구분	시간 합계	이론 (30%)	실무(70%)	
			일반 (30%)	실습·평가 (40%)
특급 소방안전관리자	160시간	48시간	48시간	64시간
1급 소방안전관리자	80시간	24시간	24시간	32시간
2급 소방안전관리자	40시간	12시간	12시간	16시간
3급 소방안전관리자	24시간	7시간	7시간	10시간
공공기관 소방안전관리자	40시간	12시간	12시간	16시간
건설현장 소방안전관리자	24시간	7시간	7시간	10시간
업무대행감독자	16시간	5시간	5시간	6시간

📍 **제·개정 내용**

시행규칙

소방안전관리자가 받아야 하는 강습·실무교육 및 시간을 정함(제28조, [별표 4], [별표 5])

1. 소방안전관리자 실무능력 및 전문성 향상을 위해 강습교육 시간을 늘림([별표 4])
   · 특급: 80h → 160h
   · 1급: 40h → 80h
   · 2급: 32h → 40h
2. 교육을 수료하고자 하는 사람은 강습교육 또는 실무교육 시간의 90% 이상 출석하고, 실습내용 평가에 합격한 경우 수료하도록 하고 결강 허용시간은 1일 최대 3시간을 초과할 수 없도록 함

✏️ **핵심 적중**

화재예방법 시행규칙상 소방안전관리자에 대한 교육과정별 교육시간의 연결이 옳은 것은?

① 특급 소방안전관리자: 80시간

② 2급 소방안전관리자: 80시간

③ 건설현장 소방안전관리자: 40시간

④ 공공기관 소방안전관리자: 40시간

정답 ④

③ 교육운영방법 등

　　㉠ ②에 따른 평가는 서식작성, 설비운용(소방시설에 대한 점검능력을 포함한다) 및 비상대응 등 실습내용에 대한 평가를 말한다.

　　㉡ 교육과정을 수료하고자 하는 사람은 ②에 따른 교육시간의 90퍼센트 이상을 출석하고, ㉠에 따른 실습내용 평가에 합격(해당 평가항목을 이수하거나 평가기준을 충족한 경우를 말한다)해야 한다. 다만, 결강시간은 1일 최대 3시간을 초과할 수 없다.

　　㉢ 공공기관 소방안전관리 업무에 관한 강습과목 중 일부 과목은 16시간 범위에서 원격교육으로 실시할 수 있다.

　　㉣ 구조 및 응급처치요령에는 「응급의료에 관한 법률 시행규칙」 제6조 제1항에 따른 구조 및 응급처치에 관한 교육의 내용과 시간이 포함되어야 한다.

(6) 실무교육의 실시(규칙 제29조)

① 소방청장은 실무교육의 대상·일정·횟수 등을 포함한 실무교육의 실시 계획을 매년 수립·시행해야 한다.

② 소방청장은 실무교육을 실시하려는 경우에는 실무교육 실시 30일 전까지 일시·장소, 그 밖에 실무교육 실시에 필요한 사항을 인터넷 홈페이지에 공고하고 교육대상자에게 통보해야 한다.

③ 소방안전관리자는 소방안전관리자로 선임된 날부터 6개월 이내에 실무교육을 받아야 하며, 그 이후에는 2년마다(최초 실무교육을 받은 날을 기준일로 하여 매 2년이 되는 해의 기준일과 같은 날 전까지를 말한다) 1회 이상 실무교육을 받아야 한다. 다만, 소방안전관리 강습교육 또는 실무교육을 받은 후 1년 이내에 소방안전관리자로 선임된 사람은 해당 강습교육을 수료하거나 실무교육을 이수한 날에 실무교육을 이수한 것으로 본다.

④ 소방안전관리보조자는 그 선임된 날부터 6개월(영 별표 5 제2호 마목에 따라 소방안전관리보조자로 지정된 사람의 경우 3개월을 말한다) 이내에 실무교육을 받아야 하며, 그 이후에는 2년마다(최초 실무교육을 받은 날을 기준일로 하여 매 2년이 되는 해의 기준일과 같은 날 전까지를 말한다) 1회 이상 실무교육을 받아야 한다. 다만, 소방안전관리자 강습교육 또는 실무교육이나 소방안전관리보조자 실무교육을 받은 후 1년 이내에 소방안전관리보조자로 선임된 사람은 해당 강습교육을 수료하거나 실무교육을 이수한 날에 실무교육을 이수한 것으로 본다.

(7) 실무교육의 강사(규칙 제30조)

실무교육을 담당할 강사는 다음의 어느 하나에 해당하는 사람 중에서 소방에 관한 학식·경험·능력 등을 종합적으로 고려하여 소방청장이 임명 또는 위촉한다.

① 안전원 직원

② 소방기술사

③ 소방시설관리사

④ 소방안전 관련 학과에서 부교수 이상의 직(職)에 재직 중이거나 재직한 사람

⑤ 소방안전 관련 분야에서 석사 이상의 학위를 취득한 사람

⑥ 소방공무원으로 5년 이상 근무한 사람

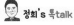

정희's 톡talk
영 [별표 5] 소방안전관리보조자를 선임해야 하는 소방안전관리대상물의 범위와 선임대상별 자격 및 인원기준(제25조 제2항 관련) 제2호 마목
소방안전관리대상물에서 소방안전 관련 업무에 2년 이상 근무한 경력이 있는 사람

(8) 소방안전관리자 및 소방안전관리보조자에 대한 실무교육의 과목, 시간 및 운영 방법 등(규칙 제31조 관련, [별표 5])

① 소방안전관리자에 대한 실무교육의 과목 및 시간

교육과목	시간
가. 소방 관계 법규 및 화재 사례 나. 소방시설의 구조원리 및 현장실습 다. 소방시설의 유지·관리요령 라. 소방계획서의 작성 및 운영 마. 업무수행 기록·유지에 관한 사항 바. 자위소방대의 조직과 소방 훈련 및 교육 사. 피난시설 및 방화시설의 유지·관리 아. 화재 시 초기대응 및 인명 대피 요령 자. 소방 관련 질의회신 등	8시간 이내

▶ 비고: 교육과목 중 이론 과목(가목의 소방 관계 법규, 자목의 소방 관련 질의회신 등)은 4시간 이내에서 원격교육으로 실시할 수 있다.

② 소방안전관리보조자에 대한 실무교육의 과목 및 시간

교육과목	시간
가. 소방 관계 법규 및 화재사례 나. 화재의 예방·대비 다. 소방시설 유지관리 실습 라. 초기대응체계 교육 및 훈련 실습 마. 화재발생 시 대응 실습 등	4시간

③ 교육운영 방법 등

㉠ 실무교육은 이론·실습 또는 실습·평가로 구분하여 실시할 수 있다. 이 경우 실습·평가는 교육시간을 달리 정할 수 있다.

㉡ 실무교육의 수료를 위한 출석기준은 ① 및 ②에 따른 교육시간의 90퍼센트 이상으로 한다. 다만, 실습·평가의 경우에는 ㉠ 후단에 따라 달리 정한 시간의 100퍼센트로 한다.

(9) 실무교육 수료증 발급 및 실무교육 결과의 통보(규칙 제32조)

① 소방청장은 실무교육을 수료한 사람에게 실무교육 수료증(전자문서를 포함한다)을 발급하고, 실무교육 수료자명부(전자문서를 포함한다)에 작성·관리해야 한다.

② 소방청장은 해당 연도의 실무교육이 끝난 날부터 30일 이내에 그 결과를 소방본부장 또는 소방서장에게 통보해야 한다.

시행규칙

제25조 【강습교육의 실시】 ① 소방청장은 법 제34조 제1항 제1호에 따른 강습교육(이하 "강습교육"이라 한다)의 대상·일정·횟수 등을 포함한 강습교육의 실시계획을 매년 수립·시행해야 한다.

② 소방청장은 강습교육을 실시하려는 경우에는 강습교육 실시 【 ① 】 전까지 일시·장소, 그 밖에 강습교육 실시에 필요한 사항을 인터넷 홈페이지에 공고해야 한다.

③ 소방청장은 강습교육을 실시한 경우에는 수료자에게 별지 제24호 서식의 수료증(전자문서를 포함한다)을 발급하고 강습교육의 과정별로 별지 제25호 서식의 강습교육수료자 명부대장(전자문서를 포함한다)을 작성·보관해야 한다.

제26조 【강습교육 수강신청 등】 ① 강습교육을 받으려는 사람은 강습교육의 과정별로 별지 제26호 서식의 강습교육 수강신청서(전자문서를 포함한다)에 다음 각 호의 서류(전자문서를 포함한다)를 첨부하여 소방청장에게 제출해야 한다.

1. 사진(가로 3.5센티미터 × 세로 4.5센티미터)
2. 재직증명서(법 제39조 제1항에 따른 공공기관에 재직하는 사람만 해당한다)

② 소방청장은 강습교육 수강신청서를 접수한 경우에는 수강증을 발급해야 한다.

제27조 【강습교육의 강사】 강습교육을 담당할 강사는 과목별로 다음 각 호의 어느 하나에 해당하는 사람 중에서 소방에 관한 학식·경험·능력 등을 고려하여 소방청장이 임명 또는 위촉한다.

1. 안전원 직원
2. 소방기술사
3. 소방시설관리사
4. 소방안전 관련 학과에서 부교수 이상의 직(職)에 재직 중이거나 재직한 사람
5. 소방안전 관련 분야에서 석사 이상의 학위를 취득한 사람
6. 소방공무원으로 5년 이상 근무한 사람

제28조 【강습교육의 과목, 시간 및 운영방법】 강습교육의 과목, 시간 및 운영방법은 별표 5와 같다.

제29조 【실무교육의 실시】 ① 소방청장은 법 제34조 제1항 제2호에 따른 실무교육(이하 "실무교육"이라 한다)의 대상·일정·횟수 등을 포함한 실무교육의 실시 계획을 매년 수립·시행해야 한다.

② 소방청장은 실무교육을 실시하려는 경우에는 실무교육 실시 【 ② 】 전까지 일시·장소, 그 밖에 실무교육 실시에 필요한 사항을 인터넷 홈페이지에 공고하고 교육대상자에게 통보해야 한다.

③ 소방안전관리자는 소방안전관리자로 선임된 날부터 【 ③ 】 이내에 실무교육을 받아야 하며, 그 이후에는 2년마다(최초 실무교육을 받은 날을 기준일로 하여 매 2년이 되는 해의 기준일과 같은 날 전까지를 말한다) 1회 이상 실무교육을 받아야 한다. 다만, 소방안전관리 강습교육 또는 실무교육을 받은 후 1년 이내에 소방안전관리자로 선임된 사람은 해당 강습교육을 수료하거나 실무교육을 이수한 날에 실무교육을 이수한 것으로 본다.

④ 소방안전관리보조자는 그 선임된 날부터 6개월(영 별표 5 제2호 마목에 따라 소방안전관리보조자로 지정된 사람의 경우 3개월을 말한다) 이내에 실무교육을 받아야 하며, 그 이후에는 2년마다(최초 실무교육을 받은 날을 기준일로 하여 매 2년이 되는 해의 기준일과 같은 날 전까지를 말한다) 1회 이상 실무교육을 받아야 한다. 다만, 소방안전관리자 강습교육 또는 실무교육이나 소방안전관리보조자 실무교육을 받은 후 1년 이내에 소방안전관리보조자로 선임된 사람은 해당 강습교육을 수료하거나 실무교육을 이수한 날에 실무교육을 이수한 것으로 본다.

제30조 【실무교육의 강사】 실무교육을 담당할 강사는 다음 각 호의 어느 하나에 해당하는 사람 중에서 소방에 관한 학식·경험·능력 등을 종합적으로 고려하여 소방청장이 임명 또는 위촉한다.

1. 안전원 직원
2. 소방기술사
3. 소방시설관리사
4. 소방안전 관련 학과에서 부교수 이상의 직에 재직 중이거나 재직한 사람
5. 소방안전 관련 분야에서 석사 이상의 학위를 취득한 사람
6. 소방공무원으로 5년 이상 근무한 사람

제31조 【실무교육의 과목, 시간 및 운영방법】 실무교육의 과목, 시간 및 운영방법은 별표 6과 같다.

제32조 【실무교육 수료증 발급 및 실무교육 결과의 통보】 ① 소방청장은 실무교육을 수료한 사람에게 실무교육 수료증(전자문서를 포함한다)을 발급하고, 별지 제27호 서식의 실무교육 수료자명부(전자문서를 포함한다)에 작성·관리해야 한다.

② 소방청장은 해당 연도의 실무교육이 끝난 날부터 30일 이내에 그 결과를 소방본부장 또는 소방서장에게 통보해야 한다.

제33조 【원격교육 실시방법】 법 제34조 제2항 제2호에 따른 원격교육은 실시간 양방향 교육, 인터넷을 통한 영상강의 등 정보통신매체를 이용하여 실시한다.

① 20일 ② 30일 ③ 6개월

12 관리의 권원이 분리된 특정소방대상물의 소방안전관리 A

제35조 【관리의 권원이 분리된 특정소방대상물의 소방안전관리】 ① 다음 각 호의 어느 하나에 해당하는 특정소방대상물로서 그 관리의 권원(權原)이 분리되어 있는 특정소방대상물의 경우 그 관리의 권원별 관계인은 대통령령으로 정하는 바에 따라 제24조 제1항에 따른 소방안전관리자를 선임하여야 한다. 다만, 소방본부장 또는 소방서장은 관리의 권원이 많아 효율적인 소방안전관리가 이루어지지 아니한다고 판단되는 경우 대통령령으로 정하는 바에 따라 관리의 권원을 조정하여 소방안전관리자를 선임하도록 할 수 있다.

1. 복합건축물(지하층을 제외한 층수가 11층 이상 또는 연면적 3만제곱미터 이상인 건축물)
2. 지하가(지하의 인공구조물 안에 설치된 상점 및 사무실, 그 밖에 이와 비슷한 시설이 연속하여 지하도에 접하여 설치된 것과 그 지하도를 합한 것을 말한다)
3. 그 밖에 대통령령으로 정하는 특정소방대상물

② 제1항에 따른 관리의 권원별 관계인은 상호 협의하여 특정소방대상물의 전체에 걸쳐 소방안전관리상 필요한 업무를 총괄하는 소방안전관리자(이하 "총괄소방안전관리자"라 한다)를 제1항에 따라 선임된 소방안전관리자 중에서 선임하거나 별도로 선임하여야 한다. 이 경우 총괄소방안전관리자의 자격은 대통령령으로 정하고 업무수행 등에 필요한 사항은 행정안전부령으로 정한다.

③ 제2항에 따른 총괄소방안전관리자에 대하여는 제24조, 제26조부터 제28조까지 및 제30조부터 제34조까지에서 규정한 사항 중 소방안전관리자에 관한 사항을 준용한다.

④ 제1항 및 제2항에 따라 선임된 소방안전관리자 및 총괄소방안전관리자는 해당 특정소방대상물의 소방안전관리를 효율적으로 수행하기 위하여 공동소방안전관리협의회를 구성하고, 해당 특정소방대상물에 대한 소방안전관리를 공동으로 수행하여야 한다. 이 경우 공동소방안전관리협의회의 구성·운영 및 공동소방안전관리의 수행 등에 필요한 사항은 대통령령으로 정한다.

(1) 관리의 권원이 분리된 특정소방대상물의 소방안전관리

① 관리의 권원이 분리된 특정소방대상물

　ㄱ 복합건축물

　　ⓐ 지하층을 제외한 층수가 11층 이상인 복합건축물

　　ⓑ 연면적 3만제곱미터 이상인 복합건축물

　ㄴ 지하가

　ㄷ 그 밖에 대통령령으로 정하는 특정소방대상물: 판매시설 중 도매시장, 소매시장 및 전통시장

② 소방안전관리자의 선임

　ㄱ 관리의 권원별 관계인은 대통령령으로 정하는 바에 따라 소방안전관리자를 선임하여야 한다.

📍 제·개정 내용

법률

관리의 권원(權原)이 분리되어 있는 특정소방대상물의 경우 그 관리의 권원별로 소방안전관리자를 선임하도록 하되, 특정소방대상물의 전체에 걸쳐 소방안전관리상 필요한 업무를 총괄하는 총괄소방안전관리자를 별도로 두도록 함

시행령

관리의 권원이 분리된 특정소방대상물의 효율적 소방안전관리를 위해 관리 권원별 소방안전관리자 선임 방법을 조정함

1. 관리의 권원(소유권, 관리권, 점유권)이 분리되어 있는 경우 관리의 권원별로 소방안전관리자를 선임하는 것이 원칙이나
2. 효율적 소방안전관리 업무를 위해 관계인이 계약에 의해 공동으로 관리하고자 하는 경우, 화재 수신반 또는 소방펌프 등 설치되어 있는 상태 등에 따라 소방관서장이 선임 기준을 조정할 수 있도록 함

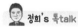 정희's 톡talk

지하가

지하의 인공구조물 안에 설치된 상점 및 사무실, 그 밖에 이와 비슷한 시설이 연속하여 지하도에 접하여 설치된 것과 그 지하도를 합한 것을 말합니다.

✏️ **핵심적중**

화재예방법 및 같은 법 시행령상 관리의 권원이 분리된 특정소방대상물의 경우 그 관리의 권원별 관계인은 대통령령으로 정하는 바에 따라 소방안전관리자를 선임하여야 하는 대상물에 해당하지 않는 것은?

① 지하층을 제외한 층수가 11층 이상인 복합건축물
② 연면적 1만5천제곱미터 이상인 복합건축물
③ 지하가
④ 판매시설 중 도매시장, 소매시장 및 전통시장

정답 ②

ⓒ 관리권원별 선임(영 제34조 제1항 및 제2항)

ⓐ 관리의 권원이 분리되어 있는 특정소방대상물의 관계인은 소유권, 관리권 및 점유권에 따라 각각 소방안전관리자를 선임하여야 한다. 다만, 둘 이상의 소유권, 관리권 또는 점유권이 동일인에게 귀속된 경우에는 하나의 관리권원으로 보아 소방안전관리자를 선임할 수 있다.

ⓑ ⓐ에도 불구하고 다음의 어느 하나에 해당하는 경우에는 해당 기준에서 정하는 바에 따라 소방안전관리자를 선임할 수 있다.

· 법령 또는 계약 등에 따라 공동으로 관리하는 경우: 하나의 관리 권원으로 보아 소방안전관리자 1명 선임

· 화재 수신기 또는 소화펌프(가압송수장치를 포함한다. 이하 이 항에서 같다)가 별도로 설치되어 있는 경우: 설치된 화재 수신기 또는 소화펌프가 화재를 감지·소화 또는 경보할 수 있는 부분을 각각 하나의 관리 권원으로 보아 각각 소방안전관리자 선임

· 하나의 화재 수신기 및 소화펌프가 설치된 경우: 하나의 관리 권원으로 보아 소방안전관리자 1명 선임

③ 관리권원별 선임 조정(법 제35조 제1항 각 호 외의 부분 단서)

ⓒ 다만, 소방본부장 또는 소방서장은 관리의 권원이 많아 효율적인 소방안전관리가 이루어지지 아니한다고 판단되는 경우 대통령령으로 정하는 바에 따라 관리의 권원을 조정하여 소방안전관리자를 선임하도록 할 수 있다.

ⓒ 관리권원별 선임 조정기준(영 제34조 제3항): 소방본부장 또는 소방서장은 법 제35조 제1항 각 호 외의 부분 단서에 따라 관리의 권원이 많아 효율적인 소방안전관리가 이루어지지 않는다고 판단되는 경우 제1항 각 호의 기준 및 해당 특정소방대상물의 화재위험성 등을 고려하여 관리의 권원이 분리되어 있는 특정소방대상물의 관리의 권원을 조정하여 소방안전관리자를 선임하도록 할 수 있다.

④ 벌칙 - 300만원 이하의 벌금(제50조): 제35조 제1항을 위반하여 소방안전관리자를 선임하지 아니한 자

(2) 총괄소방안전관리자의 선임

① 관리의 권원별 관계인은 상호 협의하여 특정소방대상물의 전체에 걸쳐 소방안전관리상 필요한 업무를 총괄하는 소방안전관리자(이하 "총괄소방안전관리자"라 한다)를 선임된 소방안전관리자 중에서 선임하거나 별도로 선임하여야 한다.

② 위임규정: 이 경우 총괄소방안전관리자의 자격은 대통령령으로 정하고 업무수행 등에 필요한 사항은 행정안전부령으로 정한다.

③ 총괄소방안전관리자의 선임자격(영 제36조)

ⓒ 특정소방대상물의 전체에 걸쳐 소방안전관리상 필요한 업무를 총괄하는 소방안전관리자(이하 "총괄소방안전관리자"라 한다)는 별표 4에 따른 소방안전관리대상물의 등급별 선임자격을 갖춰야 한다.

ⓒ 이 경우 관리의 권원이 분리되어 있는 특정소방대상물에 대하여 소방안전관리대상물의 등급을 결정할 때에는 해당 특정소방대상물 전체를 기준으로 한다.

④ 벌칙 - 300만원 이하의 벌금(제50조): 제35조 제2항을 위반하여 총괄소방안전
관리자를 선임하지 아니한 자

(3) 규정의 준용

총괄소방안전관리자에 대하여는 제24조, 제26조부터 제28조까지 및 제30조부터
제34조까지에서 규정한 사항 중 소방안전관리자에 관한 사항을 준용한다.

(4) 공동소방안전관리협의회

① 선임된 소방안전관리자 및 총괄소방안전관리자는 해당 특정소방대상물의 소방안
전관리를 효율적으로 수행하기 위하여 공동소방안전관리협의회를 구성하고,
해당 특정소방대상물에 대한 소방안전관리를 공동으로 수행하여야 한다.

② 이 경우 공동소방안전관리협의회의 구성·운영 및 공동소방안전관리의 수행
등에 필요한 사항은 대통령령으로 정한다.

③ 공동소방안전관리 협의회의 구성·운영 및 수행 기준(영 제37조)

　ㄱ 공동소방안전관리협의회(이하 "협의회"라 한다)는 선임된 소방안전관리자
및 총괄소방안전관리자(이하 "총괄소방안전관리자 등"이라 한다)로 구성한다.

　ㄴ 총괄소방안전관리자 등은 다음의 공동소방안전관리 업무를 협의회의 협의
를 거쳐 공동으로 수행한다.

　　ⓐ 특정소방대상물 전체의 소방계획 수립 및 시행에 관한 사항

　　ⓑ 특정소방대상물 전체의 소방훈련·교육의 실시에 관한 사항

　　ⓒ 공용 부분의 소방시설 및 피난·방화시설의 유지·관리에 관한 사항

　　ⓓ 그 밖에 공동으로 소방안전관리를 할 필요가 있는 사항

　ㄷ 협의회는 공동소방안전관리의 수행에 필요한 기준을 정하여 운영할 수 있다.

시행령

제34조【관리의 권원별 소방안전관리자 선임 및 조정 기준】 ① 법 제35조 제1항 본문에 따라 관리의 권원이 분리되어 있는 특정소방대상물의 관계인은 소유권, 관리권 및 【 ① 】에 따라 각각 소방안전관리자를 선임해야 한다. 다만, 둘 이상의 소유권, 관리권 또는 점유권이 동일인에게 귀속된 경우에는 하나의 관리 권원으로 보아 소방안전관리자를 선임할 수 있다.

② 제1항에도 불구하고 다음 각 호의 어느 하나에 해당하는 경우에는 해당 호에서 정하는 바에 따라 소방안전관리자를 선임할 수 있다.

1. 법령 또는 계약 등에 따라 공동으로 관리하는 경우: 하나의 관리 권원으로 보아 소방안전관리자 1명 선임

2. 화재 수신기 또는 소화펌프(가압송수장치를 포함한다. 이하 이 항에서 같다)가 별도로 설치되어 있는 경우: 설치된 화재 수신기 또는 소화펌프가 화재를 감지·소화 또는 경보할 수 있는 부분을 각각 하나의 관리 권원으로 보아 각각 소방안전관리자 선임

3. 하나의 화재 수신기 및 소화펌프가 설치된 경우: 하나의 관리 권원으로 보아 소방안전관리자 【 ② 】 선임

③ 제1항 및 제2항에도 불구하고 소방본부장 또는 소방서장은 법 제35조 제1항 각 호 외의 부분 단서에 따라 관리의 권원이 많아 효율적인 소방안전관리가 이루어지지 않는다고 판단되는 경우 제1항 각 호의 기준 및 해당 특정소방대상물의 화재위험성 등을 고려하여 관리의 권원이 분리되어 있는 특정소방대상물의 관리의 권원을 조정하여 소방안전관리자를 선임하도록 할 수 있다.

제35조【관리의 권원이 분리된 특정소방대상물】 법 제35조 제1항 제3호에서 "대통령령으로 정하는 특정소방대상물"이란 「소방시설 설치 및 관리에 관한 법률 시행령」 별표 2에 따른 판매시설 중 도매시장, 소매시장 및 【 ③ 】을 말한다.

제36조【총괄소방안전관리자 선임자격】 법 제35조 제2항에 따른 특정소방대상물의 전체에 걸쳐 소방안전관리상 필요한 업무를 총괄하는 소방안전관리자(이하 "총괄소방안전관리자"라 한다)는 별표 4에 따른 소방안전관리대상물의 등급별 선임자격을 갖춰야 한다. 이 경우 관리의 권원이 분리되어 있는 특정소방대상물에 대하여 소방안전관리대상물의 등급을 결정할 때에는 해당 특정소방대상물 전체를 기준으로 한다.

제37조【공동소방안전관리협의회의 구성·운영 등】 ① 법 제35조 제4항에 따른 공동소방안전관리협의회(이하 "협의회"라 한다)는 같은 조 제1항 및 제2항에 따라 선임된 소방안전관리자 및 총괄소방안전관리자(이하 이 조에서 "총괄소방안전관리자 등"이라 한다)로 구성한다.

② 총괄소방안전관리자 등은 법 제35조 제4항에 따라 다음 각 호의 공동소방안전관리 업무를 협의회의 협의를 거쳐 공동으로 수행한다.

1. 특정소방대상물 전체의 소방계획 수립 및 시행에 관한 사항
2. 특정소방대상물 전체의 소방훈련·교육의 실시에 관한 사항
3. 공용 부분의 소방시설 및 피난·방화시설의 유지·관리에 관한 사항
4. 그 밖에 공동으로 소방안전관리를 할 필요가 있는 사항

③ 협의회는 공동소방안전관리 업무의 수행에 필요한 기준을 정하여 운영할 수 있다.

① 점유권 ② 1명 ③ 전통시장

제36조【피난계획의 수립 및 시행】① 소방안전관리대상물의 관계인은 그 장소에 근무하거나 거주 또는 출입하는 사람들이 화재가 발생한 경우에 안전하게 피난할 수 있도록 피난계획을 수립·시행하여야 한다.

② 제1항의 피난계획에는 그 소방안전관리대상물의 구조, 피난시설등을 고려하여 설정한 피난경로가 포함되어야 한다.

③ 소방안전관리대상물의 관계인은 피난시설의 위치, 피난경로 또는 대피요령이 포함된 피난유도 안내정보를 근무자 또는 거주자에게 정기적으로 제공하여야 한다.

④ 제1항에 따른 피난계획의 수립·시행, 제3항에 따른 피난유도 안내정보 제공에 필요한 사항은 행정안전부령으로 정한다.

(1) 피난계획의 수립·시행

① **피난계획의 수립·시행자**: 소방안전관리대상물의 관계인

② **목적**: 그 장소에 근무하거나 거주 또는 출입하는 사람들이 화재가 발생한 경우에 안전하게 피난하기 위함

(2) 피난계획 포함사항

피난계획에는 그 소방안전관리대상물의 구조, 피난시설등을 고려하여 설정한 피난경로가 포함되어야 한다.

(3) 정보 제공

① 소방안전관리대상물의 관계인은 피난시설의 위치, 피난경로 또는 대피요령이 포함된 피난유도 안내정보를 근무자 또는 거주자에게 정기적으로 제공하여야 한다.

② **과태료 − 300만원 이하의 과태료(제52조)**: 제36조 제3항을 위반하여 피난유도 안내정보를 제공하지 아니한 자

(4) 위임규정

피난계획의 수립·시행, 피난유도 안내정보 제공에 필요한 사항은 행정안전부령으로 정한다.

(5) 피난계획의 수립·시행(규칙 제34조)

① **피난계획 포함사항**

㉠ 화재경보의 수단 및 방식

㉡ 층별, 구역별 피난대상 인원의 연령별·성별 현황

㉢ 피난약자의 현황

㉣ 각 거실에서 옥외(옥상 또는 피난안전구역을 포함한다)로 이르는 피난경로

㉤ 피난약자 및 피난약자를 동반한 사람의 피난동선과 피난방법

㉥ 피난시설, 방화구획, 그 밖에 피난에 영향을 줄 수 있는 제반 사항

화재의 예방 및 안전관리에 관한 법률

2

해커스소방 김정희 소방관계법규 기본서

✏️ **핵심 적중**

화재예방법 및 같은 법 시행규칙상 피난계획의 수립 및 시행에 관한 내용으로 옳지 않은 것은?

① 소방안전관리대상물의 관계인은 그 장소에 근무하거나 거주 또는 출입하는 사람들이 화재가 발생한 경우에 안전하게 피난할 수 있도록 피난계획을 수립·시행하여야 한다.

② 피난계획에는 화재안전취약자 및 화재안전취약자를 동반한 사람의 피난동선과 피난방법이 포함되어야 한다.

③ 연 1회 피난안내 교육을 실시하는 방법으로 피난안내 유도정보를 제공하여야 한다.

④ 피난계획에는 그 소방안전관리대상물의 구조, 피난시설등을 고려하여 설정한 피난경로가 포함되어야 한다.

정답 ③

② 피난계획의 수립·시행

    ⊙ 소방안전관리대상물의 관계인은 해당 소방안전관리대상물의 구조·위치, 소방시설등을 고려하여 피난계획을 수립하여야 한다.

    ⓛ 소방안전관리대상물의 관계인은 해당 소방안전관리대상물의 피난시설이 변경된 경우에는 그 변경사항을 반영하여 피난계획을 정비하여야 한다.

(6) 피난유도 안내정보의 제공(규칙 제35조)

① 연 2회 피난안내 교육을 실시하는 방법

② 분기별 1회 이상 피난안내방송을 실시하는 방법

③ 피난안내도를 층마다 보기 쉬운 위치에 게시하는 방법

④ 엘리베이터, 출입구 등 시청이 용이한 지역에 피난안내영상을 제공하는 방법

관계법규 피난계획의 수립·시행 등

NOTE	시행규칙
	제34조【피난계획의 수립·시행】 ① 법 제36조 제1항에 따른 피난계획(이하 "피난계획"이라 한다)에는 다음 각 호의 사항이 포함되어야 한다. 1. 화재경보의 수단 및 방식 2. 층별, 구역별 피난대상 인원의 연령별·성별 현황 3. 피난약자의 현황 4. 각 거실에서 옥외(옥상 또는 피난안전구역을 포함한다)로 이르는 피난경로 5. 피난약자 및 피난약자를 동반한 사람의 피난동선과 피난방법 6. 피난시설, 방화구획, 그 밖에 피난에 영향을 줄 수 있는 제반 사항 ② 소방안전관리대상물의 관계인은 해당 소방안전관리대상물의 구조·위치, 소방시설등을 고려하여 피난계획을 수립해야 한다. ③ 소방안전관리대상물의 관계인은 해당 소방안전관리대상물의 피난시설이 변경된 경우에는 그 변경사항을 반영하여 피난계획을 정비해야 한다. ④ 제1항부터 제3항까지에서 규정한 사항 외에 피난계획의 수립·시행에 필요한 세부 사항은 소방청장이 정하여 고시한다. **제35조【피난유도 안내정보의 제공】** ① 법 제36조 제3항에 따른 피난유도 안내정보는 다음 각 호의 어느 하나의 방법으로 제공한다. 1. 연 2회 피난안내 교육을 실시하는 방법 2. 분기별【 ① 】이상 피난안내방송을 실시하는 방법 3. 피난안내도를 층마다 보기 쉬운 위치에 게시하는 방법 4. 엘리베이터, 출입구 등 시청이 용이한 장소에 피난안내영상을 제공하는 방법 ② 제1항에서 규정한 사항 외에 피난유도 안내정보의 제공에 필요한 세부 사항은 소방청장이 정하여 고시한다.
	① 1회

제37조【소방안전관리대상물 근무자 및 거주자 등에 대한 소방훈련 등】 ① 소방안전관리대상물의 관계인은 그 장소에 근무하거나 거주하는 사람 등(이하 이 조에서 "근무자등"이라 한다)에게 소화·통보·피난 등의 훈련(이하 "소방훈련"이라 한다)과 소방안전관리에 필요한 교육을 하여야 하고, 피난훈련은 그 소방대상물에 출입하는 사람을 안전한 장소로 대피시키고 유도하는 훈련을 포함하여야 한다. 이 경우 소방훈련과 교육의 횟수 및 방법 등에 관하여 필요한 사항은 행정안전부령으로 정한다.

② 소방안전관리대상물 중 소방안전관리업무의 전담이 필요한 대통령령으로 정하는 소방안전관리대상물의 관계인은 제1항에 따른 소방훈련 및 교육을 한 날부터 30일 이내에 소방훈련 및 교육 결과를 행정안전부령으로 정하는 바에 따라 소방본부장 또는 소방서장에게 제출하여야 한다.

③ 소방본부장 또는 소방서장은 제1항에 따라 소방안전관리대상물의 관계인이 실시하는 소방훈련과 교육을 지도·감독할 수 있다.

④ 소방본부장 또는 소방서장은 소방안전관리대상물 중 불특정 다수인이 이용하는 대통령령으로 정하는 특정소방대상물의 근무자등에게 불시에 소방훈련과 교육을 실시할 수 있다. 이 경우 소방본부장 또는 소방서장은 그 특정소방대상물 근무자등의 불편을 최소화하고 안전 등을 확보하는 대책을 마련하여야 하며, 소방훈련과 교육의 내용, 방법 및 절차 등은 행정안전부령으로 정하는 바에 따라 관계인에게 사전에 통지하여야 한다.

⑤ 소방본부장 또는 소방서장은 제4항에 따라 소방훈련과 교육을 실시한 경우에는 그 결과를 평가할 수 있다. 이 경우 소방훈련과 교육의 평가방법 및 절차 등에 필요한 사항은 행정안전부령으로 정한다.

(1) 소방훈련과 교육

① 소방안전관리대상물의 관계인은 그 장소에 근무하거나 거주하는 사람 등(근무자등)에게 소화·통보·피난 등의 훈련(소방훈련)과 소방안전관리에 필요한 교육을 하여야 하고, 피난훈련은 그 소방대상물에 출입하는 사람을 안전한 장소로 대피시키고 유도하는 훈련을 포함하여야 한다.

② 과태료 – 300만원 이하의 과태료(제52조): 제37조 제1항을 위반하여 소방훈련 및 교육을 하지 아니한 자

③ 이 경우 소방훈련과 교육의 횟수 및 방법 등에 관하여 필요한 사항은 행정안전부령으로 정한다.

④ 근무자 및 거주자에 대한 소방훈련과 교육(규칙 제36조)

　㉠ 소방안전관리대상물의 관계인은 소방훈련과 교육을 연 1회 이상 실시해야 한다. 다만, 소방본부장 또는 소방서장이 화재예방을 위하여 필요하다고 인정하여 2회의 범위에서 추가로 실시할 것을 요청하는 경우에는 소방훈련과 교육을 실시해야 한다.

　㉡ 소방본부장 또는 소방서장은 특급 및 1급 소방안전관리대상물의 관계인으로 하여금 소방훈련을 소방기관과 합동으로 실시하게 할 수 있다.

♀ 제·개정 내용

법률

소방본부장 또는 소방서장은 소방안전관리대상물 중 불특정 다수인이 이용하는 대통령령으로 정하는 특정소방대상물의 근무자 등에게 불시에 소방훈련과 교육을 실시할 수 있도록 하되, 이 경우 소방훈련과 교육은 그 특정소방대상물 근무자 등의 불편을 최소화하고 안전 등을 확보하는 대책을 마련하여야 하며, 소방훈련과 교육의 내용, 방법 및 절차 등은 행정안전부령으로 정하는 바에 따라 관계인에게 사전에 통지하도록 함

화재예방법 및 같은 법 시행령, 시행규칙상 소방안전관리대상물 근무자 및 거주자 등에 대한 소방훈련 등에 관한 내용으로 옳지 않은 것은?   24. 공채·경채

① 소방안전관리대상물의 관계인은 소방훈련과 교육을 연 1회 이상 실시해야 한다.
② 1급 소방안전관리대상물의 관계인은 소방훈련 및 교육을 한 날부터 30일 이내에 소방훈련 및 교육 결과를 행정안전부령으로 정하는 바에 따라 소방본부장 또는 소방서장에게 제출해야 한다.
③ 소방서장은 특급 소방안전관리대상물의 관계인으로 하여금 소방훈련과 교육을 소방기관과 합동으로 실시하게 할 수 있다.
④ 소방안전관리대상물의 관계인은 소방훈련과 교육을 실시했을 때에는 그 실시 결과를 소방훈련·교육 실시 결과 기록부에 기록하고, 이를 소방훈련 및 교육을 실시한 날부터 1년간 보관해야 한다.

정답 ④

✏ 핵심적중

화재예방법 시행령상 불시 소방훈련 및 교육 대상 특정소방대상물에 해당하지 않는 것은?

① 의료시설
② 노유자시설
③ 숙박시설
④ 교육연구시설

정답 ③

  © 소방안전관리대상물의 관계인은 소방훈련을 실시하는 경우 소방훈련에 필요한 장비 및 교재 등을 갖추어야 한다.
  ② 소방안전관리대상물의 관계인은 소방훈련과 교육을 실시하였을 때에는 그 실시 결과를 소방훈련·교육 실시 결과 기록부에 기록하고, 이를 소방훈련과 교육을 실시한 날로부터 2년간 보관해야 한다.

(2) 소방훈련 및 교육 결과 제출

 ① 소방안전관리대상물 중 소방안전관리업무의 전담이 필요한 대통령령으로 정하는 소방안전관리대상물의 관계인은 소방훈련 및 교육을 한 날부터 30일 이내에 소방훈련 및 교육 결과를 행정안전부령으로 정하는 바에 따라 소방본부장 또는 소방서장에게 제출하여야 한다.

 ② 소방훈련·교육 결과 제출의 대상(소방안전관리업무의 전담이 필요한 대통령령으로 정하는 소방안전관리대상물)
  ㉠ 특급 소방안전관리대상물
  ㉡ 1급 소방안전관리대상물

 ③ 소방훈련 및 교육 실시 결과의 제출(규칙 제37조): 영 제38조에 따른 소방안전관리대상물의 관계인은 제36조 제1항에 따라 소방훈련 및 교육을 실시한 날부터 30일 이내에 소방훈련·교육 실시 결과서를 작성하여 소방본부장 또는 소방서장에게 제출해야 한다.

(3) 지도·감독

 소방본부장 또는 소방서장은 소방안전관리대상물의 관계인이 실시하는 소방훈련과 교육을 지도·감독할 수 있다.

(4) 불시 소방훈련·교육 등

 ① 불시 소방훈련·교육
  ㉠ 소방본부장 또는 소방서장은 소방안전관리대상물 중 불특정 다수인이 이용하는 대통령령으로 정하는 특정소방대상물의 근무자 등에게 불시에 소방훈련과 교육을 실시할 수 있다.
  ㉡ 불시 소방훈련·교육 대상(영 제39조)
   ⓐ 의료시설, 교육연구시설, 노유자시설
   ⓑ 그 밖에 화재 발생 시 불특정 다수의 인명피해가 예상되어 소방본부장 또는 소방서장이 소방훈련·교육이 필요하다고 인정하는 특정소방대상물

 ② 소방훈련 및 교육 사전통지
  ㉠ 이 경우 소방본부장 또는 소방서장은 그 특정소방대상물 근무자 등의 불편을 최소화하고 안전 등을 확보하는 대책을 마련하여야 하며, 소방훈련과 교육의 내용, 방법 및 절차 등은 행정안전부령으로 정하는 바에 따라 관계인에게 사전에 통지하여야 한다.
  ㉡ 불시 소방훈련 및 교육 사전통지(규칙 제38조): 소방본부장 또는 소방서장은 불시 소방훈련·교육을 실시하려는 경우에는 소방안전관리대상물의 관계인에게 불시 소방훈련·교육 실시 10일 전까지 불시 소방훈련·교육 계획서를 통지해야 한다.

(5) 불시 소방훈련·교육의 평가

① 소방본부장 또는 소방서장은 소방훈련과 교육을 실시한 경우에는 그 결과를 평가할 수 있다.

② 이 경우 소방훈련과 교육의 평가방법 및 절차 등에 필요한 사항은 행정안전부령으로 정한다.

③ 불시 소방훈련·교육의 평가 방법 및 절차(규칙 제39조)

　　⊙ 소방본부장 또는 소방서장은 법 제37조 제5항 전단에 따라 불시 소방훈련·교육 실시 결과에 대한 평가를 실시하려는 경우에는 평가 계획을 사전에 수립해야 한다.

　　ⓛ 평가의 기준

　　　　ⓐ 불시 소방훈련·교육 내용의 적절성

　　　　ⓑ 불시 소방훈련·교육 유형 및 방법의 적합성

　　　　ⓒ 불시 소방훈련·교육 참여인력, 시설 및 장비 등의 적정성

　　　　ⓓ 불시 소방훈련·교육 여건 및 참여도

　　ⓒ 평가는 현장평가를 원칙으로 하되, 필요에 따라 서면평가 등을 병행할 수 있다. 이 경우 불시 소방훈련·교육 참가자에 대한 설문조사 또는 면접조사 등을 함께 실시할 수 있다.

　　ⓔ 소방본부장 또는 소방서장은 제1항에 따른 평가를 실시한 경우 소방안전관리대상물의 관계인에게 불시 소방훈련·교육 종료일부터 10일 이내에 불시 소방훈련·교육 평가 결과서를 통지해야 한다.

참고 「소방기본법」 및 같은 법 시행규칙상 교육·훈련

1. 소방대원 교육·훈련
- 소방청장, 소방본부장 또는 소방서장이 실시하여야 한다.
- 목적: 소방업무 전문적·효과적 수행
- 교육·훈련 종류(규칙 제9조)
  - 화재진압훈련: 화재진압 담당 소방공무원, 의무소방원, 의용소방대원
  - 인명구조훈련: 구조업무 담당 소방공무원, 의무소방원, 의용소방대원
  - 응급처치훈련: 구급업무 담당 소방공무원, 의무소방원, 의용소방대원
  - 인명대피훈련: 소방공무원, 의무소방원, 의용소방대원
  - 현장지휘훈련: 지방소방정, 지방소방령, 지방소방경, 지방소방위
- 횟수·기간: 교육·훈련 2년마다 1회 이상 실시하며, 교육훈련기간은 2주 이상이다.

2. 어린이집 영유아, 유치원 유아, 학교 학생에 대한 소방안전 교육·훈련
- 소방청장, 소방본부장 또는 소방서장이 실시할 수 있다.
- 목적: 화재 예방, 화재 발생 시 인명과 재산피해 최소화
- 어린이집·유치원·학교의 장과 교육일정 등에 관하여 협의하여야 한다.
- 소방청장, 소방본부장 또는 소방서장은 소방안전교육훈련을 실시하려는 경우 매년 12월 31일까지 다음 해의 소방안전교육훈련 운영계획을 수립하여야 한다.
- 소방청장은 소방안전교육훈련 운영계획의 작성에 필요한 지침을 정하여 소방본부장과 소방서장에게 매년 10월 31일까지 통보하여야 한다.

시행령	시행규칙
제38조【소방훈련·교육 결과 제출의 대상】 법 제37조 제2항에서 "대통령령으로 정하는 소방안전관리대상물"이란 다음 각 호의 소방안전관리대상물을 말한다. 1. 별표4 제1호에 따른 특급 소방안전관리대상물 2. 별표4 제2호에 따른 1급 소방안전관리대상물	**제36조【근무자 및 거주자에 대한 소방훈련과 교육】** ① 소방안전관리대상물의 관계인은 법 제37조 제1항에 따른 소방훈련과 교육을 연 1회 이상 실시해야 한다. 다만, 소방본부장 또는 소방서장이 화재예방을 위하여 필요하다고 인정하여 2회의 범위에서 추가로 실시할 것을 요청하는 경우에는 소방훈련과 교육을 추가로 실시해야 한다. ② 소방본부장 또는 소방서장은【 ① 】소방안전관리대상물의 관계인으로 하여금 제1항에 따른 소방훈련과 교육을 소방기관과 합동으로 실시하게 할 수 있다. ③ 소방안전관리대상물의 관계인은 소방훈련과 교육을 실시하는 경우 소방훈련 및 교육에 필요한 장비 및 교재 등을 갖추어야 한다. ④ 소방안전관리대상물의 관계인은 제1항에 따라 소방훈련과 교육을 실시했을 때에는 그 실시 결과를 별지 제28호 서식의 소방훈련·교육 실시 결과 기록부에 기록하고, 이를 소방훈련 및 교육을 실시한 날부터 2년간 보관해야 한다. **제37조【소방훈련 및 교육 실시 결과의 제출】** 영 제38조 각 호에 따른 소방안전관리대상물의 관계인은 제36조 제1항에 따라 소방훈련 및 교육을 실시한 날부터 30일 이내에 별지 제29호 서식의 소방훈련·교육 실시 결과서를 작성하여 소방본부장 또는 소방서장에게 제출해야 한다.
제39조【불시 소방훈련·교육의 대상】 법 제37조 제4항에서 "대통령령으로 정하는 특정소방대상물"이란 소방안전관리대상물 중 다음 각 호의 특정소방대상물을 말한다. 1. 「소방시설 설치 및 관리에 관한 법률 시행령」별표 2 제7호에 따른 의료시설 2. 「소방시설 설치 및 관리에 관한 법률 시행령」별표 2 제8호에 따른 교육연구시설 3. 「소방시설 설치 및 관리에 관한 법률 시행령」별표 2 제9호에 따른【 ① 】 4. 그 밖에 화재 발생 시 불특정 다수의 인명피해가 예상되어 소방본부장 또는 소방서장이 소방훈련·교육이 필요하다고 인정하는 특정소방대상물	**제38조【불시 소방훈련 및 교육 사전통지】** 소방본부장 또는 소방서장은 법 제37조 제4항에 따라 불시 소방훈련과 교육(이하 "불시 소방훈련·교육"이라 한다)을 실시하려는 경우에는 소방안전관리대상물의 관계인에게 불시 소방훈련·교육 실시【 ② 】전까지 별지 제30호 서식의 불시 소방훈련·교육 계획서를 통지해야 한다. **제39조【불시 소방훈련·교육의 평가 방법 및 절차】** ① 소방본부장 또는 소방서장은 법 제37조 제5항 전단에 따라 불시 소방훈련·교육 실시 결과에 대한 평가를 실시하려는 경우에는 평가 계획을 사전에 수립해야 한다. ② 제1항에 따른 평가의 기준은 다음 각 호와 같다. 1. 불시 소방훈련·교육 내용의 적절성 2. 불시 소방훈련·교육 유형 및 방법의 적합성 3. 불시 소방훈련·교육 참여인력, 시설 및 장비 등의 적정성 4. 불시 소방훈련·교육 여건 및 참여도 ③ 제1항에 따른 평가는 현장평가를 원칙으로 하되, 필요에 따라 서면평가 등을 병행할 수 있다. 이 경우 불시 소방훈련·교육 참가자에 대한 설문조사 또는 면접조사 등을 함께 실시할 수 있다. ④ 소방본부장 또는 소방서장은 제1항에 따른 평가를 실시한 경우 소방안전관리대상물의 관계인에게 불시 소방훈련·교육 종료일부터 10일 이내에 별지 제31호 서식의 불시 소방훈련·교육 평가 결과서를 통지해야 한다.
① 노유자 시설	① 특급 및 1급 ② 10일

제38조【특정소방대상물의 관계인에 대한 소방안전교육】 ① 소방본부장이나 소방서장은 제37조를 적용받지 아니하는 특정소방대상물의 관계인에 대하여 특정소방대상물의 화재예방과 소방안전을 위하여 행정안전부령으로 정하는 바에 따라 소방안전교육을 할 수 있다.

② 제1항에 따른 교육대상자 및 특정소방대상물의 범위 등에 필요한 사항은 행정안전부령으로 정한다.

(1) 소방안전교육

① 소방본부장이나 소방서장은 제37조를 적용받지 아니하는 특정소방대상물의 관계인에 대하여 특정소방대상물의 화재예방과 소방안전을 위하여 행정안전부령으로 정하는 바에 따라 소방안전교육을 할 수 있다.

② **소방안전교육 계획서 작성 및 통보(규칙 제40조):** 소방본부장 또는 소방서장은 소방안전교육을 실시하려는 경우에는 교육일 10일 전까지 특정소방대상물 관계인 소방안전교육 계획서를 작성하여 통보해야 한다.

(2) 위임사항

① 교육대상자 및 특정소방대상물의 범위 등에 필요한 사항은 행정안전부령으로 정한다.

② **교육대상자(규칙 제40조):** 법 제38조 제1항에 따른 소방안전교육의 교육대상자는 법 제37조를 적용받지 않는 특정소방대상물 중 다음의 어느 하나에 해당하는 특정소방대상물의 관계인으로서 관할 소방서장이 소방안전교육이 필요하다고 인정하는 사람으로 한다.

㉠ 소화기 및 비상경보설비가 설치된 공장·창고 등 특정소방대상물

㉡ 그 밖에 관할 소방본부장 또는 소방서장이 화재에 대한 취약성이 높다고 인정하는 특정소방대상물

👆 **관계법규** 소방안전교육 대상자 등

시행규칙

제40조【소방안전교육 대상자 등】 ① 법 제38조 제1항에 따른 소방안전교육의 교육대상자는 법 제37조를 적용받지 않는 특정소방대상물 중 다음 각 호의 어느 하나에 해당하는 특정소방대상물의 관계인으로서 관할 소방서장이 소방안전교육이 필요하다고 인정하는 사람으로 한다.
1. 소화기 또는 【 ① 】가 설치된 공장·창고 등의 특정소방대상물
2. 그 밖에 관할 소방본부장 또는 소방서장이 화재에 대한 취약성이 높다고 인정하는 특정소방대상물

② 소방본부장 또는 소방서장은 법 제38조 제1항에 따른 소방안전교육을 실시하려는 경우에는 교육일 10일 전까지 별지 제32호 서식의 특정소방대상물 관계인 소방안전교육 계획서를 작성하여 통보해야 한다.

① 비상경보설비

제39조【공공기관의 소방안전관리】① 국가, 지방자치단체, 국공립학교 등 대통령령으로 정하는 공공기관의 장은 소관 기관의 근무자 등의 생명·신체와 건축물·인공구조물 및 물품 등을 화재로부터 보호하기 위하여 화재예방, 자위소방대의 조직 및 편성, 소방시설등의 자체점검과 소방훈련 등의 소방안전관리를 하여야 한다.
② 제1항에 따른 공공기관에 대한 다음 각 호의 사항에 관하여는 제24조부터 제38조까지의 규정에도 불구하고 대통령령으로 정하는 바에 따른다.
1. 소방안전관리자의 자격·책임 및 선임 등
2. 소방안전관리의 업무대행
3. 자위소방대의 구성·운영 및 교육
4. 근무자 등에 대한 소방훈련 및 교육
5. 그 밖에 소방안전관리에 필요한 사항

(1) 공공기관의 소방안전관리

국가, 지방자치단체, 국공립학교 등 대통령령으로 정하는 공공기관의 장은 소관 기관의 근무자 등의 생명·신체와 건축물·인공구조물 및 물품 등을 화재로부터 보호하기 위하여 화재예방, 자위소방대의 조직 및 편성, 소방시설등의 자체점검과 소방훈련 등의 소방안전관리를 하여야 한다.

(2) 위임규정

① 공공기관에 대한 다음의 사항에 관하여는 제24조부터 제38조까지의 규정에도 불구하고 대통령령으로 정하는 바에 따른다.
㉠ 소방안전관리자의 자격·책임 및 선임 등
㉡ 소방안전관리의 업무대행
㉢ 자위소방대의 구성·운영 및 교육
㉣ 근무자 등에 대한 소방훈련 및 교육
㉤ 그 밖에 소방안전관리에 필요한 사항
② **공공기관의 소방안전관리(영 제40조)**: 법 제39조에 따른 공공기관의 소방안전관리에 관하여는 「공공기관의 소방안전관리에 관한 규정」으로 정한다.

🖐 **관계법규 공공기관의 소방안전관리**

시행령	NOTE
제40조【공공기관의 소방안전관리】 법 제39조에 따른 공공기관의 소방안전관리에 관하여는 「공공기관의 소방안전관리에 관한 규정」으로 정한다.	

제6장 특별관리시설물의 안전관리

1 | 소방안전 특별관리시설물의 안전관리   B

제40조【소방안전 특별관리시설물의 안전관리】 ① 소방청장은 화재 등 재난이 발생할 경우 사회·경제적으로 피해가 큰 다음 각 호의 시설(이하 "소방안전 특별관리시설물"이라 한다)에 대하여 소방안전 특별관리를 하여야 한다.

1. 「공항시설법」 제2조 제7호의 공항시설
2. 「철도산업발전기본법」 제3조 제2호의 철도시설
3. 「도시철도법」 제2조 제3호의 도시철도시설
4. 「항만법」 제2조 제5호의 항만시설
5. 「문화유산의 보존 및 활용에 관한 법률」 제2조 제3항의 지정문화유산 및 「자연유산의 보존 및 활용에 관한 법률」 제2조 제5호에 따른 천연기념물등인 시설(시설이 아닌 지정문화유산 및 천연기념물등을 보호하거나 소장하고 있는 시설을 포함한다)
6. 「산업기술단지 지원에 관한 특례법」 제2조 제1호의 산업기술단지
7. 「산업입지 및 개발에 관한 법률」 제2조 제8호의 산업단지
8. 「초고층 및 지하연계 복합건축물 재난관리에 관한 특별법」 제2조 제1호·제2호의 초고층 건축물 및 지하연계 복합건축물
9. 「영화 및 비디오물의 진흥에 관한 법률」 제2조 제10호의 영화상영관 중 수용인원 1천명 이상인 영화상영관
10. 전력용 및 통신용 지하구
11. 「한국석유공사법」 제10조 제1항 제3호의 석유비축시설
12. 「한국가스공사법」 제11조 제1항 제2호의 천연가스 인수기지 및 공급망
13. 「전통시장 및 상점가 육성을 위한 특별법」 제2조 제1호의 전통시장으로서 대통령령으로 정하는 전통시장
14. 그 밖에 대통령령으로 정하는 시설물

② 소방청장은 제1항에 따른 특별관리를 체계적이고 효율적으로 하기 위하여 시·도지사와 협의하여 소방안전 특별관리기본계획을 제4조 제1항에 따른 기본계획에 포함하여 수립 및 시행하여야 한다.

③ 시·도지사는 제2항에 따른 소방안전 특별관리기본계획에 저촉되지 아니하는 범위에서 관할 구역에 있는 소방안전 특별관리시설물의 안전관리에 적합한 소방안전 특별관리시행계획을 제4조 제6항에 따른 세부시행계획에 포함하여 수립 및 시행하여야 한다.

④ 그 밖에 제2항 및 제3항에 따른 소방안전 특별관리기본계획 및 소방안전 특별관리시행계획의 수립·시행에 필요한 사항은 대통령령으로 정한다.

(1) 소방안전 특별관리시설물의 안전관리

① 소방청장은 화재 등 재난이 발생할 경우 사회·경제적으로 피해가 큰 소방안전 특별관리시설물에 대하여 소방안전 특별관리를 하여야 한다.

② 소방안전 특별관리시설물

ㄱ 「공항시설법」 제2조 제7호의 공항시설

ㄴ 「철도산업발전기본법」 제3조 제2호의 철도시설

ㄷ 「도시철도법」 제2조 제3호의 도시철도시설

ㄹ 「항만법」 제2조 제5호의 항만시설

ㅁ 「문화유산의 보존 및 활용에 관한 법률」 제2조 제3항의 지정문화유산 및 「자연유산의 보존 및 활용에 관한 법률」 제2조 제5호에 따른 천연기념물등인 시설(시설이 아닌 지정문화유산 및 천연기념물등을 보호하거나 소장하고 있는 시설을 포함한다)

ㅂ 「산업기술단지 지원에 관한 특례법」 제2조 제1호의 산업기술단지

ㅅ 「산업입지 및 개발에 관한 법률」 제2조 제8호의 산업단지

ㅇ 「초고층 및 지하연계 복합건축물 재난관리에 관한 특별법」 제2조 제1호 · 제2호의 초고층 건축물 및 지하연계 복합건축물

ㅈ 「영화 및 비디오물의 진흥에 관한 법률」 제2조 제10호의 영화상영관 중 수용인원 1천명 이상인 영화상영관

ㅊ 전력용 및 통신용 지하구

ㅋ 「한국석유공사법」 제10조 제1항 제3호의 석유비축시설

ㅌ 「한국가스공사법」 제11조 제1항 제2호의 천연가스 인수기지 및 공급망

ㅍ 「전통시장 및 상점가 육성을 위한 특별법」 제2조 제1호의 전통시장으로서 대통령령으로 정하는 전통시장[점포가 500개 이상인 전통시장(영 제41조)]

ㅎ 그 밖에 대통령령으로 정하는 시설물(영 제41조)

ⓐ 「전기사업법」 제2조 제4호에 따른 발전사업자가 가동 중인 발전소(「발전소주변지역 지원에 관한 법률 시행령」 제2조 제2항에 따른 발전소는 제외한다)

ⓑ 「물류시설의 개발 및 운영에 관한 법률」 제2조 제5호의2에 따른 물류창고로서 연면적 10만제곱미터 이상인 것

ⓒ 「도시가스사업법」 제2조 제5호에 따른 가스공급시설

(2) 소방안전 특별관리기본계획

① 소방청장은 소방안전 특별관리를 체계적이고 효율적으로 하기 위하여 시 · 도지사와 협의하여 소방안전 특별관리기본계획을 제4조 제1항(화재의 예방 및 안전관리에 관한 기본계획)에 따른 기본계획에 포함하여 수립 및 시행하여야 한다.

② 소방안전 특별관리기본계획의 수립 · 시행(영 제41조)

ㄱ 소방청장은 법 제40조 제2항에 따른 소방안전 특별관리기본계획(이하 "특별관리기본계획"이라 한다)을 5년마다 수립하여 시 · 도에 통보해야 한다.

ㄴ 특별관리기본계획 포함사항

ⓐ 화재예방을 위한 중기 · 장기 안전관리정책

ⓑ 화재예방을 위한 교육 · 홍보 및 점검 · 진단

ⓒ 화재대응을 위한 훈련

ⓓ 화재대응과 사후 조치에 관한 역할 및 공조체계

ⓔ 그 밖에 화재 등의 안전관리를 위하여 필요한 사항

(3) 소방안전 특별관리시행계획

① 시·도지사는 소방안전 특별관리기본계획에 저촉되지 아니하는 범위에서 관할 구역에 있는 소방안전 특별관리시설물의 안전관리에 적합한 소방안전 특별관리시행계획을 제4조 제6항(화재의 예방 및 안전관리에 관한 세부시행계획)에 따른 세부시행계획에 포함하여 수립 및 시행하여야 한다.

② 소방안전 특별관리시행계획의 수립·시행(영 제41조)

㉠ 시·도지사는 특별관리기본계획을 시행하기 위하여 매년 법 제40조 제3항에 따른 소방안전 특별관리시행계획(이하 "특별관리시행계획"이라 한다)을 수립·시행하고, 그 시행 결과를 계획 시행 다음 연도 1월 31일까지 소방청장에게 통보하여야 한다.

㉡ **특별관리시행계획 포함사항**

ⓐ 특별관리기본계획의 집행을 위하여 필요한 사항

ⓑ 시·도에서 화재 등의 안전관리를 위하여 필요한 사항

㉢ 소방청장 및 시·도지사는 특별관리기본계획 및 특별관리시행계획을 수립하는 경우 성별, 연령별, 화재안전취약자별 화재 피해현황 및 실태 등에 관한 사항을 고려해야 한다.

(4) 위임규정

소방안전 특별관리기본계획 및 소방안전 특별관리시행계획의 수립·시행에 필요한 사항은 대통령령으로 정한다.

👆 **관계법규** 소방안전 특별관리시설물 등

시행령

제41조 【소방안전 특별관리시설물】 ① 법 제40조 제1항 제13호에서 "대통령령으로 정하는 전통시장"이란 점포가 【 ① 】 이상인 전통시장을 말한다.

② 법 제40조 제1항 제14호에서 "대통령령으로 정하는 시설물"이란 다음 각 호의 시설물을 말한다.

1. 「전기사업법」 제2조 제4호에 따른 발전사업자가 가동 중인 발전소(「발전소주변지역 지원에 관한 법률 시행령」 제2조 제2항에 따른 발전소는 제외한다)
2. 「물류시설의 개발 및 운영에 관한 법률」 제2조 제5호의2에 따른 물류창고로서 연면적 【 ② 】 이상인 것
3. 「도시가스사업법」 제2조 제5호에 따른 가스공급시설

제42조 【소방안전 특별관리기본계획·시행계획의 수립·시행】 ① 소방청장은 법 제40조 제2항에 따른 소방안전 특별관리기본계획(이하 "특별관리기본계획"이라 한다)을 5년마다 수립하여 시·도에 통보해야 한다.

② 특별관리기본계획에는 다음 각 호의 사항이 포함되어야 한다.

1. 화재예방을 위한 중기·장기 안전관리정책
2. 화재예방을 위한 교육·홍보 및 점검·진단
3. 화재대응을 위한 훈련
4. 화재대응과 사후 조치에 관한 역할 및 공조체계
5. 그 밖에 화재 등의 안전관리를 위하여 필요한 사항

③ 시·도지사는 특별관리기본계획을 시행하기 위하여 매년 법 제40조 제3항에 따른 소방안전 특별관리시행계획(이하 "특별관리시행계획"이라 한다)을 수립·시행하고, 그 결과를 다음 연도 1월 31일까지 소방청장에게 통보해야 한다.

④ 특별관리시행계획에는 다음 각 호의 사항이 포함되어야 한다.

1. 특별관리기본계획의 집행을 위하여 필요한 사항
2. 시·도에서 화재 등의 안전관리를 위하여 필요한 사항

⑤ 소방청장 및 시·도지사는 특별관리기본계획 또는 특별관리시행계획을 수립하는 경우 성별, 연령별, 화재안전취약자별 화재 피해현황 및 실태 등을 고려해야 한다.

---

① 500개 ② 10만제곱미터

📍 제 · 개정 내용

법률

소방안전 특별관리시설물의 관계인은 화재의 예방 및 안전관리를 체계적 · 효율적으로 수행하기 위하여 화재예방안전진단기관으로부터 정기적으로 화재예방안전진단을 받도록 함

제41조【화재예방안전진단】 ① 대통령령으로 정하는 소방안전 특별관리시설물의 관계인은 화재의 예방 및 안전관리를 체계적 · 효율적으로 수행하기 위하여 대통령령으로 정하는 바에 따라 「소방기본법」 제40조에 따른 한국소방안전원(이하 "안전원"이라 한다) 또는 소방청장이 지정하는 화재예방안전진단기관(이하 "진단기관"이라 한다)으로부터 정기적으로 화재예방안전진단을 받아야 한다.

② 제1항에 따른 화재예방안전진단의 범위는 다음 각 호와 같다.

1. 화재위험요인의 조사에 관한 사항

2. 소방계획 및 피난계획 수립에 관한 사항

3. 소방시설등의 유지 · 관리에 관한 사항

4. 비상대응조직 및 교육훈련에 관한 사항

5. 화재 위험성 평가에 관한 사항

6. 그 밖에 화재예방진단을 위하여 대통령령으로 정하는 사항

③ 제1항에 따라 안전원 또는 진단기관의 화재예방안전진단을 받은 연도에는 제37조에 따른 소방훈련과 교육 및 「소방시설 설치 및 관리에 관한 법률」 제22조에 따른 자체점검을 받은 것으로 본다.

④ 안전원 또는 진단기관은 제1항에 따른 화재예방안전진단 결과를 행정안전부령으로 정하는 바에 따라 소방본부장 또는 소방서장, 관계인에게 제출하여야 한다.

⑤ 소방본부장 또는 소방서장은 제4항에 따라 제출받은 화재예방안전진단 결과에 따라 보수 · 보강 등의 조치가 필요하다고 인정하는 경우에는 해당 소방안전 특별관리시설물의 관계인에게 보수 · 보강 등의 조치를 취할 것을 명할 수 있다.

⑥ 화재예방안전진단 업무에 종사하고 있거나 종사하였던 사람은 업무를 수행하면서 알게 된 비밀을 이 법에서 정한 목적 외의 용도로 사용하거나 다른 사람 또는 기관에 제공하거나 누설하여서는 아니 된다.

(1) 화재예방안전진단

대통령령으로 정하는 소방안전 특별관리시설물의 관계인은 화재의 예방 및 안전관리를 체계적 · 효율적으로 수행하기 위하여 대통령령으로 정하는 바에 따라 한국소방안전원 또는 소방청장이 지정하는 화재예방안전진단기관으로부터 정기적으로 화재예방안전진단을 받아야 한다.

① **실시목적:** 화재의 예방과 안전관리의 체계적이고 효율적인 수행

② **실시기관:** 한국소방안전원, 소방청장이 지정하는 화재예방안전진단기관

③ **관계인의 의무:** 정기적인 화재예방안전진단

④ **화재예방안전진단 대상(영 제43조)**

ㄱ 법 제40조 제1항 제1호에 따른 공항시설 중 여객터미널의 연면적이 1천제곱미터 이상인 공항시설

ㄴ 법 제40조 제1항 제2호에 따른 철도시설 중 역 시설의 연면적이 5천제곱미터 이상인 철도시설

ㄷ 법 제40조 제1항 제3호에 따른 도시철도시설 중 역사 및 역 시설의 연면적이 5천제곱미터 이상인 도시철도시설

🖋 **핵심 기출**

화재예방법 시행령상 화재예방안전진단 대상의 시설기준으로 옳지 않은 것은?

24. 공채 · 경채

① 발전소 중 연면적이 5천 제곱미터 이상인 발전소

② 항만시설 중 여객이용시설 및 지원시설의 연면적이 5천 제곱미터 이상인 항만시설

③ 철도시설 중 역 시설의 연면적이 5천 제곱미터 이상인 철도시설

④ 가스공급시설 중 가연성 가스 탱크의 저장용량의 합계가 30톤 이상이거나 저장용량이 10톤 이상인 가연성 가스 탱크가 있는 가스공급시설

정답 ④

㉣ 법 제40조 제1항 제4호에 따른 항만시설 중 여객이용시설 및 지원시설의 연면적이 5천제곱미터 이상인 항만시설

㉤ 법 제40조 제1항 제10호에 따른 전력용 및 통신용 지하구 중 「국토의 계획 및 이용에 관한 법률」 제2조 제9호에 따른 공동구

㉥ 법 제40조 제1항 제12호에 따른 천연가스 인수기지 및 공급망 중 「소방시설 설치 및 관리에 관한 법률 시행령」 별표 2 제17호 나목에 따른 가스시설

㉦ 제41조 제2항 제1호에 따른 발전소 중 연면적이 5천제곱미터 이상인 발전소

㉧ 제41조 제2항 제3호에 따른 가스공급시설 중 가연성 가스 탱크의 저장용량의 합계가 100톤 이상이거나 저장용량이 30톤 이상인 가연성 가스 탱크가 있는 가스공급시설

⑤ 벌칙 - 1년 이하의 징역 또는 1천만원 이하의 벌금(제50조 제2항): 제41조 제1항을 위반하여 진단기관으로부터 화재예방안전진단을 받지 아니한 자

(2) 화재예방안전진단의 실시 절차 등(영 제44조)

① 소방안전관리대상물이 건축되어 소방안전 특별관리시설물에 해당하게 된 경우 해당 소방안전 특별관리시설물의 관계인은 「건축법」 제22조에 따른 사용승인 또는 「소방시설공사업법」 제14조에 따른 완공검사를 받은 날부터 5년이 경과한 날이 속하는 해에 법 제41조 제1항에 따라 최초의 화재예방안전진단을 받아야 한다.

② 안전등급에 따른 정기적 화재예방안전진단 실시

㉠ 우수: 안전등급을 통보받은 날부터 6년이 경과한 날이 속하는 해

㉡ 양호·보통: 안전등급을 통보받은 날부터 5년이 경과한 날이 속하는 해

㉢ 미흡·불량: 안전등급을 통보받은 날부터 4년이 경과한 날이 속하는 해

③ 화재예방안전진단 결과는 우수, 양호, 보통, 미흡 및 불량의 안전등급으로 구분하며, 안전등급의 기준은 영 별표 7과 같다.

우수(A)	화재예방안전진단 실시 결과 문제점이 발견되지 않은 상태
양호(B)	화재예방안전진단 실시 결과 문제점이 일부 발견되었으나 대상물의 화재안전에는 이상이 없으며 대상물 일부에 대해 법 제41조 제5항에 따른 보수·보강 등의 조치명령(이하 이 표에서 "조치명령"이라 한다)이 필요한 상태
보통(C)	화재예방안전진단 실시 결과 문제점이 다수 발견되었으나 대상물의 전반적인 화재안전에는 이상이 없으며 대상물에 대한 다수의 조치명령이 필요한 상태
미흡(D)	화재예방안전진단 실시 결과 광범위한 문제점이 발견되어 대상물의 화재안전을 위해 조치명령의 즉각적인 이행이 필요하고 대상물의 사용 제한을 권고할 필요가 있는 상태
불량(E)	화재예방안전진단 실시 결과 중대한 문제점이 발견되어 대상물의 화재안전을 위해 조치명령의 즉각적인 이행이 필요하고 대상물의 사용 중단을 권고할 필요가 있는 상태

▶ 비고: 안전등급의 세부적인 기준은 소방청장이 정하여 고시한다.

④ 화재예방안전진단 절차 및 방법 등에 관하여 필요한 사항은 **행정안전부령**으로 정한다.

(3) 화재예방안전진단의 절차 및 방법(규칙 제41조)

① 화재예방안전진단을 받아야 하는 소방안전 특별관리시설물의 관계인은 안전원 또는 소방청장이 지정하는 화재예방안전진단기관에 신청해야 한다.

② 화재예방안전진단의 절차

   ㉠ 위험요인 조사

   ㉡ 위험성 평가

   ㉢ 위험성 감소대책의 수립

③ 화재예방안전진단의 방법

   ㉠ 준공도면, 시설 현황, 소방계획서 등 자료수집 및 분석

   ㉡ 화재위험요인 조사, 소방시설등의 성능점검 등 현장조사 및 점검

   ㉢ 정성적 · 정량적 방법을 통한 화재위험성 평가

   ㉣ 불시 · 무각본 훈련에 의한 비상대응훈련 평가

   ㉤ 그 밖에 지진 등 외부 환경 위험요인에 대한 예방 · 대비 · 대응태세 평가

④ 화재예방안전진단을 신청한 소방안전 특별관리시설물의 관계인은 화재예방안전진단에 필요한 자료의 열람 및 화재예방안전진단에 적극 협조해야 한다.

⑤ 화재예방안전진단의 세부 절차 및 평가방법 등에 관하여 필요한 사항은 소방청장이 정하여 고시한다.

(4) 화재예방안전진단의 범위

① 화재위험요인의 조사에 관한 사항

② 소방계획 및 피난계획 수립에 관한 사항

③ 소방시설등의 유지 · 관리에 관한 사항

④ 비상대응조직 및 교육훈련에 관한 사항

⑤ 화재 위험성 평가에 관한 사항

⑥ 그 밖에 화재예방진단을 위하여 대통령령으로 정하는 사항(영 제45조)

   ㉠ 화재 등의 재난 발생 후 재발방지 대책의 수립 및 그 이행에 관한 사항

   ㉡ 지진 등 외부 환경 위험요인 등에 대한 예방 · 대비 · 대응에 관한 사항

   ㉢ 화재예방안전진단 결과 보수 · 보강 등 개선요구 사항 등에 대한 이행 여부

(5) 화재예방안전진단의 의제(간주)

안전원 또는 진단기관의 화재예방안전진단을 받은 연도에는 소방훈련과 교육 및 자체점검을 받은 것으로 본다.

(6) 진단결과의 제출

① 안전원 또는 진단기관은 화재예방안전진단 결과를 행정안전부령으로 정하는 바에 따라 소방본부장 또는 소방서장, 관계인에게 제출하여야 한다.

② 화재예방안전진단 결과 제출(규칙 제42조)

   ㉠ 화재예방안전진단을 실시한 안전원 또는 진단기관은 화재예방안전진단이 완료된 날부터 60일 이내에 소방본부장 또는 소방서장, 관계인에게 화재예방안전진단 결과 보고서(전자문서를 포함한다)에 다음의 서류(전자문서를 포함한다)를 첨부하여 제출해야 한다.

🖊 핵심 적중

01 화재예방법상 화재예방안전진단의 범위에 해당하지 않는 것은?

① 화재위험요인의 조사에 관한 사항
② 소방시설등의 설치에 관한 사항
③ 비상대응조직 및 교육훈련에 관한 사항
④ 화재 위험성 평가에 관한 사항

정답 ②

02 화재예방법상 화재예방안전진단의 범위에 해당하는 것만을 <보기>에서 있는 대로 고른 것은? 23. 공채 · 경채

─────〈보기〉─────
ㄱ. 소방계획 및 피난계획 수립에 관한 사항
ㄴ. 소방시설등의 유지 · 관리에 관한 사항
ㄷ. 비상대응조직 및 교육훈련에 관한 사항
ㄹ. 화재 위험성 평가에 관한 사항

① ㄱ
② ㄱ, ㄴ
③ ㄱ, ㄴ, ㄷ
④ ㄱ, ㄴ, ㄷ, ㄹ

정답 ④

　　　　　ⓐ 화재예방안전진단 결과 세부 보고서

　　　　　ⓑ 화재예방안전진단기관 지정서

　　　ⓛ 화재예방안전진단 결과 보고서

　　　　　ⓐ 해당 소방안전 특별관리시설물 현황

　　　　　ⓑ 화재예방안전진단 실시 기관 및 참여인력

　　　　　ⓒ 화재예방안전진단 범위 및 내용

　　　　　ⓓ 화재위험요인의 조사·분석 및 평가 결과

　　　　　ⓔ 영 제44조 제2항에 따른 안전등급 및 위험성 감소대책

　　　　　ⓕ 그 밖에 소방안전 특별관리시설물의 화재예방 강화를 위하여 소방청장이 정하는 사항

　　③ 과태료 - 300만원 이하의 과태료(제52조 제1항): 제41조 제4항을 위반하여 화재예방안전진단 결과를 제출하지 아니한 자

(7) 보수·보강 등의 조치명령

　　① 소방본부장 또는 소방서장은 제출받은 화재예방안전진단 결과에 따라 보수·보강 등의 조치가 필요하다고 인정하는 경우에는 해당 소방안전 특별관리시설물의 관계인에게 보수·보강 등의 조치를 취할 것을 명할 수 있다.

　　② 벌칙 - 3년 이하의 징역 또는 3천만원 이하의 벌금(제50조 제1항): 제41조 제5항에 따른 보수·보강 등의 조치명령을 정당한 사유 없이 위반한 자

(8) 비밀누설금지 의무

　　① 화재예방안전진단 업무에 종사하고 있거나 종사하였던 사람은 업무를 수행하면서 알게 된 비밀을 이 법에서 정한 목적 외의 용도로 사용하거나 다른 사람 또는 기관에 제공하거나 누설하여서는 아니 된다.

　　② 벌칙 - 300만원 이하의 벌금(제50조 제3항): 제41조 제6항을 위반하여 업무를 수행하면서 알게 된 비밀을 이 법에서 정한 목적 외의 용도로 사용하거나 다른 사람 또는 기관에 제공하거나 누설한 자

관계법규 화재예방안전진단의 대상 등

시행령	시행규칙
제43조【화재예방안전진단의 대상】법 제41조 제1항에서 "대통령령으로 정하는 소방안전 특별관리시설물"이란 다음 각 호의 시설을 말한다. 1. 법 제40조 제1항 제1호에 따른 공항시설 중 여객터미널의 연면적이 1천제곱미터 이상인 공항시설 2. 법 제40조 제1항 제2호에 따른 철도시설 중 역 시설의 연면적이 5천제곱미터 이상인 철도시설 3. 법 제40조 제1항 제3호에 따른 도시철도시설 중 역사 및 역 시설의 연면적이 5천제곱미터 이상인 도시철도시설 4. 법 제40조 제1항 제4호에 따른 항만시설 중 여객이용시설 및 지원시설의 연면적이 5천제곱미터 이상인 항만시설	제41조【화재예방안전진단의 절차 및 방법】① 법 제41조 제1항에 따라 화재예방안전진단을 받아야 하는 소방안전 특별관리시설물(이하 "소방안전 특별관리시설물"이라 한다)의 관계인은 별지 제33호 서식을 안전원 또는 소방청장이 지정하는 화재예방안전진단기관(이하 "진단기관"이라 한다)에 신청해야 한다. ② 제1항에 따라 화재예방안전진단 신청을 받은 안전원 또는 진단기관은 다음 각 호의 절차에 따라 화재예방안전진단을 실시한다. 1.【 ① 】조사 ① 위험요인

시행령	시행규칙
5. 법 제40조 제1항 제10호에 따른 전력용 및 통신용 지하구 중 「국토의 계획 및 이용에 관한 법률」 제2조 제9호에 따른 공동구 6. 법 제40조 제1항 제12호에 따른 천연가스 인수기지 및 공급망 중 「소방시설 설치 및 관리에 관한 법률 시행령」 별표 2 제17호 나목에 따른 가스시설 7. 제41조 제2항 제1호에 따른 발전소 중 연면적이 5천제곱미터 이상인 발전소 8. 제41조 제2항 제3호에 따른 가스공급시설 중 가연성 가스 탱크의 저장용량의 합계가 100톤 이상이거나 저장용량이 30톤 이상인 가연성 가스 탱크가 있는 가스공급시설	2. 위험성 평가 3. 위험성 감소대책의 수립 ③ 화재예방안전진단은 다음 각 호의 방법으로 실시한다. 1. 준공도면, 시설 현황, 소방계획서 등 자료수집 및 분석 2. 화재위험요인 조사, 소방시설등의 성능점검 등 현장조사 및 점검 3. 정성적 · 정량적 방법을 통한 화재위험성 평가 4. 불시 · 무각본 훈련에 의한 비상대응훈련 평가 5. 그 밖에 지진 등 외부 환경 위험요인에 대한 예방 · 대비 · 대응태세 평가

시행령

제44조【화재예방안전진단의 실시 절차 등】 ① 소방안전관리대상물이 건축되어 제43조 각 호의 소방안전 특별관리시설물에 해당하게 된 경우 해당 소방안전 특별관리시설물의 관계인은 「건축법」 제22조에 따른 사용승인 또는 「소방시설공사업법」 제14조에 따른 완공검사를 받은 날부터 5년이 경과한 날이 속하는 해에 법 제41조 제1항에 따라 최초의 화재예방안전진단을 받아야 한다.
② 화재예방안전진단을 받은 소방안전 특별관리시설물의 관계인은 제3항에 따른 안전등급(이하 "안전등급"이라 한다)에 따라 정기적으로 다음 각 호의 기간에 법 제41조 제1항에 따라 화재예방안전진단을 받아야 한다.
1. 안전등급이 우수인 경우: 안전등급을 통보받은 날부터 6년이 경과한 날이 속하는 해
2. 안전등급이 양호 · 보통인 경우: 안전등급을 통보받은 날부터 【 ① 】이 경과한 날이 속하는 해
3. 안전등급이 미흡 · 불량인 경우: 안전등급을 통보받은 날부터 4년이 경과한 날이 속하는 해
③ 화재예방안전진단 결과는 우수, 양호, 보통, 미흡 및 불량의 안전등급으로 구분하며, 안전등급의 기준은 별표 7과 같다.
④ 제1항부터 제3항까지에서 규정한 사항 외에 화재예방안전진단 절차 및 방법 등에 관하여 필요한 사항은 행정안전부령으로 정한다.

제45조【화재예방안전진단의 범위】 법 제41조 제2항 제6호에서 "대통령령으로 정하는 사항"이란 다음 각 호의 사항을 말한다.
1. 화재 등의 재난 발생 후 재발방지 대책의 수립 및 그 이행에 관한 사항
2. 지진 등 외부 환경 위험요인 등에 대한 예방 · 대비 · 대응에 관한 사항
3. 화재예방안전진단 결과 보수 · 보강 등 개선요구 사항 등에 대한 이행 여부

① 5년

시행규칙

④ 제1항에 따라 화재예방안전진단을 신청한 소방안전 특별관리시설물의 관계인은 화재예방안전진단에 필요한 자료의 열람 및 화재예방안전진단에 적극 협조해야 한다.
⑤ 제1항부터 제4항까지에서 규정한 사항 외에 화재예방안전진단의 세부 절차 및 평가방법 등에 관하여 필요한 사항은 소방청장이 정하여 고시한다.

제42조【화재예방안전진단 결과 제출】 ① 화재예방안전진단을 실시한 안전원 또는 진단기관은 법 제41조 제4항에 따라 화재예방안전진단이 완료된 날부터 60일 이내에 소방본부장 또는 소방서장, 관계인에게 별지 제34호 서식의 화재예방안전진단 결과 보고서(전자문서를 포함한다)에 다음 각 호의 서류(전자문서를 포함한다)를 첨부하여 제출해야 한다.
1. 화재예방안전진단 결과 세부 보고서
2. 화재예방안전진단기관 지정서
② 제1항에 따른 화재예방안전진단 결과 보고서에는 다음 각 호의 사항이 포함되어야 한다.
1. 해당 소방안전 특별관리시설물 현황
2. 화재예방안전진단 실시 기관 및 참여인력
3. 화재예방안전진단 범위 및 내용
4. 화재위험요인의 조사 · 분석 및 평가 결과
5. 영 제44조 제2항에 따른 안전등급 및 위험성 감소대책
6. 그 밖에 소방안전 특별관리시설물의 화재예방 강화를 위하여 소방청장이 정하는 사항

제42조【진단기관의 지정 및 취소】 ① 제41조 제1항에 따라 소방청장으로부터 진단기관으로 지정을 받으려는 자는 대통령령으로 정하는 시설과 전문인력 등 지정기준을 갖추어 소방청장에게 지정을 신청하여야 한다.

② 소방청장은 진단기관으로 지정받은 자가 다음 각 호의 어느 하나에 해당하는 경우에는 그 지정을 취소하거나 6개월 이내의 기간을 정하여 업무의 전부 또는 일부의 정지를 명할 수 있다. 다만, 제1호 또는 제4호에 해당하는 경우에는 그 지정을 취소하여야 한다.

1. 거짓이나 그 밖의 부정한 방법으로 지정을 받은 경우
2. 제41조 제4항에 따른 화재예방안전진단 결과를 소방본부장 또는 소방서장, 관계인에게 제출하지 아니한 경우
3. 제1항에 따른 지정기준에 미달하게 된 경우
4. 업무정지기간에 화재예방안전진단 업무를 한 경우

③ 진단기관의 지정절차, 지정취소 또는 업무정지의 처분 등에 필요한 사항은 행정안전부령으로 정한다.

(1) 진단기관 지정 신청

① 소방청장으로부터 진단기관으로 지정을 받으려는 자는 대통령령으로 정하는 시설과 전문인력 등 지정기준을 갖추어 소방청장에게 지정을 신청하여야 한다.

② 화재예방안전진단기관의 지정기준(영 제46조)

법 제42조 제1항에서 "대통령령으로 정하는 시설과 전문인력 등 지정기준"이란 별표 8에서 정하는 기준을 말한다.

③ 벌칙 – 3년 이하의 징역 또는 3천만원 이하의 벌금(제50조 제1항): 거짓이나 그 밖의 부정한 방법으로 제42조 제1항에 따른 진단기관으로 지정을 받은 자

(2) 화재예방안전진단기관의 시설, 전문인력 등 지정기준(영 [별표 8])

① **시설**: 화재예방안전진단을 목적으로 설립된 비영리법인·단체로서 ②에 따른 전문인력이 근무할 수 있는 사무실과 ③에 따른 장비를 보관할 수 있는 창고를 갖출 것. 이 경우 사무실과 창고를 임차하여 사용하는 경우도 사무실과 창고를 갖춘 것으로 본다.

② **전문인력**: 다음의 인력을 모두 갖출 것. 이 경우 전문인력은 해당 화재예방안전진단기관의 상근 직원이어야 하며, 한 사람이 다음의 자격 요건 중 둘 이상을 충족하는 경우에도 한 명의 전문인력으로 본다.

  ㉠ 다음에 해당하는 사람

    ⓐ 소방기술사: 1명 이상

    ⓑ 소방시설관리사: 1명 이상

    ⓒ 전기안전기술사, 화공안전기술사, 가스기술사, 위험물기능장 또는 건축사: 1명 이상

ⓒ 다음의 분야별로 각 1명 이상

소방	· 소방기술사 · 소방시설관리사 · 소방설비기사(산업기사를 포함한다) 자격 취득 후 소방 관련 업무경력이 3년(소방설비산업기사의 경우 5년) 이상인 사람
전기	· 전기안전기술사 · 전기기사(산업기사를 포함한다) 자격 취득 후 소방 관련 업무 경력이 3년(산업기사의 경우 5년) 이상인 사람
화공	· 화공안전기술사 · 화공기사(산업기사를 포함한다) 자격 취득 후 소방 관련 업무 경력이 3년(산업기사의 경우 5년) 이상인 사람
가스	· 가스기술사 · 가스기사(산업기사를 포함한다) 자격 취득 후 소방 관련 업무 경력이 3년(산업기사의 경우 5년) 이상인 사람
위험물	· 위험물기능장 · 위험물산업기사 자격 취득 후 소방 관련 업무 경력이 5년 이상인 사람
건축	· 건축사 · 건축기사(산업기사를 포함한다) 자격 취득 후 소방 관련 업무 경력이 3년(산업기사의 경우 5년) 이상인 사람
교육훈련	소방안전교육사

▶ 비고: 소방 관련 업무 경력은 소방청장이 정하여 고시하는 기준에 따른다.

③ **장비:** 소방, 전기, 가스, 위험물, 건축 분야별로 행정안전부령으로 정하는 장비를 갖출 것

④ **진단기관의 장비기준(규칙 제43조)**

ⓐ 영 별표 8 제3호에서 "행정안전부령으로 정하는 장비"란 규칙 별표 7의 장비를 말한다.

ⓑ 해당 분야별 장비를 모두 갖출 것. 다만, 해당 장비의 기능을 2개 이상 갖춘 복합기능 장비를 갖춘 경우에는 개별 장비를 갖춘 것으로 본다.

(2) 진단기관의 지정신청(규칙 제44조)

진단기관으로 지정받으려는 자는 화재예방안전진단기관 지정신청서(전자문서를 포함한다)에 해당 서류를 첨부하여 소방청장에게 제출해야 한다.

(3) 진단기관의 지정 절차(규칙 제45조)

① 소방청장은 지정신청서를 접수한 경우에는 지정기준 등에 적합한지를 검토하여 60일 이내에 진단기관 지정 여부를 결정해야 한다.

② 소방청장은 진단기관의 지정을 결정한 경우에는 화재예방안전진단기관 지정서를 발급하고, 화재예방안전진단기관 관리대장에 기록하고 관리해야 한다.

③ 소방청장은 지정서를 발급한 경우에는 그 내용을 소방청 인터넷 홈페이지에 공고해야 한다.

(4) 진단기관의 지정 및 취소

① 소방청장은 진단기관으로 지정받은 자가 다음의 어느 하나에 해당하는 경우에는 그 지정을 취소하거나 6개월 이내의 기간을 정하여 업무의 전부 또는 일부의 정지를 명할 수 있다.

② 지정 및 취소 사유

㉠ 거짓이나 그 밖의 부정한 방법으로 지정을 받은 경우(반드시 취소)

㉡ 화재예방안전진단 결과를 소방본부장 또는 소방서장, 관계인에게 제출하지 아니한 경우

㉢ 지정기준에 미달하게 된 경우

㉣ 업무정지기간에 화재예방안전진단 업무를 한 경우(반드시 취소)

(5) 위임규정

① 진단기관의 지정절차, 지정취소 또는 업무정지의 처분 등에 필요한 사항은 행정안전부령으로 정한다.

② 진단기관의 지정 및 취소 등(규칙 제46조): 진단기관의 지정취소 및 업무정지의 처분기준은 규칙 별표 8과 같다.

(6) 화재예방안전진단기관의 지정 취소 및 업무 정지의 기준(규칙 [별표 8])

① 일반기준

㉠ 위반행위가 둘 이상인 경우에는 각 위반행위에 따라 각각 처분한다.

㉡ 위반행위의 횟수에 따른 행정처분 기준은 최근 3년간 같은 위반행위로 행정처분을 받은 경우에 적용한다. 이 경우 기준 적용일은 위반행위에 대한 행정처분일과 그 처분 후에 한 위반행위가 다시 적발된 날을 기준으로 한다.

㉢ ㉡에 따라 가중된 부과처분을 하는 경우 가중처분의 적용 차수는 그 위반행위 전 부과처분 차수(나목에 따른 기간 내에 처분이 둘 이상 있었던 경우에는 높은 차수를 말한다)의 다음 차수로 한다.

㉣ 처분권자는 위반행위의 동기·내용·횟수 및 위반 정도 등 다음의 감경 사유에 해당하는 경우 그 처분기준의 2분의 1의 범위에서 감경할 수 있다.

ⓐ 위반행위가 사소한 부주의나 오류로 인한 것으로 인정되는 경우

ⓑ 위반의 내용 및 정도가 경미하여 화재예방안전진단등의 업무를 수행하는데 문제가 발생하지 않는 경우

ⓒ 그 밖에 위반행위의 정도, 위반행위의 동기와 그 결과 등을 고려하여 감경할 필요가 있다고 인정되는 경우

② 개별기준

위반 내용	근거 법조문	처분기준		
		1차 위반	2차 위반	3차 이상 위반
가. 거짓이나 그 밖의 부정한 방법으로 안전진단기관으로 지정을 받은 경우	법 제42조 제2항 제1호	지정취소		

나. 법 제41조 제4항에 따른 화재예방안전진단 결과를 소방본부장 또는 소방서장, 관계인에게 제출하지 아니한 경우	법 제42조 제2항 제2호	경고 (시정명령)	업무정지 3개월	업무정지 6개월
다. 법 제41조 제1항에 따른 지정기준에 미달하게 된 경우	법 제42조 제2항 제3호	업무정지 3개월	업무정지 6개월	지정취소
라. 업무정지기간에 화재예방안전진단 업무를 한 경우	법 제42조 제2항 제4호	지정 취소		

👆 관계법규 지정기준 및 지정신청

시행령	시행규칙
제46조【화재예방안전진단기관의 지정기준】법 제42조 제1항에서 "대통령령으로 정하는 시설과 전문인력 등 지정기준"이란 별표 8에서 정하는 기준을 말한다.	제43조【진단기관의 장비기준】영 별표 8 제3호에서 "행정안전부령으로 정하는 장비"란 별표 7의 장비를 말한다. 제44조【진단기관의 지정신청】① 진단기관으로 지정받으려는 자는 법 제42조 제1항에 따라 별지 제35호 서식의 화재예방안전진단기관 지정신청서(전자문서를 포함한다)에 다음 각 호의 서류(전자문서를 포함한다)를 첨부하여 소방청장에게 제출해야 한다. 1. 정관 사본 2. 시설 요건을 증명하는 서류 및 장비 명세서 3. 경력증명서 또는 재직증명서 등 기술인력의 자격요건을 증명하는 서류 ② 제1항에 따른 화재예방안전진단기관 지정신청서를 제출받은 담당 공무원은 「전자정부법」 제36조 제1항에 따른 행정정보의 공동이용을 통하여 법인등기부 등본(법인인 경우만 해당한다) 및 국가기술자격증을 확인해야 한다. 다만, 신청인이 확인에 동의하지 않는 경우에는 이를 제출하도록 해야 한다. 제45조【진단기관의 지정 절차】① 소방청장은 제44조 제1항에 따라 지정신청서를 접수한 경우에는 지정기준 등에 적합한지를 검토하여【 ① 】이내에 진단기관 지정 여부를 결정해야 한다. ② 소방청장은 제1항에 따라 진단기관의 지정을 결정한 경우에는 별지 제36호 서식의 화재예방안전진단기관 지정서를 발급하고, 별지 제37호 서식의 화재예방안전진단기관 관리대장에 기록하고 관리해야 한다. ③ 소방청장은 제2항에 따라 지정서를 발급한 경우에는 그 내용을 소방청 인터넷 홈페이지에 공고해야 한다. 제46조【진단기관의 지정취소】법 제42조 제2항에 따른 진단기관의 지정취소 및 업무정지의 처분기준은 별표 8과 같다. ① 60일

제7장 보칙

1 화재의 예방과 안전문화 진흥을 위한 시책   C

제43조【화재의 예방과 안전문화 진흥을 위한 시책의 추진】 ① 소방관서장은 국민의 화재 예방과 안전에 관한 의식을 높이고 화재의 예방과 안전문화를 진흥시키기 위한 다음 각 호의 활동을 적극 추진하여야 한다.

1. 화재의 예방 및 안전관리에 관한 의식을 높이기 위한 활동 및 홍보
2. 소방대상물 특성별 화재의 예방과 안전관리에 필요한 행동요령의 개발·보급
3. 화재의 예방과 안전문화 우수사례의 발굴 및 확산
4. 화재 관련 통계 현황의 관리·활용 및 공개
5. 화재의 예방과 안전관리 취약계층에 대한 화재의 예방 및 안전관리 강화
6. 그 밖에 화재의 예방과 안전문화를 진흥하기 위한 활동

② 소방관서장은 화재의 예방과 안전문화 활동에 국민 또는 주민이 참여할 수 있는 제도를 마련하여 시행할 수 있다.

③ 소방청장은 국민이 화재의 예방과 안전문화를 실천하고 체험할 수 있는 체험시설을 설치·운영할 수 있다.

④ 국가와 지방자치단체는 지방자치단체 또는 그 밖의 기관·단체에서 추진하는 화재의 예방과 안전문화활동을 위하여 필요한 예산을 지원할 수 있다.

(1) 화재의 예방과 안전문화 진흥을 위한 시책

① 화재의 예방 및 안전관리에 관한 의식을 높이기 위한 활동 및 홍보

② 소방대상물 특성별 화재의 예방과 안전관리에 필요한 행동요령의 개발·보급

③ 화재의 예방과 안전문화 우수사례의 발굴 및 확산

④ 화재 관련 통계 현황의 관리·활용 및 공개

⑤ 화재의 예방과 안전관리 취약계층에 대한 화재의 예방 및 안전관리 강화

⑥ 그 밖에 화재의 예방과 안전문화를 진흥하기 위한 활동

(2) 화재의 예방과 안전문화 활동의 참여

소방관서장은 화재의 예방과 안전문화 활동에 국민 또는 주민이 참여할 수 있는 제도를 마련하여 시행할 수 있다.

(3) 체험시설의 설치·운영

소방청장은 국민이 화재의 예방과 안전문화를 실천하고 체험할 수 있는 체험시설을 설치·운영할 수 있다.

(4) 예산의 지원

국가와 지방자치단체는 지방자치단체 또는 그 밖의 기관·단체에서 추진하는 화재의 예방과 안전문화활동을 위하여 필요한 예산을 지원할 수 있다.

제44조【우수 소방대상물 관계인에 대한 포상 등】① 소방청장은 소방대상물의 자율적인 안전관리를 유도하기 위하여 안전관리 상태가 우수한 소방대상물을 선정하여 우수 소방대상물 표지를 발급하고, 소방대상물의 관계인을 포상할 수 있다.

② 제1항에 따른 우수 소방대상물의 선정 방법, 평가 대상물의 범위 및 평가 절차 등에 필요한 사항은 행정안전부령으로 정한다.

(1) 우수 소방대상물 표지의 발급 및 포상

① **목적:** 소방대상물의 자율적인 안전관리를 유도하기 위함

② 소방청장은 안전관리 상태가 우수한 소방대상물을 선정하여 우수 소방대상물 표지를 발급하고, 소방대상물의 관계인을 포상할 수 있다.

(2) 위임규정

우수 소방대상물의 선정 방법, 평가 대상물의 범위 및 평가 절차 등에 필요한 사항은 행정안전부령으로 정한다.

(3) 우수 소방대상물의 선정 등(규칙 제47조)

① **시행계획의 수립:** 소방청장은 우수 소방대상물의 선정 및 관계인에 대한 포상을 위하여 우수 소방대상물의 선정 방법, 평가 대상물의 범위 및 평가 절차 등에 관한 내용이 포함된 시행계획(시행계획)을 매년 수립·시행해야 한다.

② **선정 절차:** 소방청장은 우수소방대상물 선정을 위하여 필요한 경우에는 소방대물을 직접 방문하여 필요한 사항을 확인할 수 있다.

③ **평가위원회의 구성·운영:** 소방청장은 우수 소방대상물 선정 등 업무의 객관성 및 전문성을 확보하기 위하여 필요한 경우에는 다음의 어느 하나에 해당하는 사람이 2명 이상 포함된 평가위원회를 구성하여 운영할 수 있다. 이 경우 평가위원회의 위원에게는 예산의 범위에서 수당, 여비 등 필요한 경비를 지급할 수 있다.

ⓐ 소방기술사(소방안전관리자로 선임된 사람은 제외한다)

ⓑ 소방시설관리사

ⓒ 소방 관련 석사 이상의 학위를 취득한 사람

ⓓ 소방 관련 법인 또는 단체에서 소방 관련 업무에 5년 이상 종사한 사람

ⓔ 소방공무원 교육기관, 대학 또는 연구소에서 소방과 관련한 교육 또는 연구에 5년 이상 종사한 사람

④ **위임규정:** 규정한 사항 외에 우수 소방대상물의 평가, 평가위원회 구성·운영, 포상의 종류·명칭 및 우수 소방대상물 인증표지 등에 관한 사항은 소방청장이 정하여 고시한다.

제45조 【조치명령 등의 기간연장】 ① 다음 각 호에 따른 조치명령·선임명령 또는 이행명령(이하 "조치명령 등"이라 한다)을 받은 관계인 등은 천재지변이나 그 밖에 대통령령으로 정하는 사유로 조치명령 등을 그 기간 내에 이행할 수 없는 경우에는 조치명령 등을 명령한 소방관서장에게 대통령령으로 정하는 바에 따라 조치명령 등의 이행시기를 연장하여 줄 것을 신청할 수 있다.

1. 제14조에 따른 소방대상물의 개수·이전·제거, 사용의 금지 또는 제한, 사용폐쇄, 공사의 정지 또는 중지, 그 밖의 필요한 조치명령
2. 제28조 제1항에 따른 소방안전관리자 또는 소방안전관리보조자 선임명령
3. 제28조 제2항에 따른 소방안전관리업무 이행명령

② 제1항에 따라 연장신청을 받은 소방관서장은 연장신청 승인 여부를 결정하고 그 결과를 조치명령 등의 이행 기간 내에 관계인 등에게 알려 주어야 한다.

(1) 조치명령 등의 기간연장 신청

① 다음에 따른 조치명령·선임명령 또는 이행명령(이하 "조치명령 등"이라 한다)을 받은 관계인 등은 천재지변이나 그 밖에 대통령령으로 정하는 사유로 조치명령 등을 그 기간 내에 이행할 수 없는 경우에는 조치명령 등을 명령한 소방관서장에게 대통령령으로 정하는 바에 따라 조치명령 등의 이행시기를 연장하여 줄 것을 신청할 수 있다.

    ㉠ 소방대상물의 개수·이전·제거, 사용의 금지 또는 제한, 사용폐쇄, 공사의 정지 또는 중지, 그 밖의 필요한 조치명령

    ㉡ 소방안전관리자 또는 소방안전관리보조자 선임명령

    ㉢ 소방안전관리업무 이행명령

② 연기신청 사유(영 제47조 제1항)

    ㉠ 「재난 및 안전관리 기본법」 제3조 제1호에 해당하는 재난이 발생한 경우

    ㉡ 경매 등의 사유로 소유권이 변동 중이거나 변동된 경우

    ㉢ 관계인의 질병, 사고, 장기출장의 경우

    ㉣ 시장·상가·복합건축물 등 소방대상물의 관계인이 여러 명으로 구성되어 조치명령 등의 이행에 대한 의견을 조정하기 어려운 경우

    ㉤ 그 밖에 관계인이 운영하는 사업에 부도 또는 도산 등 중대한 위기가 발생하여 조치명령 등을 그 기간 내에 이행할 수 없는 경우

③ 조치명령 등의 이행시기 연장 신청 등

    ㉠ 조치명령 등의 이행시기 연장을 신청하려는 관계인 등은 행정안전부령으로 정하는 바에 따라 연장신청서에 기간연장의 사유 및 기간 등을 적어 소방관서장에게 제출해야 한다.

    ㉡ 기간연장의 신청 및 연장신청서의 처리에 필요한 사항은 행정안전부령으로 정한다.

ⓒ 조치명령 등의 기간연장(규칙 제48조)

ⓐ 조치명령 등의 기간연장을 신청하려는 관계인 등은 조치명령 등의 기간연장 신청서(전자문서를 포함한다)에 조치명령 등을 이행할 수 없음을 증명할 수 있는 서류(전자문서를 포함한다)를 첨부하여 소방관서장에게 제출해야 한다.

ⓑ ⓐ 따른 신청서를 제출받은 소방관서장은 신청받은 날부터 3일 이내에 조치명령 등의 기간연장 여부를 결정하여 조치명령 등의 기간연장 신청 결과 통지서를 관계인 등에게 통지해야 한다.

(2) 연장신청 승인 여부 통지

연장신청을 받은 소방관서장은 연장신청 승인 여부를 결정하고 그 결과를 조치명령 등의 이행 기간 내에 관계인 등에게 알려 주어야 한다.

👆 **관계법규** **조치명령 등의 연기 신청 등**

시행령	시행규칙
제47조【조치명령 등의 기간연장】 ① 법 제45조 제1항 각 호 외의 부분에서 "대통령령으로 정하는 사유"란 다음 각 호의 어느 하나에 해당하는 사유를 말한다. 1. 「재난 및 안전관리 기본법」 제3조 제1호에 해당하는 재난이 발생한 경우 2. 경매 등의 사유로 소유권이 변동 중이거나 변동된 경우 3. 관계인의 질병, 사고, 【 ① 】의 경우 4. 시장·상가·복합건축물 등 소방대상물의 관계인이 여러 명으로 구성되어 법 제45조 제1항 각 호에 따른 조치명령·선임명령 또는 이행명령(이하 "조치명령 등"이라 한다)의 이행에 대한 의견을 조정하기 어려운 경우 5. 그 밖에 관계인이 운영하는 사업에 부도 또는 도산 등 중대한 위기가 발생하여 조치명령 등을 그 기간 내에 이행할 수 없는 경우 ② 법 제45조 제1항에 따라 조치명령 등의 이행시기 연장을 신청하려는 관계인 등은 행정안전부령으로 정하는 바에 따라 연장신청서에 기간연장의 사유 및 기간 등을 적어 소방관서장에게 제출해야 한다. ③ 제2항에 따른 기간연장의 신청 및 연장신청서의 처리에 필요한 사항은 행정안전부령으로 정한다.	**제48조【조치명령 등의 기간연장】** ① 법 제45조 제1항에 따른 조치명령·선임명령 또는 이행명령(이하 "조치명령 등"이라 한다)의 기간연장을 신청하려는 관계인 등은 영 제47조 제2항에 따라 별지 제38호 서식에 따른 조치명령 등의 기간연장 신청서(전자문서를 포함한다)에 조치명령 등을 이행할 수 없음을 증명할 수 있는 서류(전자문서를 포함한다)를 첨부하여 소방관서장에게 제출해야 한다. ② 제1항에 따른 신청서를 제출받은 소방관서장은 신청받은 날부터 【 ① 】 이내에 조치명령 등의 기간연장 여부를 결정하여 별지 제39호 서식의 조치명령 등의 기간연장 신청 결과 통지서를 관계인 등에게 통지해야 한다.
① 장기출장	① 3일

4 청문 A

제46조【청문】 소방청장 또는 시·도지사는 다음 각 호의 어느 하나에 해당하는 처분을 하려면 청문을 하여야 한다.
1. 제31조 제1항에 따른 소방안전관리자의 자격 취소
2. 제42조 제2항에 따른 진단기관의 지정 취소

소방청장 또는 시·도지사는 다음의 어느 하나에 해당하는 처분을 하려면 청문을 하여야 한다.
① 소방안전관리자의 자격 취소
② 진단기관의 지정 취소

5 수수료 등 C

제47조【수수료 등】 다음 각 호의 어느 하나에 해당하는 자는 행정안전부령으로 정하는 수수료 또는 교육비를 내야 한다.
1. 제30조 제1항에 따른 소방안전관리자 자격시험에 응시하려는 사람
2. 제30조 제2항 및 제3항에 따른 소방안전관리자 자격증을 발급 또는 재발급 받으려는 사람
3. 제34조에 따른 강습교육 또는 실무교육을 받으려는 사람
4. 제41조 제1항에 따라 화재예방안전진단을 받으려는 관계인

(1) 수수료 또는 교육비의 납부

다음의 어느 하나에 해당하는 자는 행정안전부령으로 정하는 수수료 또는 교육비를 내야 한다.
① 소방안전관리자 자격시험에 응시하려는 사람
② 소방안전관리자 자격증을 발급 또는 재발급 받으려는 사람
③ 강습교육 또는 실무교육을 받으려는 사람
④ 화재예방안전진단을 받으려는 관계인

(2) 수수료 및 교육비(규칙 [별표 9])

① 자격증 발급 및 시험응시 수수료

납부대상자	납부금액
가. 법 제30조 제1항에 따른 소방안전관리자 자격시험에 응시하려는 사람	특급 제1차 시험: 1만8천원 특급 제2차 시험: 2만4천원 1·2·3급 시험: 1만2천원
나. 법 제30조 제2항 및 제3항에 따른 소방안전관리자 자격증(수첩형)을 발급 또는 재발급받으려는 사람	1만원

② 교육비

납부 대상자	납부 금액
가. 영 별표 4의 특급 소방안전관리대상물에 대한 소방안전관리업무 강습교육을 받으려는 사람	96만원
나. 영 별표 4의 1급 소방안전관리대상물에 대한 소방안전관리업무 강습교육을 받으려는 사람	48만원
다. 영 별표 4의 2급 소방안전관리대상물에 대한 소방안전관리업무 강습교육 및 공공기관 소방안전관리 강습교육을 받으려는 사람	24만원
라. 영 별표 4의 3급 소방안전관리대상물에 대한 소방안전관리업무 강습교육을 받으려는 사람	14만4천원
마. 법 제24조 제3항에 따라 선임된 소방안전관리자 업무대행 감독자에 대한 강습교육을 받으려는 사람	9만6천원
바. 법 제29조 제1항에 따른 건설현장에 대한 소방안전관리업무 강습교육을 받으려는 사람	14만4천원
사. 법 제34조 제1항 제2호에 따른 소방안전관리자에 대한 실무교육을 받으려는 사람	5만5천원
아. 법 제34조 제1항 제2호에 따른 소방안전관리보조자에 대한 실무교육을 받으려는 사람	3만원

③ 화재예방안전진단 수수료

㉠ 화재예방안전진단을 받으려는 자의 수수료는 다음의 계산식에 의하여 산출한다(천원 미만은 절사한다).

> 수수료 = 직접인건비 + 직접경비 + 제경비 + 기술료

㉡ ㉠의 계산식에서 직접인건비, 직접경비, 제경비 및 기술료는 다음의 값으로 한다.

직접인건비	1) 직접인건비는 진단단계별 각 공사량에 진단단계별 투입인력의 노임단가를 곱하여 산출한 금액의 합계 금액으로 한다. 2) 1)에서 진단단계별 각 공사량은 현장시설진단의 용도별 공사량에 보정계수 1을 곱하고 사전조사의 공사량, 비상대응훈련의 공사량 및 보고서작성의 공사량에 보정계수 2를 곱한 값으로 한다. 3) 1)에서 노임단가는 「엔지니어링산업 진흥법」 제31조에 따른 엔지니어링사업대가의 기준 중 기타부분의 노임단가로 한다. 4) 노임단가 산정 시 투입인력의 등급은 「엔지니어링산업 진흥법 시행령」 제4조에 따른다.
직접경비	직접인건비에 0.1을 곱하여 산출한 금액으로 한다.
제경비	직접인건비에 1.1을 곱하여 산출한 금액으로 한다.
기술료	직접인건비와 제경비의 합에 0.2를 곱하여 산출한 금액으로 한다.

④ 비고

    ㉠ 수수료 및 교육비는 계좌입금의 방식 또는 현금으로 납부하거나 신용카드로 결제해야 한다. 다만, 정보통신망을 이용하여 전자화폐·전자결제 등의 방법으로 결제할 수 있다.

    ㉡ ① 가목에도 불구하고 영 별표 4 제2호부터 제4호까지(1급, 2급 및 3급 소방안전관리대상물)에 해당하는 소방안전관리대상물의 소방안전관리자가 되려는 사람이 강습교육 마지막일(원격 교육과정의 경우 수료 후 처음 시험에 응시하는 경우를 말한다)에 실시하는 소방안전관리자 자격시험에 응시하는 경우에는 응시 수수료를 납부한 것으로 본다.

    ㉢ 강습교육을 받으려는 사람은 강습교육 수강신청 시 교육비를 납부해야 한다.

(3) 수수료 또는 교육비 반환(영 제49조 제2항)

① 수수료 또는 교육비를 과오납한 경우: 그 과오납한 금액의 전부

② 시험시행기관 또는 교육실시기관에 책임이 있는 사유로 시험에 응시하지 못하거나 교육을 받지 못한 경우: 납입한 수수료 또는 교육비의 전부

③ 직계가족의 사망, 본인의 사고 또는 질병, 격리가 필요한 감염병이나 예견할 수 없는 기상상황 등으로 인해 시험에 응시하지 못하거나 교육을 받지 못한 경우(해당 사실을 증명하는 서류 등을 제출한 경우로 한정한다): 납입한 수수료 또는 교육비의 전부

④ 원서접수기간 또는 교육신청기간에 접수를 철회한 경우: 납입한 수수료 또는 교육비의 전부

⑤ 시험시행일 또는 교육실시일 20일 전까지 접수를 취소한 경우: 납입한 수수료 또는 교육비의 전부

⑥ 시험시행일 또는 교육실시일 10일 전까지 접수를 취소한 경우: 납입한 수수료 또는 교육비의 100분의 50

✏️ **핵심 적중**

화재예방법 시행규칙상 수수료 또는 교육비 반환 규정의 연결이 옳지 않은 것은?

① 수수료 또는 교육비를 과오납한 경우: 그 과오납한 금액의 전부

② 원서접수기간 또는 교육신청기간 내에 접수를 철회한 경우: 납입한 수수료 또는 교육비의 전부

③ 시험시행기관 또는 교육실시기관의 귀책사유로 시험에 응시하지 못하거나 교육을 받지 못한 경우: 납입한 수수료 또는 교육비의 전부

④ 시험시행일 또는 교육실시일 20일 전까지 접수를 취소하는 경우: 납입한 수수료 또는 교육비의 100분의 50

정답 ④

👆 **관계법규 수수료 및 교육비**

시행규칙

제49조【수수료 및 교육비】 ① 법 제47조에 따른 수수료 및 교육비는 별표 9와 같다.

② 별표 9에 따른 수수료 또는 교육비를 반환하는 경우에는 다음 각 호의 구분에 따라 반환해야 한다.

1. 수수료 또는 교육비를 과오납한 경우: 그 과오납한 금액의 전부

2. 시험시행기관 또는 교육실시기관에 책임이 있는 사유로 시험에 응시하지 못하거나 교육을 받지 못한 경우: 납입한 수수료 또는 교육비의 전부

3. 직계가족의 사망, 본인의 사고 또는 질병, 격리가 필요한 감염병이나 예견할 수 없는 기상상황 등으로 인해 시험에 응시하지 못하거나 교육을 받지 못한 경우(해당 사실을 증명하는 서류 등을 제출한 경우로 한정한다): 납입한 수수료 또는 교육비의 전부

4. 원서접수기간 또는 교육신청기간에 접수를 철회한 경우: 납입한 수수료 또는 교육비의 전부

5. 시험시행일 또는 교육실시일【 ① 】 전까지 접수를 취소한 경우: 납입한 수수료 또는 교육비의 전부

6. 시험시행일 또는 교육실시일 10일 전까지 접수를 취소한 경우: 납입한 수수료 또는 교육비의 100분의 50

① 20일

제48조【권한의 위임·위탁 등】① 이 법에 따른 소방청장 또는 시·도지사의 권한은 그 일부를 대통령령으로 정하는 바에 따라 시·도지사, 소방본부장 또는 소방서장에게 위임할 수 있다.

② 소방관서장은 다음 각 호에 해당하는 업무를 안전원에 위탁할 수 있다.

1. 제26조 제1항에 따른 소방안전관리자 또는 소방안전관리보조자 선임신고의 접수
2. 제26조 제2항에 따른 소방안전관리자 또는 소방안전관리보조자 해임 사실의 확인
3. 제29조 제1항에 따른 건설현장 소방안전관리자 선임신고의 접수
4. 제30조 제1항 제1호에 따른 소방안전관리자 자격시험
5. 제30조 제2항 및 제3항에 따른 소방안전관리자 자격증의 발급 및 재발급
6. 제33조에 따른 소방안전관리 등에 관한 종합정보망의 구축·운영
7. 제34조에 따른 강습교육 및 실무교육

③ 제2항에 따라 위탁받은 업무에 종사하고 있거나 종사하였던 사람은 업무를 수행하면서 알게 된 비밀을 이 법에서 정한 목적 외의 용도로 사용하거나 다른 사람 또는 기관에 제공하거나 누설하여서는 아니 된다.

(1) 권한의 위임·위탁

① 이 법에 따른 소방청장 또는 시·도지사의 권한은 그 일부를 대통령령으로 정하는 바에 따라 시·도지사, 소방본부장 또는 소방서장에게 위임할 수 있다.

② **권한의 위임·위탁 등(영 제48조):** 소방청장은 법 제48조 제1항에 따라 법 제31조에 따른 소방안전관리자 자격의 정지 및 취소에 관한 업무를 소방서장에게 위임한다.

(2) 소방관서장 업무의 안전원 위탁

소방관서장은 다음에 해당하는 업무를 안전원에 위탁할 수 있다.

① 소방안전관리자 또는 소방안전관리보조자 선임신고의 접수
② 소방안전관리자 또는 소방안전관리보조자 해임 사실의 확인
③ 건설현장 소방안전관리자 선임신고의 접수
④ 소방안전관리자 자격시험
⑤ 소방안전관리자 자격증의 발급 및 재발급
⑥ 소방안전관리 등에 관한 종합정보망의 구축·운영
⑦ 강습교육 및 실무교육

(3) 비밀누설금지 의무

① 위탁받은 업무에 종사하고 있거나 종사하였던 사람은 업무를 수행하면서 알게 된 비밀을 이 법에서 정한 목적 외의 용도로 사용하거나 다른 사람 또는 기관에 제공하거나 누설하여서는 아니 된다.

② **벌칙 – 300만원 이하의 벌금(제50조 제3항):** 제48조 제3항을 위반하여 업무를 수행하면서 알게 된 비밀을 이 법에서 정한 목적 외의 용도로 사용하거나 다른 사람 또는 기관에 제공하거나 누설한 자

✏ **핵심 적중**

화재예방법 및 같은 법 시행령상 권한의 위임·위탁 등에 관한 내용으로 옳지 않은 것은?

① 소방청장 또는 시·도지사의 권한은 그 일부를 대통령령으로 정하는 바에 따라 시·도지사, 소방본부장 또는 소방서장에게 위임할 수 있다.
② 소방관서장은 소방안전관리자 또는 소방안전관리보조자 선임신고의 접수를 한국소방안전원에 위탁한다.
③ 소방청장은 소방안전관리자 자격의 정지 및 취소에 관한 업무를 한국소방안전원에게 위임한다.
④ 위탁받은 업무에 종사하고 있거나 종사하였던 사람은 업무를 수행하면서 알게 된 비밀을 이 법에서 정한 목적 외의 용도로 사용하거나 다른 사람 또는 기관에 제공하거나 누설하여서는 아니 된다.

정답 ③

(4) 안전원이 갖춰야 하는 시설 기준 등(규칙 제50조)

① 안전원의 장은 화재예방안전진단을 원활하게 수행하기 위하여 영 별표 8에 따른 진단기관이 갖춰야 하는 시설, 전문인력 및 장비를 갖춰야 한다.

② 안전원은 법 제48조 제2항 제7호(제34조에 따른 강습교육 및 실무교육)에 따른 업무를 위탁받은 경우 규칙 별표 10의 시설기준을 갖춰야 한다.

ⓐ **사무실**: 바닥면적 60제곱미터 이상일 것

ⓑ **강의실**: 바닥면적 100제곱미터 이상이고 책상·의자, 음향시설, 컴퓨터 및 빔프로젝터 등 교육에 필요한 비품을 갖출 것

ⓒ **실습실**: 바닥면적 100제곱미터 이상이고, 교육과정별 실습·평가를 위한 교육기자재 등을 갖출 것

ⓓ **교육용기자재 등**

👆 **관계법규** **권한의 위임·위탁 등**

시행령	시행규칙
제48조【권한의 위임·위탁 등】 소방청장은 법 제48조 제1항에 따라 법 제31조에 따른 소방안전관리자 자격의 정지 및 취소에 관한 업무를【 ① 】에게 위임한다. **제49조【고유식별정보의 처리】** 소방관서장(제48조 및 법 제48조 제2항에 따라 소방관서장의 권한 또는 업무를 위임받거나 위탁받은 자를 포함한다) 또는 시·도지사(해당 권한 또는 업무가 위임되거나 위탁된 경우에는 그 권한 또는 업무를 위임받거나 위탁받은 자를 포함한다)는 다음 각 호의 사무를 수행하기 위하여 불가피한 경우 「개인정보 보호법 시행령」 제19조 제1호 또는 제4호에 따른 주민등록번호 또는 외국인등록번호가 포함된 자료를 처리할 수 있다. **제50조【규제의 재검토】** 소방청장은 다음 각 호의 사항에 대하여 해당 호에서 정하는 날을 기준일로 하여 3년마다(매 3년이 되는 해의 기준일과 같은 날 전까지를 말한다) 그 타당성을 검토하여 개선 등의 조치를 해야 한다. 1. 제25조에 따른 소방안전관리자를 두어야 하는 특정소방대상물: 2022년 12월 1일 2. 제25조에 따른 소방안전관리보조자를 두어야 하는 특정소방대상물: 2022년 12월 1일 3. 제25조에 따른 소방안전관리자 및 소방안전관리보조자의 선임 대상별 자격 및 선임인원: 2022년 12월 1일 4. 제28조에 따른 소방안전관리 업무의 대행 대상 및 업무: 2022년 12월 1일	**제50조【안전원이 갖춰야 하는 시설 기준 등】** ① 안전원의 장은 화재예방안전진단을 원활하게 수행하기 위하여 영 별표 8에 따른 진단기관이 갖춰야 하는 시설, 전문인력 및 장비를 갖춰야 한다. ② 안전원은 법 제48조 제2항 제7호에 따른 업무를 위탁받은 경우 별표 10의 시설기준을 갖춰야 한다.
① 소방서장	

　제49조【벌칙 적용에서 공무원 의제】다음 각 호의 어느 하나에 해당하는 자 중 공무원이 아닌 사람은「형법」제129조부터 제132조까지의 규정을 적용할 때에는 공무원으로 본다.

　　1. 제9조에 따른 화재안전조사단의 구성원
　　2. 제10조에 따른 화재안전조사위원회의 위원
　　3. 제11조에 따라 화재안전조사에 참여하는 자
　　4. 제22조에 따른 화재안전영향평가심의회 위원
　　5. 제41조 제1항에 따른 화재예방안전진단업무 수행 기관의 임원 및 직원
　　6. 제48조 제2항에 따라 위탁받은 업무에 종사하는 안전원의 담당 임원 및 직원

(1) 벌칙 적용 시의 공무원 의제 대상자

　　① 화재안전조사단의 구성원
　　② 화재안전조사위원회의 위원
　　③ 화재안전조사에 참여하는 자
　　④ 화재안전영향평가심의회 위원
　　⑤ 화재예방안전진단업무 수행 기관의 임원 및 직원
　　⑥ 위탁받은 업무에 종사하는 안전원의 담당 임원 및 직원

(2)「형법」제129조 ~ 제132조 규정의 적용

제129조 (수뢰, 사전수뢰)	1. 공무원 또는 중재인이 그 직무에 관하여 뇌물을 수수, 요구 또는 약속한 때에는 5년 이하의 징역 또는 10년 이하의 자격정지에 처한다. 2. 공무원 또는 중재인이 될 자가 그 담당할 직무에 관하여 청탁을 받고 뇌물을 수수, 요구 또는 약속한 후 공무원 또는 중재인이 된 때에는 3년 이하의 징역 또는 7년 이하의 자격정지에 처한다.
제130조 (제삼자뇌물제공)	공무원 또는 중재인이 그 직무에 관하여 부정한 청탁을 받고 제3자에게 뇌물을 공여하게 하거나 공여를 요구 또는 약속한 때에는 5년 이하의 징역 또는 10년 이하의 자격정지에 처한다.
제131조 (수뢰후부정처사, 사후수뢰)	1. 공무원 또는 중재인이 제129조, 제130조의 죄를 범하여 부정한 행위를 한 때에는 1년 이상의 유기징역에 처한다. 2. 공무원 또는 중재인이 그 직무상 부정한 행위를 한 후 뇌물을 수수, 요구 또는 약속하거나 제삼자에게 이를 공여하게 하거나 공여를 요구 또는 약속한 때에도 1.의 형과 같다. 3. 공무원 또는 중재인이었던 자가 그 재직 중에 청탁을 받고 직무상 부정한 행위를 한 후 뇌물을 수수, 요구 또는 약속한 때에는 5년 이하의 징역 또는 10년 이하의 자격정지에 처한다. 4. 3.의 경우에는 10년 이하의 자격정지를 병과할 수 있다.
제132조 (알선수뢰)	공무원이 그 지위를 이용하여 다른 공무원의 직무에 속한 사항의 알선에 관하여 뇌물을 수수, 요구 또는 약속한 때에는 3년 이하의 징역 또는 7년 이하의 자격정지에 처한다.

제8장 벌칙

1 3년 이하의 징역 또는 3천만원 이하의 벌금 · B

제50조【벌칙】 ① 다음 각 호의 어느 하나에 해당하는 자는 3년 이하의 징역 또는 3천만원 이하의 벌금에 처한다.

1. 제14조 제1항 및 제2항에 따른 조치명령을 정당한 사유 없이 위반한 자
2. 제28조 제1항 및 제2항에 따른 명령을 정당한 사유 없이 위반한 자
3. 제41조 제5항에 따른 보수·보강 등의 조치명령을 정당한 사유 없이 위반한 자
4. 거짓이나 그 밖의 부정한 방법으로 제42조 제1항에 따른 진단기관으로 지정을 받은 자

(1) 제14조 제1항 및 제2항에 따른 조치명령을 정당한 사유 없이 위반한 자

> **제14조【화재안전조사 결과에 따른 조치명령】** ① 소방관서장은 화재안전조사 결과에 따른 소방대상물의 위치·구조·설비 또는 관리의 상황이 화재예방을 위하여 보완될 필요가 있거나 화재가 발생하면 인명 또는 재산의 피해가 클 것으로 예상되는 때에는 행정안전부령으로 정하는 바에 따라 관계인에게 그 소방대상물의 개수(改修)·이전·제거, 사용의 금지 또는 제한, 사용폐쇄, 공사의 정지 또는 중지, 그 밖에 필요한 조치를 명할 수 있다.
> ② 소방관서장은 화재안전조사 결과 소방대상물이 법령을 위반하여 건축 또는 설비되었거나 소방시설등, 피난시설·방화구획, 방화시설등이 법령에 적합하게 설치 또는 관리되고 있지 아니한 경우에는 관계인에게 제1항에 따른 조치를 명하거나 관계 행정기관의 장에게 필요한 조치를 하여 줄 것을 요청할 수 있다.

(2) 제28조 제1항 및 제2항에 따른 명령을 정당한 사유 없이 위반한 자

> **제28조【소방안전관리자 선임명령 등】** ① 소방본부장 또는 소방서장은 제24조 제1항에 따른 소방안전관리자 또는 소방안전관리보조자를 선임하지 아니한 소방안전관리대상물의 관계인에게 소방안전관리자 또는 소방안전관리보조자를 선임하도록 명할 수 있다.
> ② 소방본부장 또는 소방서장은 제24조 제5항에 따른 업무를 다하지 아니하는 특정소방대상물의 관계인 또는 소방안전관리자에게 그 업무의 이행을 명할 수 있다.

(3) 제41조 제5항에 따른 보수·보강 등의 조치명령을 정당한 사유 없이 위반한 자

> **제41조【화재예방안전진단】** ⑤ 소방본부장 또는 소방서장은 제4항에 따라 제출받은 화재예방안전진단 결과에 따라 보수·보강 등의 조치가 필요하다고 인정하는 경우에는 해당 소방안전 특별관리시설물의 관계인에게 보수·보강 등의 조치를 취할 것을 명할 수 있다.

(4) 거짓이나 그 밖의 부정한 방법으로 제42조 제1항에 따른 진단기관으로 지정을 받은 자

> **제42조【진단기관의 지정 및 취소】** ① 제41조 제1항에 따라 소방청장으로부터 진단기관으로 지정을 받으려는 자는 대통령령으로 정하는 시설과 전문인력 등 지정기준을 갖추어 소방청장에게 지정을 신청하여야 한다.

1-2 1년 이하의 징역 또는 1천만원 이하의 벌금   B

제50조【벌칙】 ② 다음 각 호의 어느 하나에 해당하는 자는 1년 이하의 징역 또는 1천만원 이하의 벌금에 처한다.
  1. 제12조 제2항을 위반하여 관계인의 정당한 업무를 방해하거나, 조사업무를 수행하면서 취득한 자료나 알게 된 비밀을 다른 사람 또는 기관에게 제공 또는 누설하거나 목적 외의 용도로 사용한 자
  2. 제30조 제4항을 위반하여 자격증을 다른 사람에게 빌려 주거나 빌리거나 이를 알선한 자
  3. 제41조 제1항을 위반하여 진단기관으로부터 화재예방안전진단을 받지 아니한 자

(1) 제12조 제2항을 위반하여 관계인의 정당한 업무를 방해하거나, 조사업무를 수행하면서 취득한 자료나 알게 된 비밀을 다른 사람 또는 기관에게 제공 또는 누설하거나 목적 외의 용도로 사용한 자

> **제12조【증표의 제시 및 비밀유지 의무 등】** ② 화재안전조사 업무를 수행하는 관계 공무원 및 관계 전문가는 관계인의 정당한 업무를 방해하여서는 아니 되며, 조사업무를 수행하면서 취득한 자료나 알게 된 비밀을 다른 사람 또는 기관에 제공 또는 누설하거나 목적 외의 용도로 사용하여서는 아니 된다.

(2) 제30조 제4항을 위반하여 자격증을 다른 사람에게 빌려 주거나 빌리거나 이를 알선한 자

> **제30조【소방안전관리자 자격 및 자격증의 발급 등】** ④ 제2항 또는 제3항에 따라 발급 또는 재발급 받은 소방안전관리자 자격증을 다른 사람에게 빌려 주거나 빌려서는 아니 되며, 이를 알선하여서도 아니 된다.

(3) 제41조 제1항을 위반하여 진단기관으로부터 화재예방안전진단을 받지 아니한 자

> **제41조【화재예방안전진단】** ① 대통령령으로 정하는 소방안전 특별관리시설물의 관계인은 화재의 예방 및 안전관리를 체계적·효율적으로 수행하기 위하여 대통령령으로 정하는 바에 따라 「소방기본법」 제40조에 따른 한국소방안전원(이하 "안전원"이라 한다) 또는 소방청장이 지정하는 화재예방안전진단기관(이하 "진단기관"이라 한다)으로부터 정기적으로 화재예방안전진단을 받아야 한다.

1-3 300만원 이하의 벌금   B

제50조【벌칙】 ③ 다음 각 호의 어느 하나에 해당하는 자는 300만원 이하의 벌금에 처한다.

1. 제7조 제1항에 따른 화재안전조사를 정당한 사유 없이 거부·방해 또는 기피한 자
2. 제17조 제2항 각 호의 어느 하나에 따른 명령을 정당한 사유 없이 따르지 아니하거나 방해한 자
3. 제24조 제1항·제3항, 제29조 제1항 및 제35조 제1항·제2항을 위반하여 소방안전관리자, 총괄소방안전관리자 또는 소방안전관리보조자를 선임하지 아니한 자
4. 제27조 제3항을 위반하여 소방시설·피난시설·방화시설 및 방화구획 등이 법령에 위반된 것을 발견하였음에도 필요한 조치를 할 것을 요구하지 아니한 소방안전관리자
5. 제27조 제4항을 위반하여 소방안전관리자에게 불이익한 처우를 한 관계인
6. 제41조 제6항 및 제48조 제3항을 위반하여 업무를 수행하면서 알게 된 비밀을 이 법에서 정한 목적 외의 용도로 사용하거나 다른 사람 또는 기관에 제공하거나 누설한 자

(1) 제7조 제1항에 따른 화재안전조사를 정당한 사유 없이 거부·방해 또는 기피한 자

> **제7조【화재안전조사】** ① 소방관서장은 다음 각 호의 어느 하나에 해당하는 경우 화재안전조사를 실시할 수 있다. 다만, 개인의 주거(실제 주거용도로 사용되는 경우에 한정한다)에 대한 화재안전조사는 관계인의 승낙이 있거나 화재발생의 우려가 뚜렷하여 긴급한 필요가 있는 때에 한정한다.

(2) 제17조 제2항 각 호의 어느 하나에 따른 명령을 정당한 사유 없이 따르지 아니하거나 방해한 자

> **제17조【화재의 예방조치 등】** ② 소방관서장은 화재 발생 위험이 크거나 소화 활동에 지장을 줄 수 있다고 인정되는 행위나 물건에 대하여 행위 당사자나 그 물건의 소유자, 관리자 또는 점유자에게 다음 각 호의 명령을 할 수 있다. 다만, 제

2호 및 제3호에 해당하는 물건의 소유자, 관리자 또는 점유자를 알 수 없는 경우 소속 공무원으로 하여금 그 물건을 옮기거나 보관하는 등 필요한 조치를 하게 할 수 있다.

1. 제1항 각 호의 어느 하나에 해당하는 행위의 금지 또는 제한
2. 목재, 플라스틱 등 가연성이 큰 물건의 제거, 이격, 적재 금지 등
3. 소방차량의 통행이나 소화 활동에 지장을 줄 수 있는 물건의 이동

(3) 제24조 제1항·제3항, 제29조 제1항 및 제35조 제1항·제2항을 위반하여 소방안전관리자, 총괄소방안전관리자 또는 소방안전관리보조자를 선임하지 아니한 자

> **제24조【특정소방대상물의 소방안전관리】** ① 특정소방대상물 중 전문적인 안전관리가 요구되는 대통령령으로 정하는 특정소방대상물(이하 "소방안전관리대상물"이라 한다)의 관계인은 소방안전관리업무를 수행하기 위하여 제30조 제1항에 따른 소방안전관리자 자격증을 발급받은 사람을 소방안전관리자로 선임하여야 한다. 이 경우 소방안전관리자의 업무에 대하여 보조가 필요한 대통령령으로 정하는 소방안전관리대상물의 경우에는 소방안전관리자 외에 소방안전관리보조자를 추가로 선임하여야 한다.
> ③ 제1항에도 불구하고 제25조 제1항에 따른 소방안전관리대상물의 관계인은 소방안전관리업무를 대행하는 관리업자(「소방시설 설치 및 관리에 관한 법률」 제29조 제1항에 따른 소방시설관리업의 등록을 한 자를 말한다. 이하 "관리업자"라 한다)를 감독할 수 있는 사람을 지정하여 소방안전관리자로 선임할 수 있다. 이 경우 소방안전관리자로 선임된 자는 선임된 날부터 3개월 이내에 제34조에 따른 교육을 받아야 한다.
>
> **제29조【건설현장 소방안전관리】** ① 「소방시설 설치 및 관리에 관한 법률」 제15조 제1항에 따른 공사시공자가 화재발생 및 화재피해의 우려가 큰 대통령령으로 정하는 특정소방대상물(이하 "건설현장 소방안전관리대상물"이라 한다)을 신축·증축·개축·재축·이전·용도변경 또는 대수선 하는 경우에는 제24조 제1항에 따른 소방안전관리자로서 제34조에 따른 교육을 받은 사람을 소방시설공사 착공 신고일부터 건축물 사용승인일(「건축법」 제22조에 따라 건축물을 사용할 수 있게 된 날을 말한다)까지 소방안전관리자로 선임하고 행정안전부령으로 정하는 바에 따라 소방본부장 또는 소방서장에게 신고하여야 한다.
>
> **제35조【관리의 권원이 분리된 특정소방대상물의 소방안전관리】** ① 다음 각 호의 어느 하나에 해당하는 특정소방대상물로서 그 관리의 권원(權原)이 분리되어 있는 특정소방대상물의 경우 그 관리의 권원별 관계인은 대통령령으로 정하는 바에 따라 제24조 제1항에 따른 소방안전관리자를 선임하여야 한다. 다만, 소방본부장 또는 소방서장은 관리의 권원이 많아 효율적인 소방안전관리가 이루어지지 아니한다고 판단되는 경우 대통령령으로 정하는 바에 따라 관리의 권원을 조정하여 소방안전관리자를 선임하도록 할 수 있다.
> 1. 복합건축물(지하층을 제외한 층수가 11층 이상 또는 연면적 3만제곱미터 이상인 건축물)
> 2. 지하가(지하의 인공구조물 안에 설치된 상점 및 사무실, 그 밖에 이와 비슷한 시설이 연속하여 지하도에 접하여 설치된 것과 그 지하도를 합한 것을 말한다)
> 3. 그 밖에 대통령령으로 정하는 특정소방대상물

② 제1항에 따른 관리의 권원별 관계인은 상호 협의하여 특정소방대상물의 전체에 걸쳐 소방안전관리상 필요한 업무를 총괄하는 소방안전관리자(이하 "총괄소방안전관리자"라 한다)를 제1항에 따라 선임된 소방안전관리자 중에서 선임하거나 별도로 선임하여야 한다. 이 경우 총괄소방안전관리자의 자격은 대통령령으로 정하고 업무수행 등에 필요한 사항은 행정안전부령으로 정한다.

(4) 제27조 제3항을 위반하여 소방시설·피난시설·방화시설 및 방화구획 등이 법령에 위반된 것을 발견하였음에도 필요한 조치를 할 것을 요구하지 아니한 소방안전관리자

제27조【관계인 등의 의무】③ 소방안전관리자는 인명과 재산을 보호하기 위하여 소방시설·피난시설·방화시설 및 방화구획 등이 법령에 위반된 것을 발견한 때에는 지체 없이 소방안전관리대상물의 관계인에게 소방대상물의 개수·이전·제거·수리 등 필요한 조치를 할 것을 요구하여야 하며, 관계인이 시정하지 아니하는 경우 소방본부장 또는 소방서장에게 그 사실을 알려야 한다. 이 경우 소방안전관리자는 공정하고 객관적으로 그 업무를 수행하여야 한다.

(5) 제27조 제4항을 위반하여 소방안전관리자에게 불이익한 처우를 한 관계인

제27조【관계인 등의 의무】④ 소방안전관리자로부터 제3항에 따른 조치요구 등을 받은 소방안전관리대상물의 관계인은 지체 없이 이에 따라야 하며, 이를 이유로 소방안전관리자를 해임하거나 보수(報酬)의 지급을 거부하는 등 불이익한 처우를 하여서는 아니 된다.

(6) 제41조 제6항 및 제48조 제3항을 위반하여 업무를 수행하면서 알게 된 비밀을 이 법에서 정한 목적 외의 용도로 사용하거나 다른 사람 또는 기관에 제공하거나 누설한 자

제41조【화재예방안전진단】⑥ 화재예방안전진단 업무에 종사하고 있거나 종사하였던 사람은 업무를 수행하면서 알게 된 비밀을 이 법에서 정한 목적 외의 용도로 사용하거나 다른 사람 또는 기관에 제공하거나 누설하여서는 아니 된다.

제48조【권한의 위임·위탁 등】③ 제2항에 따라 위탁받은 업무에 종사하고 있거나 종사하였던 사람은 업무를 수행하면서 알게 된 비밀을 이 법에서 정한 목적 외의 용도로 사용하거나 다른 사람 또는 기관에 제공하거나 누설하여서는 아니 된다.

2   양벌규정   D

제51조 【양벌규정】 법인의 대표자나 법인 또는 개인의 대리인, 사용인, 그 밖의 종업
    원이 그 법인 또는 개인의 업무에 관하여 제50조에 해당하는 위반행위를 하면 그
    행위자를 벌하는 외에 그 법인 또는 개인에게도 해당 조문의 벌금형을 과(科)한다.
    다만, 법인 또는 개인이 그 위반행위를 방지하기 위하여 해당 업무에 관하여 상당한
    주의와 감독을 게을리하지 아니한 경우에는 그러하지 아니하다.

① 법인의 대표자나 법인 또는 개인의 대리인, 사용인, 그 밖의 종업원이 그 법인 또는
   개인의 업무에 관하여 제50조에 해당하는 위반행위를 하면 그 행위자를 벌하는 외
   에 그 법인 또는 개인에게도 해당 조문의 벌금형을 과(科)한다.
② 다만, 법인 또는 개인이 그 위반행위를 방지하기 위하여 해당 업무에 관하여 상당
   한 주의와 감독을 게을리하지 아니한 경우에는 그러하지 아니하다.

3   300만원 이하의 과태료   B

제52조 【과태료】 ① 다음 각 호의 어느 하나에 해당하는 자에게는 300만원 이하의
    과태료를 부과한다.
    1. 정당한 사유 없이 제17조 제1항 각 호의 어느 하나에 해당하는 행위를 한 자
    2. 제24조 제2항을 위반하여 소방안전관리자를 겸한 자
    3. 제24조 제5항에 따른 소방안전관리업무를 하지 아니한 특정소방대상물의 관계
      인 또는 소방안전관리대상물의 소방안전관리자
    4. 제27조 제2항을 위반하여 소방안전관리업무의 지도·감독을 하지 아니한 자
    5. 제29조 제2항에 따른 건설현장 소방안전관리대상물의 소방안전관리자의 업무를
      하지 아니한 소방안전관리자
    6. 제36조 제3항을 위반하여 피난유도 안내정보를 제공하지 아니한 자
    7. 제37조 제1항을 위반하여 소방훈련 및 교육을 하지 아니한 자
    8. 제41조 제4항을 위반하여 화재예방안전진단 결과를 제출하지 아니한 자

① 정당한 사유 없이 제17조 제1항 각 호의 어느 하나에 해당하는 행위를 한 자
② 제24조 제2항을 위반하여 소방안전관리자를 겸한 자
③ 제24조 제5항에 따른 소방안전관리업무를 하지 아니한 특정소방대상물의 관계인 또는
   소방안전관리대상물의 소방안전관리자
④ 제27조 제2항을 위반하여 소방안전관리업무의 지도·감독을 하지 아니한 자
⑤ 제29조 제2항에 따른 건설현장 소방안전관리대상물의 소방안전관리자의 업무를
   하지 아니한 소방안전관리자

⑥ 제36조 제3항을 위반하여 피난유도 안내정보를 제공하지 아니한 자

⑦ 제37조 제1항을 위반하여 소방훈련 및 교육을 하지 아니한 자

⑧ 제41조 제4항을 위반하여 화재예방안전진단 결과를 제출하지 아니한 자

3-2 200만원 이하의 과태료　　　　　　　　　　　　　　　B

제52조【과태료】 ② 다음 각 호의 어느 하나에 해당하는 자에게는 200만원 이하의 과태료를 부과한다.

　1. 제17조 제4항에 따른 불을 사용할 때 지켜야 하는 사항 및 같은 조 제5항에 따른 특수가연물의 저장 및 취급 기준을 위반한 자

　2. 제18조 제4항에 따른 소방설비등의 설치 명령을 정당한 사유 없이 따르지 아니한 자

　3. 제26조 제1항을 위반하여 기간 내에 선임신고를 하지 아니하거나 소방안전관리자의 성명 등을 게시하지 아니한 자

　4. 제29조 제1항을 위반하여 기간 내에 선임신고를 하지 아니한 자

　5. 제37조 제2항을 위반하여 기간 내에 소방훈련 및 교육 결과를 제출하지 아니한 자

① 제17조 제4항에 따른 불을 사용할 때 지켜야 하는 사항 및 같은 조 제5항에 따른 특수가연물의 저장 및 취급 기준을 위반한 자

② 제18조 제4항에 따른 소방설비등의 설치 명령을 정당한 사유 없이 따르지 아니한 자

③ 제26조 제1항을 위반하여 기간 내에 선임신고를 하지 아니하거나 소방안전관리자의 성명 등을 게시하지 아니한 자

④ 제29조 제1항을 위반하여 기간 내에 선임신고를 하지 아니한 자

⑤ 제37조 제2항을 위반하여 기간 내에 소방훈련 및 교육 결과를 제출하지 아니한 자

제52조【과태료】 ③ 제34조 제1항 제2호를 위반하여 실무교육을 받지 아니한 소방안전관리자 및 소방안전관리보조자에게는 100만원 이하의 과태료를 부과한다.
④ 제1항부터 제3항까지에 따른 과태료는 대통령령으로 정하는 바에 따라 소방청장, 시·도지사, 소방본부장 또는 소방서장이 부과·징수한다.

(1) 100만원 이하의 과태료

제34조 제1항 제2호를 위반하여 실무교육을 받지 아니한 소방안전관리자 및 소방안전관리보조자에게는 100만원 이하의 과태료를 부과한다.

(2) 위임규정

과태료는 대통령령으로 정하는 바에 따라 소방청장, 시·도지사, 소방본부장 또는 소방서장이 부과·징수한다.

(3) 과태료의 부과기준(영 제51조 [별표 9])

① 일반기준

㉠ 위반행위의 횟수에 따른 과태료의 가중된 부과기준은 최근 1년간 같은 위반행위로 과태료 부과처분을 받은 경우에 적용한다. 이 경우 기간의 계산은 위반행위에 대하여 과태료 부과처분을 받은 날과 그 처분 후 다시 같은 위반행위를 하여 적발된 날을 기준으로 한다.

㉡ ㉠에 따라 가중된 부과처분을 하는 경우 가중처분의 적용 차수는 그 위반행위 전 부과처분 차수(㉠에 따른 기간 내에 과태료 부과처분이 둘 이상 있었던 경우에는 높은 차수를 말한다)의 다음 차수로 한다.

㉢ 부과권자는 다음의 어느 하나에 해당하는 경우에는 ②의 개별기준에 따른 과태료의 2분의 1 범위에서 그 금액을 줄여 부과할 수 있다. 다만, 과태료를 체납하고 있는 위반행위자에 대해서는 그렇지 않다.

ⓐ 위반행위가 사소한 부주의나 오류로 인한 것으로 인정되는 경우

ⓑ 위반행위자가 법 위반상태를 시정하거나 해소하기 위하여 노력한 사실이 인정되는 경우

ⓒ 위반행위자가 처음 위반행위를 한 경우로서 3년 이상 해당 업종을 모범적으로 영위한 사실이 인정되는 경우

ⓓ 위반행위자가 화재 등 재난으로 재산에 현저한 손실을 입거나 사업 여건의 악화로 그 사업이 중대한 위기에 처하는 등 사정이 있는 경우

ⓔ 위반행위자가 같은 위반행위로 다른 법률에 따라 과태료·벌금·영업정지 등의 처분을 받은 경우

ⓕ 그 밖에 위반행위의 정도, 위반행위의 동기와 그 결과 등을 고려하여 과태료 금액을 줄일 필요가 있다고 인정되는 경우

② 개별기준

위반행위	근거 법조문	과태료 금액 (단위: 만원)		
		1차 위반	2차 위반	3차 이상 위반
가. 정당한 사유 없이 법 제17조 제1항 각 호의 어느 하나에 해당하는 행위를 한 경우	법 제52조 제1항 제1호	300		
나. 법 제17조 제4항에 따른 불을 사용할 때 지켜야 하는 사항 및 같은 조 제5항에 따른 특수가연물의 저장 및 취급 기준을 위반한 경우	법 제52조 제2항 제1호	200		
다. 법 제18조 제4항에 따른 소방설비등의 설치 명령을 정당한 사유 없이 따르지 않은 경우	법 제52조 제2항 제2호	200		
라. 법 제24조 제2항을 위반하여 소방안전관리자를 겸한 경우	법 제52조 제1항 제2호	300		
마. 법 제24조 제5항에 따른 소방안전관리업무를 하지 않은 경우	법 제52조 제1항 제3호	100	200	300
바. 법 제26조 제1항을 위반하여 기간 내에 선임신고를 하지 않거나 소방안전관리자의 성명 등을 게시하지 않은 경우	법 제52조 제2항 제3호			
1) 지연 신고기간이 1개월 미만인 경우		50		
2) 지연 신고기간이 1개월 이상 3개월 미만인 경우		100		
3) 지연 신고기간이 3개월 이상이거나 신고하지 않은 경우		200		
4) 소방안전관리자의 성명 등을 게시하지 않은 경우		50	100	200
사. 법 제27조 제2항을 위반하여 소방안전관리업무의 지도·감독을 하지 않은 경우	법 제52조 제1항 제4호	300		
아. 법 제29조 제1항을 위반하여 기간 내에 선임신고를 하지 않은 경우	법 제52조 제2항 제4호			
1) 지연 신고기간이 1개월 미만인 경우		50		
2) 지연 신고기간이 1개월 이상 3개월 미만인 경우		100		
3) 지연 신고기간이 3개월 이상이거나 신고하지 않은 경우		200		
자. 법 제29조 제2항에 따른 건설현장 소방안전관리대상물의 소방안전관리자의 업무를 하지 않은 경우	법 제52조 제1항 제5호	100	200	300

차. 법 제34조 제1항 제2호를 위반하여 실무 교육을 받지 않은 경우	법 제52조 제3항	50		
카. 법 제36조 제3항을 위반하여 피난유도 안내정보를 제공하지 않은 경우	법 제52조 제1항 제6호	100	200	300
타. 법 제37조 제1항을 위반하여 소방훈련 및 교육을 하지 않은 경우	법 제52조 제1항 제7호	100	200	300
파. 법 제37조 제2항을 위반하여 기간 내에 소방훈련 및 교육 결과를 제출하지 않은 경우	법 제52조 제2항 제5호			
1) 지연 제출기간이 1개월 미만인 경우		50		
2) 지연 제출기간이 1개월 이상 3개월 미만인 경우		100		
3) 지연 제출기간이 3개월 이상이거나 제출을 하지 않은 경우		200		
하. 법 제41조 제4항을 위반하여 화재예방안전진단 결과를 제출하지 않은 경우	법 제52조 제1항 제8호			
1) 지연 제출기간이 1개월 미만인 경우		100		
2) 지연 제출기간이 1개월 이상 3개월 미만인 경우		200		
3) 지연 제출기간이 3개월 이상이거나 제출하지 않은 경우		300		

👆 **관계법규** 부과기준

시행령	NOTE
제51조【과태료의 부과기준】 법 제52조 제1항부터 제3항까지의 규정에 따른 과태료의 부과기준은 별표 9와 같다.	

MEMO

제3편

소방시설 설치 및
관리에 관한 법률

PREVIEW

소방시설 설치 및 관리에 관한 법률

본문 내용을 중요도에 따라 A ~ D단계로 분류함으로써 학습 단계에 맞춰 중요 내용을 선별적으로 학습할 수 있습니다.

제1장 총칙

소방시설 설치 및 관리에 관한 법률
[시행 2024.12.1.][법률 제18522호,
2021.11.30., 전부개정]

소방시설 설치 및 관리에 관한 법률 시행령
[시행 2023.3.7.][대통령령 제33321호,
2023.3.7., 타법개정]

소방시설 설치 및 관리에 관한 법률 시행규칙
[시행 2024.12.1.][행정안전부령 제360호,
2022.12.1., 전부개정]

 정희's 톡talk

약칭
「소방시설 설치 및 관리에 관한 법률」은 이
하 '소방시설법'이라 합니다.

「화재예방, 소방시설 설치·유지 및 안전관
리에 관한 법률」 전부개정법률 제정 이유
「화재예방, 소방시설 설치·유지 및 안전관리
에 관한 법률」에 복잡하게 규정된 화재 예방
에 관한 사항을 분리하여 별도의 법률로 제
정하기로 함에 따라 현행 법률의 제명을 「소
방시설 설치 및 관리에 관한 법률」로 변경하
는 한편, 변화하는 소방환경에 맞추어 현행
제도의 운영상 나타난 미비점을 반영하여 전
부 개정하려는 것입니다.

---

1 「소방시설 설치 및 관리에 관한 법률」의 목적   B

> **제1조 【목적】** 이 법은 특정소방대상물 등에 설치하여야 하는 소방시설등의 설치·관
> 리와 소방용품 성능관리에 필요한 사항을 규정함으로써 국민의 생명·신체 및 재산
> 을 보호하고 공공의 안전과 복리 증진에 이바지함을 목적으로 한다.

소방시설법은 다음을 그 목적으로 한다.
① 특정소방대상물 등에 설치하여야 하는 소방시설등의 설치·관리와 소방용품 성능
  관리에 필요한 사항을 규정함
② 국민의 생명·신체 및 재산을 보호함
③ 공공의 안전과 복리 증진에 이바지함

📖 **SUMMARY   6개분법상 '목적'**

구분	핵심내용	궁극적인 목적
소방기본법	• 화재의 예방·경계·진압 • 화재, 재난·재해, 그 밖의 위급한 상황으로부터 구조·구급 활동 등 • 국민의 생명·신체 및 재산을 보호함	공공의 안녕 질서 유지 복리 증진
화재예방법	• 화재의 예방과 안전관리에 필요한 사항을 규정함 • 화재로부터 국민의 생명·신체 및 재산을 보호함	공공의 안전 복리증진
소방시설법	• 특정소방대상물 등에 설치하여야 하는 소방시설 등의 설치·관리와 소방용품 성능관리에 필요한 사항 규정 • 국민의 생명·신체 및 재산 보호	공공의 안전 복리증진
화재조사법	• 화재예방 및 소방정책에 활용 • 화재원인, 화재성장 및 확산, 피해현황 등에 관한 과학적·전문적인 조사에 필요한 사항을 규정함	
소방시설 공사업법	• 소방시설공사 및 소방기술 • 소방시설업 건전한 발전과 소방기술 진흥	화재로부터 공공의 안전 국민경제 이바지
위험물 안전관리법	• 위험물의 저장·취급 및 운반과 안전관리사항 규정 • 위험물로 인한 위해 방지	공공의 안전

2	정의	A

제2조【정의】 ① 이 법에서 사용하는 용어의 뜻은 다음과 같다.

1. "소방시설"이란 소화설비, 경보설비, 피난구조설비, 소화용수설비, 그 밖에 소화활동설비로서 대통령령으로 정하는 것을 말한다.
2. "소방시설등"이란 소방시설과 비상구(非常口), 그 밖에 소방 관련 시설로서 대통령령으로 정하는 것을 말한다.
3. "특정소방대상물"이란 건축물 등의 규모·용도 및 수용인원 등을 고려하여 소방시설을 설치하여야 하는 소방대상물로서 대통령령으로 정하는 것을 말한다.
4. "화재안전성능"이란 화재를 예방하고 화재발생 시 피해를 최소화하기 위하여 소방대상물의 재료, 공간 및 설비 등에 요구되는 안전성능을 말한다.
5. "성능위주설계"란 건축물 등의 재료, 공간, 이용자, 화재 특성 등을 종합적으로 고려하여 공학적 방법으로 화재 위험성을 평가하고 그 결과에 따라 화재안전성능이 확보될 수 있도록 특정소방대상물을 설계하는 것을 말한다.
6. "화재안전기준"이란 소방시설 설치 및 관리를 위한 다음 각 목의 기준을 말한다.
   가. 성능기준: 화재안전 확보를 위하여 재료, 공간 및 설비등에 요구되는 안전성능으로서 소방청장이 고시로 정하는 기준
   나. 기술기준: 가목에 따른 성능기준을 충족하는 상세한 규격, 특정한 수치 및 시험방법 등에 관한 기준으로서 행정안전부령으로 정하는 절차에 따라 소방청장의 승인을 받은 기준
7. "소방용품"이란 소방시설등을 구성하거나 소방용으로 사용되는 제품 또는 기기로서 대통령령으로 정하는 것을 말한다.

② 이 법에서 사용하는 용어의 뜻은 제1항에서 규정하는 것을 제외하고는「소방기본법」,「화재의 예방 및 안전관리에 관한 법률」,「소방시설공사업법」,「위험물안전관리법」및「건축법」에서 정하는 바에 따른다.

(1) 소방시설

소화설비, 경보설비, 피난구조설비, 소화용수설비, 그 밖에 소화활동설비로서 대통령령으로 정하는 것

(2) 소방시설등

① 소방시설과 비상구(非常口), 그 밖에 소방 관련 시설로서 대통령령으로 정하는 것
② 방화문 및 자동방화셔터(영 제4조)

(3) 특정소방대상물

건축물 등의 규모·용도 및 수용인원 등을 고려하여 소방시설을 설치하여야 하는 소방대상물로서 대통령령으로 정하는 것

(4) 화재안전성능

화재를 예방하고 화재발생 시 피해를 최소화하기 위하여 소방대상물의 재료, 공간 및 설비등에 요구되는 안전성능

 정희's 톡talk

대통령령으로 정하는 것
1. 소방시설
 · 소화설비
 · 경보설비
 · 피난구조설비
 · 소화용수설비
 · 소화활동설비
2. 소방시설등
 · 소방시설
 · 비상구
 · 방화문 및 자동방화셔터

(5) 성능위주설계

① 건축물 등의 재료, 공간, 이용자, 화재 특성 등을 종합적으로 고려하여 공학적 방법으로 화재 위험성을 평가함

② 그 결과에 따라 화재안전성능이 확보될 수 있도록 특정소방대상물을 설계하는 것

(6) 화재안전기준

① 성능기준: 화재안전 확보를 위하여 재료, 공간 및 설비등에 요구되는 안전성능으로서 소방청장이 고시로 정하는 기준

② 기술기준: ①에 따른 성능기준을 충족하는 상세한 규격, 특정한 수치 및 시험방법 등에 관한 기준으로서 행정안전부령으로 정하는 절차에 따라 소방청장의 승인을 받은 기준

(7) 소방용품

소방시설등을 구성하거나 소방용으로 사용되는 제품 또는 기기로서 대통령령으로 정하는 것

관계법규 소방시설등

시행령	NOTE
제3조【소방시설】「소방시설 설치 및 관리에 관한 법률」(이하 "법"이라 한다) 제2조 제1항 제1호에서 "대통령령으로 정하는 것"이란 별표 1의 설비를 말한다. **제4조【소방시설등】** 법 제2조 제1항 제2호에서 "대통령령으로 정하는 것"이란 방화문 및 자동방화셔터를 말한다. **제5조【특정소방대상물】** 법 제2조 제1항 제3호에서 "대통령령으로 정하는 것"이란 별표 2의 소방대상물을 말한다. **제6조【소방용품】** 법 제2조 제1항 제7호에서 "대통령령으로 정하는 것"이란 별표 3의 제품 또는 기기를 말한다.	**📖 SUMMARY 용어의 정의** 표 참조

📖 SUMMARY 용어의 정의

구분	정의
1. 소화설비	물 또는 그 밖의 소화약제를 사용하여 소화하는 기계·기구 또는 설비
2. 경보설비	화재발생 사실을 통보하는 기계·기구 또는 설비
3. 피난구조설비	화재가 발생할 경우 피난하기 위하여 사용하는 기구 또는 설비
4. 소화용수설비	화재를 진압하는 데 필요한 물을 공급하거나 저장하는 설비
5. 소화활동설비	화재를 진압하거나 인명구조활동을 위하여 사용하는 설비

① 방화문

시행령 제2조 【정의】 이 영에서 사용하는 용어의 뜻은 다음과 같다.

　1. "무창층"(無窓層)이란 지상층 중 다음 각 목의 요건을 모두 갖춘 개구부(건축물에서 채광·환기·통풍 또는 출입 등을 위하여 만든 창·출입구, 그 밖에 이와 비슷한 것을 말한다)의 면적의 합계가 해당 층의 바닥면적(「건축법 시행령」 제119조 제1항 제3호에 따라 산정된 면적을 말한다)의 30분의 1 이하가 되는 층을 말한다.

　　가. 크기는 지름 50센티미터 이상의 원이 통과할 수 있을 것

　　나. 해당 층의 바닥면으로부터 개구부 밑부분까지의 높이가 1.2미터 이내일 것

　　다. 도로 또는 차량이 진입할 수 있는 빈터를 향할 것

　　라. 화재 시 건축물로부터 쉽게 피난할 수 있도록 창살이나 그 밖의 장애물이 설치되지 아니할 것

　　마. 내부 또는 외부에서 쉽게 부수거나 열 수 있을 것

　2. "피난층"이란 곧바로 지상으로 갈 수 있는 출입구가 있는 층을 말한다.

(1) 무창층

① 지상층 중 개구부 면적의 합계가 해당 층 바닥면적의 30분의 1 이하가 되는 층

② **무창층의 개구부의 요건**

　㉠ 크기는 지름 50센티미터 이상의 원이 통과할 수 있을 것

　㉡ 해당 층의 바닥면으로부터 개구부 밑부분까지 높이가 1.2미터 이내일 것

　㉢ 도로 또는 차량이 진입할 수 있는 빈터를 향할 것

　㉣ 화재 시 건축물로부터 쉽게 피난할 수 있도록 창살이나 그 밖의 장애물이 설치되지 아니할 것

　㉤ 내부 또는 외부에서 쉽게 부수거나 열 수 있을 것

(2) 피난층

곧바로 지상으로 갈 수 있는 출입구가 있는 층

✍ 핵심 적중

01 소방시설법 시행령상 무창층의 개구부 요건을 설명한 것으로 옳지 않은 것은?

23. 경채

① 도로 또는 차량이 진입할 수 있는 빈터를 향해야 한다.

② 내부 또는 외부에서 쉽게 열리지 않는 구조여야 한다.

③ 크기는 지름 50센티미터 이상의 원이 통과할 수 있어야 한다.

④ 해당 층의 바닥면으로부터 개구부 밑부분까지의 높이가 1.2미터 이내여야 한다.

정답 ②

02 소방시설법 시행령상 무창층이 되기 위한 개구부의 요건 중 일부를 나타낸 것이다. ( ) 안의 내용으로 옳은 것은?

> · 크기는 지름 (가)센티미터 이상의 원이 (나)할 수 있을 것
>
> · 해당 층의 바닥면으로부터 개구부 (다)까지의 높이가 (라)미터 이내일 것

	가	나	다	라
①	50	통과	윗부분	1.2
②	50	통과	밑부분	1.2
③	50	외접	밑부분	1.5
④	60	외접	밑부분	1.2

정답 ②

시행령 제3조【소방시설】「소방시설 설치 및 관리에 관한 법률」(이하 "법"이라 한다) 제2조 제1항 제1호에서 "대통령령으로 정하는 것"이란 별표 1의 설비를 말한다.

시행령 제4조【소방시설등】 법 제2조 제1항 제2호에서 "대통령령으로 정하는 것"이란 방화문 및 자동방화셔터를 말한다.

✎ **핵심 적중**

소방시설법 시행령상 소방시설에 관한 내용이다. 소방시설 중 소화설비에 해당되지 않는 것은?

① 자동소화장치
② 옥내소화전설비
③ 연결송수관설비
④ 스프링클러설비

정답 ③

1. 소화설비: 물 또는 그 밖의 소화약제를 사용하여 소화하는 기계·기구 또는 설비
   가. 소화기구
      1) 소화기
      2) 간이소화용구: 에어로졸식 소화용구, 투척용 소화용구, 소공간용 소화용구 및 소화약제 외의 것을 이용한 간이소화용구
      3) 자동확산소화기
   나. 자동소화장치
      1) 주거용 주방자동소화장치
      2) 상업용 주방자동소화장치
      3) 캐비닛형 자동소화장치
      4) 가스자동소화장치
      5) 분말자동소화장치
      6) 고체에어로졸자동소화장치
   다. 옥내소화전설비[호스릴(hose reel)옥내소화전설비 포함]
   라. 스프링클러설비등
      1) 스프링클러설비
      2) 간이스프링클러설비(캐비닛형 간이스프링클러설비 포함)
      3) 화재조기진압용 스프링클러설비
   마. 물분무등소화설비
      1) 물 분무 소화설비
      2) 미분무 소화설비
      3) 포소화설비
      4) 이산화탄소소화설비
      5) 할론소화설비
      6) 할로겐화합물 및 불활성기체(다른 원소와 화학반응을 일으키기 어려운 기체를 말한다)소화설비
      7) 분말소화설비
      8) 강화액소화설비
      9) 고체에어로졸소화설비
   바. 옥외소화전설비

2. 경보설비: 화재발생 사실을 통보하는 기계·기구 또는 설비

　가. 단독경보형 감지기

　나. 비상경보설비

　　1) 비상벨설비　2) 자동식사이렌설비

　다. 시각경보기

　라. 자동화재탐지설비

　마. 화재알림설비

　바. 비상방송설비

　사. 자동화재속보설비

　아. 통합감시시설

　자. 누전경보기

　차. 가스누설경보기

3. 피난구조설비: 화재가 발생할 경우 피난하기 위하여 사용하는 기구 또는 설비

　가. 피난기구

　　1) 피난사다리

　　2) 구조대

　　3) 완강기

　　4) 간이완강기

　　5) 그 밖에 "화재안전기준"으로 정하는 것

　나. 인명구조기구

　　1) 방열복, 방화복(안전모, 보호장갑 및 안전화 포함)

　　2) 공기호흡기

　　3) 인공소생기

　다. 유도등

　　1) 피난유도선

　　2) 피난구유도등

　　3) 통로유도등

　　4) 객석유도등

　　5) 유도표지

　라. 비상조명등 및 휴대용비상조명등

4. 소화용수설비: 화재를 진압하는 데 필요한 물을 공급하거나 저장하는 설비

　가. 상수도소화용수설비

　나. 소화수조·저수조, 그 밖의 소화용수설비

5. 소화활동설비: 화재를 진압하거나 인명구조활동을 위하여 사용하는 설비

　가. 제연설비

　나. 연결송수관설비

　다. 연결살수설비

　라. 비상콘센트설비

　마. 무선통신보조설비

　바. 연소방지설비

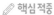 핵심 적중

01 소방시설법 시행령상 피난구조설비 중 인명구조기구에 해당하지 않는 것은?

① 안전모

② 인공소생기

③ 구조대

④ 보호장갑

정답 ③

02 소방시설법 시행령상 피난구조설비로 옳지 않은 것은?　20. 공채(6월)

① 구조대

② 방열복

③ 시각경보기

④ 비상조명등

정답 ③

03 소방시설법 시행령상 소화활동설비에 해당되지 않는 것은?

① 연결송수관설비

② 통합감시시설

③ 비상콘센트설비

④ 연소방지설비

정답 ②

시행령

[별표 1] 소방시설

1. 소화설비: 물 또는 그 밖의 소화약제를 사용하여 소화하는 기계·기구 또는 설비
   가. 소화기구
      1) 소화기
      2) 간이소화용구: 에어로졸식 소화용구, 투척용 소화용구, 소공간용 소화용구 및 소화약제 외의 것을 이용한 간이소화용구
      3) 자동확산소화기
   나. 자동소화장치
      1) 주거용 주방자동소화장치
      2) 상업용 주방자동소화장치
      3) 캐비닛형 자동소화장치
      4) 가스자동소화장치
      5) 분말자동소화장치
      6) 【 ① 】
   다. 옥내소화전설비(호스릴옥내소화전설비를 포함한다)
   라. 스프링클러설비등
      1) 스프링클러설비
      2) 간이스프링클러설비(캐비닛형 간이스프링클러설비를 포함한다)
      3) 화재조기진압용 스프링클러설비
   마. 물분무등소화설비
      1) 물 분무 소화설비
      2) 미분무 소화설비
      3) 포소화설비
      4) 이산화탄소소화설비
      5) 할론소화설비
      6) 할로겐화합물 및 불활성기체 소화설비
      7) 【 ② 】
      8) 강화액소화설비
      9) 고체에어로졸 소화설비
   바. 옥외소화전설

2. 경보설비: 화재발생 사실을 통보하는 기계·기구 또는 설비
   가. 단독경보형 감지기
   나. 비상경보설비
      1) 비상벨설비
      2) 자동식사이렌설비
   다. 시각경보기
   라. 자동화재탐지설비
   마. 화재알림설비
   바. 비상방송설비
   사. 자동화재속보설비
   아. 【 ③ 】
   자. 누전경보기
   차. 가스누설경보기

3. 【 ④ 】: 화재가 발생할 경우 피난하기 위하여 사용하는 기구 또는 설비
   가. 피난기구
      1) 피난사다리
      2) 구조대
      3) 완강기
      4) 간이완강기
      5) 그 밖에 법 제9조 제1항에 따라 소방청장이 정하여 고시하는 화재안전기준(이하 "화재안전기준"이라 한다)으로 정하는 것
   나. 인명구조기구
      1) 방열복, 방화복(안전모, 보호장갑 및 안전화 포함)
      2) 공기호흡기
      3) 【 ⑤ 】
   다. 유도등
      1) 피난유도선
      2) 피난구유도등
      3) 【 ⑥ 】
      4) 객석유도등
      5) 유도표지
   라. 비상조명등 및 휴대용비상조명등

4. 소화용수설비: 화재를 진압하는 데 필요한 물을 공급하거나 저장하는 설비
   가. 상수도소화용수설비
   나. 소화수조·저수조, 그 밖의 소화용수설비

5. 소화활동설비: 화재를 진압하거나 인명구조활동을 위하여 사용하는 설비
   가. 【 ⑦ 】
   나. 연결송수관설비
   다. 연결살수설비
   라. 비상콘센트설비
   마. 【 ⑧ 】
   바. 연소방지설비

▶ 비고
법 제12조에 따라 특정소방대상물의 관계인이 설치하고 관리하여야 하는 "소방시설"에는 법 제7조에 따른 소방시설의 내진설계와 법 제8조에 따른 성능위주설계한 소방시설을 포함한다.

① 고체에어로졸자동소화장치 ② 분말소화설비 ③ 통합감시시설 ④ 피난구조설비 ⑤ 인공소생기 ⑥ 통로유도등 ⑦ 제연설비 ⑧ 무선통신보조설비

시행령 제5조【특정소방대상물】 법 제2조 제1항 제3호에서 "대통령령으로 정하는 것"이란 별표 2의 소방대상물을 말한다.

---

1. 공동주택

　가. 아파트 등: 주택으로 쓰이는 층수가 5층 이상인 주택

　나. 연립주택: 주택으로 쓰는 1개 동의 바닥면적(2개 이상의 동을 지하주차장으로 연결하는 경우에는 각각의 동으로 본다) 합계가 660제곱미터를 초과하고, 층수가 4개 층 이하인 주택 [시행일: 2024.12.1.]

　다. 다세대주택: 주택으로 쓰는 1개 동의 바닥면적(2개 이상의 동을 지하주차장으로 연결하는 경우에는 각각의 동으로 본다) 합계가 660m² 이하이고, 층수가 4개 층 이하인 주택 [시행일: 2024.12.1.]

　라. 기숙사: 학교 또는 공장 등의 학생 또는 종업원 등을 위하여 쓰는 것으로서 1개 동의 공동취사시설 이용 세대 수가 전체의 50퍼센트 이상인 것(「교육기본법」 제27조 제2항에 따른 학생복지주택 및 「공공주택 특별법」 제2조 제1호의3에 따른 공공매입임대주택 중 독립된 주거의 형태를 갖추지 않은 것을 포함한다)

---

2. 근린생활시설

　가. 슈퍼마켓과 일용품 등의 소매점 등: 바닥면적의 합계 1천m² 미만인 것

　나. 휴게음식점, 제과점, 일반음식점, 기원, 노래연습장 및 단란주점(단란주점은 바닥면적의 합계 150m² 미만)

　다. 이용원, 미용원, 목욕장 및 세탁소

　라. 의원, 치과의원, 한의원, 침술원, 접골원, 조산원(산후조리원 포함) 및 안마원(안마시술소 포함)

　마. 탁구장, 테니스장, 체육도장, 체력단련장, 에어로빅장, 볼링장, 당구장, 실내낚시터, 골프연습장, 물놀이형 시설, 그 밖에 이와 비슷한 것으로서 같은 건축물에 해당 용도로 쓰는 바닥면적(이하 "바닥면적"이라 한다)의 합계 500m² 미만인 것인 것

　바. 공연장 또는 종교집회장 등: 바닥면적의 합계 300m² 미만

　사. 금융업소, 사무소, 부동산중개사무소, 결혼상담소 등 소개업소, 출판사, 서점, 그 밖에 이와 비슷한 것으로서 같은 건축물에 해당 용도로 쓰는 바닥면적의 합계 500m² 미만인 것

　아. 제조업소, 수리점, 그 밖에 이와 비슷한 것으로서 같은 건축물에 해당 용도로 쓰는 바닥면적의 합계 500m² 미만인 것

　자. 청소년게임제공업 및 일반게임제공업의 시설, 인터넷컴퓨터게임시설제공업의 시설 및 복합유통게임제공업의 시설: 바닥면적의 합계 500m² 미만

　차. 사진관, 표구점, 학원(바닥면적의 합계 500m² 미만인 것, 자동차학원 및 무도학원 제외), 독서실, 고시원(바닥면적의 합계 500m² 미만인 것), 장의사, 동물병원, 총포판매사 등

　카. 의약품 판매소, 의료기기 판매소 및 자동차영업소 등: 바닥면적의 합계 1천m² 미만

3. 문화 및 집회시설

　가. 공연장으로서 근린생활시설에 해당하지 않는 것

　나. 집회장: 예식장, 공회당, 회의장, 마권 장외 발매소, 마권 전화투표소(근린생활시설에 해당하지 않는 것)

　다. 관람장: 경마장, 경륜장, 경정장, 자동차 경기장, 체육관 및 운동장으로서 관람석의 바닥면적 합계가 1천m² 이상인 것

　라. 전시장: 박물관, 미술관, 과학관, 문화관, 체험관, 기념관, 산업전시장, 박람회장, 견본주택

　마. 동ㆍ식물원: 동물원, 식물원, 수족관

4. 종교시설

　가. 종교집회장으로서 근린생활시설에 해당하지 않는 것

　나. 가목의 종교집회장에 설치하는 봉안당

5. 판매시설

　가. 도매시장

　나. 소매시장: 시장, 대규모점포

　다. 전통시장: 전통시장(근린생활시설 포함, 노점형시장 제외)

　라. 상점: 다음의 어느 하나에 해당하는 것

　　　1) 슈퍼마켓과 일용품 등의 소매점에 해당하는 용도로서 바닥면적 합계가 1천m² 이상인 것

　　　2) 청소년게임제공업 및 일반게임제공업의 시설, 인터넷컴퓨터게임시설제공업의 시설로서 바닥면적 합계가 500m² 이상인 것

6. 운수시설

　가. 여객자동차터미널

　나. 철도 및 도시철도 시설(정비창 포함)

　다. 공항시설(항공관제탑 포함)

　라. 항만시설 및 종합여객시설

7. 의료시설

　가. 병원: 종합병원, 병원, 치과병원, 한방병원, 요양병원

　나. 격리병원: 전염병원, 마약진료소, 그 밖에 이와 비슷한 것

　다. 정신의료기관

　라. 「장애인복지법」 제58조 제1항 제4호에 따른 장애인 의료재활시설

8. 교육연구시설

　가. 학교

　　　1) 초등학교, 중학교, 고등학교, 특수학교: 교사(병설유치원 제외), 체육관, 급식시설, 합숙소(학교의 운동부, 기능선수 등이 집단으로 숙식하는 장소를 말한다)

　　　2) 대학, 대학교: 교사 및 합숙소

　나. 교육원(연수원 포함)

　다. 직업훈련소

라. 학원(근린생활시설에 해당하는 것과 자동차운전학원·정비학원 및 무도학원은 제외)

마. 연구소(연구소에 준하는 시험소와 계량계측소를 포함한다)

바. 도서관

9. 노유자시설

　가. 노인 관련 시설

　나. 아동 관련 시설

　다. 장애인 관련 시설

　라. 정신질환자 관련 시설

　마. 노숙인 관련 시설

　바. 사회복지시설 중 결핵환자 또는 한센인 요양시설등 다른 용도로 분류되지 않는 것

10. 수련시설

　가. 생활권 수련시설

　나. 자연권 수련시설

　다. 「청소년활동 진흥법」에 따른 유스호스텔

11. 운동시설

　가. 탁구장, 체육도장, 테니스장, 체력단련장, 에어로빅장, 볼링장, 당구장, 실내낚시터, 골프연습장, 물놀이형 시설, 그 밖에 이와 비슷한 것으로서 근린생활시설에 해당하지 않는 것

　나. 체육관으로서 관람석이 없거나 관람석의 바닥면적이 1천m² 미만인 것

　다. 운동장: 육상장, 구기장, 볼링장, 수영장, 스케이트장, 롤러스케이트장, 승마장, 사격장, 궁도장, 골프장 등과 이에 딸린 건축물로서 관람석이 없거나 관람석의 바닥면적이 1천m² 미만인 것

12. 업무시설

　가. 공공업무시설

　나. 일반업무시설: 금융업소, 사무소, 신문사, 오피스텔

　다. 주민자치센터(동사무소), 경찰서, 지구대, 파출소, 소방서, 119안전센터, 우체국, 보건소, 공공도서관, 국민건강보험공단

　라. 마을회관, 마을공동작업소, 마을공동구판장

　마. 변전소, 양수장, 정수장, 대피소, 공중화장실

13. 숙박시설

　가. 일반형 숙박시설

　나. 생활형 숙박시설

　다. 고시원(근린생활시설에 해당하지 않는 것)

　라. 그 밖에 가목부터 다목까지의 시설과 비슷한 것

✏ **핵심 적중**

01 소방시설법 시행령상 근린생활시설에 해당되지 않는 고시원은 어떠한 특정소방대상물에 해당되는가?

① 수련시설

② 숙박시설

③ 의료시설

④ 문화집회시설

정답 ②

02 소방시설법 시행령상 유스호스텔은 특정소방대상물 중 무엇에 해당하는가?

① 숙박시설

② 수련시설

③ 의료시설

④ 업무시설

정답 ②

소방시설법 시행령상 특정소방대상물 중 위락시설에 해당되지 않는 것은?

① 무도장
② 무도학원
③ 정비학원
④ 유흥주점

정답 ③

14. 위락시설
   가. 단란주점으로서 근린생활시설에 해당하지 않는 것
   나. 유흥주점, 그 밖에 이와 비슷한 것
   다. 유원시설업의 시설
   라. 무도장 및 무도학원
   마. 카지노영업소

15. 공장
   물품의 제조·가공 또는 수리에 계속적으로 이용되는 건축물로서 근린생활시설, 위험물 저장 및 처리 시설, 항공기 및 자동차 관련 시설, 분뇨 및 쓰레기 처리시설, 묘지 관련 시설 등으로 따로 분류되지 않는 것

16. 창고시설
   가. 창고(물품저장시설로서 냉장·냉동 창고 포함)
   나. 하역장
   다. 「물류시설의 개발 및 운영에 관한 법률」에 따른 물류터미널
   라. 「유통산업발전법」 제2조 제15호에 따른 집배송시설

17. 위험물 저장 및 처리 시설
   가. 위험물 제조소등
   나. 가스시설: 산소 또는 가연성 가스를 제조·저장 또는 취급하는 시설 중 지상에 노출된 산소 또는 가연성 가스 탱크의 저장용량의 합계가 100톤 이상이거나 저장용량이 30톤 이상인 탱크가 있는 가스시설로서 다음의 어느 하나에 해당하는 것
      1) 가스 제조시설
      2) 가스 저장시설
      3) 가스 취급시설

18. 항공기 및 자동차 관련 시설(건설기계 관련 시설을 포함한다)
   가. 항공기격납고
   나. 차고, 주차용 건축물, 철골 조립식 주차시설(바닥면이 조립식이 아닌 것을 포함한다) 및 기계장치에 의한 주차시설
   다. 세차장
   라. 폐차장
   마. 자동차 검사장
   바. 자동차 매매장
   사. 자동차 정비공장
   아. 운전학원·정비학원
   자. 다음의 건축물을 제외한 건축물의 내부(「건축법 시행령」 제119조 제1항 제3호 다목에 따른 필로티와 건축물의 지하를 포함한다)에 설치된 주차장
      1) 「건축법 시행령」 별표 1 제1호에 따른 단독주택
      2) 「건축법 시행령」 별표 1 제2호에 따른 공동주택 중 50세대 미만인 연립주택 또는 50세대 미만인 다세대주택
   차. 「여객자동차 운수사업법」, 「화물자동차 운수사업법」 및 「건설기계관리법」에 따른 차고 및 주기장

19. 동물 및 식물 관련 시설

　가. 축사(부화장 포함)

　나. 가축시설: 가축용 운동시설, 인공수정센터, 관리사, 가축용 창고, 가축시장, 동물검역소, 실험동물 사육시설

　다. 도축장

　라. 도계장

　마. 작물 재배사

　바. 종묘배양시설

　사. 화초 및 분재 등의 온실

　아. 식물과 관련된 마목부터 사목까지의 시설과 비슷한 것(동·식물원 제외)

20. 자원순환 관련 시설

　가. 하수 등 처리시설

　나. 고물상

　다. 폐기물재활용시설

　라. 폐기물처분시설

　마. 폐기물감량화시설

21. 교정 및 군사시설

　가. 보호감호소, 교도소, 구치소 및 그 지소

　나. 보호관찰소, 갱생보호시설, 그 밖에 범죄자의 갱생·보호·교육·보건 등의 용도로 쓰는 시설

　다. 치료감호시설

　라. 소년원 및 소년분류심사원

　마. 「출입국관리법」 제52조 제2항에 따른 보호시설

　바. 「경찰관 직무집행법」 제9조에 따른 유치장

　사. 국방·군사시설

22. 방송통신시설

　가. 방송국(방송프로그램 제작시설 및 송신·수신·중계시설을 포함한다)

　나. 전신전화국

　다. 촬영소

　라. 통신용 시설

　마. 그 밖에 가목부터 라목까지의 시설과 비슷한 것

23. 발전시설

　가. 원자력발전소

　나. 화력발전소

　다. 수력발전소(조력발전소 포함)

　라. 풍력발전소

　마. 전기저장시설[20킬로와트시(kWh)를 초과하는 리튬·나트륨·레독스플로우 계열의 이차전지를 이용한 전기저장장치의 시설을 말한다. 이하 같다]

　바. 그 밖에 가목부터 마목까지의 시설과 비슷한 것(집단에너지 공급시설을 포함한다)

✏️ **핵심 적중**

01 소방시설법 시행령상 동물화장시설은 어떠한 특정소방대상물에 해당되는가?

　① 묘지관련시설

　② 동물 및 식물 관련시설

　③ 자원순환 관련시설

　④ 창고시설

정답 ①

02 소방시설법 시행령상 교정 및 군사시설에 해당되지 않는 것은?

　① 치료감호시설

　② 국방·군사시설

　③ 유치장

　④ 마약진료소

정답 ④

소방시설법 시행령상 특정소방대상물 중 관광휴게시설로 옳지 않은 것은?

① 관망탑
② 항공관제탑
③ 어린이회관
④ 야외극장

정답 ②

소방시설법 시행령상 특정소방대상물 중 지하구에 관한 설명이다. (   ) 안에 들어갈 내용으로 옳은 것은?

24. 경채

전력·통신용의 전선이나 가스·냉난방용의 배관 또는 이와 비슷한 것을 집합 수용하기 위하여 설치한 지하 인공구조물로서 사람이 점검 또는 보수를 하기 위하여 출입이 가능한 것 중 다음의 어느 하나에 해당하는 것
1) 전력 또는 통신사업용 지하 인공구조물로서 전력구(케이블 접속부가 없는 경우는 제외한다) 또는 통신구 방식으로 설치된 것
2) 1) 외의 지하 인공구조물로서 폭이 (ㄱ)m 이상이고 높이가 (ㄴ)m 이상이며 길이가 (ㄷ)m 이상인 것

	ㄱ	ㄴ	ㄷ
①	1.2	1.5	50
②	1.2	1.5	100
③	1.8	2	50
④	1.8	2	100

정답 ③

24. 묘지 관련 시설
　가. 화장시설
　나. 봉안당(종교시설의 봉안당은 제외)
　다. 묘지와 자연장지에 부수되는 건축물
　라. 동물화장시설, 동물건조장시설 및 동물 전용의 납골시설

25. 관광 휴게시설
　가. 야외음악당
　나. 야외극장
　다. 어린이회관
　라. 관망탑
　마. 휴게소
　바. 공원·유원지 또는 관광지에 부수되는 건축물

26. 장례시설
　가. 장례식장(의료시설의 부수시설은 제외)
　나. 동물 전용의 장례식장

27. 지하가
　지하의 인공구조물 안에 설치되어 있는 상점, 사무실, 그 밖에 이와 비슷한 시설이 연속하여 지하도에 면하여 설치된 것과 그 지하도를 합한 것
　가. 지하상가
　나. 터널: 차량(궤도차량용은 제외한다) 등의 통행을 목적으로 지하, 해저 또는 산을 뚫어서 만든 것

28. 지하구
　가. 전력·통신용의 전선이나 가스·냉난방용의 배관 또는 이와 비슷한 것을 집합 수용하기 위하여 설치한 지하 인공구조물로서 사람이 점검 또는 보수를 하기 위하여 출입이 가능한 것
　　1) 전력 또는 통신사업용 지하 인공구조물로서 전력구(케이블 접속부가 없는 경우에는 제외한다) 또는 통신구 방식으로 설치된 것
　　2) 1) 외의 지하 인공구조물로서 폭이 1.8미터 이상이고 높이가 2미터 이상이며 길이가 50미터 이상인 것
　나. 「국토의 계획 및 이용에 관한 법률」 제2조 제9호에 따른 공동구

29. 문화재
　「문화재보호법」에 따라 문화재로 지정된 건축물

30. 복합건축물

　　가. 하나의 건축물이 제1호부터 제27호까지의 것 중 둘 이상의 용도로 사용되는 것. 다만, 다음의 어느 하나에 해당하는 경우에는 복합건축물로 보지 않는다.

　　　　1) 주된 용도의 부수시설로서 그 설치를 의무화하고 있는 용도 또는 시설

　　　　2) 주택 안에 부대시설 또는 복리시설이 설치되는 특정소방대상물

　　　　3) 건축물의 주된 용도의 기능에 필수적인 용도로서 다음의 어느 하나에 해당하는 용도

　　　　　가) 건축물의 설비, 대피 또는 위생을 위한 용도, 그 밖에 이와 비슷한 용도

　　　　　나) 사무, 작업, 집회, 물품저장 또는 주차를 위한 용도, 그 밖에 이와 비슷한 용도

　　　　　다) 구내식당, 구내세탁소, 구내운동시설등 종업원후생복리시설(기숙사 제외) 또는 구내소각시설의 용도

　　나. 하나의 건축물이 근린생활시설, 판매시설, 업무시설, 숙박시설 또는 위락시설의 용도와 주택의 용도로 함께 사용되는 것

▶ 비고

1. 각각 별개의 특정소방대상물로 보는 기준
　　내화구조로 된 하나의 특정소방대상물이 개구부 및 연소 확대 우려가 없는 내화구조의 바닥과 벽으로 구획되어 있는 경우에는 그 구획된 부분을 각각 별개의 특정소방대상물로 본다. 다만, 제9조에 따라 성능위주설계를 해야 하는 범위를 정할 때에는 하나의 특정소방대상물로 본다.

2. 둘 이상의 특정소방대상물을 하나의 특정소방대상물로 보는 기준
　　둘 이상의 특정소방대상물이 다음의 어느 하나에 해당되는 구조의 복도 또는 통로(연결통로)로 연결된 경우에는 이를 하나의 특정소방대상물로 본다.

　　가. 내화구조로 된 연결통로가 다음의 어느 하나에 해당되는 경우

　　　　1) 벽이 없는 구조로서 그 길이가 6미터 이하인 경우

　　　　2) 벽이 있는 구조로서 그 길이가 10m 이하인 경우. 다만, 벽 높이가 바닥에서 천장까지의 높이의 2분의 1 이상인 경우에는 벽이 있는 구조로 보고, 벽 높이가 바닥에서 천장까지의 높이의 2분의 1 미만인 경우에는 벽이 없는 구조로 본다.

　　나. 내화구조가 아닌 연결통로로 연결된 경우

　　다. 컨베이어로 연결되거나 플랜트설비의 배관 등으로 연결되어 있는 경우

　　라. 지하보도, 지하상가, 지하가로 연결된 경우

　　마. 방화셔터 또는 60분+ 방화문이 설치되지 않은 피트로 연결된 경우

　　바. 지하구로 연결된 경우

3. 연결통로 또는 지하구로 연결된 특정소방대상물을 별개의 특정소방대상물로 보는 기준
　　연결통로 또는 지하구와 특정소방대상물의 양쪽에 다음의 어느 하나에 적합한 경우에는 각각 별개의 특정소방대상물로 본다.

　　가. 화재 시 경보설비 또는 자동소화설비의 작동과 연동하여 자동으로 닫히는 자동방화셔터 또는 60분+ 방화문이 설치된 경우

　　나. 화재 시 자동으로 방수되는 방식의 드렌처설비 또는 개방형 스프링클러헤드가 설치된 경우

4. 지하층이 지하가와 연결된 특정소방대상물의 판단 기준

　　가. 특정소방대상물의 지하층이 지하가와 연결되어 있는 경우 해당 지하층의 부분을 지하가로 본다.

　　나. 지하가와 연결되는 지하층에 지하층 또는 지하가에 설치된 자동방화셔터 또는 60분+ 방화문이 화재 시 경보설비 또는 자동소화설비의 작동과 연동하여 자동으로 닫히는 구조이거나 그 윗부분에 드렌처설비가 설치된 경우에는 지하가로 보지 않는다.

시행령

제5조【특정소방대상물】 법 제2조 제1항 제3호에서 "대통령령으로 정하는 것"이란 별표 2의 소방대상물을 말한다.

[별표 2] 특정소방대상물

1. 공동주택
   - 가. 아파트등: 주택으로 쓰이는 층수가 【 ① 】 이상인 주택
   - 나. 연립주택: 주택으로 쓰는 1개 동의 바닥면적(2개 이상의 동을 지하주차장으로 연결하는 경우에는 각각의 동으로 본다) 합계가 660제곱미터를 초과하고, 층수가 4개 층 이하인 주택 [시행일: 2024.12.1.]
   - 다. 다세대주택: 주택으로 쓰는 1개 동의 바닥면적 합계가 660제곱미터 이하이고, 층수가 4개 층 이하인 주택(2개 이상의 동을 지하주차장으로 연결하는 경우에는 각각의 동으로 본다) [시행일: 2024.12.1.]
   - 라. 기숙사: 학교 또는 공장 등의 학생 또는 종업원 등을 위하여 쓰는 것으로서 1개 동의 공동취사시설 이용 세대 수가 전체의 50퍼센트 이상인 것(「교육기본법」 제27조 제2항에 따른 학생복지주택 및 「공공주택 특별법」 제2조 제1호의3에 따른 공공매입임대주택 중 독립된 주거의 형태를 갖추지 않은 것을 포함한다)

2. 근린생활시설
   - 가. 슈퍼마켓과 일용품 등의 소매점으로서 '같은 건축물에 해당 용도로 쓰는 바닥면적(이하 바닥면적)' 합계가 1천제곱미터 미만인 것
   - 나. 휴게음식점, 제과점, 일반음식점, 기원(棋院), 노래연습장 및 단란주점(단란주점은 바닥면적 합계가 【 ② 】 미만인 것만 해당)
   - 다. 이용원, 미용원, 목욕장 및 세탁소(공장이 부설된 것과 배출시설의 설치허가 또는 신고의 대상이 되는 것은 제외)
   - 라. 의원, 치과의원, 한의원, 침술원, 접골원(接骨院), 조산원(산후조리원 포함) 및 안마원(안마시술소 포함)
   - 마. 탁구장, 테니스장, 체육도장, 체력단련장, 에어로빅장, 볼링장, 당구장, 실내낚시터, 골프연습장, 물놀이형 시설등으로 바닥면적 합계가 500제곱미터 미만인 것
   - 바. 공연장(극장, 영화상영관, 연예장, 음악당, 서커스장, 비디오물감상실업의 시설) 또는 종교집회장[교회, 성당, 사찰, 기도원, 수도원, 수녀원, 제실(祭室), 사당]으로서 바닥면적 합계가 300제곱미터 미만인 것
   - 사. 금융업소, 사무소, 부동산중개사무소, 결혼상담소 등 소개업소, 출판사, 서점 등으로 바닥면적 합계가 500제곱미터 미만인 것
   - 아. 제조업소, 수리점 등으로 바닥면적 합계가 500제곱미터 미만이고, 「대기환경보전법」, 「물환경보전법」 또는 「소음·진동관리법」에 따른 배출시설의 설치허가 또는 신고의 대상이 아닌 것
   - 자. 청소년게임제공업 및 일반게임제공업의 시설, 인터넷컴퓨터게임시설제공업의 시설 복합유통게임제공업의 시설로서 바닥면적 합계가 500제곱미터 미만인 것
   - 차. 사진관, 표구점, 학원(바닥면적 합계가 500제곱미터 미만인 것만 해당하며, 자동차학원 및 무도학원은 제외), 독서실, 고시원(다중이용업 중 고시원업의 시설로서 독립된 주거의 형태를 갖추지 않은 것으로서 바닥면적 합계가 【 ③ 】 미만인 것), 장의사, 동물병원, 총포판매사
   - 카. 의약품 판매소, 의료기기 판매소 및 자동차영업소로서 바닥면적 합계가 1천제곱미터 미만인 것

3. 문화 및 집회시설
   - 가. 공연장으로서 근린생활시설에 해당하지 않는 것
   - 나. 집회장: 예식장, 공회당, 회의장, 마권(馬券) 장외 발매소, 마권 전화투표소 등 근린생활시설에 해당하지 않는 것
   - 다. 관람장: 경마장, 경륜장, 경정장, 자동차 경기장, 그 밖에 이와 비슷한 것과 체육관 및 운동장으로서 관람석의 바닥면적의 합계가 1천제곱미터 이상인 것
   - 라. 전시장: 박물관, 미술관, 과학관, 문화관, 체험관, 기념관, 산업전시장, 박람회장, 【 ④ 】
   - 마. 동·식물원: 동물원, 식물원, 수족관

4. 종교시설
   - 가. 종교집회장으로서 근린생활시설에 해당하지 않는 것
   - 나. 가목의 종교집회장에 설치하는 봉안당

5. 판매시설
   - 가. 도매시장: 농수산물도매시장, 농수산물공판장
   - 나. 소매시장: 시장, 대규모점포
   - 다. 【 ⑤ 】(그 안에 있는 근린생활시설 포함, 노점형시장 제외)
   - 라. 상점
     - 1) 슈퍼마켓 일용품에 해당하는 용도로서 바닥면적 합계가 1천제곱미터 이상인 것
     - 2) 게임제공업에 해당하는 용도로서 바닥면적 합계가 500제곱미터 이상인 것

6. 운수시설
   - 가. 여객자동차터미널
   - 나. 철도 및 도시철도 시설(정비창 포함)
   - 다. 공항시설(항공관제탑 포함)
   - 라. 항만시설 및 종합여객시설

7. 의료시설
   - 가. 병원: 종합병원, 병원, 치과병원, 한방병원, 요양병원
   - 나. 격리병원: 전염병원, 【 ⑥ 】
   - 다. 정신의료기관
   - 라. 장애인 의료재활시설

---

① 5층 ② 150제곱미터 ③ 500제곱미터 ④ 견본주택 ⑤ 전통시장 ⑥ 마약진료소

8. 교육연구시설

　가. 학교

　　1) 초등학교, 중학교, 고등학교, 특수학교, 그 밖에 이에 준하는 학교: 교사(校舍)(교실·도서실 등 교수·학습활동에 직접 또는 간접적으로 필요한 시설물, 병설유치원으로 사용되는 부분은 제외), 체육관, 급식시설, 합숙소

　　2) 대학, 대학교, 각종 학교: 교사 및 합숙소

　나. 교육원(연수원 포함)

　다. 직업훈련소

　라. 학원(근린생활시설에 해당하는 것과 자동차운전학원·정비학원 및 무도학원은 제외)

　마. 연구소(연구소에 준하는 시험소와 계량계측소 포함)

　바. 도서관

9. 노유자시설

　가. 노인 관련 시설: 노인주거복지시설, 노인의료복지시설, 노인여가복지시설, 재가노인복지시설, 노인보호전문기관

　나. 아동 관련 시설: 아동복지시설, 어린이집, 유치원(【 ⑦ 】 포함)

　다. 장애인 관련 시설: 장애인 거주시설, 장애인 지역사회재활시설(장애인 심부름센터, 한국수어통역센터, 점자도서 및 녹음서 출판시설 등 장애인이 직접 그 시설 자체를 이용하는 것을 주된 목적으로 하지 않는 시설은 제외), 장애인 직업재활시설

　라. 정신질환자 관련 시설: 정신재활시설(생산품판매시설 제외), 정신요양시설

　마. 노숙인 관련 시설: 노숙인복지시설(노숙인일시보호시설, 노숙인자활시설, 노숙인재활시설, 노숙인요양시설 및 쪽방상담소만 해당), 노숙인종합지원센터

　바. 사회복지시설 중 결핵환자 또는 한센인 요양시설 등 다른 용도로 분류되지 않는 것

10. 수련시설

　가. 생활권 수련시설: 청소년수련관, 청소년문화의집, 청소년특화시설

　나. 자연권 수련시설: 청소년수련원, 청소년야영장

　다. 【 ⑧ 】

11. 운동시설

　가. 탁구장, 체육도장, 테니스장, 체력단련장, 에어로빅장, 볼링장, 당구장, 실내낚시터, 골프연습장, 물놀이형 시설(근린생활시설에 해당하지 않는 것) → (바닥면적 500제곱미터 미만인 것 ⇨ 근린생활시설)

　나. 체육관으로서 관람석이 없거나 관람석의 바닥면적 1천제곱미터 미만인 것

　다. 운동장: 육상장, 구기장, 볼링장, 수영장, 스케이트장, 롤러스케이트장, 승마장, 사격장, 궁도장, 골프장 등과 이에 딸린 건축물로서 관람석이 없거나 관람석의 바닥면적 1천제곱미터 미만인 것

12. 업무시설

　가. 공공업무시설: 국가 또는 지방자치단체의 청사와 외국공관의 건축물(근린생활시설에 해당하지 않는 것)

　나. 일반업무시설: 금융업소, 사무소, 신문사, 오피스텔, 그 밖에 이와 비슷한 것(근린생활시설에 해당하지 않는 것)

　다. 주민자치센터(동사무소), 경찰서, 지구대, 파출소, 【 ⑨ 】, 119안전센터, 우체국, 보건소, 공공도서관, 국민건강보험공단

　라. 마을회관, 마을공동작업소, 마을공동구판장

　마. 변전소, 양수장, 정수장, 대피소, 공중화장실

13. 숙박시설

　가. 일반형 숙박시설: 제4조 제1호 가목에 따른 숙박업의 시설

　나. 생활형 숙박시설: 제4조 제1호 나목에 따른 숙박업의 시설

　다. 고시원(근린생활시설에 해당하지 않는 것): (바닥면적 500제곱미터 미만인 것 ⇨ 근린생활시설)

　라. 그 밖에 가목부터 다목까지의 시설과 비슷한 것

14. 위락시설

　가. 단란주점(근린생활시설에 해당하지 않는 것): (바닥면적 150제곱미터 미만인 것 ⇨ 근린생활시설)

　나. 【 ⑩ 】

　다. 유원시설업(遊園施設業)의 시설, 그 밖에 이와 비슷한 시설(근린생활시설에 해당하는 것은 제외)

　라. 무도장 및 무도학원

　마. 카지노영업소

15. 공장

　물품의 제조·가공(세탁·염색·도장·표백·재봉·건조·인쇄 등 포함) 또는 수리에 계속적으로 이용되는 건축물로서 기타 시설등으로 따로 분류되지 않는 것

16. 창고시설(위험물 저장 및 처리 시설 또는 그 부속용도에 해당하는 것은 제외)

　가. 창고(물품저장시설로서 냉장·냉동 창고 포함)

　나. 하역장

　다. 【 ⑪ 】

　라. 집배송시설

17. 위험물 저장 및 처리 시설

　가. 위험물 제조소등

　나. 가스시설: 산소 또는 가연성 가스를 제조·저장 또는 취급하는 시설 중 지상에 노출된 산소 또는 가연성 가스 탱크의 저장 용량의 합계가 100톤 이상이거나 저장용량이 30톤 이상인 탱크가 있는 가스시설로서 다음의 어느 하나에 해당하는 것

　　1) 가스 제조시설

　　2) 가스 저장시설

　　3) 가스 취급시설

⑦ 병설유치원 ⑧ 유스호스텔 ⑨ 소방서 ⑩ 유흥주점 ⑪ 물류터미널

18. 항공기 및 자동차 관련 시설(건설기계 관련 시설 포함)

  가. 항공기격납고

  나. 차고, 주차용 건축물, 철골 조립식 주차시설(바닥면이 조립식이 아닌 것 포함) 및 기계장치에 의한 주차시설

  다. 세차장

  라. 폐차장

  마. 자동차 검사장

  바. 자동차 매매장

  사. 자동차 정비공장

  아. 【 ⑫ 】

  자. 「여객자동차 운수사업법」, 「화물자동차 운수사업법」 및 「건설기계관리법」에 따른 차고 및 주기장

19. 동물 및 식물 관련 시설

  가. 축사(부화장 포함)

  나. 가축시설: 가축용 운동시설, 인공수정센터, 관리사(管理舍), 가축용 창고, 가축시장, 동물검역소, 실험동물 사육시설

  다. 도축장

  라. 도계장

  마. 작물 재배사

  바. 종묘배양시설

  사. 화초 및 분재 등의 온실

  아. 식물과 관련된 마목부터 사목까지의 시설과 비슷한 것 (동·식물원은 제외)

20. 【 ⑬ 】

  가. 하수 등 처리시설

  나. 고물상

  다. 폐기물재활용시설

  라. 폐기물처분시설

  마. 폐기물감량화시설

21. 교정 및 군사시설

  가. 보호감호소, 교도소, 구치소 및 그 지소

  나. 보호관찰소, 갱생보호시설, 그 밖에 범죄자의 갱생·보호·교육·보건 등의 용도로 쓰는 시설

  다. 치료감호시설

  라. 소년원 및 소년분류심사원

  마. 보호시설

  바. 유치장

  사. 【 ⑭ 】

22. 방송통신시설

  가. 방송국(방송프로그램 제작시설 및 송신·수신·중계시설 포함)

  나. 전신전화국

  다. 【 ⑮ 】

  라. 통신용 시설

  마. 그 밖에 가목부터 라목까지의 시설과 비슷한 것

23. 발전시설

  가. 원자력발전소

  나. 화력발전소

  다. 수력발전소(조력발전소 포함)

  라. 풍력발전소

  마. 전기저장시설[20킬로와트시(kWh)를 초과하는 리튬·나트륨·레독스플로우 계열의 이차전지를 이용한 전기저장장치의 시설

  바. 비슷한 것(집단에너지 공급시설을 포함)

24. 묘지 관련 시설

  가. 화장시설

  나. 봉안당(종교집회장에 설치되는 봉안당은 제외)

  다. 묘지와 자연장지에 부수되는 건축물

  라. 【 ⑯ 】, 동물건조장시설, 동물 전용의 납골시설

25. 관광 휴게시설

  가. 야외음악당

  나. 야외극장

  다. 어린이회관

  라. 관망탑

  마. 휴게소

  바. 공원·유원지 또는 관광지에 부수되는 건축물

26. 장례시설

  가. 장례식장(의료시설의 부수시설은 제외)

  나. 【 ⑰ 】의 장례식장

27. 지하가

  지하의 인공구조물 안에 설치되어 있는 상점, 사무실, 그 밖에 이와 비슷한 시설이 연속하여 지하도에 면하여 설치된 것과 그 지하도를 합한 것

  가. 【 ⑱ 】

  나. 터널: 차량(궤도차량용 제외) 등의 통행을 목적으로 지하, 해저 또는 산을 뚫어서 만든 것

28. 지하구

  가. 전력·통신용의 전선이나 가스·냉난방용의 배관 또는 이와 비슷한 것을 집합수용하기 위하여 설치한 지하 인공구조물로서 사람이 점검 또는 보수를 하기 위하여 출입이 가능한 것 중 다음의 어느 하나에 해당하는 것

    1) 전력 또는 통신사업용 지하 인공구조물로서 전력구(케이블 접속부가 없는 경우에는 제외한다) 또는 통신구 방식으로 설치된 것

    2) 1) 외의 지하 인공구조물로서 폭이 1.8미터 이상이고 높이가 【 ⑲ 】 이상이며 길이가 50미터 이상인 것

  나. 【 ⑳ 】

29. 문화재

  「문화재보호법」에 따라 문화재로 지정된 건축물

---

⑫ 운전학원·정비학원 ⑬ 자원순환 관련 시설 ⑭ 국방·군사시설 ⑮ 촬영소 ⑯ 동물화장시설 ⑰ 동물 전용 ⑱ 지하상가 ⑲ 2미터 ⑳ 공동구

시행령

30. 복합건축물

　가. 하나의 건축물이 제1호부터 제27호까지의 것 중 둘 이상의 용도로 사용되는 것. 다만, 다음의 어느 하나에 해당하는 경우에는 복합건축물로 보지 않는다.

　　1) 관계 법령에서 주된 용도의 부수시설로서 그 설치를 의무화하고 있는 용도 또는 시설

　　2) 주택 안에 부대시설 또는 복리시설이 설치되는 특정소방대상물

　　3) 건축물의 주된 용도의 기능에 필수적인 용도로서 다음의 어느 하나에 해당하는 용도

　　　가) 건축물의 설비, 대피 또는 위생을 위한 용도

　　　나) 사무, 작업, 집회, 물품저장 또는 주차를 위한 용도

　　　다) 구내식당, 구내세탁소, 구내운동시설등 종업원후생복리시설(기숙사는 제외한다) 또는 구내소각시설의 용도

　나. 하나의 건축물이 근린생활시설, 판매시설, 업무시설, 숙박시설 또는 위락시설의 용도와 주택의 용도로 함께 사용되는 것

▶ 비고

1. 내화구조로 된 하나의 특정소방대상물이 개구부 및 연소 확대 우려가 없는 내화구조의 바닥과 벽으로 구획되어 있는 경우에는 그 구획된 부분을 각각 별개의 특정소방대상물로 본다. 다만, 제9조에 따라 성능위주설계를 해야 하는 범위를 정할 때에는 【 ㉑ 】 특정소방대상물로 본다.

2. 둘 이상의 특정소방대상물이 다음 각 목의 어느 하나에 해당되는 구조의 복도 또는 통로(이하 이 표에서 "연결통로"라 한다)로 연결된 경우에는 이를 【 ㉒ 】 특정소방대상물로 본다.

　가. 내화구조로 된 연결통로가 다음의 어느 하나에 해당되는 경우

　　1) 벽이 없는 구조로서 그 길이가 6m 이하인 경우

　　2) 벽이 있는 구조로서 그 길이가 10m 이하인 경우. 다만, 벽 높이가 바닥에서 천장까지의 높이의 2분의 1 이상인 경우에는 벽이 있는 구조로 보고, 벽 높이가 바닥에서 천장까지의 높이의 2분의 1 미만인 경우에는 벽이 없는 구조로 본다.

　나. 내화구조가 아닌 연결통로로 연결된 경우

　다. 컨베이어로 연결되거나 플랜트설비의 배관 등으로 연결되어 있는 경우

　라. 지하보도, 지하상가, 지하가로 연결된 경우

　마. 자동방화셔터 또는 60분+ 방화문이 설치되지 않은 피트(전기설비 또는 배관설비등이 설치되는 공간을 말한다)로 연결된 경우

　바. 지하구로 연결된 경우

3. 제2호에도 불구하고 연결통로 또는 지하구와 특정소방대상물의 양쪽에 다음 각 목의 어느 하나에 해당하는 시설이 적합하게 설치된 경우에는 【 ㉓ 】 특정소방대상물로 본다.

　가. 화재 시 경보설비 또는 자동소화설비의 작동과 연동하여 자동으로 닫히는 자동방화셔터 또는 60분+ 방화문이 설치된 경우

　나. 화재 시 자동으로 방수되는 방식의 드렌처설비 또는 개방형 스프링클러헤드가 설치된 경우

4. 위 제1호부터 제30호까지의 특정소방대상물의 지하층이 지하가와 연결되어 있는 경우 해당 지하층의 부분을 【 ㉔ 】로 본다. 다만, 다음 지하가와 연결되는 지하층에 지하층 또는 지하가에 설치된 자동방화셔터 또는 60분+ 방화문이 화재 시 경보설비 또는 자동소화설비의 작동과 연동하여 자동으로 닫히는 구조이거나 그 윗부분에 드렌처설비가 설치된 경우에는 지하가로 보지 않는다.

㉑ 하나의　㉒ 하나의　㉓ 각각 별개의　㉔ 지하가

시행령 제6조 【소방용품】 법 제2조 제1항 제7호에서 "대통령령으로 정하는 것"이란 별표 3의 제품 또는 기기를 말한다.

---

1. 소화설비를 구성하는 제품 또는 기기
   가. 소화기구
      1) 소화기
      2) 간이소화용구: 에어로졸식 소화용구, 투척용 소화용구, 소공간용 소화용구(소화약제 외의 것을 이용한 간이소화용구 제외)
      3) 자동확산소화기
   나. 자동소화장치
   다. 소화설비를 구성하는 소화전, 관창(菅槍), 소방호스, 스프링클러헤드, 기동용 수압개폐장치, 유수제어밸브 및 가스관선택밸브

---

2. 경보설비를 구성하는 제품 또는 기기
   가. 누전경보기 및 가스누설경보기
   나. 경보설비를 구성하는 발신기, 수신기, 중계기, 감지기 및 음향장치(경종만 해당)

---

3. 피난구조설비를 구성하는 제품 또는 기기
   가. 피난사다리, 구조대, 완강기(간이완강기 및 지지대 포함)
   나. 공기호흡기(충전기 포함)
   다. 피난구유도등, 통로유도등, 객석유도등 및 예비 전원이 내장된 비상조명등

---

4. 소화용으로 사용하는 제품 또는 기기
   가. 소화약제
      1) 자동소화장치: 상업용자동소화장치, 캐비닛형자동소화장치
      2) 소화설비: 포소화설비, 이산화탄소소화설비, 할론소화설비, 할로겐화합물 및 불활성기체 소화설비, 분말소화설비, 강화액소화설비, 고체에어로졸소화설비
   나. 방염제(방염액·방염도료 및 방염성물질)

---

5. 행정안전부령으로 정하는 소방 관련 제품 또는 기기

제2조【정의】 6. "화재안전기준"이란 소방시설 설치 및 관리를 위한 다음 각 목의 기준을 말한다.
　　가. 성능기준: 화재안전 확보를 위하여 재료, 공간 및 설비 등에 요구되는 안전성능으로서 소방청장이 고시로 정하는 기준
　　나. 기술기준: 가목에 따른 성능기준을 충족하는 상세한 규격, 특정한 수치 및 시험방법 등에 관한 기준으로서 행정안전부령으로 정하는 절차에 따라 소방청장의 승인을 받은 기준

(1) 화재안전기준

① **성능기준**: 화재안전 확보를 위하여 재료, 공간 및 설비 등에 요구되는 안전성능으로서 소방청장이 고시로 정하는 기준

② **기술기준**: ①에 따른 성능기준을 충족하는 상세한 규격, 특정한 수치 및 시험방법 등에 관한 기준으로서 행정안전부령으로 정하는 절차에 따라 소방청장의 승인을 받은 기준

(2) 기술기준의 제정·개정 절차(규칙 제2조)

① **중앙위원회 심의·의결**: 국립소방연구원장은 화재안전기준 중 기술기준(이하 "기술기준"이라 한다)을 제정·개정하려는 경우 제정안·개정안을 작성하여 법 제18조 제1항에 따른 중앙소방기술심의위원회의 심의·의결을 거쳐야 한다. 이 경우 제정안·개정안의 작성을 위해 소방 관련 기관·단체 및 개인 등의 의견을 수렴할 수 있다.

② **승인신청서 제출**: 국립소방연구원장은 중앙위원회의 심의·의결을 거쳐 다음의 사항이 포함된 승인신청서를 소방청장에게 제출해야 한다.
　　㉠ 기술기준의 제정안 또는 개정안
　　㉡ 기술기준의 제정 또는 개정 이유
　　㉢ 기술기준의 심의 경과 및 결과

③ **기술기준 공개**: 승인을 통보받은 국립소방연구원장은 승인받은 기술기준을 관보에 게재하고, 국립소방연구원 인터넷 홈페이지를 통해 공개해야 한다.

④ **규정 외 위임규정**: 기술기준의 제정·개정을 위하여 필요한 사항은 국립소방연구원장이 정한다.

제3조【국가 및 지방자치단체의 책무】① 국가와 지방자치단체는 소방시설등의 설치 · 관리와 소방용품의 품질 향상 등을 위하여 필요한 정책을 수립하고 시행하여야 한다.

② 국가와 지방자치단체는 새로운 소방 기술 · 기준의 개발 및 조사 · 연구, 전문인력 양성 등 필요한 노력을 하여야 한다.

③ 국가와 지방자치단체는 제1항 및 제2항에 따른 정책을 수립 · 시행하는 데 있어 필요한 행정적 · 재정적 지원을 하여야 한다.

(1) 정책 수립 · 시행

소방시설등의 설치 · 관리와 소방용품의 품질 향상 등을 위하여 필요한 정책을 수립하고 시행하여야 한다.

(2) 소방 기술 · 기준의 개발 및 조사 · 연구, 전문인력 양성

새로운 소방 기술 · 기준의 개발 및 조사 · 연구, 전문인력 양성 등 필요한 노력을 하여야 한다.

(3) 행정적 · 재정적 지원

정책을 수립 · 시행하는 데 있어 필요한 행정적 · 재정적 지원을 하여야 한다.

📖 **SUMMARY** 국가와 지방자치단체의 책무(「소방기본법」 제2조의2)

국가와 지방자치단체는 화재, 재난 · 재해, 그 밖의 위급한 상황으로부터 국민의 생명 · 신체 및 재산을 보호하기 위하여 필요한 시책을 수립 · 시행하여야 한다.

📖 **SUMMARY** 국가 등의 책무(화재조사법 제3조)

1. 국가와 지방자치단체는 화재조사에 필요한 기술의 연구 · 개발 및 화재조사의 정확도를 향상시키기 위한 시책을 강구하고 추진하여야 한다.

2. 관계인등은 화재조사가 적절하게 이루어질 수 있도록 협력하여야 한다.

📖 **SUMMARY** 국가 및 지방자치단체의 책무(화재예방법 제3조)

1. 국가는 화재로부터 국민의 생명과 재산을 보호할 수 있도록 화재의 예방 및 안전관리에 관한 정책(이하 "화재예방정책"이라 한다)을 수립 · 시행하여야 한다.

2. 지방자치단체는 국가의 화재예방정책에 맞추어 지역의 실정에 부합하는 화재예방정책을 수립 · 시행하여야 한다.

3. 관계인은 국가와 지방자치단체의 화재예방정책에 적극적으로 협조하여야 한다.

제4조【관계인의 의무】 ① 관계인(「소방기본법」제2조 제3호에 따른 관계인을 말한다. 이하 같다)은 소방시설등의 기능과 성능을 보전·향상시키고 이용자의 편의와 안전성을 높이기 위하여 노력하여야 한다.

② 관계인은 매년 소방시설등의 관리에 필요한 재원을 확보하도록 노력하여야 한다.

③ 관계인은 국가 및 지방자치단체의 소방시설등의 설치 및 관리 활동에 적극 협조하여야 한다.

④ 관계인 중 점유자는 소유자 및 관리자의 소방시설등 관리 업무에 적극 협조하여야 한다.

제5조【다른 법률과의 관계】 특정소방대상물 가운데 「위험물안전관리법」에 따른 위험물 제조소등의 안전관리와 위험물 제조소등에 설치하는 소방시설등의 설치기준에 관하여는 「위험물안전관리법」에서 정하는 바에 따른다.

(1) 관계인의 의무

① 관계인은 소방시설등의 기능과 성능을 보전·향상시키고 이용자의 편의와 안전성을 높이기 위하여 노력하여야 한다.

② 관계인은 매년 소방시설등의 관리에 필요한 재원을 확보하도록 노력하여야 한다.

③ 국가 및 지방자치단체의 소방시설등의 설치 및 관리 활동에 적극 협조하여야 한다.

④ 관계인 중 점유자는 소유자 및 관리자의 소방시설등 관리 업무에 적극 협조하여야 한다.

(2) 다른 법률과의 관계

특정소방대상물 가운데 「위험물안전관리법」에 따른 위험물 제조소등의 안전관리와 위험물 제조소등에 설치하는 소방시설등의 설치기준에 관하여는 「위험물안전관리법」에서 정하는 바에 따른다.

참고 **관계인 등의 의무(화재예방법 제27조)**

1. 특정소방대상물의 관계인은 그 특정소방대상물에 대하여 제24조 제5항에 따른 소방안전관리업무를 수행하여야 한다.

2. 소방안전관리대상물의 관계인은 소방안전관리자가 소방안전관리업무를 성실하게 수행할 수 있도록 지도·감독하여야 한다.

3. 소방안전관리자는 인명과 재산을 보호하기 위하여 소방시설·피난시설·방화시설 및 방화구획 등이 법령에 위반된 것을 발견한 때에는 지체 없이 소방안전관리대상물의 관계인에게 소방대상물의 개수·이전·제거·수리 등 필요한 조치를 할 것을 요구하여야 하며, 관계인이 시정하지 아니하는 경우 소방본부장 또는 소방서장에게 그 사실을 알려야 한다. 이 경우 소방안전관리자는 공정하고 객관적으로 그 업무를 수행하여야 한다.

4. 소방안전관리자로부터 제3항에 따른 조치요구 등을 받은 소방안전관리대상물의 관계인은 지체 없이 이에 따라야 하며, 이를 이유로 소방안전관리자를 해임하거나 보수(報酬)의 지급을 거부하는 등 불이익한 처우를 하여서는 아니 된다.

 정희's 톡talk

「**소방기본법」제20조【관계인의 소방활동 등】** ① 관계인은 소방대상물에 화재, 재난·재해, 그 밖의 위급한 상황이 발생한 경우에는 소방대가 현장에 도착할 때까지 경보를 울리거나 대피를 유도하는 등의 방법으로 사람을 구출하는 조치 또는 불을 끄거나 불이 번지지 아니하도록 필요한 조치를 하여야 한다.

② 관계인은 소방대상물에 화재, 재난·재해, 그 밖의 위급한 상황이 발생한 경우에는 이를 소방본부, 소방서 또는 관계 행정기관에 지체 없이 알려야 한다.

제 · 개정 내용

법률

소방본부장 또는 소방서장이 건축허가 동의 시 소방시설의 적법성뿐만 아니라 건축법령에 따른 피난시설, 방화시설 및 방화구획의 적정성도 검토하여 의견을 제출할 수 있도록 함(제6조)

 정희's 톡talk

건축허가등의 동의(소방본부장 · 소방서장)

1. 건축허가등의 권한이 있는 행정기관: 건축물 등의 신축 · 증축 · 개축 · 재축 · 이전 · 용도변경 · 대수선의 허가 · 협의 · 사용승인, 사용검사는 미리 동의를 받아야 합니다.
2. 신고를 수리할 권한이 있는 행정기관: 건축물 등의 증축 · 개축 · 재축 · 용도변경 · 대수선은 지체 없이 알려야 합니다.

제1절 건축허가등의 동의 등

1 건축허가등의 동의 등   A

제6조 【건축허가등의 동의 등】 ① 건축물 등의 신축 · 증축 · 개축 · 재축(再築) · 이전 · 용도변경 또는 대수선(大修繕)의 허가 · 협의 및 사용승인(「주택법」제15조에 따른 승인 및 같은 법 제49조에 따른 사용검사, 「학교시설사업 촉진법」제4조에 따른 승인 및 같은 법 제13조에 따른 사용승인을 포함하며, 이하 "건축허가등"이라 한다)의 권한이 있는 행정기관은 건축허가등을 할 때 미리 그 건축물 등의 시공지(施工地) 또는 소재지를 관할하는 소방본부장이나 소방서장의 동의를 받아야 한다.
② 건축물 등의 증축 · 개축 · 재축 · 용도변경 또는 대수선의 신고를 수리(受理)할 권한이 있는 행정기관은 그 신고를 수리하면 그 건축물 등의 시공지 또는 소재지를 관할하는 소방본부장이나 소방서장에게 지체 없이 그 사실을 알려야 한다.

(1) 건축허가등 및 동의권자

① 건축허가등: 건축허가등이란 건축물 등의 신축 · 증축 · 개축 · 재축 · 이전 · 용도변경 또는 대수선의 허가 · 협의 및 사용승인을 말한다.
② 건축허가등의 동의권자(소방본부장, 소방서장): 건축물 등의 건축허가등의 권한이 있는 행정기관은 건축허가등을 할 때 미리 그 건축물 등의 시공지(施工地) 또는 는 소재지를 관할하는 소방본부장이나 소방서장의 동의를 받아야 한다.

(2) 신고를 수리할 권한이 있는 행정기관의 통지

건축물 등의 신고를 수리할 권한이 있는 행정기관은 그 신고를 수리하면 소방본부장이나 소방서장에게 지체 없이 그 사실을 알려야 한다.

(3) 건축허가등의 동의대상 제외 특정소방대상물(영 제7조 제2항)

① 특정소방대상물에 설치되는 소화기구, 자동소화장치, 누전경보기, 단독경보형감지기, 가스누설경보기, 피난구조설비(비상조명등은 제외한다)가 화재안전기준에 적합한 경우 그 특정소방대상물
② 건축물의 증축 또는 용도변경으로 인하여 해당 특정소방대상물에 추가로 소방시설이 설치되지 아니하는 경우 해당 특정소방대상물
③ 「소방시설공사업법 시행령」제4조에 따른 소방시설공사의 착공신고 대상에 해당하지 않는 경우 해당 특정소방대상물

(4) 건축허가등의 동의대상물의 범위 등(영 제7조 제1항)

1. 연면적이 400m² 이상인 건축물이나 시설(다만, 다음 각 목의 어느 하나에 해당하는 건축물이나 시설은 해당 목에서 정한 기준 이상인 건축물이나 시설로 한다.)
   가. 학교시설: 100m² 이상
   나. 특정소방대상물 중 노유자(老幼者) 시설 및 수련시설: 200제곱미터
   다. 「정신건강증진 및 정신질환자 복지서비스 지원에 관한 법률」 제3조 제5호에 따른 정신의료기관(입원실이 없는 정신건강의학과 의원은 제외하며, 이하 "정신의료기관"이라 한다): 300제곱미터
   라. 「장애인복지법」 제58조 제1항 제4호에 따른 장애인 의료재활시설(이하 "의료재활시설"이라 한다): 300제곱미터
2. 지하층 또는 무창층이 있는 건축물: 바닥면적이 150제곱미터(공연장의 경우에는 100제곱미터) 이상인 층이 있는 것
3. 차고 · 주차장 또는 주차용도로 사용되는 시설
   가. 차고 · 주차장: 바닥면적 200m² 이상 층이 있는 건축물 · 주차시설
   나. 승강기 등 기계장치에 의한 주차시설: 자동차 20대 이상
4. 층수: 6층 이상인 건축물
5. 항공기격납고, 관망탑, 항공관제탑, 방송용 송수신탑
6. 의원(입원실이 있는 것으로 한정한다) · 조산원 · 산후조리원, 위험물 저장 및 처리 시설, 발전시설 중 풍력발전소 · 전기저장시설, 지하구(地下溝)
7. 제1호에 나목에 해당하지 않는 노유자시설 중 다음 각 목의 어느 하나에 해당하는 시설. 다만, 가목 2) 및 나목부터 바목까지의 시설 중 「건축법 시행령」 별표 1의 단독주택 또는 공동주택에 설치되는 시설은 제외한다.
   가. 노인 관련 시설
      1) 노인주거복지시설 · 노인의료복지시설 및 재가노인복지시설
      2) 학대피해노인 전용쉼터
   나. 아동복지시설(아동상담소, 아동전용시설 및 지역아동센터는 제외)
   다. 장애인 거주시설
   라. 정신질환자 관련 시설(24시간 주거를 제공하지 아니하는 시설은 제외)
   마. 노숙인 관련 시설 중 노숙인자활시설, 노숙인재활시설 및 노숙인요양시설
   바. 결핵환자나 한센인이 24시간 생활하는 노유자시설
8. 「의료법」 제3조 제2항 제3호 라목에 따른 요양병원(이하 "요양병원"이라 한다). 다만, 의료재활시설은 제외한다.
9. 별표 2의 특정소방대상물 중 공장 또는 창고시설로서 「화재의 예방 및 안전관리에 관한 법률 시행령」 별표 2에서 정하는 수량의 750배 이상의 특수가연물을 저장 · 취급하는 것
10. 별표 2 제17호 나목에 따른 가스시설로서 지상에 노출된 탱크의 저장용량의 합계가 100톤 이상인 것

(5) 건축허가등의 동의 요구(영 제7조 제3항)

① 건축허가등의 권한이 있는 행정기관은 건축허가등의 동의를 받으려는 경우에는 동의요구서에 행정안전부령으로 정하는 서류를 첨부하여 해당 건축물 등의 소재지를 관할하는 소방본부장 또는 소방서장에게 동의를 요구해야 한다.
② 이 경우 동의 요구를 받은 소방본부장 또는 소방서장은 첨부서류 등이 미비한 경우에는 그 서류의 보완을 요구할 수 있다.

01 「화재예방, 소방시설 설치 · 유지 및 안전관리에 관한 법률 시행령」상 건축허가등의 동의대상물의 범위에 해당되는 것으로 옳은 것은? 　19. 경채(4월)

> ㄱ. 항공기격납고, 관망탑, 방송용 송수신탑
> ㄴ. 「학교시설사업 촉진법」 제5조의2 제1항에 따라 건축 등을 하려는 학교시설은 100제곱미터 이상인 건축물
> ㄷ. 차고 · 주차장으로 사용되는 바닥면적이 150제곱미터 이상인 층이 있는 건축물이나 주차시설
> ㄹ. 노유자시설 및 수련시설은 200제곱미터 이상인 건축물

① ㄱ, ㄴ, ㄷ　　　② ㄱ, ㄴ, ㄹ
③ ㄱ, ㄷ, ㄹ　　　④ ㄴ, ㄷ, ㄹ

정답 ②

02 소방시설법 시행령상 건축물 등의 신축 · 증축 · 개축 · 재축 · 이전 · 용도변경 또는 대수선의 허가 · 협의 및 사용승인을 할 때 미리 소방본부장 또는 소방서장의 동의를 받아야 하는 건축물 등의 범위로 옳지 않은 것은? 　23. 공채 · 경채

① 연면적 100제곱미터 이상인 특정소방대상물 중 노유자(老幼者) 시설 및 수련시설
② 「학교시설사업 촉진법」에 따라 건축 등을 하려는 연면적 100제곱미터 이상의 학교시설
③ 지하층 또는 무창층이 있는 건축물로서 바닥면적이 150제곱미터(공연장의 경우에는 100제곱미터) 이상인 층이 있는 것
④ 차고 · 주차장 또는 주차 용도로 사용되는 시설로서 차고 · 주차장으로 사용되는 바닥면적이 200제곱미터 이상인 층이 있는 건축물이나 주차시설

정답 ①

03 소방시설법 시행령상 건축허가등의 동의대상물에 해당하지 않는 것은? 　24. 공채 · 경채

① 층수가 6층인 건축물
② 연면적 400제곱미터인 건축물
③ 지하층이 있는 건축물로서 바닥면적이 150제곱미터 이상인 층이 있는 것
④ 특정소방대상물 중 노유자(老幼者) 시설로서 연면적 100제곱미터인 건축물

정답 ④

(6) 건축허가등의 동의 요구(규칙 제3조 제1항)

　건축허가등의 동의요구는 행정기관이 건축물 등의 시공지(施工地) 또는 소재지를 관할하는 소방본부장 또는 소방서장에게 하여야 한다.

(7) 건축허가등의 동의를 요구할 때 동의요구서 첨부서류(규칙 제3조 제2항)

① 「건축법 시행규칙」 제6조에 따른 건축허가신청서, 같은 법 시행규칙 제8조에 따른 건축허가서 또는 같은 법 시행규칙 제12조에 따른 건축·대수선·용도변경신고서 등 건축허가등을 확인할 수 있는 서류의 사본. 이 경우 동의 요구를 받은 담당 공무원은 특별한 사정이 있는 경우를 제외하고는 「전자정부법」 제36조 제1항에 따른 행정정보의 공동이용을 통하여 건축허가서를 확인함으로써 첨부서류의 제출을 갈음할 수 있다.

② 다음 설계도서. 다만, ㉠ 및 ㉡ ⓑ·ⓓ의 설계도서는 「소방시설공사업법 시행령」 제4조에 따른 소방시설공사 착공신고 대상에 해당되는 경우에만 제출한다.

　㉠ 건축물 관련 상세도면

　　ⓐ 건축물 개요 및 배치도

　　ⓑ 주단면도 및 입면도(立面圖, 물체를 정면에서 본 대로 그린 그림을 말한다. 이하 같다)

　　ⓒ 층별 평면도(용도별 기준층 평면도를 포함한다)

　　ⓓ 방화구획도(창호도를 포함한다)

　　ⓔ 실내·실외 마감재료표

　　ⓕ 소방자동차 진입 동선도 및 부서 공간 위치도(조경계획을 포함한다)

　㉡ 소방시설 설계도서

　　ⓐ 소방시설(기계·전기 분야의 시설을 말한다)의 계통도(시설별 계산서를 포함한다)

　　ⓑ 소방시설별 층별 평면도

　　ⓒ 실내장식물 방염대상물품 설치 계획(「건축법」 제52조에 따른 건축물의 마감재료는 제외한다)

　　ⓓ 소방시설의 내진설계 계통도 및 기준층 평면도(내진 시방서 및 계산서 등 세부 내용이 포함된 상세 설계도면은 제외한다)

④ 임시소방시설 설치계획서(설치시기·위치·종류·방법 등 임시소방시설의 설치와 관련된 세부 사항을 포함한다)

⑤ 「소방시설공사업법」 제4조 제1항에 따라 등록한 소방시설설계업등록증과 소방시설을 설계한 기술인력의 기술자격증 사본

⑥ 「소방시설공사업법」 제21조 및 제21조의3 제2항에 따라 체결한 소방시설설계계약서 사본

시행령

제7조【건축허가등의 동의대상물의 범위 등】 ① 법 제6조 제1항에 따라 건축물 등의 신축·증축·개축·재축·이전·용도변경 또는 대수선의 허가·협의 및 사용승인(「주택법」 제15조에 따른 승인 및 같은 법 제49조에 따른 사용검사, 「학교시설사업 촉진법」 제4조에 따른 승인 및 같은 법 제13조에 따른 사용승인을 포함하며, 이하 "건축허가등"이라 한다)을 할 때 미리 소방본부장 또는 소방서장의 동의를 받아야 하는 건축물 등의 범위는 다음 각 호와 같다.

1. 연면적(「건축법 시행령」 제119조 제1항 제4호에 따라 산정된 면적을 말한다. 이하 같다)이 【 ① 】 이상인 건축물이나 시설. 다만, 다음 각 목의 어느 하나에 해당하는 건축물이나 시설은 해당 목에서 정한 기준 이상인 건축물이나 시설로 한다.
   가. 「학교시설사업 촉진법」 제5조의2 제1항에 따라 건축등을 하려는 학교시설: 100제곱미터
   나. 별표 2의 특정소방대상물 중 노유자(老幼者) 시설 및 수련시설: 200제곱미터
   다. 「정신건강증진 및 정신질환자 복지서비스 지원에 관한 법률」 제3조 제5호에 따른 정신의료기관(입원실이 없는 정신건강의학과 의원은 제외하며, 이하 "정신의료기관"이라 한다): 【 ② 】
   라. 「장애인복지법」 제58조 제1항 제4호에 따른 장애인 의료재활시설(이하 "의료재활시설"이라 한다): 300제곱미터
2. 지하층 또는 무창층이 있는 건축물로서 바닥면적이 150제곱미터(공연장의 경우에는 100제곱미터) 이상인 층이 있는 것
3. 차고·주차장 또는 주차 용도로 사용되는 시설로서 다음 각 목의 어느 하나에 해당하는 것
   가. 차고·주차장으로 사용되는 바닥면적이 200제곱미터 이상인 층이 있는 건축물이나 주차시설
   나. 승강기 등 기계장치에 의한 주차시설로서 자동차 20대 이상을 주차할 수 있는 시설
4. 층수(「건축법 시행령」 제119조 제1항 제9호에 따라 산정된 층수를 말한다. 이하 같다)가 【 ③ 】 이상인 건축물
5. 항공기 격납고, 관망탑, 항공관제탑, 방송용 송수신탑
6. 별표 2의 특정소방대상물 중 의원(입원실이 있는 것으로 한정한다)·조산원·산후조리원, 위험물 저장 및 처리 시설, 발전시설 중 풍력발전소·전기저장시설, 지하구(地下溝)
7. 제1호 나목에 해당하지 않는 노유자 시설 중 다음 각 목의 어느 하나에 해당하는 시설. 다만, 가목 2) 및 나목부터 바목까지의 시설 중 「건축법 시행령」 별표 1의 단독주택 또는 공동주택에 설치되는 시설은 제외한다.
   가. 별표 2 제9호 가목에 따른 노인 관련 시설 중 다음의 어느 하나에 해당하는 시설

   1) 「노인복지법」 제31조 제1호에 따른 노인주거복지시설, 같은 조 제2호에 따른 노인의료복지시설 및 같은 조 제4호에 따른 재가노인복지시설
   2) 「노인복지법」 제31조 제7호에 따른 학대피해노인 전용 쉼터
   나. 「아동복지법」 제52조에 따른 아동복지시설(아동상담소, 아동전용시설 및 지역아동센터는 제외한다)
   다. 「장애인복지법」 제58조 제1항 제1호에 따른 장애인 거주시설
   라. 정신질환자 관련 시설(「정신건강증진 및 정신질환자 복지서비스 지원에 관한 법률」 제27조 제1항 제2호에 따른 공동생활가정을 제외한 재활훈련시설과 같은 법 시행령 제16조 제3호에 따른 종합시설 중 24시간 주거를 제공하지 않는 시설은 제외한다)
   마. 별표 2 제9호 마목에 따른 노숙인 관련 시설 중 노숙인자활시설, 노숙인재활시설 및 노숙인요양시설
   바. 결핵환자나 한센인이 24시간 생활하는 노유자 시설
8. 「의료법」 제3조 제2항 제3호 라목에 따른 요양병원(이하 "요양병원"이라 한다). 다만, 의료재활시설은 제외한다.
9. 별표 2의 특정소방대상물 중 공장 또는 창고시설로서 「화재의 예방 및 안전관리에 관한 법률 시행령」 별표 2에서 정하는 수량의 750배 이상의 특수가연물을 저장·취급하는 것
10. 별표 2 제17호 나목에 따른 가스시설로서 지상에 노출된 탱크의 저장용량의 합계가 【 ④ 】 이상인 것

② 제1항에도 불구하고 다음 각 호의 어느 하나에 해당하는 특정소방대상물은 소방본부장 또는 소방서장의 건축허가등의 동의대상에서 제외한다.

1. 별표 4에 따라 특정소방대상물에 설치되는 소화기구, 자동소화장치, 누전경보기, 단독경보형감지기, 가스누설경보기 및 피난구조설비(비상조명등은 제외한다)가 화재안전기준에 적합한 경우 해당 특정소방대상물
2. 건축물의 【 ⑤ 】으로 인하여 해당 특정소방대상물에 추가로 소방시설이 설치되지 않는 경우 해당 특정소방대상물
3. 「소방시설공사업법 시행령」 제4조에 따른 소방시설공사의 【 ⑥ 】 대상에 해당하지 않는 경우 해당 특정소방대상물

③ 법 제6조 제1항에 따라 건축허가등의 권한이 있는 행정기관은 건축허가등의 동의를 받으려는 경우에는 동의요구서에 행정안전부령으로 정하는 서류를 첨부하여 해당 건축물 등의 소재지를 관할하는 소방본부장 또는 소방서장에게 동의를 요구해야 한다. 이 경우 동의 요구를 받은 소방본부장 또는 소방서장은 첨부서류 등이 미비한 경우에는 그 서류의 보완을 요구할 수 있다.

① 400제곱미터 ② 300제곱미터 ③ 6층 ④ 100톤 ⑤ 증축 또는 용도변경 ⑥ 착공신고

시행규칙

제3조【건축허가등의 동의 요구】 ① 법 제6조 제1항에 따른 건축물 등의 신축·증축·개축·재축·이전·용도변경 또는 대수선의 허가·협의 및 사용승인(「주택법」제15조에 따른 승인 및 같은 법 제49조에 따른 사용검사, 「학교시설사업 촉진법」제4조에 따른 승인 및 같은 법 제13조에 따른 사용승인을 포함하며, 이하 "건축허가등"이라 한다)의 동의 요구는 다음 각 호의 권한이 있는 행정기관이 「소방시설 설치 및 관리에 관한 법률 시행령」(이하 "영"이라 한다) 제7조 제1항 각 호에 따른 동의대상물의 시공지 또는 소재지를 관할하는 소방본부장 또는 소방서장에게 해야 한다.

1. 「건축법」제11조에 따른 허가 및 같은 법 제29조 제2항에 따른 협의의 권한이 있는 행정기관
2. 「주택법」제15조에 따른 승인 및 같은 법 제49조에 따른 사용검사의 권한이 있는 행정기관
3. 「학교시설사업 촉진법」제4조에 따른 승인 및 같은 법 제13조에 따른 사용승인의 권한이 있는 행정기관
4. 「고압가스 안전관리법」제4조에 따른 허가의 권한이 있는 행정기관
5. 「도시가스사업법」제3조에 따른 허가의 권한이 있는 행정기관
6. 「액화석유가스의 안전관리 및 사업법」제5조 및 제6조에 따른 허가의 권한이 있는 행정기관
7. 「전기안전관리법」제8조에 따른 자가용전기설비의 공사계획의 인가의 권한이 있는 행정기관
8. 「전기사업법」제61조에 따른 전기사업용전기설비의 공사계획에 대한 인가의 권한이 있는 행정기관
9. 「국토의 계획 및 이용에 관한 법률」제88조 제2항에 따른 도시·군계획시설사업 실시계획 인가의 권한이 있는 행정기관

② 제1항 각 호의 어느 하나에 해당하는 기관은 영 제7조 제3항에 따라 건축허가등의 동의를 요구하는 경우에는 동의요구서(전자문서로 된 요구서를 포함한다)에 다음 각 호의 서류(전자문서를 포함한다)를 첨부해야 한다.

1. 「건축법 시행규칙」제6조에 따른 건축허가신청서, 같은 법 시행규칙 제8조에 따른 건축허가서 또는 같은 법 시행규칙 제12조에 따른 건축·대수선·용도변경신고서 등 건축허가등을 확인할 수 있는 서류의 사본. 이 경우 동의 요구를 받은 담당 공무원은 특별한 사정이 있는 경우를 제외하고는 「전자정부법」제36조 제1항에 따른 행정정보의 공동이용을 통하여 건축허가서를 확인함으로써 첨부서류의 제출을 갈음할 수 있다.

2. 다음 각 목의 설계도서. 다만, 가목 및 나목 2)·4)의 설계도서는 「소방시설공사업법 시행령」제4조에 따른 소방시설공사 착공신고 대상에 해당되는 경우에만 제출한다.

가. 건축물 설계도서
  1) 건축개요 및 배치도
  2) 주단면도 및 입면도(立面圖: 물체를 정면에서 본 대로 그린 그림을 말한다. 이하 같다)
  3) 층별 평면도(용도별 기준층 평면도를 포함한다. 이하 같다)
  4) 방화구획도(창호도를 포함한다)
  5) 실내·실외 마감재료표
  6) 소방자동차 진입 동선도 및 부서 공간 위치도(조경계획을 포함한다)

나. 소방시설 설계도서
  1) 소방시설(기계·전기 분야의 시설을 말한다)의 계통도(시설별 계산서를 포함한다)
  2) 소방시설별 층별 평면도
  3) 실내장식물 방염대상물품 설치 계획(「건축법」제52조에 따른 건축물의 마감재료는 제외한다)
  4) 소방시설의 내진설계 계통도 및 기준층 평면도(내진시방서 및 계산서 등 세부 내용이 포함된 상세 설계도면은 제외한다)

3.【 ① 】
4. 임시소방시설 설치계획서(설치시기·위치·종류·방법 등 임시소방시설의 설치와 관련된 세부 사항을 포함한다)
5. 「소방시설공사업법」제4조 제1항에 따라 등록한【 ② 】과 소방시설을 설계한 기술인력의 기술자격증 사본
6. 「소방시설공사업법」제21조 및 제21조의3 제2항에 따라 체결한 소방시설설계 계약서 사본

① 소방시설 설치계획표 ② 소방시설설계업등록증

제6조【건축허가등의 동의 등】③ 제1항에 따른 건축허가등의 권한이 있는 행정기관과 제2항에 따른 신고를 수리할 권한이 있는 행정기관은 제1항에 따라 건축허가등의 동의를 받거나 제2항에 따른 신고를 수리한 사실을 알릴 때 관할 소방본부장이나 소방서장에게 건축허가등을 하거나 신고를 수리할 때 건축허가등을 받으려는 자 또는 신고를 한 자가 제출한 설계도서 중 건축물의 내부구조를 알 수 있는 설계도면을 제출하여야 한다. 다만, 국가안보상 중요하거나 국가기밀에 속하는 건축물을 건축하는 경우로서 관계 법령에 따라 행정기관이 설계도면을 확보할 수 없는 경우에는 그러하지 아니하다.

④ 소방본부장 또는 소방서장은 제1항에 따른 동의를 요구받은 경우 해당 건축물 등이 다음 각 호의 사항을 따르고 있는지를 검토하여 행정안전부령으로 정하는 기간 내에 해당 행정기관에 동의 여부를 알려야 한다.

1. 이 법 또는 이 법에 따른 명령

2.「소방기본법」제21조의2에 따른 소방자동차 전용구역의 설치

⑤ 소방본부장 또는 소방서장은 제4항에 따른 건축허가등의 동의 여부를 알릴 경우에는 원활한 소방활동 및 건축물 등의 화재안전성능을 확보하기 위하여 필요한 다음 각 호의 사항에 대한 검토 자료 또는 의견서를 첨부할 수 있다.

1.「건축법」제49조 제1항 및 제2항에 따른 피난시설, 방화구획(防火區劃)

2.「건축법」제49조 제3항에 따른 소방관 진입창

3.「건축법」제50조, 제50조의2, 제51조, 제52조, 제52조의2 및 제53조에 따른 방화벽, 마감재료 등(이하 "방화시설"이라 한다)

4. 그 밖에 소방자동차의 접근이 가능한 통로의 설치 등 대통령령으로 정하는 사항

⑥ 제1항에 따라 사용승인에 대한 동의를 할 때에는 「소방시설공사업법」제14조 제3항에 따른 소방시설공사의 완공검사증명서를 발급하는 것으로 동의를 갈음할 수 있다. 이 경우 제1항에 따른 건축허가등의 권한이 있는 행정기관은 소방시설공사의 완공검사증명서를 확인하여야 한다.

⑦ 제1항에 따른 건축허가등을 할 때 소방본부장이나 소방서장의 동의를 받아야 하는 건축물 등의 범위는 대통령령으로 정한다.

⑧ 다른 법령에 따른 인가·허가 또는 신고 등(건축허가등과 제2항에 따른 신고는 제외하며, 이하 이 항에서 "인허가등"이라 한다)의 시설기준에 소방시설등의 설치·관리 등에 관한 사항이 포함되어 있는 경우 해당 인허가 등의 권한이 있는 행정기관은 인허가 등을 할 때 미리 그 시설의 소재지를 관할하는 소방본부장이나 소방서장에게 그 시설이 이 법 또는 이 법에 따른 명령을 따르고 있는지를 확인하여 줄 것을 요청할 수 있다. 이 경우 요청을 받은 소방본부장 또는 소방서장은 행정안전부령으로 정하는 기간 내에 확인 결과를 알려야 한다.

(1) 설계도면의 제출

① 건축허가등의 권한이 있는 행정기관은 건축허가등의 동의를 할 때 관할 소방본부장이나 소방서장에게 건축허가등을 할 때 건축허가등을 받으려는 자가 제출한 설계도서 중 건축물의 내부구조를 알 수 있는 설계도면을 제출하여야 한다.

📍 **제·개정 내용**

법률

소방본부장 또는 소방서장이 건축허가동의 시 소방시설의 적법성뿐만 아니라 건축법령에 따른 피난시설, 방화시설 및 방화구획의 적정성도 검토하여 의견을 제출할 수 있도록 함

② 신고를 수리할 권한이 있는 행정기관은 신고를 수리한 사실을 알릴 때 관할 소방본부장이나 소방서장에게 신고를 수리할 때 신고를 한 자가 제출한 설계도서 중 건축물의 내부구조를 알 수 있는 설계도면을 제출하여야 한다.

③ 국가안보상 중요하거나 국가기밀에 속하는 건축물을 건축하는 경우로서 관계 법령에 따라 행정기관이 설계도면을 확보할 수 없는 경우에는 그러하지 아니하다.

(2) 건축허가등의 회신

① 소방본부장 또는 소방서장은 건축허가등 동의를 요구받은 경우 해당 건축물 등이 다음의 사항을 따르고 있는지를 검토하여 행정안전부령으로 정하는 기간 내에 해당 행정기관에 동의 여부를 알려야 한다.

㉠ 이 법 또는 이 법에 따른 명령

㉡ 「소방기본법」 제21조의2에 따른 소방자동차 전용구역의 설치

정희's 톡talk

건축허가등의 회신

동의요청권자 　　　　　　동의권자

행정기관 ⇨⇦ 본·서장

　　　　　　동의(5일 이내)
　　　　　　특급(10일 이내)

② 건축허가등의 회신(규칙 제5조)

㉠ 동의 여부 회신기간(규칙 제4조 제3항): 접수한 날부터 5일 이내(특급소방안전관리대상물은 10일 이내)

㉡ 동의요구서 및 첨부서류의 보완기한

ⓐ 4일 이내의 기간을 정하여 보완을 요구할 수 있다.

ⓑ 보완기간은 회신기간에 산입하지 아니하고, 보완기간 내에 보완하지 아니하는 때에는 동의요구서를 반려하여야 한다.

㉢ 행정기관이 건축허가등을 취소한 경우: 취소한 날부터 7일 이내에 건축물 등의 시공지 또는 소재지를 관할하는 소방본부장 또는 소방서장에게 그 사실을 통보하여야 한다.

㉣ 건축허가등의 동의대장 기재·관리: 소방본부장 또는 소방서장

(3) 적정성 검토 및 의견서 제출

① 소방본부장 또는 소방서장은 건축허가등의 동의 여부를 알릴 경우에는 원활한 소방활동 및 건축물 등의 화재안전성능을 확보하기 위하여 필요한 다음의 사항에 대한 검토 자료 또는 의견서를 첨부할 수 있다.

② 검토 사항

㉠ 「건축법」 제49조 제1항 및 제2항에 따른 피난시설, 방화구획(防火區劃)

㉡ 「건축법」 제49조 제3항에 따른 소방관 진입창

정희's 톡talk

「건축법」 제49조【건축물의 피난시설 및 용도제한 등】③ 대통령령으로 정하는 건축물은 국토교통부령으로 정하는 기준에 따라 소방관이 진입할 수 있는 창을 설치하고, 외부에서 주야간에 식별할 수 있는 표시를 하여야 한다.

㉢ 「건축법」 제50조, 제50조의2, 제51조, 제52조, 제52조의2 및 제53조에 따른 방화벽, 마감재료 등(이하 "방화시설"이라 한다)

㉣ 그 밖에 소방자동차의 접근이 가능한 통로의 설치 등 대통령령으로 정하는 사항(영 제7조 제4항)

ⓐ 소방자동차의 접근이 가능한 통로의 설치

ⓑ 「건축법」 제64조 및 「주택건설기준 등에 관한 규정」 제15조에 따른 승강기의 설치

ⓒ 「주택건설기준 등에 관한 규정」 제26조에 따른 주택단지 안 도로의 설치

ⓓ 「건축법 시행령」 제40조 제2항에 따른 옥상광장, 같은 조 제3항에 따른 비상문자동개폐장치 또는 같은 조 제4항에 따른 헬리포트의 설치

ⓔ 그 밖에 소방본부장 또는 소방서장이 소화활동 및 피난을 위해 필요하다고 인정하는 사항

(4) 사용승인에 대한 동의

사용승인에 대한 동의는 완공검사증명서를 교부하는 것으로 동의를 갈음할 수 있다.

(5) 위임규정

건축허가등을 할 때 소방본부장이나 소방서장의 동의를 받아야 하는 건축물 등의 범위는 대통령령으로 정한다.

(6) 확인요청

① 다른 법령에 따른 인허가 등의 시설기준에 소방시설등의 설치·유지 등에 관한 사항이 포함되어 있는 경우 인허가 등을 할 때 행정기관은 미리 소방본부장이나 소방서장에게 적법한 지를 확인하여 줄 것을 요청할 수 있다.

② 요청을 받은 소방본부장 또는 소방서장은 행정안전부령으로 정하는 기간 이내에 확인 결과를 알려야 한다.

③ 행정안전부령으로 정하는 회신기간은 7일이다(규칙 제5조 제7항).

🖐 **관계법규 건축허가등의 동의 등**

시행령	시행규칙
제7조【건축허가등의 동의대상물의 범위 등】 ④ 법 제6조 제5항 제4호에서 "소방자동차의 접근이 가능한 통로의 설치 등 대통령령으로 정하는 사항"이란 다음 각 호의 사항을 말한다. 1. 소방자동차의 접근이 가능한 통로의 설치 2. 「건축법」 제64조 및 「주택건설기준 등에 관한 규정」 제15조에 따른 승강기의 설치 3. 「주택건설기준 등에 관한 규정」 제26조에 따른 주택단지 안 도로의 설치 4. 「건축법 시행령」 제40조 제2항에 따른 옥상광장, 같은 조 제3항에 따른 비상문자동개폐장치 또는 같은 조 제4항에 따른 헬리포트의 설치 5. 그 밖에 소방본부장 또는 소방서장이 소화활동 및 피난을 위해 필요하다고 인정하는 사항	제3조【건축허가등의 동의 요구】 ③ 제1항에 따른 동의 요구를 받은 소방본부장 또는 소방서장은 법 제6조 제4항에 따라 건축허가등의 동의 요구서류를 접수한 날부터 5일(허가를 신청한 건축물 등이 「화재의 예방 및 안전관리에 관한 법률 시행령」 별표 4 제1호 가목의 어느 하나에 해당하는 경우에는 【 ① 】) 이내에 건축허가등의 동의 여부를 회신해야 한다. ④ 소방본부장 또는 소방서장은 제3항에도 불구하고 제2항에 따른 동의요구서 및 첨부서류의 보완이 필요한 경우에는 4일 이내의 기간을 정하여 보완을 요구할 수 있다. 이 경우 보완 기간은 제3항에 따른 회신 기간에 산입하지 않으며 보완 기간 내에 보완하지 않는 경우에는 동의요구서를 반려해야 한다. ⑤ 제1항에 따라 건축허가등의 동의를 요구한 기관이 그 건축허가등을 취소했을 때에는 취소한 날부터 【 ② 】 이내에 건축물 등의 시공지 또는 소재지를 관할하는 소방본부장 또는 소방서장에게 그 사실을 통보해야 한다. ⑥ 소방본부장 또는 소방서장은 제3항에 따라 동의 여부를 회신하는 경우에는 별지 제1호 서식의 건축허가등의 동의대장에 이를 기록하고 관리해야 한다. ⑦ 법 제6조 제8항 후단에서 "행정안전부령으로 정하는 기간"이란 7일을 말한다. ① 10일 ② 7일

제2장 소방시설등의 설치·관리 및 방염 **271**

소방시설 설치 및 관리에 관한 법률
3
해커스소방 김정희 소방관계법규 기본서

1. 「건축법」

제2조【정의】 ① 이 법에서 사용하는 용어의 뜻은 다음과 같다.

1. "대지(垈地)"란 「공간정보의 구축 및 관리 등에 관한 법률」에 따라 각 필지(筆地)로 나눈 토지를 말한다. 다만, 대통령령으로 정하는 토지는 둘 이상의 필지를 하나의 대지로 하거나 하나 이상의 필지의 일부를 하나의 대지로 할 수 있다.
2. "건축물"이란 토지에 정착(定着)하는 공작물 중 지붕과 기둥 또는 벽이 있는 것과 이에 딸린 시설물, 지하나 고가(高架)의 공작물에 설치하는 사무소·공연장·점포·차고·창고, 그 밖에 대통령령으로 정하는 것을 말한다.

– 중략 –

5. "지하층"이란 건축물의 바닥이 지표면 아래에 있는 층으로서 바닥에서 지표면까지 평균높이가 해당 층 높이의 2분의 1 이상인 것을 말한다.
6. "거실"이란 건축물 안에서 거주, 집무, 작업, 집회, 오락, 그 밖에 이와 유사한 목적을 위하여 사용되는 방을 말한다.
7. "주요구조부"란 내력벽(耐力壁), 기둥, 바닥, 보, 지붕틀 및 주계단(主階段)을 말한다. 다만, 사이 기둥, 최하층 바닥, 작은 보, 차양, 옥외 계단, 그 밖에 이와 유사한 것으로 건축물의 구조상 중요하지 아니한 부분은 제외한다.
8. "건축"이란 건축물을 신축·증축·개축·재축(再築)하거나 건축물을 이전하는 것을 말한다.
8의2. "결합건축"이란 제56조에 따른 용적률을 개별 대지마다 적용하지 아니하고, 2개 이상의 대지를 대상으로 통합적용하여 건축물을 건축하는 것을 말한다.
9. "대수선"이란 건축물의 기둥, 보, 내력벽, 주계단 등의 구조나 외부 형태를 수선·변경하거나 증설하는 것으로서 대통령령으로 정하는 것을 말한다.
10. "리모델링"이란 건축물의 노후화를 억제하거나 기능 향상 등을 위하여 대수선하거나 건축물의 일부를 증축 또는 개축하는 행위를 말한다.

– 중략 –

19. "고층건축물"이란 층수가 30층 이상이거나 높이가 120미터 이상인 건축물을 말한다.

2. 「장애인복지법」

제58조【장애인복지시설】 ① 장애인복지시설의 종류는 다음 각 호와 같다.

1. 장애인 거주시설: 거주공간을 활용하여 일반가정에서 생활하기 어려운 장애인에게 일정 기간 동안 거주·요양·지원 등의 서비스를 제공하는 동시에 지역사회생활을 지원하는 시설
2. 장애인 지역사회재활시설: 장애인을 전문적으로 상담·치료·훈련하거나 장애인의 일상생활, 여가활동 및 사회참여활동 등을 지원하는 시설
3. 장애인 직업재활시설: 일반 작업환경에서는 일하기 어려운 장애인이 특별히 준비된 작업환경에서 직업훈련을 받거나 직업 생활을 할 수 있도록 하는 시설(직업훈련 및 직업 생활을 위하여 필요한 제조·가공 시설, 공장 및 영업장 등 부속용도의 시설로서 보건복지부령으로 정하는 시설을 포함한다)
4. 장애인 의료재활시설: 장애인을 입원 또는 통원하게 하여 상담, 진단·판정, 치료 등 의료재활서비스를 제공하는 시설
5. 그 밖에 대통령령으로 정하는 시설

3. 「의료법」

제3조【의료기관】 ① 이 법에서 "의료기관"이란 의료인이 공중(公衆) 또는 특정 다수인을 위하여 의료·조산의 업(이하 "의료업"이라 한다)을 하는 곳을 말한다.

② 의료기관은 다음 각 호와 같이 구분한다.

1. 의원급 의료기관: 의사, 치과의사 또는 한의사가 주로 외래환자를 대상으로 각각 그 의료행위를 하는 의료기관으로서 그 종류는 다음 각 목과 같다.
   가. 의원
   나. 치과의원
   다. 한의원
2. 조산원: 조산사가 조산과 임산부 및 신생아를 대상으로 보건활동과 교육·상담을 하는 의료기관을 말한다.
3. 병원급 의료기관: 의사, 치과의사 또는 한의사가 주로 입원환자를 대상으로 의료행위를 하는 의료기관으로서 그 종류는 다음 각 목과 같다.
   가. 병원
   나. 치과병원
   다. 한방병원
   라. 요양병원(「장애인복지법」 제58조 제1항 제4호에 따른 의료재활시설로서 제3조의2의 요건을 갖춘 의료기관을 포함한다. 이하 같다)
   마. 정신병원
   바. 종합병원

1. **건축허가등의 동의(규칙):** 회신기한 5일 이내(특급 10일 이내), **보완기한:** 4일 이내

2. **행정기관이 건축허가 취소한 경우(규칙):** 7일 이내 통보

3. **성능위주설계(규칙):** 첨부서류 보완 – 7일 이내

4. **성능위주설계(규칙):** 신고 20일(변경신고 14일) 이내 평가단의 검토 · 평가

5. **성능위주설계(규칙):** 신고 20일(변경신고 14일) 이내 중앙위원회의 검토 · 평가

6. **성능위주설계 평가단 및 중앙위원회 보완으로 결정(규칙):** 보완기간은 21일 이내

7. **성능위주설계 평가단(규칙):** 임기 2년, 2회 한정 연임

8. **소방시설의 정비(법):** 3년에 1회 이상

9. **소방용품의 내용연수(영):** 10년

10. **소방시설등의 자체점검 신설된 경우(법):** 사용할 수 있게 된 날부터 60일 이내

11. **공공기관의 외관점검(규칙):** 월 1회 이상

12. **관리업자가 자체점검을 실시하는 경우 자체점검 평가기관 통보(규칙):** 자체점검 끝난 날부터 5일 이내(점검대상과 점검인력 배치상황)

13. **자체점검의 면제 및 연기 신청(규칙):** 실시 만료일 3일 전까지

14. **자체점검의 면제 및 연기 여부 결정(규칙):** 신청을 받은 날부터 3일 이내

15. **자체점검 결과보고서 관계인에게 제출(규칙):** 점검이 끝난 날부터 10일 이내

16. **자체점검 결과보고서 소방본부장 또는 소방서장에게 보고(규칙):** 제출받거나 끝난 날부터 15일 이내

17. **이행계획완료 기간을 정하여 관계인에게 통보(규칙)**

   · **수리 · 정비:** 보고일부터 10일 이내

   · **철거 · 교체:** 보고일부터 20일 이내

18. **이행완료 보고(규칙):** 완료한 날부터 10일 이내

19. **자체점검기록표 게시(규칙):** 보고한 날부터 10일 이내 작성 30일 이상 게시

20. **자체점검결과 공개(규칙):** 30일 이상, 10일 이내 이의신청, 10일 이내 심사 · 결정

21. **소방시설관리업 등록신청 서류 보완(규칙):** 10일 이내

22. **소방시설관리업 등록사항의 변경신고(규칙):** 변경일로부터 30일 이내, 5일 이내 발급

23. **소방시설관리업 지위승계 신고(규칙):** 승계한 날부터 30일 이내

24. **점검능력 평가 및 공시 서류 보완(규칙):** 15일 이내

25. **점검능력 평가 결과 공시(규칙):** 3일 이내

26. **점검능력 평가의 유효기간(규칙):** 1년간

27. **우수품질인증의 유효기간(법):** 5년의 범위

28. **조치명령 등의 연기 신청(규칙):** 조치명령 등의 이행기간 만료일 5일 전까지

29. **조치명령 연기 신청 승인 여부(규칙):** 신청 받은 날부터 3일 이내

30. **위반행위 신고 내용 처리 결과의 통지(규칙):** 10일 이내

01 소방시설법 및 같은 법 시행령상 소방청장이 정하는 내진설계 기준에 맞게 설치해야 하는 소방시설로 옳은 것만을 나열한 것은?   24. 공채·경채
  ① 옥내소화전설비, 옥외소화전설비
  ② 스프링클러설비, 간이스프링클러설비
  ③ 포소화설비, 이산화탄소소화설비
  ④ 연결송수관설비, 연결살수설비
                       정답 ③

제7조【소방시설의 내진설계기준】「지진·화산재해대책법」 제14조 제1항 각 호의 시설 중 대통령령으로 정하는 특정소방대상물에 대통령령으로 정하는 소방시설을 설치하려는 자는 지진이 발생할 경우 소방시설이 정상적으로 작동될 수 있도록 소방청장이 정하는 내진설계기준에 맞게 소방시설을 설치하여야 한다.

(1) 소방시설의 내진설계기준

대통령령으로 정하는 특정소방대상물에 대통령령으로 정하는 소방시설을 설치하려는 자는 지진이 발생할 경우를 대비하여 정상적으로 작동될 수 있도록 소방청장이 정하는 내진설계기준에 맞게 소방시설을 설치하여야 한다.

02 특정소방대상물에 소방시설을 설치하려는 자는 지진이 발생할 경우 소방시설이 정상적으로 작동될 수 있도록 소방청장이 정하는 내진설계기준에 맞게 소방시설을 설치하여야 한다. 이에 해당되는 소방시설로 옳은 것은?   18. 공채(10월)
  ① 자동화재탐지설비, 옥외소화전설비, 스프링클러설비
  ② 자동화재탐지설비, 옥내소화전설비, 스프링클러설비
  ③ 옥내소화전설비, 옥외소화전설비, 물분무등소화설비
  ④ 옥내소화전설비, 스프링클러설비, 물분무등소화설비
                       정답 ④

(2) 대통령령으로 정하는 특정소방대상물

「건축법」 제2조 제1항 제2호에 따른 건축물로서 「지진·화산재해대책법 시행령」 제10조 제1항 각 호에 해당하는 시설

(3) 대통령령으로 정하는 소방시설

  ① 옥내소화전설비
  ② 스프링클러설비
  ③ 물분무등소화설비

👆 **관계법규** 소방시설의 내진설계

시행령	NOTE
제8조【소방시설의 내진설계】 ① 법 제7조에서 "대통령령으로 정하는 특정소방대상물"이란 「건축법」 제2조 제1항 제2호에 따른 건축물로서 「지진·화산재해대책법 시행령」 제10조 제1항 각 호에 해당하는 시설을 말한다. ② 법 제7조에서 "대통령령으로 정하는 소방시설"이란 소방시설 중 【 ① 】, 스프링클러설비, 물분무등소화설비를 말한다.	「건축법」 제2조【정의】 ① 이 법에서 사용하는 용어의 뜻은 다음과 같다. 2. "건축물"이란 토지에 정착(定着)하는 공작물 중 지붕과 기둥 또는 벽이 있는 것과 이에 딸린 시설물, 지하나 고가(高架)의 공작물에 설치하는 사무소·공연장·점포·차고·창고, 그 밖에 대통령령으로 정하는 것을 말한다. 「지진·화산재해대책법 시행령」 제10조【내진설계기준의 설정 대상 시설】 ① 법 제14조 제1항에서 "대통령령으로 정하는 시설"이란 다음 각 호의 시설을 말한다. 1. 「건축법 시행령」 제32조 제2항 각 호에 해당하는 건축물 2. 「공유수면 관리 및 매립에 관한 법률」과 「방조 제관리법」 등 관계 법령에 따라 국가에서 설치·관리하고 있는 배수갑문 및 방조 제 3. 「공항시설법」 제2조 제7호에 따른 공항시설 4. 「하천법」 제7조 제2항에 따른 국가하천의 수문 중 국토교통부장관이 정하여 고시한 수문 5. 「농어촌정비법」 제2조 제6호에 따른 저수지 중 총저수용량 30만톤 이상인 저수지
① 옥내소화전설비	

제8조【성능위주설계】① 연면적·높이·층수 등이 일정 규모 이상인 대통령령으로 정하는 특정소방대상물(신축하는 것만 해당한다)에 소방시설을 설치하려는 자는 성능위주설계를 하여야 한다.

(1) 성능위주설계

연면적·높이·층수 등이 일정 규모 이상인 대통령령으로 정하는 특정소방대상물(신축하는 것만 해당한다)에 소방시설을 설치하려는 자는 성능위주설계를 하여야 한다.

(2) 성능위주설계를 하여야 하는 특정소방대상물의 범위(영 제9조)

① 연면적 20만제곱미터 이상인 특정소방대상물. 다만, 별표 2 제1호 가목에 따른 아파트등(이하 "아파트등"이라 한다)은 제외한다.

② 50층 이상(지하층은 제외한다)이거나 지상으로부터 높이가 200미터 이상인 아파트 등

③ 30층 이상(지하층을 포함한다)이거나 지상으로부터 높이가 120미터 이상인 특정소방대상물(아파트등은 제외한다)

④ 연면적 3만제곱미터 이상인 특정소방대상물
  ㉠ 별표 2 제6호 나목의 철도 및 도시철도 시설
  ㉡ 별표 2 제6호 다목의 공항시설

⑤ 창고시설
  ㉠ 연면적 10만제곱미터 이상인 것
  ㉡ 지하층의 층수가 2개 층 이상이고 지하층의 바닥면적의 합계가 3만제곱미터 이상인 것

⑥ 하나의 건축물에「영화 및 비디오물의 진흥에 관한 법률」제2조 제10호에 따른 영화상영관이 10개 이상인 특정소방대상물

⑦「초고층 및 지하연계 복합건축물 재난관리에 관한 특별법」제2조 제2호에 따른 지하연계 복합건축물에 해당하는 특정소방대상물

⑧ 터널
  ㉠ 수저(水底)터널
  ㉡ 길이가 5천미터 이상인 것

📍 제·개정 내용

법률

성능위주설계에 대한 전문적·기술적인 검토 및 평가를 위하여 소방청 또는 소방본부에 성능위주설계 평가단을 두도록 함

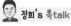
정희's 톡talk

성능위주설계

연면적·높이·층수 등이 일정 규모 이상인 대통령령으로 정하는 특정소방대상물에 소방시설을 설치하려는 자는 성능위주설계를 하도록 하고, 성능위주설계를 한 경우에는「건축법」에 따른 건축허가를 신청하기 전에 해당 특정소방대상물의 시공지 또는 소재지를 관할하는 소방서장에게 신고하도록 합니다.

제8조 【성능위주설계】 ② 제1항에 따라 소방시설을 설치하려는 자가 성능위주설계를 한 경우에는 「건축법」 제11조에 따른 건축허가를 신청하기 전에 해당 특정소방대상물의 시공지 또는 소재지를 관할하는 소방서장에게 신고하여야 한다. 해당 특정소방대상물의 연면적·높이·층수의 변경 등 행정안전부령으로 정하는 사유로 신고한 성능위주설계를 변경하려는 경우에도 또한 같다.
③ 소방서장은 제2항에 따른 신고 또는 변경신고를 받은 경우 그 내용을 검토하여 이 법에 적합하면 신고를 수리하여야 한다.

(1) 성능위주설계의 신고

① 소방시설을 설치하려는 자가 성능위주설계를 한 경우에는 「건축법」 제11조에 따른 건축허가를 신청하기 전에 해당 특정소방대상물의 시공지 또는 소재지를 관할하는 소방서장에게 신고하여야 한다.

② 해당 특정소방대상물의 연면적·높이·층수의 변경 등 행정안전부령으로 정하는 사유로 신고한 성능위주설계를 변경하려는 경우에도 또한 같다.

③ 소방서장은 제8조 제2항에 따른 신고 또는 변경신고를 받은 경우 그 내용을 검토하여 이 법에 적합하면 신고를 수리하여야 한다.

(2) 성능위주설계 신고서 등(규칙 제4조)

① 성능위주설계를 한 자는 「건축법」 제11조에 따른 건축허가를 신청하기 전에 성능위주설계 신고서에 해당 서류를 첨부하여 관할 소방서장에게 신고해야 한다. 이 경우 첨부 서류에는 사전검토 결과에 따라 보완된 내용을 포함해야 하며, 제7조 제1항에 따른 사전검토 신청 시 제출한 서류와 동일한 내용의 서류는 제외한다.

② 소방서장은 제8조 성능위주설계 신고서를 받은 경우 성능위주설계 대상 및 자격 여부 등을 확인하고, 첨부서류의 보완이 필요한 경우에는 7일 이내의 기간을 정하여 성능위주설계를 한 자에게 보완을 요청할 수 있다.

(3) 신고시 첨부서류(규칙 제4조)

① 다음 사항이 포함된 설계도서
　㉠ 건축물의 개요(위치, 구조, 규모, 용도)
　㉡ 부지 및 도로의 설치 계획(소방차량 진입 동선을 포함한다)
　㉢ 화재안전성능의 확보 계획
　㉣ 성능위주설계 요소에 대한 성능평가(화재 및 피난 모의실험 결과를 포함한다)
　㉤ 성능위주설계 적용으로 인한 화재안전성능 비교표

ⓗ 다음의 건축물 설계도면

　　ⓐ 주단면도 및 입면도

　　ⓑ 층별 평면도 및 창호도

　　ⓒ 실내 · 실외 마감재료표

　　ⓓ 방화구획도(화재 확대 방지계획을 포함한다)

　　ⓔ 건축물의 구조 설계에 따른 피난계획 및 피난 동선도

ⓢ 소방시설의 설치계획 및 설계 설명서

ⓞ 다음의 소방시설 설계도면

　　ⓐ 소방시설 계통도 및 층별 평면도

　　ⓑ 소화용수설비 및 연결송수구 설치 위치 평면도

　　ⓒ 종합방재실 설치 및 운영계획

　　ⓓ 상용전원 및 비상전원의 설치계획

　　ⓔ 소방시설의 내진설계 계통도 및 기준층 평면도(내진 시방서 및 계산서 등 세부 내용이 포함된 상세 설계도면은 제외한다)

ⓩ 소방시설에 대한 전기부하 및 소화펌프 등 용량계산서

② 「소방시설공사업법 시행령」에 따른 성능위주설계를 할 수 있는 자의 자격 · 기술 인력을 확인할 수 있는 서류

③ 「소방시설공사업법」에 따라 체결한 성능위주설계 계약서 사본

(4) 신고된 성능위주설계에 대한 검토 · 평가(규칙 제5조)

① 성능위주설계의 신고를 받은 소방서장은 필요한 경우 보완 절차를 거쳐 소방청장 또는 관할 소방본부장에게 성능위주설계 평가단(이하 "평가단"이라 한다)의 검토 · 평가를 요청해야 한다.

② 검토 · 평가를 요청받은 소방청장 또는 소방본부장은 요청을 받은 날부터 20일 이내(변경신고의 경우 14일 이내)에 평가단의 심의 · 의결을 거쳐 해당 건축물의 성능위주설계를 검토 · 평가하고, 성능위주설계 검토 · 평가 결과서를 작성하여 관할 소방서장에게 지체 없이 통보해야 한다.

③ 성능위주설계 신고를 받은 소방서장은 ①에도 불구하고 신기술 · 신공법 등 검토 · 평가에 고도의 기술이 필요한 경우에는 중앙위원회에 심의를 요청할 수 있다.

④ 중앙위원회는 요청된 사항에 대하여 20일 이내(변경신고의 경우 14일 이내)에 심의 · 의결을 거쳐 성능위주설계 검토 · 평가 결과서를 작성하고 관할 소방서장에게 지체 없이 통보해야 한다.

⑤ 제성능위주설계 검토 · 평가 결과서를 통보받은 소방서장은 성능위주설계 신고를 한 자에게 별표 1에 따라 수리 여부를 통보해야 한다.

(5) 성능위주설계 평가단 및 중앙소방심의위원회의 검토·평가 구분 및 통보 시기(규칙 [별표 1])

구분		성립요건	통보 시기
수리	원안 채택	신고서(도면 등) 내용에 수정이 없거나 경미한 경우 원안대로 수리	지체 없이
	보완	평가단 또는 중앙위원회에서 검토·평가한 결과 보완이 요구되는 경우로서 보완이 완료되면 수리	보완완료 후 지체 없이 통보
불수리	재검토	평가단 또는 중앙위원회에서 검토·평가한 결과 보완이 요구되나 단기간에 보완될 수 없는 경우	지체 없이
	부결	평가단 또는 중앙위원회에서 검토·평가한 결과 소방 관련 법령 및 건축 법령에 위반되거나 평가 기준을 충족하지 못한 경우	지체 없이

▶ 비고

보완으로 결정된 경우 보완기간은 21일 이내로 부여하고 보완이 완료되면 지체 없이 수리 여부를 통보해야 한다.

(6) 성능위주설계의 변경신고(규칙 제6조)

① 법 제8조 제2항 후단에서 "해당 특정소방대상물의 연면적·높이·층수의 변경 등 행정안전부령으로 정하는 사유"란 특정소방대상물의 연면적·높이·층수의 변경이 있는 경우를 말한다. 다만, 「건축법」 제16조 제1항 단서 및 같은 조 제2항에 따른 경우는 제외한다.

> **참고** 「건축법」 제16조 【허가와 신고사항의 변경】 제1항 단서 및 같은 조 제2항
>
> 1. 건축주가 제11조나 제14조에 따라 허가를 받았거나 신고한 사항을 변경하려면 변경하기 전에 대통령령으로 정하는 바에 따라 허가권자의 허가를 받거나 특별자치시장·특별자치도지사 또는 시장·군수·구청장에게 신고하여야 한다. 다만, 대통령령으로 정하는 경미한 사항의 변경은 그러하지 아니하다.
> 2. 제1항 본문에 따른 허가나 신고사항 중 대통령령으로 정하는 사항의 변경은 제22조에 따른 사용승인을 신청할 때 허가권자에게 일괄하여 신고할 수 있다.

② 성능위주설계를 한 자는 법 제8조 제2항 후단에 따라 해당 성능위주설계를 한 특정소방대상물이 제1항에 해당하는 경우 성능위주설계 변경 신고서에 제4조 제1항 각 호의 서류를 첨부하여 관할 소방서장에게 신고해야 한다.

③ 제2항에 따른 성능위주설계의 변경신고에 대한 검토·평가, 수리 여부 결정 및 통보에 관하여는 제5조 제2항부터 제5항까지의 규정을 준용한다. 이 경우 같은 조 제2항 및 제4항 중 "20일 이내"는 각각 "14일 이내"로 본다.

시행규칙

제4조【성능위주설계의 신고】 ① 성능위주설계를 한 자는 법 제8조 제2항에 따라 「건축법」 제11조에 따른 건축허가를 신청하기 전에 별지 제2호 서식의 성능위주설계 신고서(전자문서로 된 신고서를 포함한다)에 다음 각 호의 서류(전자문서를 포함한다)를 첨부하여 관할 소방서장에게 신고해야 한다. 이 경우 다음 각 호의 서류에는 사전검토 결과에 따라 보완된 내용을 포함해야 하며, 제7조 제1항에 따른 사전검토 신청 시 제출한 서류와 동일한 내용의 서류는 제외한다.

1. 다음 각 목의 사항이 포함된 설계도서
   가. 건축물의 개요(위치, 구조, 규모, 용도)
   나. 부지 및 도로의 설치 계획(소방차량 진입 동선을 포함한다)
   다. 화재안전성능의 확보 계획
   라. 성능위주설계 요소에 대한 성능평가(화재 및 피난 모의실험 결과를 포함한다)
   마. 성능위주설계 적용으로 인한 화재안전성능 비교표
   바. 다음의 건축물 설계도면
      1) 주단면도 및 입면도
      2) 층별 평면도 및 창호도
      3) 실내·실외【 ① 】
      4) 방화구획도(화재 확대 방지계획을 포함한다)
      5) 건축물의 구조 설계에 따른 피난계획 및 피난 동선도
   사. 소방시설의 설치계획 및 설계 설명서
   아. 다음의 소방시설 설계도면
      1) 소방시설 계통도 및 층별 평면도
      2) 소화용수설비 및 연결송수구 설치 위치 평면도
      3) 종합방재실 설치 및 운영계획
      4) 상용전원 및 비상전원의 설치계획
      5) 소방시설의 내진설계 계통도 및 기준층 평면도(내진시방서 및 계산서 등 세부 내용이 포함된 상세 설계도면은 제외한다)
   자. 소방시설에 대한 전기부하 및 소화펌프 등 용량계산서
2. 「소방시설공사업법 시행령」 별표 1의2에 따른 성능위주설계를 할 수 있는 자의 자격·기술인력을 확인할 수 있는 서류
3. 「소방시설공사업법」 제21조 및 제21조의3 제2항에 따라 체결한 성능위주설계 계약서 사본

② 소방서장은 제1항에 따라 성능위주설계 신고서를 받은 경우 성능위주설계 대상 및 자격 여부 등을 확인하고, 첨부서류의 보완이 필요한 경우에는【 ② 】이내의 기간을 정하여 성능위주설계를 한 자에게 보완을 요청할 수 있다.

제5조【신고된 성능위주설계에 대한 검토·평가】 ① 제4조 제1항에 따라 성능위주설계의 신고를 받은 소방서장은 필요한 경우 같은 조 제2항에 따른 보완 절차를 거쳐 소방청장 또는 관할 소방본부장에게 법 제9조 제1항에 따른 성능위주설계 평가단(이하 "평가단"이라 한다)의 검토·평가를 요청해야 한다.

② 제1항에 따라 검토·평가를 요청받은 소방청장 또는 소방본부장은 요청을 받은 날부터 20일 이내에 평가단의 심의·의결을 거쳐 해당 건축물의 성능위주설계를 검토·평가하고, 별지 제3호 서식의 성능위주설계 검토·평가 결과서를 작성하여 관할 소방서장에게 지체 없이 통보해야 한다.

③ 제4조 제1항에 따라 성능위주설계 신고를 받은 소방서장은 제1항에도 불구하고 신기술·신공법 등 검토·평가에 고도의 기술이 필요한 경우에는【 ③ 】에 심의를 요청할 수 있다.

④ 중앙위원회는 제3항에 따라 요청된 사항에 대하여 20일 이내에 심의·의결을 거쳐 별지 제3호 서식의 성능위주설계 검토·평가 결과서를 작성하고 관할 소방서장에게 지체 없이 통보해야 한다.

⑤ 제2항 또는 제4항에 따라 성능위주설계 검토·평가 결과서를 통보받은 소방서장은 성능위주설계 신고를 한 자에게 별표 1에 따라 수리 여부를 통보해야 한다.

제6조【성능위주설계의 변경신고】 ① 법 제8조 제2항 후단에서 "해당 특정소방대상물의 연면적·높이·층수의 변경 등 행정안전부령으로 정하는 사유"란 특정소방대상물의 연면적·높이·【 ④ 】의 변경이 있는 경우를 말한다. 다만, 「건축법」 제16조 제1항 단서 및 같은 조 제2항에 따른 경우는 제외한다.

② 성능위주설계를 한 자는 법 제8조 제2항 후단에 따라 해당 성능위주설계를 한 특정소방대상물이 제1항에 해당하는 경우 별지 제4호 서식의 성능위주설계 변경 신고서(전자문서로 된 신고서를 포함한다)에 제4조 제1항 각 호의 서류(전자문서를 포함하며, 변경되는 부분만 해당한다)를 첨부하여 관할 소방서장에게 신고해야 한다.

③ 제2항에 따른 성능위주설계의 변경신고에 대한 검토·평가, 수리 여부 결정 및 통보에 관하여는 제5조 제2항부터 제5항까지의 규정을 준용한다. 이 경우 같은 조 제2항 및 제4항 중 "20일 이내"는 각각 "【 ⑤ 】 이내"로 본다.

① 마감재료표 ② 7일 ③ 중앙위원회 ④ 층수 ⑤ 14일

제8조 【성능위주설계】 ④ 제2항에 따라 성능위주설계의 신고 또는 변경신고를 하려는 자는 해당 특정소방대상물이 「건축법」 제4조의2에 따른 건축위원회의 심의를 받아야 하는 건축물인 경우에는 그 심의를 신청하기 전에 성능위주설계의 기본설계도서(基本設計圖書) 등에 대해서 해당 특정소방대상물의 시공지 또는 소재지를 관할하는 소방서장의 사전검토를 받아야 한다.

⑤ 소방서장은 제2항 또는 제4항에 따라 성능위주설계의 신고, 변경신고 또는 사전검토 신청을 받은 경우에는 소방청 또는 관할 소방본부에 설치된 제9조 제1항에 따른 성능위주설계평가단의 검토·평가를 거쳐야 한다. 다만, 소방서장은 신기술·신공법 등 검토·평가에 고도의 기술이 필요한 경우에는 제18조 제1항에 따른 중앙소방기술심의위원회에 심의를 요청할 수 있다.

⑥ 소방서장은 제5항에 따른 검토·평가 결과 성능위주설계의 수정 또는 보완이 필요하다고 인정되는 경우에는 성능위주설계를 한 자에게 그 수정 또는 보완을 요청할 수 있으며, 수정 또는 보완 요청을 받은 자는 정당한 사유가 없으면 그 요청에 따라야 한다.

⑦ 제2항부터 제6항까지에서 규정한 사항 외에 성능위주설계의 신고, 변경신고 및 사전검토의 절차·방법 등에 필요한 사항과 성능위주설계의 기준은 행정안전부령으로 정한다.

(1) 사전검토

① 소방서장의 사전검토: 성능위주설계의 신고 또는 변경신고를 하려는 자는 해당 특정소방대상물이 「건축법」 제4조의2에 따른 건축위원회의 심의를 받아야 하는 건축물인 경우에는 그 심의를 신청하기 전에 성능위주설계의 기본설계도서(基本設計圖書) 등에 대해서 해당 특정소방대상물의 시공지 또는 소재지를 관할하는 소방서장의 사전검토를 받아야 한다.

② 사전검토 신청(규칙 제7조)

㉠ 성능위주설계를 한 자는 건축위원회의 심의를 받아야 하는 건축물인 경우에는 그 심의를 신청하기 전에 성능위주설계 사전검토 신청서에 해당 서류를 첨부하여 관할 소방서장에게 사전검토를 신청해야 한다.

㉡ 소방서장은 성능위주설계 사전검토 신청서를 받은 경우 성능위주설계 대상 및 자격 여부 등을 확인하고, 첨부서류의 보완이 필요한 경우에는 7일 이내의 기간을 정하여 성능위주설계를 한 자에게 보완을 요청할 수 있다.

(2) 성능위주설계단의 평가·검토

① 소방서장은 성능위주설계의 신고, 변경신고 또는 사전검토 신청을 받은 경우에는 소방청 또는 관할 소방본부에 설치된 성능위주설계평가단의 검토·평가를 거쳐야 한다.

② 다만, 소방서장은 신기술·신공법 등 검토·평가에 고도의 기술이 필요한 경우에는 중앙소방기술심의위원회에 심의를 요청할 수 있다.

③ **수정 또는 보완 요청:** 소방서장은 검토·평가 결과 성능위주설계의 수정 또는 보완이 필요하다고 인정되는 경우에는 성능위주설계를 한 자에게 그 수정 또는 보완을 요청할 수 있으며, 수정 또는 보완 요청을 받은 자는 정당한 사유가 없으면 그 요청에 따라야 한다.

(3) 사전검토가 신청된 성능위주설계에 대한 검토·평가(규칙 제8조)

① 사전검토의 신청을 받은 소방서장은 필요한 경우 보완 절차를 거쳐 소방청장 또는 관할 소방본부장에게 평가단의 검토·평가를 요청해야 한다.

② 검토·평가를 요청받은 소방청장 또는 소방본부장은 평가단의 심의·의결을 거쳐 해당 건축물의 성능위주설계를 검토·평가하고, 성능위주설계 사전검토 결과서를 작성하여 관할 소방서장에게 지체 없이 통보해야 한다.

③ 성능위주설계 사전검토의 신청을 받은 소방서장은 신기술·신공법 등 검토·평가에 고도의 기술이 필요한 경우에는 중앙위원회에 심의를 요청할 수 있다.

④ 중앙위원회는 요청된 사항에 대하여 심의를 거쳐 성능위주설계 사전검토 결과서를 작성하고, 관할 소방서장에게 지체 없이 통보해야 한다.

⑤ 성능위주설계 사전검토 결과서를 통보받은 소방서장은 성능위주설계 사전검토를 신청한 자 및 「건축법」 제4조에 따른 해당 건축위원회에 그 결과를 지체 없이 통보해야 한다.

(4) 위임규정

규정한 사항 외에 성능위주설계의 신고, 변경신고 및 사전검토의 절차·방법 등에 필요한 사항과 성능위주설계의 기준은 행정안전부령으로 정한다.

(5) 성능위주설계 기준(규칙 제9조 제1항)

① 소방자동차 진입(통로) 동선 및 소방관 진입 경로 확보

② 화재·피난 모의실험을 통한 화재위험성 및 피난안전성 검증

③ 건축물의 규모와 특성을 고려한 최적의 소방시설 설치

④ 소화수 공급시스템 최적화를 통한 화재피해 최소화 방안 마련

⑤ 특별피난계단을 포함한 피난경로의 안전성 확보

⑥ 건축물의 용도별 방화구획의 적정성

⑦ 침수 등 재난상황을 포함한 지하층 안전확보 방안 마련

시행규칙

제7조 【성능위주설계의 사전검토 신청】 ① 성능위주설계를 한 자는 법 제8조 제4항에 따라 「건축법」 제4조의2에 따른 건축위원회의 심의를 받아야 하는 건축물인 경우에는 그 심의를 신청하기 전에 별지 제5호 서식의 성능위주설계 사전검토 신청서(전자문서로 된 신청서를 포함한다)에 다음 각 호의 서류(전자문서를 포함한다)를 첨부하여 관할 소방서장에게 사전검토를 신청해야 한다.

1. 건축물의 개요(위치, 구조, 규모, 용도)
2. 부지 및 도로의 설치 계획(소방차량 진입 동선을 포함한다)
3. 화재안전성능의 확보 계획
4. 화재 및 피난 모의실험 결과
5. 다음 각 목의 건축물 설계도면
　가. 주단면도 및 입면도
　나. 층별 평면도 및 창호도
　다. 실내·실외 마감재료표
　라. 【 ① 】(화재 확대 방지계획을 포함한다)
　마. 건축물의 구조 설계에 따른 피난계획 및 피난 동선도
6. 소방시설 설치계획 및 설계 설명서(소방시설 기계·전기 분야의 기본계통도를 포함한다)
7. 「소방시설공사업법 시행령」 별표 1의2에 따른 성능위주설계를 할 수 있는 자의 자격·기술인력을 확인할 수 있는 서류
8. 「소방시설공사업법」 제21조 및 제21조의3 제2항에 따라 체결한 성능위주설계 계약서 사본

② 소방서장은 제1항에 따른 성능위주설계 사전검토 신청서를 받은 경우 성능위주설계 대상 및 자격 여부 등을 확인하고, 첨부서류의 보완이 필요한 경우에는 7일 이내의 기간을 정하여 성능위주설계를 한 자에게 보완을 요청할 수 있다.

제8조 【사전검토가 신청된 성능위주설계에 대한 검토·평가】

① 제7조 제1항에 따라 사전검토의 신청을 받은 소방서장은 필요한 경우 같은 조 제2항에 따른 보완 절차를 거쳐 소방청장 또는 관할 소방본부장에게 평가단의 검토·평가를 요청해야 한다.

② 제1항에 따라 검토·평가를 요청받은 소방청장 또는 소방본부장은 평가단의 심의·의결을 거쳐 해당 건축물의 성능위주설계를 검토·평가하고, 별지 제6호 서식의 성능위주설계 사전검토 결과서를 작성하여 관할 소방서장에게 지체 없이 통보해야 한다.

③ 제1항에도 불구하고 제7조 제1항에 따라 성능위주설계 사전검토의 신청을 받은 소방서장은 신기술·신공법 등 검토·평가에 고도의 기술이 필요한 경우에는 중앙위원회에 심의를 요청할 수 있다.

④ 중앙위원회는 제3항에 따라 요청된 사항에 대하여 심의를 거쳐 별지 제6호 서식의 성능위주설계 사전검토 결과서를 작성하고, 관할 소방서장에게 지체 없이 통보해야 한다.

⑤ 제2항 또는 제4항에 따라 성능위주설계 사전검토 결과서를 통보받은 소방서장은 성능위주설계 사전검토를 신청한 자 및 「건축법」 제4조에 따른 해당 건축위원회에 그 결과를 지체 없이 통보해야 한다.

제9조 【성능위주설계 기준】 ① 법 제8조 제7항에 따른 성능위주설계의 기준은 다음 각 호와 같다.

1. 소방자동차 진입(통로) 동선 및 소방관 진입 경로 확보
2. 화재·피난 모의실험을 통한 화재위험성 및 피난안전성 검증
3. 건축물의 규모와 특성을 고려한 최적의 소방시설 설치
4. 소화수 공급시스템 최적화를 통한 화재피해 최소화 방안 마련
5. 【 ② 】을 포함한 피난경로의 안전성 확보
6. 건축물의 용도별 방화구획의 적정성
7. 침수 등 재난상황을 포함한 지하층 안전확보 방안 마련

② 제1항에 따른 성능위주설계의 세부 기준은 소방청장이 정한다.

① 방화구획도 ② 특별피난계단

제9조【성능위주설계평가단】① 성능위주설계에 대한 전문적·기술적인 검토 및 평가를 위하여 소방청 또는 소방본부에 성능위주설계 평가단(이하 "평가단"이라 한다)을 둔다.

② 평가단에 소속되거나 소속되었던 사람은 평가단의 업무를 수행하면서 알게 된 비밀을 이 법에서 정한 목적 외의 용도로 사용하거나 다른 사람 또는 기관에 제공하거나 누설하여서는 아니 된다.

③ 평가단의 구성 및 운영 등에 필요한 사항은 행정안전부령으로 정한다.

(1) 성능위주설계평가단의 설치

① **설치**: 소방청 또는 소방본부

② **목적**: 성능위주설계에 대한 전문적·기술적인 검토 및 평가

(2) 비밀누설 금지의무 등

① 평가단에 소속되거나 소속되었던 사람은 평가단의 업무를 수행하면서 알게 된 비밀을 이 법에서 정한 목적 외의 용도로 사용하거나 다른 사람 또는 기관에 제공하거나 누설하여서는 아니 된다.

② 벌칙 – 300만원 이하의 벌금(제59조): 제9조 제2항을 위반하여 업무를 수행하면서 알게 된 비밀을 이 법에서 정한 목적 외의 용도로 사용하거나 다른 사람 또는 기관에 제공하거나 누설한 자

(3) 위임규정

평가단의 구성 및 운영 등에 필요한 사항은 행정안전부령으로 정한다.

(4) 평가단의 구성(규칙 제10조)

① **구성**: 평가단장 1명을 포함하여 50 이내의 단원으로 성별을 고려하여 구성

② **평가단장**

화재예방 업무를 담당하는 부서의 장 또는 임명 또는 위촉된 평가단원 중에서 학식·경험·전문성 등을 종합적으로 고려하여 소방청장 또는 소방본부장이 임명하거나 위촉한다.

③ 평가단원은 다음의 어느 하나에 해당하는 사람 중에서 소방청장 또는 관할 소방본부장이 성별을 고려하여 임명하거나 위촉한다. 다만, 관할 소방서의 업무 담당 과장은 당연직으로 한다.

ㄱ 소방공무원 중에서 다음의 어느 하나에 해당하는 사람

ⓐ 소방기술사

ⓑ 소방시설관리사

제·개정 내용

법률

성능위주설계에 대한 전문적·기술적인 검토 및 평가를 위하여 소방청 또는 소방본부에 성능위주설계 평가단을 두도록 함

정희's 톡talk

성능위주설계평가단

성능위주설계에 대한 전문적·기술적인 검토 및 평가를 위하여 소방청 또는 소방본부에 성능위주설계 평가단을 두도록 합니다.

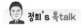

정희's 톡talk

소방시설법 위원회 구성 등

1. 성능위주설계 평가단: 평가단장 1명 포함하여 50명 이내 단원

2. 성능위주설계 평가단 회의: 평가단장과 평가단장이 회의마다 지명하는 6명 이상 8명 이하의 평가단원(변경신고: 성능위주설계를 검토·평가한 평가단원 중 5명 이상으로 평가단 구성)

3. 중앙소방기술심의위원회 구성: 위원장을 포함한 60명 이내의 위원으로 구성

4. 중앙소방기술심의위원회 회의: 위원장과 위원장이 회의마다 지정하는 6명 이상 12명 이하의 위원

5. 지방소방기술심의위원회 구성: 위원장을 포함하여 5명 이상 9명 이하의 위원

ⓒ 다음의 어느 하나에 해당하는 자격을 갖춘 사람으로서 「소방공무원 교육훈련 규정」 제3조 제2항에 따른 중앙소방학교에서 실시하는 성능위주설계 관련 교육과정을 이수한 사람
- 소방설비기사 이상의 자격을 가진 사람으로서 제3조에 따른 건축허가등의 동의 업무를 1년 이상 담당한 사람
- 건축 또는 소방 관련 석사 이상의 학위를 취득한 사람으로서 제3조에 따른 건축허가등의 동의 업무를 1년 이상 담당한 사람

ⓛ 건축 분야 및 소방방재 분야 전문가 중 다음의 어느 하나에 해당하는 사람
- ⓐ 위원회 위원 또는 지방소방기술심의위원회 위원
- ⓑ 「고등교육법」 제2조에 따른 학교 또는 이에 준하는 학교나 공인된 연구기관에서 부교수 이상의 직(職) 또는 이에 상당하는 직에 있거나 있었던 사람으로서 화재안전 또는 관련 법령이나 정책에 전문성이 있는 사람
- ⓒ 소방기술사
- ⓓ 소방시설관리사
- ⓔ 건축계획, 건축구조 또는 도시계획과 관련된 업종에 종사하는 사람으로서 건축사 또는 건축구조기술사 자격을 취득한 사람
- ⓕ 「소방시설공사업법」 제28조 제3항에 따른 특급감리원 자격을 취득한 사람으로 소방공사 현장 감리업무를 10년 이상 수행한 사람

④ 위촉된 평가단원의 임기 등
- ㉠ 임기는 2년으로 하되, 2회에 한정하여 연임할 수 있다.
- ㉡ 평가단장은 평가단을 대표하고 평가단의 업무를 총괄한다.
- ㉢ 평가단장이 부득이한 사유로 직무를 수행할 수 없을 때에는 평가단장이 미리 지정한 평가단원이 그 직무를 대리한다.

(5) 평가단의 운영(규칙 제11조)
① 평가단의 회의
- ㉠ 평가단의 회의는 평가단장과 평가단장이 회의마다 지명하는 6명 이상 8명 이하의 평가단원으로 구성·운영하며, 과반수의 출석으로 개의(開議)하고 출석 평가단원 과반수의 찬성으로 의결한다.
- ㉡ 다만, 성능위주설계의 변경신고에 대한 심의·의결을 하는 경우에는 건축물의 성능위주설계를 검토·평가한 평가단원 중 5명 이상으로 평가단을 구성·운영할 수 있다.

② 수당 등의 지급
- ㉠ 평가단의 회의에 참석한 평가단원에게는 예산의 범위에서 수당, 여비, 그 밖에 필요한 경비를 지급할 수 있다.
- ㉡ 다만, 소방공무원인 평가단원이 소관 업무와 관련하여 평가단의 회의에 참석하는 경우에는 그렇지 않다.

시행규칙

제10조【평가단의 구성】 ① 평가단은 평가단장을 포함하여【 ① 】이내의 평가단원으로 성별을 고려하여 구성한다.

② 평가단장은 화재예방 업무를 담당하는 부서의 장 또는 제3항에 따라 임명 또는 위촉된 평가단원 중에서 학식·경험·전문성 등을 종합적으로 고려하여 소방청장 또는 소방본부장이 임명하거나 위촉한다.

③ 평가단원은 다음 각 호의 어느 하나에 해당하는 사람 중에서 소방청장 또는 관할 소방본부장이 임명하거나 위촉한다. 다만, 관할 소방서의 해당 업무 담당 과장은 당연직 평가단원으로 한다.

1. 소방공무원 중 다음 각 목의 어느 하나에 해당하는 사람
   가. 소방기술사
   나. 소방시설관리사
   다. 다음의 어느 하나에 해당하는 자격을 갖춘 사람으로서 「소방공무원 교육훈련규정」 제3조 제2항에 따른 중앙소방학교에서 실시하는 성능위주설계 관련 교육과정을 이수한 사람
      1) 소방설비기사 이상의 자격을 가진 사람으로서 제3조에 따른 건축허가등의 동의 업무를 1년 이상 담당한 사람
      2) 건축 또는 소방 관련 석사 이상의 학위를 취득한 사람으로서 제3조에 따른 건축허가등의 동의 업무를 1년 이상 담당한 사람
2. 건축 분야 및 소방방재 분야 전문가 중 다음 각 목의 어느 하나에 해당하는 사람
   가. 위원회 위원 또는 법 제18조 제2항에 따른 지방소방기술심의위원회 위원
   나. 「고등교육법」 제2조에 따른 학교 또는 이에 준하는 학교나 공인된 연구기관에서 부교수 이상의 직(職) 또는 이에 상당하는 직에 있거나 있었던 사람으로서 화재안전 또는 관련 법령이나 정책에 전문성이 있는 사람
   다. 소방기술사
   라. 소방시설관리사
   마. 건축계획, 건축구조 또는 도시계획과 관련된 업종에 종사하는 사람으로서 건축사 또는 건축구조기술사 자격을 취득한 사람
   바. 「소방시설공사업법」 제28조 제3항에 따른 특급감리원 자격을 취득한 사람으로 소방공사 현장 감리업무를 10년 이상 수행한 사람

④ 위촉된 평가단원의 임기는 2년으로 하되, 2회에 한정하여 연임할 수 있다.

⑤ 평가단장은 평가단을 대표하고 평가단의 업무를 총괄한다.

⑥ 평가단장이 부득이한 사유로 직무를 수행할 수 없을 때에는 평가단장이 미리 지정한 평가단원이 그 직무를 대리한다.

제11조【평가단의 운영】 ① 평가단의 회의는 평가단장과 평가단장이 회의마다 지명하는【 ② 】의 평가단원으로 구성·운영하며, 과반수의 출석으로 개의(開議)하고 출석 평가단원 과반수의 찬성으로 의결한다. 다만, 제6조 제2항에 따른 성능위주설계의 변경신고에 대한 심의·의결을 하는 경우에는 제5조 제2항에 따라 건축물의 성능위주설계를 검토·평가한 평가단원 중 5명 이상으로 평가단을 구성·운영할 수 있다.

② 평가단의 회의에 참석한 평가단원에게는 예산의 범위에서 수당, 여비, 그 밖에 필요한 경비를 지급할 수 있다. 다만, 소방공무원인 평가단원이 소관 업무와 관련하여 평가단의 회의에 참석하는 경우에는 그렇지 않다.

③ 제1항 및 제2항에서 규정한 사항 외에 평가단의 운영에 필요한 세부적인 사항은 소방청장 또는 관할 소방본부장이 정한다.

제12조【평가단원의 제척·기피·회피】 ① 평가단원이 다음 각 호의 어느 하나에 해당하는 경우에는 평가단의 심의·의결에서 제척(除斥)된다.

1. 평가단원 또는 그 배우자나 배우자였던 사람이 해당 안건의 당사자(당사자가 법인·단체 등인 경우에는 그 임원을 포함한다. 이하 이 호 및 제2호에서 같다)가 되거나 그 안건의 당사자와 공동권리자 또는 공동의무자인 경우
2. 평가단원이 해당 안건의 당사자와 친족인 경우
3. 평가단원이 해당 안건에 관하여 증언, 진술, 자문, 연구, 용역 또는 감정을 한 경우
4. 평가단원이나 평가단원이 속한 법인·단체 등이 해당 안건의 당사자의 대리인이거나 대리인이었던 경우

② 당사자는 제1항에 따른 제척사유가 있거나 평가단원에게 공정한 심의·의결을 기대하기 어려운 사정이 있는 경우에는 평가단에 기피신청을 할 수 있고, 평가단은 의결로 기피 여부를 결정한다. 이 경우 기피 신청의 대상인 평가단원은 그 의결에 참여하지 못한다.

③ 평가단원이 제1항 각 호의 사유에 해당하는 경우에는 스스로 해당 안건의 심의·의결에서 회피(回避)해야 한다.

제13조【평가단원의 해임·해촉】 소방청장 또는 관할 소방본부장은 평가단원이 다음 각 호의 어느 하나에 해당하는 경우에는 해당 평가단원을 해임하거나 해촉(解囑)할 수 있다.

1. 심신장애로 직무를 수행할 수 없게 된 경우
2. 직무와 관련된 비위사실이 있는 경우
3. 직무태만, 품위손상이나 그 밖의 사유로 평가단원으로 적합하지 않다고 인정되는 경우
4. 제12조 제1항 각 호의 어느 하나에 해당하는데도 불구하고 회피하지 않은 경우
5. 평가단원 스스로 직무를 수행하기 어렵다는 의사를 밝히는 경우

① 50명 ② 6명 이상 8명 이하

제10조【주택에 설치하는 소방시설】 ① 다음 각 호의 주택의 소유자는 소화기 등 대통령령으로 정하는 소방시설(이하 "주택용소방시설"이라 한다)을 설치하여야 한다.
1. 「건축법」 제2조 제2항 제1호의 단독주택
2. 「건축법」 제2조 제2항 제2호의 공동주택(아파트 및 기숙사는 제외한다)
② 국가 및 지방자치단체는 주택용소방시설의 설치 및 국민의 자율적인 안전관리를 촉진하기 위하여 필요한 시책을 마련하여야 한다.
③ 주택용소방시설의 설치기준 및 자율적인 안전관리 등에 관한 사항은 특별시·광역시·특별자치시·도 또는 특별자치도(이하 "시·도"라 한다)의 조례로 정한다.

(1) 주택에 설치하는 소방시설의 설치(제8조 제1항)

다음 주택의 소유자는 대통령령으로 정하는 소방시설(소화기 및 단독경보형감지기)을 설치하여야 한다.
① 「건축법」 제2조 제2항 제1호의 단독주택
② 「건축법」 제2조 제2항 제2호의 공동주택(아파트 및 기숙사는 제외)

(2) 국가 및 지방자치단체는 주택용 소방시설의 설치 및 국민의 자율적인 안전관리를 촉진하기 위하여 필요한 시책을 마련하여야 한다(제8조 제2항).

(3) 주택용 소방시설의 설치기준 및 자율적인 안전관리 등에 관한 사항은 시·도의 조례로 정한다(제8조 제3항).

🖐 **관계법규 주택용 소방시설**

시행령	NOTE
제10조【주택용 소방시설】 법 제10조 제1항 각 호 외의 부분에서 "대통령령으로 정하는 소방시설"이란 소화기 및 【 ① 】를 말한다.	**「건축법 시행령」 제3조의5【용도별 건축물의 종류】** 법 제2조 제2항 각 호의 용도에 속하는 건축물의 종류는 별표 1과 같다.

🖊 핵심기출

「화재예방, 소방시설 설치·유지 및 안전관리에 관한 법률」 및 같은 법 시행령상 단독주택이나 공동주택(아파트 및 기숙사는 제외한다)의 소유자가 의무적으로 설치하여야 하는 소방시설로 옳은 것을 <보기>에서 있는 대로 고른 것은?   18. 공채(10월)

─〈보기〉─
ㄱ. 소화기   ㄴ. 주거용 주방자동소화장치
ㄷ. 가스자동소화장치   ㄹ. 단독경보형감지기
ㅁ. 가스누설경보기

① ㄱ, ㄹ   ② ㄴ, ㅁ
③ ㄱ, ㄴ, ㄹ   ④ ㄴ, ㄷ, ㅁ

정답 ①

[별표 1] 용도별 건축물의 종류
1. 단독주택
   가. 단독주택
   나. 다중주택
   다. 다가구주택
   라. 공관(公館)
2. 공동주택
   가. 아파트: 주택으로 쓰는 층수가 5개 층 이상인 주택
   나. 연립주택: 주택으로 쓰는 1개 동의 바닥면적 합계가 660제곱미터를 초과하고, 층수가 4개 층 이하인 주택
   다. 다세대주택: 주택으로 쓰는 1개 동의 바닥면적 합계가 660제곱미터 이하이고, 층수가 4개 층 이하인 주택
   라. 기숙사: 학교 또는 공장 등의 학생 또는 종업원 등을 위하여 쓰는 것으로서 1개 동의 공동취사시설 이용 세대 수가 전체의 50퍼센트 이상인 것

① 단독경보형감지기

제11조【자동차에 설치 또는 비치하는 소화기】 ①「자동차관리법」제3조 제1항에 따른 자동차 중 다음 각 호의 어느 하나에 해당하는 자동차를 제작·조립·수입·판매하려는 자 또는 해당 자동차의 소유자는 차량용 소화기를 설치하거나 비치하여야 한다.

1. 5인승 이상의 승용자동차
2. 승합자동차
3. 화물자동차
4. 특수자동차

② 제1항에 따른 차량용 소화기의 설치 또는 비치 기준은 행정안전부령으로 정한다.

③ 국토교통부장관은 「자동차관리법」제43조 제1항에 따른 자동차검사 시 차량용 소화기의 설치 또는 비치 여부 등을 확인하여야 하며, 그 결과를 매년 12월 31일까지 소방청장에게 통보하여야 한다.

[시행일: 2024.12.1.]

(1) 자동차에 설치 또는 비치하는 소화기

다음의 어느 하나에 해당하는 자동차를 제작·조립·수입·판매하려는 자 또는 해당 자동차의 소유자는 차량용 소화기를 설치하거나 비치하여야 한다.

① 5인승 이상의 승용자동차   ② 승합자동차
③ 화물자동차   ④ 특수자동차

(2) 위임규정

차량용 소화기의 설치 또는 비치 기준은 **행정안전부령**으로 정한다.

(3) 자동차 검사 시 확인사항

① **국토교통부장관**은 자동차검사 시 차량용 소화기의 설치 또는 비치 여부 등을 확인하여야 한다.

② 그 결과를 매년 12월 31일까지 소방청장에게 통보하여야 한다.

(4) 차량용 소화기의 설치 또는 비치기준(규칙 [별표 2])

자동차에는 법 제37조 제5항에 따라 형식승인을 받은 차량용 소화기를 다음의 기준에 따라 설치 또는 비치해야 한다.

① **승용자동차**: 법 제37조 제5항에 따른 능력단위(이하 "능력단위"라 한다) 1 이상의 소화기 1개 이상을 사용하기 쉬운 곳에 설치 또는 비치한다.

② **승합자동차**

ⓐ **경형승합자동차**: 능력단위 1 이상의 소화기 1개 이상을 사용하기 쉬운 곳에 설치 또는 비치한다.

ⓑ **승차정원 15인 이하**: 능력단위 2 이상인 소화기 1개 이상 또는 능력단위 1 이상인 소화기 2개 이상을 설치한다. 이 경우 승차정원 11인 이상 승합자동차는 운전석 또는 운전석과 옆으로 나란한 좌석 주위에 1개 이상을 설치한다.

   ⓒ **승차정원 16인 이상 35인 이하:** 능력단위 2 이상인 소화기 2개 이상을 설치한다. 이 경우 승차정원 23인을 초과하는 승합자동차로서 너비 2.3미터를 초과하는 경우에는 운전자 좌석 부근에 가로 600밀리미터, 세로 200밀리미터 이상의 공간을 확보하고 1개 이상의 소화기를 설치한다.

   ⓓ **승차정원 36인 이상:** 능력단위 3 이상인 소화기 1개 이상 및 능력단위 2 이상인 소화기 1개 이상을 설치한다. 다만, 2층 대형승합자동차의 경우에는 위층 차실에 능력단위 3 이상인 소화기 1개 이상을 추가 설치한다.

 ③ **화물자동차**(피견인자동차는 제외한다) **및 특수자동차**

   ⓐ **중형 이하:** 능력단위 1 이상인 소화기 1개 이상을 사용하기 쉬운 곳에 설치한다.

   ⓑ **대형 이상:** 능력단위 2 이상인 소화기 1개 이상 또는 능력단위 1 이상인 소화기 2개 이상을 사용하기 쉬운 곳에 설치한다.

 ④ 「위험물안전관리법 시행령」 제3조에 따른 지정수량 이상의 위험물 또는 「고압가스안전관리법 시행령」 제2조에 따라 고압가스를 운송하는 특수자동차(피견인자동차를 연결한 경우에는 이를 연결한 견인자동차를 포함한다): 「위험물안전관리법 시행규칙」 제41조 및 별표 17 제3호 나목 중 이동탱크저장소 자동차용소화기의 설치기준란에 해당하는 능력단위와 수량 이상을 설치한다.

👆 **관계법규** **차량용 소화기의 설치 또는 비치 기준**

NOTE	시행규칙
■ 차량용 소화기의 설치 또는 비치기준	제14조 【차량용 소화기의 설치 또는 비치 기준】 법 제11조 제2항에 따른 차량용 소화기의 설치 또는 비치 기준은 별표 2와 같다.

구분		능력단위	수량(이상)
승용자동차		1 이상	1개
승합 자동차	경형 승합자동차	1 이상	1개
	15인 이하	1 이상	2개
		2 이상	1개
	16인 이상 35인 이하	2 이상	2개
	36인 이상	2 이상 및 3 이상	각 1개
화물 (견인자동차 제외)	중형 이하	1 이상	1개
	대형 이상	1 이상	2개
		2 이상	1개
고압가스를 운송하는 특수 자동차(견인자동차 포함)		이동탱크저장소 자동차용 소화기 설치 기준	

특정소방대상물에 설치하는 소방시설의 관리 등

1 특정소방대상물의 규모 등에 따라 갖추어야 하는 소방시설 **A**

시행령 제11조【특정소방대상물에 설치·관리해야 하는 소방시설】 ① 법 제12조 제1항 전단에 따라 특정소방대상물의 관계인이 특정소방대상물에 설치·관리해야 하는 소방시설의 종류는 별표 4와 같다.
② 법 제12조 제1항 후단에 따라 「장애인·노인·임산부 등의 편의증진 보장에 관한 법률」 제2조 제1호에 따른 장애인등이 사용하는 소방시설은 별표 4 제2호 및 제3호에 따라 장애인등에 적합하게 설치·관리해야 한다.

특정소방대상물의 관계인이 특정소방대상물에 설치·관리해야 하는 소방시설의 종류는 별표 4와 같다.

(1) 소화설비

① 소화기구

> 1) 연면적 33제곱미터 이상인 것. 다만, 노유자시설의 경우에는 투척용 소화용구 등을 화재안전기준에 따라 산정된 소화기 수량의 2분의 1 이상으로 설치할 수 있다.
> 2) 1)에 해당하지 않는 시설로서 가스시설, 발전시설 중 전기저장시설 및 문화재
> 3) 터널
> 4) 지하구

② 자동소화장치

> 1) 주거용 주방자동소화장치를 설치하여야 하는 것: 아파트등 및 오피스텔의 모든 층
> 2) 상업용 주방자동소화장치를 설치하여야 하는 것(후드 및 덕트가 설치되어 있는 주방에 한한다)
>   가) 판매시설 중 「유통산업발전법」 제2조 제3호에 해당하는 대규모점포에 입점해 있는 일반음식점
>   나) 「식품위생법」 제2조 제12호에 따른 집단급식소
> 3) 캐비닛형 자동소화장치, 가스자동소화장치, 분말자동소화장치 또는 고체에어로졸자동소화장치를 설치하여야 하는 것: 화재안전기준에서 정하는 장소

③ 옥내소화전설비: 위험물 저장 및 처리 시설 중 가스시설, 지하구 및 업무시설 중 무인변전소(방재실 등에서 스프링클러설비 또는 물분무등소화설비를 원격으로 조정할 수 있는 무인변전소로 한정한다)는 제외한다.

🖉 **핵심 적중**

소방시설법 시행령상 [별표 4] 주거용 자동소화장치를 설치하여야 하는 특정소방대상물에 해당하는 것은?
① 오피스텔
② 업무시설
③ 숙박시설
④ 고시원

정답 ①

옥내소화전설비 설치대상(연면적 1천5백제곱미터 이상)

근 판 수 료 / 노 무 숙 락
공 창 항 교 / 방 전 장 복

✏ 핵심 적중

01 소방시설법 시행령상 [별표 4] 옥내소화전설비를 설치하여야 하는 특정소방대상물에 해당하지 않는 것은?

① 연면적 3천제곱미터 이상인 것(지하가 중 터널은 제외한다)

② 지하층·무창층(축사는 제외한다)으로서 바닥면적이 600제곱미터 이상인 층이 있는 것

③ 층수가 4층 이상인 층 중 바닥면적이 600제곱미터 이상인 층이 있는 것

④ 방재실 등에서 스프링클러설비를 원격으로 조정할 수 있는 업무시설 중 무인변전소

정답 ④

02 소방시설법 시행령상 스프링클러설비를 설치해야 하는 특정소방대상물에 해당하는 것만을 <보기>에서 고른 것은?

23. 공채·경채

<보기>
ㄱ. 수련시설 내에 있는 학생 수용을 위한 기숙사로서 연면적 5천m²인 경우
ㄴ. 교육연구시설 내에 있는 합숙소로서 연면적 100m²인 경우
ㄷ. 숙박시설로 사용되는 바닥면적의 합계가 500m²인 경우
ㄹ. 영화상영관의 용도로 쓰는 4층의 바닥면적이 1천m²인 경우

① ㄱ, ㄴ   ② ㄱ, ㄹ
③ ㄴ, ㄷ   ④ ㄷ, ㄹ

정답 ②

---

1) 다음의 어느 하나에 해당하는 경우에는 모든 층

가) 연면적 3천제곱미터 이상인 것(지하가 중 터널은 제외한다)

나) 지하층·무창층(축사는 제외한다)으로서 바닥면적이 600제곱미터 이상인 층이 있는 것

다) 층수가 4층 이상인 층 중 바닥면적이 600제곱미터 이상인 층이 있는 것

2) 1)에 해당하지 않는 근린생활시설, 판매시설, 운수시설, 의료시설, 노유자시설, 업무시설, 숙박시설, 위락시설, 공장, 창고시설, 항공기 및 자동차 관련 시설, 교정 및 군사시설 중 국방·군사시설, 방송통신시설, 발전시설, 장례시설 또는 복합건축물로서 다음의 어느 하나에 해당하는 경우에는 모든 층

가) 연면적 1천5백제곱미터 이상인 층이 있는 것

나) 지하층·무창층으로서 바닥면적이 300제곱미터 이상인 층이 있는 것

다) 층수가 4층 이상인 층 중 바닥면적이 300제곱미터 이상인 층이 있는 것

3) 건축물의 옥상에 설치된 차고 또는 주차장으로서 사용되는 부분의 면적이 200제곱미터 이상인 경우 해당 부분

4) 지하가 중 터널로서 다음에 해당하는 터널

가) 길이가 1천미터 이상인 터널

나) 예상교통량, 경사도 등 터널의 특성을 고려하여 행정안전부령으로 정하는 터널

5) 1) 및 2)에 해당하지 않는 공장 또는 창고시설로서 해당 특수가연물 수량의 750배 이상의 특수가연물을 저장·취급하는 것

④ **스프링클러설비:** 위험물 저장 및 처리 시설 중 가스시설 또는 지하구는 제외한다.

1) 층수가 6층 이상인 특정소방대상물의 경우에는 모든 층

가) 주택 관련 법령에 따라 기존의 아파트등을 리모델링하는 경우로서 건축물의 연면적 및 층의 높이가 변경되지 않는 경우. 이 경우 해당 아파트등의 사용검사 당시의 소방시설의 설치에 관한 대통령령 또는 화재안전기준을 적용한다.

나) 스프링클러설비가 없는 기존의 특정소방대상물을 용도변경하는 경우. 다만, 2)·3)·4)·5) 및 8)부터 12)까지의 규정에 해당하는 특정소방대상물로 용도변경하는 경우에는 해당 규정에 따라 스프링클러설비를 설치한다.

2) 기숙사 또는 복합건축물로서 연면적 5천제곱미터 이상인 경우에는 모든 층

3) 문화 및 집회시설, 종교시설, 운동시설(모든 층)

문화 및 집회시설(동·식물원은 제외한다), 종교시설(주요구조부가 목조인 것은 제외한다), 운동시설(물놀이형 시설 및 관람석이 없는 운동시설은 제외한다)로서 다음에 해당하는 경우에는 모든 층

가) 수용인원이 100명 이상인 것

나) 영화상영관의 용도로 쓰이는 층의 바닥면적이 지하층 또는 무창층인 경우에는 500제곱미터 이상, 그 밖의 층의 경우에는 1천제곱미터 이상인 것

다) 무대부가 지하층·무창층 또는 4층 이상의 층에 있는 경우에는 무대부의 면적이 300제곱미터 이상인 것

라) 무대부가 다) 외의 층에 있는 경우에는 무대부의 면적이 500제곱미터 이상인 것

4) 판매시설, 운수시설 및 창고시설(물류터미널에 한정)로서 바닥면적의 합계가 5천제곱미터 이상이거나 수용인원이 500명 이상인 경우에는 모든 층

5) 바닥면적의 합계가 600제곱미터 이상인 것은 모든 층

　　가) 근린생활시설 중 조산원 및 산후조리원

　　나) 의료시설 중 정신의료기관

　　다) 의료시설 중 종합병원, 병원, 치과병원, 한방병원 및 요양병원

　　라) 노유자시설

　　마) 숙박이 가능한 수련시설

　　바) 숙박시설

6) 창고시설(물류터미널은 제외한다)로서 바닥면적 합계가 5천제곱미터 이상인 경우에는 모든 층

7) 특정소방대상물의 지하층·무창층(축사는 제외한다) 또는 층수가 4층 이상인 층으로서 바닥면적이 1천제곱미터 이상인 층이 있는 경우에는 해당 층

8) 랙식 창고(Rack Warehouse): 랙을 갖춘 것으로서 천장 또는 반자의 높이가 10미터를 초과하고, 랙이 설치된 층의 바닥면적의 합계가 1천5백제곱미터 이상인 경우에는 모든 층

9) 6)에 해당하지 않는 공장 또는 창고시설

　　가) 1천배 이상의 특수가연물을 저장·취급하는 시설

　　나) 중·저준위방사성폐기물의 저장시설 중 소화수를 수집·처리하는 설비가 있는 저장시설

10) 지붕 또는 외벽이 불연재료가 아니거나 내화구조가 아닌 공장 또는 창고시설

　　가) 창고시설(물류터미널로 한정한다) 중 4)에 해당하지 않는 것으로서 바닥면적의 합계가 2천5백m² 이상이거나 수용인원이 250명 이상인 경우에는 모든 층

　　나) 창고시설(물류터미널은 제외한다) 중 6)에 해당하지 않는 것으로서 바닥면적의 합계가 2천5백m² 이상인 경우에는 모든 층

　　다) 공장 또는 창고시설 중 7)에 해당하지 않는 것으로서 지하층·무창층 또는 층수가 4층 이상인 것 중 바닥면적이 500m² 이상인 경우에는 모든 층

　　라) 랙식 창고 중 8)에 해당하지 않는 것으로서 바닥면적의 합계가 750m² 이상인 경우에는 모든 층

　　마) 공장 또는 창고시설 중 9) 가)에 해당하지 않는 것으로서 수량의 500배 이상의 특수가연물을 저장·취급하는 시설

11) 교정 및 군사시설

　　가) 보호감호소, 교도소, 구치소 및 그 지소, 보호관찰소, 갱생보호시설, 치료감호시설, 소년원 및 소년분류심사원의 수용거실

　　나) 「출입국관리법」 제52조 제2항에 따른 보호시설(외국인보호소의 경우에는 보호대상자의 생활공간으로 한정한다. 이하 같다)로 사용하는 부분. 다만, 보호시설이 임차건물에 있는 경우는 제외한다.

　　다) 「경찰관 직무집행법」 제9조에 따른 유치장

12) 지하가(터널은 제외한다)로서 연면적 1천제곱미터 이상인 것

13) 발전시설 중 전기저장시설

14) 1)부터 13)까지의 특정소방대상물에 부속된 보일러실 또는 연결통로 등

✎ **핵심 적중**

01 소방시설법 시행령상 [별표 4] 스프링클러설비를 설치하여야 하는 특정소방대상물에 해당하지 않는 것은?

① 의료시설 중 정신의료기관(바닥면적 600제곱미터)

② 의료시설 중 종합병원(바닥면적 600제곱미터)

③ 의료시설 중 격리병원(바닥면적 600제곱미터)

④ 숙박시설(바닥면적 600제곱미터)

정답 ③

02 소방시설법 시행령상 [별표 4] 스프링클러설비를 설치하여야 하는 특정소방대상물에 대한 내용이다. 빈칸에 들어갈 내용으로 옳은 것은?

> 물건을 수납할 수 있는 선반이나 이와 비슷한 것을 갖춘 것으로서 천장 또는 반자(반자가 없는 경우에는 지붕의 옥내에 면하는 부분)의 높이가 10미터를 초과하고, 그 층의 바닥면적 또는 랙이 설치된 부분의 합계가 (　　) 이상인 경우에는 모든 층

① 1천제곱미터

② 1천5백제곱미터

③ 3천제곱미터

④ 5천제곱미터

정답 ②

⑤ 간이스프링클러설비

> 1) 공동주택 중 연립주택 및 다세대주택(연립주택 및 다세대주택에 설치하는 간이스프링클러설비는 화재안전기준에 따른 주택전용 간이스프링클러설비를 설치한다)
> 2) 근린생활시설
>   가) 근린생활시설로 사용하는 부분의 바닥면적 합계가 1천제곱미터 이상인 것은 모든 층
>   나) 의원, 치과의원 및 한의원으로서 입원실이 있는 시설
>   다) 조산원 및 산후조리원으로서 연면적 600m² 미만인 시설
> 3) 의료시설
>   가) 종합병원, 병원, 치과병원, 한방병원 및 요양병원(정신병원과 의료재활시설은 제외)으로 사용되는 바닥면적의 합계가 600제곱미터 미만인 시설
>   나) 정신의료기관 또는 의료재활시설로 사용되는 바닥면적의 합계가 300제곱미터 이상 600제곱미터 미만인 시설
>   다) 정신의료기관 또는 의료재활시설로 사용되는 바닥면적의 합계가 300제곱미터 미만이고, 창살이 설치된 시설
> 4) 교육연구시설 내에 합숙소로서 연면적 100제곱미터 이상인 것
> 5) 노유자시설
>   가) 제7조 제1항 제7호 각 목에 따른 시설(같은 호 가목 2) 및 같은 호 나목부터 바목까지의 시설 중 단독주택 또는 공동주택에 설치되는 시설은 제외하며, 이하 "노유자 생활시설"이라 한다)
>   나) 가)에 해당하지 않는 노유자시설로 해당 시설로 사용하는 바닥면적의 합계가 300제곱미터 이상 600제곱미터 미만인 시설
>   다) 가)에 해당하지 않는 노유자시설로 해당 시설로 사용하는 바닥면적의 합계가 300제곱미터 미만이고, 창살이 설치된 시설
> 6) 숙박시설로 사용되는 바닥면적의 합계가 300제곱미터 이상 600제곱미터 미만인 것
> 7) 건물을 임차하여 「출입국관리법」에 따른 보호시설로 사용되는 부분
> 8) 복합건축물로서 연면적 1천제곱미터 이상인 것은 모든 층

⑥ 물분무등소화설비: 위험물 저장 및 처리 시설 중 가스시설 또는 지하구는 제외한다.

> 1) 항공기 및 자동차 관련 시설 중 항공기격납고
> 2) 차고, 주차용 건축물 또는 철골 조립식 주차시설. 이 경우 연면적 800제곱미터 이상인 것만 해당한다.
> 3) 건축물의 내부에 설치된 차고·주차장으로서 차고 또는 주차의 용도로 사용되는 면적이 200m² 이상인 경우 해당 부분(50세대 미만 연립주택 및 다세대주택은 제외한다)
> 4) 기계장치에 의한 주차시설: 20대 이상
> 5) 특정소방대상물에 설치된 전기실·발전실·변전실·축전지실·통신기기실 또는 전산실, 그 밖에 이와 비슷한 것으로서 바닥면적이 300m² 이상인 것[하나의 방화구획 내에 둘 이상의 실(室)이 설치되어 있는 경우에는 이를 하나의 실로 보아 바닥면적을 산정한다]. 다만, 내화구조로 된 공정제어실 내에 설치된 주조정실로서 양압시설이 설치되고 전기기기에 220볼트 이하인 저전압이 사용되며 종업원이 24시간 상주하는 곳은 제외한다.

6) 소화수를 수집·처리하는 설비가 설치되어 있지 않은 중·저준위방사성폐기물의 저장시설. 다만, 이 경우에는 이산화탄소소화설비, 할론소화설비 또는 할로겐화합물 및 불활성기체 소화설비를 설치하여야 한다.

7) 지하가 중 예상 교통량, 경사도 등 터널의 특성을 고려하여 행정안전부령으로 정하는 터널. 다만, 이 경우에는 물분무소화설비를 설치해야 한다.

8) 지정문화재 중 소방청장이 문화재청장과 협의하여 정하는 것

⑦ 옥외소화전설비: 아파트등, 위험물 저장 및 처리 시설 중 가스시설, 지하구 또는 지하가 중 터널은 제외한다.

1) 지상 1층 및 2층의 바닥면적의 합계가 9천제곱미터 이상인 것. 이 경우 같은 구(區) 내의 둘 이상의 특정소방대상물이 행정안전부령으로 정하는 연소(延燒) 우려가 있는 구조인 경우에는 이를 하나의 특정소방대상물로 본다.

2) 보물 또는 국보로 지정된 목조건축물

3) 1)에 해당하지 않는 공장 또는 창고시설로서 해당 특수가연물 수량 750배 이상의 특수가연물을 저장·취급하는 것

(2) 경보설비

① 단독경보형 감지기(이 경우 연립주택 및 다세대주택에 설치하는 단독경보형 감지기는 연동형으로 설치해야 한다)

1) 교육연구시설 내에 있는 기숙사 또는 합숙소로서 연면적 2천m² 미만인 것

2) 수련시설 내에 있는 기숙사 또는 합숙소로서 연면적 2천m² 미만인 것

3) 다목 7)에 해당하지 않는 수련시설(숙박시설이 있는 것만 해당한다)

4) 연면적 400m² 미만의 유치원

5) 공동주택 중 연립주택 및 다세대주택

② 비상경보설비: 지하구, 모래·석재 등 불연재료 창고 및 위험물 저장·처리 시설 중 가스시설은 제외한다.

1) 연면적 400m² 이상

2) 지하층 또는 무창층의 바닥면적이 150m²(공연장의 경우 100m²) 이상인 것은 모든 층

3) 지하가 중 터널로서 길이가 500m 이상인 것

4) 50명 이상의 근로자가 작업하는 옥내 작업장

③ 자동화재탐지설비

1) 공동주택 중 아파트등·기숙사 및 숙박시설의 경우에는 모든 층

2) 층수가 6층 이상인 건축물의 경우에는 모든 층

3) 근린생활시설(목욕장은 제외한다), 의료시설(정신의료기관 및 요양병원은 제외한다), 위락시설, 장례시설 및 복합건축물로서 연면적 600제곱미터 이상인 것

4) 근린생활시설 중 목욕장, 문화 및 집회시설, 종교시설, 판매시설, 운수시설, 운동시설, 업무시설, 공장, 창고시설, 위험물 저장 및 처리 시설, 항공기 및 자동차 관련 시설, 교정 및 군사시설 중 국방·군사시설, 방송통신시설, 발전시설, 관광 휴게시설, 지하가(터널은 제외한다)로서 연면적 1천제곱미터 이상인 경우에는 모든 층

✏ 핵심적중

01 소방시설법 시행령상 [별표 4] 옥외소화전설비를 설치하여야 하는 특정소방대상물에 대한 내용이다. 빈칸에 들어갈 내용으로 옳은 것은? (단, 아파트등, 위험물 저장 및 처리 시설 중 가스시설, 지하구 또는 지하가 중 터널은 제외한다)

지상 1층 및 2층의 바닥면적의 합계가 (　) 이상인 것. 이 경우 같은 구(區) 내의 둘 이상의 특정소방대상물이 행정안전부령으로 정하는 연소(延燒) 우려가 있는 구조인 경우에는 이를 하나의 특정소방대상물로 본다.

① 3천제곱미터　　② 5천제곱미터
③ 7천제곱미터　　④ 9천제곱미터

정답 ④

02 소방시설법 시행령상 [별표 4] 경보설비를 설치하여야 하는 특정소방대상물에 해당하지 않는 것은?

① 지하가 중 터널로서 길이가 500미터 이상인 것
② 50명 이상의 근로자가 작업하는 옥내 작업장
③ 연면적 400제곱미터 이상인 것
④ 지하층 또는 무창층의 바닥면적이 100제곱미터 이상인 경우

정답 ④

03 소방시설법 시행령상 [별표 4] 자동화재탐지설비를 설치하여야 하는 특정소방대상물에 해당하지 않는 것은?

① 공동주택 및 숙박시설
② 층수가 6층 이상인 건축물
③ 복합건축물로서 연면적 600제곱미터 이상인 경우
④ 근린생활시설 중 목욕장으로서 연면적 600제곱미터 이상인 경우

정답 ④

5) 교육연구시설(교육시설 내에 있는 기숙사 및 합숙소를 포함한다), 수련시설(수련시설 내에 있는 기숙사 및 합숙소를 포함하며, 숙박시설이 있는 수련시설은 제외한다), 동물 및 식물 관련 시설(기둥과 지붕만으로 구성되어 외부와 기류가 통하는 장소는 제외한다), 자원순환 관련 시설, 교정 및 군사시설(국방·군사시설은 제외한다) 또는 묘지 관련 시설로서 연면적 2천㎡ 이상인 경우에는 모든 층

6) 노유자 생활시설의 경우에는 모든 층

7) 6)에 해당하지 않는 노유자시설로서 연면적 400제곱미터 이상인 노유자시설 및 숙박시설이 있는 수련시설로서 수용인원 100명 이상인 경우에는 모든 층

8) 의료시설 중 정신의료기관 또는 요양병원으로서 다음의 어느 하나에 해당하는 시설

　　가) 요양병원(정신병원과 의료재활시설은 제외한다)

　　나) 정신의료기관 또는 의료재활시설로 사용되는 바닥면적의 합계가 300제곱미터 이상인 시설

　　다) 정신의료기관 또는 의료재활시설로 사용되는 바닥면적의 합계가 300제곱미터 미만이고, 창살이 설치된 시설

9) 판매시설 중 전통시장

10) 지하가 중 터널로서 길이가 1천미터 이상인 것

11) 지하구

12) 3)에 해당하지 않는 근린생활시설 중 조산원 및 산후조리원

13) 4)에 해당하지 않는 공장 및 창고시설로서 해당 특수가연물 수량 500배 이상의 특수가연물을 저장·취급하는 것

14) 4)에 해당하지 않는 발전시설 중 전기저장시설

④ **시각경보기**: 자동화재탐지설비를 설치하여야 하는 특정소방대상물 중 다음의 어느 하나에 해당하는 것과 같다.

1) 근린생활시설, 문화 및 집회시설, 종교시설, 판매시설, 운수시설, 의료시설, 노유자시설

2) 운동시설, 업무시설, 숙박시설, 위락시설, 창고시설 중 물류터미널, 발전시설 및 장례시설

3) 교육연구시설 중 도서관, 방송통신시설 중 방송국

4) 지하가 중 지하상가

⑤ **화재알림설비를 설치하여야 하는 특정소방대상물**

판매시설 중 전통시장

⑥ **비상방송설비**: 위험물 저장 및 처리 시설 중 가스시설, 사람이 거주하지 않는 동물 및 식물 관련 시설, 지하가 중 터널, 축사 및 지하구는 제외한다.

1) 연면적 3천5백제곱미터 이상인 것은 모든 층

2) 층수가 11층 이상인 것은 모든 층

3) 지하층의 층수가 3층 이상인 것은 모든 층

⑦ **자동화재속보설비**: 방재실 등 화재 수신반이 설치된 장소에 24시간 화재를 감시할 수 있는 사람이 근무하고 있는 경우에는 자동화재속보설비를 설치하지 않을 수 있다.

> 1) 노유자 생활시설
> 2) 노유자시설로서 바닥면적이 500제곱미터 이상인 층이 있는 것
> 3) 수련시설(숙박시설이 있는 건축물만 해당한다)로서 바닥면적이 500제곱미터 이상인 층이 있는 것
> 4) 보물 또는 국보로 지정된 목조건축물
> 5) 근린생활시설 중 다음의 어느 하나에 해당하는 시설
>   가) 의원, 치과의원 및 한의원으로서 입원실이 있는 시설
>   나) 조산원 및 산후조리원
> 6) 의료시설 중 다음의 어느 하나에 해당하는 것
>   가) 종합병원, 병원, 치과병원, 한방병원 및 요양병원(정신병원과 의료재활시설은 제외한다)
>   나) 정신병원 및 의료재활시설로 사용되는 바닥면적의 합계가 500제곱미터 이상인 층이 있는 것
> 7) 판매시설 중 전통시장

⑧ **통합감시시설**

> 지하구

⑨ **누전경보기**

> 1) 계약전류용량[1]이 100암페어를 초과하는 특정소방대상물(내화구조가 아닌 건축물로서 벽·바닥 또는 반자의 전부나 일부를 불연재료 또는 준불연재료가 아닌 재료에 철망을 넣어 만든 것만 해당한다)에 설치하여야 한다.
> 2) 다만, 위험물 저장 및 처리 시설 중 가스시설, 지하가 중 터널 또는 지하구의 경우에는 그러하지 아니하다.

⑩ **가스누설경보기**: 가스시설이 설치된 경우만 해당한다.

> 1) 문화 및 집회시설, 종교시설, 판매시설, 운수시설, 의료시설, 노유자시설
> 2) 수련시설, 운동시설, 숙박시설, 창고시설 중 물류터미널, 장례시설

(3) 피난구조설비

① 피난기구

> 1) 특정소방대상물의 모든 층에 화재안전기준에 적합한 것으로 설치하여야 한다.
> 2) 다만, 피난층, 지상 1층, 지상 2층(노유자시설 중 피난층이 아닌 지상 1층과 피난층이 아닌 지상 2층은 제외한다) 및 층수가 11층 이상인 층과 위험물 저장 및 처리시설 중 가스시설, 지하가 중 터널 또는 지하구의 경우에는 그러하지 아니하다.

✎ **핵심적중**

01 소방시설법 시행령상 [별표 4] 자동화재속보설비를 설치하여야 하는 특정소방대상물에 해당하지 않는 것은?

① 노유자 생활시설
② 노유자시설로서 바닥면적이 500제곱미터 이상인 층이 있는 것
③ 수련시설(숙박시설이 있는 건축물은 제외한다)로서 바닥면적이 500제곱미터 이상인 층이 있는 것
④ 「문화재보호법」 제23조에 따라 보물 또는 국보로 지정된 목조건축물

정답 ③

02 소방시설법 시행령상 [별표 4] 통합감시시설을 설치하여야 하는 특정소방대상물로 옳은 것은?

① 지하가   ② 지하구
③ 복합건축물   ④ 공동주택

정답 ②

📖 **용어사전**

[1] **계약전류용량**: 계약전류용량이란 같은 건축물에 계약 종류가 다른 전기가 공급되는 경우에는 그 중 최대계약전류용량을 말한다.

✎ **핵심적중**

소방시설법 시행령상 [별표 4] 피난기구를 설치하여야 하는 특정소방대상물에 설명으로 옳지 않은 것은?

① 원칙적으로 피난기구는 특정소방대상물의 모든 층에 화재안전기준에 적합한 것으로 설치하여야 한다.
② 피난층은 설치하지 아니한다.
③ 노유자시설 중 피난층이 아닌 지상 1층과 피난층이 아닌 지상 2층은 설치하지 아니한다.
④ 층수가 11층 이상인 층은 설치하지 아니한다.

정답 ③

② 인명구조기구

1) 방열복 또는 방화복(안전모, 보호장갑 및 안전화를 포함한다), 인공소생기 및 공기호흡기를 설치하여야 하는 특정소방대상물: 지하층을 포함하는 층수가 7층 이상인 관광호텔

2) 방열복 또는 방화복(안전모, 보호장갑 및 안전화를 포함한다) 및 공기호흡기를 설치하여야 하는 특정소방대상물: 지하층을 포함하는 층수가 5층 이상인 병원

3) 공기호흡기
　가) 수용인원 100명 이상인 문화 및 집회시설 중 영화상영관
　나) 판매시설 중 대규모점포
　다) 운수시설 중 지하역사
　라) 지하가 중 지하상가
　마) ①의 ⒝ 및 화재안전기준에 따라 이산화탄소소화설비(호스릴이산화탄소소화설비는 제외한다)를 설치하여야 하는 특정소방대상물

③ 유도등

1) 피난구유도등, 통로유도등 및 유도표지는 특정소방대상물에 설치한다. 다만, 다음의 어느 하나에 해당하는 경우는 제외한다.
　가) 동물 및 식물 관련 시설 중 축사로서 가축을 직접 가두어 사육하는 부분
　나) 지하가 중 터널
2) 객석유도등
　가) 유흥주점영업시설
　나) 문화 및 집회시설
　다) 종교시설
　라) 운동시설
3) 피난유도선은 화재안전기준으로 정하는 장소에 설치한다.

④ 비상조명등: 창고시설 중 창고 및 하역장, 위험물 저장 및 처리 시설 중 가스시설은 제외한다.

1) 지하층을 포함하는 층수가 5층 이상인 건축물로서 연면적 3천제곱미터 이상인 경우에는 모든 층
2) 1)에 해당하지 않는 특정소방대상물로서 그 지하층 또는 무창층의 바닥면적이 450제곱미터 이상인 경우에는 해당 층
3) 지하가 중 터널로서 그 길이가 500미터 이상인 것

⑤ 휴대용비상조명등

1) 숙박시설
2) 수용인원 100명 이상의 영화상영관, 판매시설 중 대규모점포, 철도 및 도시철도 시설 중 지하역사, 지하가 중 지하상가

(4) 소화용수설비 - 상수도소화용수설비

상수도소화용수설비를 설치하여야 하는 특정소방대상물의 대지 경계선으로부터 180미터 이내에 지름 75밀리미터 이상인 상수도용 배수관이 설치되지 않은 지역의 경우에는 화재안전기준에 따른 소화수조 또는 저수조를 설치하여야 한다.

> 가. 연면적 5천제곱미터 이상인 것. 다만, 위험물 저장 및 처리 시설 중 가스시설, 지하가 중 터널 또는 지하구의 경우에는 그러하지 아니하다.
> 나. 가스시설로서 지상에 노출된 탱크의 저장용량의 합계가 100톤 이상인 것
> 다. 자원순환 관련 시설 중 폐기물재활용시설 및 폐기물처분시설

(5) 소화활동설비

① 제연설비

> 1) 문화 및 집회시설, 종교시설, 운동시설 중 무대부의 바닥면적이 200m² 이상인 경우에는 해당 무대부
> 2) 문화 및 집회시설 중 영화상영관으로서 수용인원 100명 이상인 경우에는 해당 영화상영관
> 3) 지하층이나 무창층에 설치된 근린생활시설, 판매시설, 운수시설, 숙박시설, 위락시설, 의료시설, 노유자 시설 또는 창고시설(물류터미널로 한정한다)로서 해당 용도로 사용되는 바닥면적의 합계가 1천m² 이상인 경우 해당 부분
> 4) 운수시설 중 시외버스정류장, 철도 및 도시철도 시설, 공항시설 및 항만시설의 대기실 또는 휴게시설로서 지하층 또는 무창층의 바닥면적이 1천m² 이상인 경우에는 모든 층
> 5) 지하가(터널은 제외한다)로서 연면적 1천m² 이상인 것
> 6) 지하가 중 예상 교통량, 경사도 등 터널의 특성을 고려하여 행정안전부령으로 정하는 터널
> 7) 특정소방대상물(갓복도형 아파트등은 제외한다)에 부설된 특별피난계단, 비상용 승강기의 승강장 또는 피난용 승강기의 승강장

② 연결송수관설비: 위험물 저장 및 처리 시설 중 가스시설 또는 지하구는 제외한다.

> 1) 층수가 5층 이상으로서 연면적 6천제곱미터 이상인 것
> 2) 1)에 해당하지 않는 특정소방대상물로서 지하층을 포함하는 층수가 7층 이상인 경우에는 모든 층
> 3) 1) 및 2)에 해당하지 않는 특정소방대상물로서 지하층의 층수가 3층 이상이고 지하층의 바닥면적의 합계가 1천제곱미터 이상인 것
> 4) 지하가 중 터널로서 길이가 1천미터 이상인 경우에는 모든 층

핵심 적중

01 소방시설법 시행령상 [별표 4] 상수도소화용수설비를 설치하여야 하는 특정소방대상물에 해당하지 않는 것은? (단, 소화수조 또는 저수조를 설치하여야 하는 대상은 제외한다)

① 가스시설로서 지상에 노출된 탱크의 저장용량의 합계가 100톤 이상인 것
② 자원순환 관련 시설 중 폐기물재활용시설
③ 자원순환 관련 시설 중 폐기물처분시설
④ 연면적 3천제곱미터 이상인 것

정답 ④

02 소방시설법 시행령상 [별표 4] 제연설비를 설치하여야 하는 특정소방대상물에 해당하지 않는 것은?

① 문화 및 집회시설, 종교시설, 운동시설로서 무대부의 바닥면적이 200제곱미터 이상인 부분
② 문화 및 집회시설 중 영화상영관으로서 수용인원 50명 이상인 부분
③ 지하층이나 무창층에 설치된 근린생활시설로서 해당 용도로 사용되는 바닥면적의 합계가 1천제곱미터 이상인 부분
④ 운수시설 중 시외버스정류장의 바닥면적이 1천제곱미터 이상인 것

정답 ②

03 소방시설법 시행령상 [별표 4] 연결송수관설비를 설치하여야 하는 특정소방대상물의 기준으로 옳지 않은 것은?

① 층수가 5층 이상으로서 연면적 6천제곱미터 이상인 경우에는 모든 층
② 연면적 6천제곱미터 미만의 특정소방대상물로서 지하층을 포함하는 층수가 7층 이상인 경우에는 모든 층
③ 지하층의 층수가 3층 이상이고 지하층의 바닥면적의 합계가 1천제곱미터 이상인 경우 모든 층
④ 지하가 중 터널로서 길이가 500미터 이상인 것

정답 ④

01 소방시설법 시행령상 [별표 4] 연결살수설비를 설치하여야 하는 특정소방대상물에 해당하지 않는 것은?

① 지하구
② 물류터미널로서 사용되는 면적이 1천제곱미터 이상인 경우 시설로 사용되는 부분
③ 지하층(피난층으로 주된 출입구가 도로와 접한 경우는 제외한다)으로서 바닥면적의 합계가 150제곱미터 이상인 경우에는 지하층의 모든 층
④ 가스시설 중 지상에 노출된 탱크의 용량이 30톤 이상인 탱크시설

정답 ①

02 소방시설법 시행령상 [별표 4] 비상콘센트설비를 설치하여야 하는 특정소방대상물에 해당하지 않는 것은?

① 층수가 11층 이상인 특정소방대상물의 경우에는 11층 이상의 층
② 지하층의 층수가 3층 이상이고 지하층의 바닥면적의 합계가 1천제곱미터 이상인 것은 지하층의 모든 층
③ 지하가 중 터널로서 길이가 500미터 이상인 것
④ 위험물 저장 및 처리 시설 중 가스시설 또는 지하구

정답 ④

03 소방시설법 시행령상 [별표 4] 무선통신설비를 설치하여야 하는 특정소방대상물의 기준으로 옳지 않은 것은?

① 지하가(터널은 제외한다)로서 연면적 1천제곱미터 이상인 것
② 지하층의 바닥면적의 합계가 3천제곱미터 이상인 것은 지하층이 모든 층
③ 층수가 50층 이상인 것으로서 31층 이상 부분의 모든 층
④ 지하층의 층수가 3층 이상이고 지하층의 바닥면적의 합계가 1천제곱미터 이상인 것은 지하층의 모든 층

정답 ③

04 소방시설법 시행령상 [별표 4] 연소방지설비를 설치하여야 하는 특정소방대상물로 옳은 것은?

① 지하가
② 종교시설
③ 위락시설
④ 지하구(전력 또는 통신사업용인 것만 해당한다)

정답 ④

③ 연결살수설비: 지하구는 제외한다.

> 1) 판매시설, 운수시설, 창고시설 중 물류터미널로서 사용되는 면적이 1천제곱미터 이상인 경우에는 해당 시설
> 2) 지하층(피난층으로 주된 출입구가 도로와 접한 경우는 제외한다)으로서 바닥면적의 합계가 150제곱미터 이상인 경우에는 지하층의 모든 층 다만, 「주택법 시행령」 제46조 제1항에 따른 국민주택규모 이하인 아파트등의 지하층(대피시설로 사용하는 것만 해당한다)과 교육연구시설 중 학교의 지하층의 경우에는 700제곱미터 이상인 것으로 한다.
> 3) 가스시설 중 지상에 노출된 탱크의 용량이 30톤 이상인 탱크시설
> 4) 1) 및 2)의 특정소방대상물에 부속된 연결통로

④ 비상콘센트설비: 위험물 저장 및 처리 시설 중 가스시설 및 지하구는 제외한다.

> 1) 층수가 11층 이상인 특정소방대상물의 경우에는 11층 이상의 층
> 2) 지하층의 층수가 3층 이상이고 지하층의 바닥면적의 합계가 1천제곱미터 이상인 것은 지하층의 모든 층
> 3) 지하가 중 터널로서 길이가 500미터 이상인 것

⑤ 무선통신보조설비: 위험물 저장 및 처리 시설 중 가스시설은 제외한다.

> 1) 지하가(터널은 제외한다)로서 연면적 1천제곱미터 이상인 것
> 2) 지하층의 바닥면적의 합계가 3천제곱미터 이상인 것 또는 지하층의 층수가 3층 이상이고 지하층의 바닥면적의 합계가 1천제곱미터 이상인 것은 지하층의 모든 층
> 3) 지하가 중 터널로서 길이가 500미터 이상인 것
> 4) 「국토의 계획 및 이용에 관한 법률」 제2조 제9호에 따른 공동구
> 5) 층수가 30층 이상인 것으로서 16층 이상 부분의 모든 층

⑥ 연소방지설비

> 지하구(전력 또는 통신사업용인 것만 해당한다)

(6) 비고

① 별표 2 제1호부터 제27호까지 중 어느 하나에 해당하는 시설(이하 이 호에서 "근린생활시설등"이라 한다)의 소방시설 설치기준이 복합건축물의 소방시설 설치기준보다 강화된 경우 복합건축물 안에 있는 해당 근린생활시설등에 대해서는 그 근린생활시설등의 소방시설 설치기준을 적용한다.

② 원자력발전소 중 「원자력안전법」 제2조에 따른 원자로 및 관계시설에 설치하는 소방시설에 대해서는 「원자력안전법」 제11조 및 제21조에 따른 허가기준에 따라 설치한다.

③ 특정소방대상물의 관계인은 제8조 제1항에 따른 내진설계 대상 특정소방대상물 및 제9조에 따른 성능위주설계 대상 특정소방대상물에 설치·관리해야 하는 소방시설에 대해서는 법 제7조에 따른 소방시설의 내진설계기준 및 법 제8조에 따른 성능위주설계의 기준에 맞게 설치·관리해야 한다.

소방시설 – 소화설비 요약

[별표 4] 소화설비

1. 소화기구
   1) 연면적 33m² 이상(노유자시설: 투척용 소화용구 1/2 이상 할 수 있다)
   2) 지정문화재·가스시설, 발전시설 중 전기저장시설 및 문화재
   3) 터널
   4) 지하구

2. 자동소화장치
   1) 주거용 주방자동소화장치를 설치하여야 하는 것: 아파트등 및 오피스텔
   2) 상업용 주방자동소화장치를 설치하여야 하는 것(후드 및 덕트가 설치되어 있는 주방에 한한다)
      가) 대규모점포에 입점해 있는 일반음식점
      나) 집단급식소
   3) 캐비닛형 자동소화장치, 가스자동소화장치, 분말자동소화장치 또는 고체에어로졸자동소화장치를 설치하여야 하는 것: 화재안전기준에서 정하는 장소

3. 옥내소화전설비(제외: 가스시설, 지하구 및 방재실 ⇨ S.P, 물분무 등 원격조정 업무시설 중 무인변전소)
   1) 문화집회시설, 운동시설, 종교시설등
      ① 연면적 3천m² 이상(터널 제외)
      ② 무창층(축사 제외)·지하층·층수 4층 이상: 바닥면적 600m² 이상 층 ⇨ 모든 층
   2) 근린생활시설, 판매시설, 운수시설, 의료시설, 노유자시설, 업무시설, 숙박시설, 위락시설등
      ① 연면적 1천5m² 이상(터널 제외)
      ② 무창층(축사 제외)·지하층·층수 4층 이상: 바닥면적 300m² 이상 층 ⇨ 모든 층
   3) 건축물 옥상 ⇨ 설치된 차고·주차장: 주차 용도 면적 200m² 이상인 경우 해당 부분
   4) 터널
      ① 길이【 ① 】
      ② 행정안전부령으로 정하는 터널
   5) 특수가연물:【 ② 】이상 (공장·창고)

4. 스프링클러설비(제외: 가스시설, 지하구)
   1) 층수【 ③ 】이상 모든 층
   2) 기숙사·복합건축물: 연면적 5천m² 이상 모든 층
   3) 문화 및 집회시설·종교시설·운동시설 ⇨ 모든 층
      (제외: 동·식물원, 주요구조부 목조, 물놀이형 시설)
      가) 수용인원【 ④ 】
      나) 영화상영관 바닥면적 지하층·무창층 500m² 이상, 그 밖의 층 바닥면적 1천m² 이상
      다) 무대부가 지하층·무창층 또는 4층 이상 층: 무대부 면적 300m² 이상
      라) 그 밖의 층: 무대부 면적이 500m² 이상
   4) 판매시설·운수시설·창고시설(물류터미널 한정): 바닥면적 합계 5천m² 이상, 수용인원 500명 이상 모든 층
   5) 바닥면적 합계 600m² 이상인 것은 모든 층
      가) 근린생활시설 중 조산원 및 산후조리원
      나) 의료시설 중 정신의료기관
      다) 의료시설 중 종합병원, 병원, 치과병원, 한방병원 및 요양병원
      라) 노유자시설
      마) 숙박이 가능한 수련시설
      바) 숙박시설
   6) 창고시설(물류터미널 제외): 바닥면적 합계 5천m² 이상 모든 층
   7) 지하층·무창층·층수 4층 이상: 바닥면적 합계 1천m² 이상 층
   8) 천장 또는 반자의 높이가 10m를 넘는 랙식 창고: 바닥면적 합계 1천5백m² 이상
   9) 공장 또는 창고시설
      가) 특수가연물: 수량 1천배 이상
      나) 중·저준위방사성폐기물의 저장시설: 소화수를 수집·처리하는 설비가 있는 저장시설
   10) 지붕·외벽이 불연재료가 아니거나 내화구조가 아닌 공장·창고시설(중략)
   11) 교정 및 군사시설
   12) 지하가
   13) 발전시설 중 전기저장시설
   14) 부속된 보일러실 또는 연결통로 등

5. 간이스프링클러설비
   1) 공동주택 중 연립주택 및 다세대주택
   2) 근린생활시설
      가) 바닥면적 합계 1천m² 이상 모든 층
      나) 의원, 치과의원 및 한의원으로서 입원실이 있는 시설
      다) 조산원 및 산후 조리원: 연면적 600m² 미만
   3) 의료시설
      가)【 ⑤ 】(정신병원 제외) 바닥면적 합계 600m² 미만
      나) 정신의료기관·의료재활시설 바닥면적 합계 300m² 이상 600m² 미만
      다) 정신의료기관·의료재활시설 바닥면적 합계 300m² 미만이고 창살이 설치된 시설
   4) 교육연구시설: 합숙소 연면적 100m² 이상
   5) 노유자시설
      가) 제7조 제1항 제7조 각 목에 따른 시설(노유자 생활시설)
      나) 가)×노유자시설 바닥면적 합계 300m² 이상 600m² 미만
      다) 가)×노유자시설 바닥면적 합계 300m² 미만이고 창살이 설치된 시설
   6) 숙박시설 중바닥면적 합계 300m² 이상 600m² 미만인 시설
   7)「출입국관리법」상 보호시설
   8) 복합건축물: 연면적 1천m² 이상 모든 층

6. 물분무등소화설비(제외: 가스시설, 지하구)
   1) 항공기격납고
   2) 주차시설: 연면적 800m² 이상
   3) 주차 용도 바닥면적【 ⑥ 】이상 층(50세대 미만 연립주택 및 다세대주택 제외)
   4) 기계장치 20대 이상
   5) 전기실·발전실·변전실·축전지실·통신기기실·전산실, 그 밖에 바닥면적 300m² 이상
   6) 중·저준위방사성폐기물의 저장시설(CO_2, 할론, 할로겐화합물 및 불활성기체)
   7) 행정안전부령으로 정하는 터널(물분무소화설비)
   8) 지정문화재 중 소방청장이 문화재청장과 협의하여 정하는 것

7. 옥외소화전설비(아파트등, 가스시설, 지하구, 터널 제외)
   1) 지상 1층·2층 바닥면적 합계:【 ⑦ 】이상
   2) 보물 또는 국보로 지정된 목조건축물
   3) 특수가연물: 750배 이상 (공장·창고)

① 1천m 이상 ② 750배 ③ 6층 ④ 100명 이상 ⑤ 종합병원, 병원, 치과병원, 한방병원 및 요양병원 ⑥ 200m² ⑦ 9천m²

소방시설 – 경보설비 요약

[별표 4] 경보설비

1. 단독경보형 감지기
   1) 교육연구시설 또는 수련시설 내에 있는 합숙소·기숙사: 연면적 2,000m² 미만인 것
   2) 2,000m² 미만의 수련시설(숙박시설이 있는 것)
   3) 3.의 7)에 해당하지 않는 수련시설
   4) 연면적 400m² 미만 유치원
   5) 공동주택 중 연립주택 및 다세대주택

2. 비상경보설비(제외: 지하구, 모래·석재 등 불연재료 창고, 가스시설)
   1) 연면적 【 ① 】 이상
   2) 지하층·무창층 바닥면적 150m² 이상(공연장: 100m² 이상)
   3) 터널 길이 500m 이상
   4) 옥내 작업장: 50명 이상 근로자 작업

3. 자동화재탐지설비
   1) 공동주택 중 아파트등·기숙사 및 숙박시설
   2) 층수: 6층 이상
   3) 연면적 【 ② 】 이상(제외: 목욕장, 정신의료기관 요양병원)
      근린생활시설, 의료시설, 위락시설, 장례시설 및 복합건축물
   4) 연면적 1,000m² 이상
      공동주택, 근린생활시설 중 목욕장, 문화 및 집회시설, 종교시설, 판매시설, 운수시설, 운동시설, 업무시설, 공장, 창고시설, 위험물 저장 및 처리 시설, 항공기 및 자동차 관련 시설, 교정 및 군사시설 중 국방·군사시설, 방송통신시설, 발전시설, 관광 휴게시설, 지하가(터널 제외)
   5) 연면적 2,000m² 이상
      교육연구시설(교육시설 내 기숙사·합숙소 포함), 수련시설(수련시설 내 기숙사·합숙소 포함, 숙박시설이 있는 수련시설 제외), 동물 및 식물 관련 시설(기둥과 지붕만으로 구성되어 외부와 기류가 통하는 장소는 제외), 분뇨 및 쓰레기 처리시설, 교정 및 군사시설(국방·군사시설 제외) 또는 묘지 관련 시설
   6) 노유자 생활시설
   7) 노유자 생활시설에 해당하지 않는 노유자시설 연면적 연면적 400m² 이상 노유자시설 및 숙박시설이 있는 수련시설: 수용인원 100명 이상
   8) 의료시설 중 정신의료기관 또는 요양병원
      가) 요양병원(정신병원과 의료재활시설 제외)
      나) 정신의료기관 또는 의료재활시설: 바닥면적 합계 300m² 이상
      다) 정신의료기관 또는 의료재활시설: 바닥면적 합계 300m² 미만이고, 창살이 설치된 시설
   9) 판매시설 중 전통시장

   10) 터널: 길이 1천m 이상
   11) 지하구
   12) 근린생활시설 중 조산원 및 산후조리원
   13) 공장·창고: 특수가연물 수량 500배 이상
   14) 발전시설 중 전기저장시설

4. 시각경보기(자·탐 설치 특정소방대상물 중)
   1) 근린생활시설, 문화 및 집회시설, 종교시설, 판매시설, 운수시설, 의료시설, 노유자시설
   2) 운동시설, 업무시설, 숙박시설, 위락시설, 창고시설 중 물류터미널, 발전시설 및 장례시설
   3) 교육연구시설 중 도서관, 방송통신시설 중 방송국
   4) 지하가 중 지하상가

5. 화재알림설비
   1) 판매시설 중 【 ③ 】
   2) 문화재

6. 비상방송설비(제외: 가스시설, 사람 거주×동물·식물관련시설, 터널, 축사, 지하구)
   1) 연면적 【 ④ 】 이상
   2) 지하층 제외한 층수: 11층 이상
   3) 지하층 층수: 3층 이상

7. 자동화재속보설비
   1) 노유자 생활시설
   2) 노유자시설로서 바닥면적: 【 ⑤ 】 이상인 층이 있는 것
   3) 수련시설(숙박시설이 있는 건축물만 해당한다): 바닥면적이 500m² 이상인 층이 있는 것
   4) 보물 또는 국보로 지정된 목조건축물.
   5) 근린생활시설
      가) 의원, 치과의원 및 한의원으로서 입원실이 있는 시설
      나) 조산원 및 산후조리원
   6) 의료시설
      가) 종합병원, 병원, 치과병원, 한방병원 및 요양병원(정신병원과 의료재활시설은 제외한다)
      나) 정신병원 및 의료재활시설: 바닥면적의 합계가 500m² 이상인 층이 있는 것
   7) 판매시설 중 전통시장

8. 누전경보기(제외: 가스시설, 터널, 지하구)
   계약전류용량: 100암페어 초과

9. 가스누설경보기
   1) 문화 및 집회시설, 종교시설, 판매시설, 운수시설, 의료시설
   2) 수련시설, 운동시설, 숙박시설, 창고시설 중 물류터미널, 장례시설, 노유자시설

① 400m² ② 600m² ③ 전통시장 ④ 3천5백m² ⑤ 500m²

소방시설 – 피난구조설비 요약	소방시설 – 소화활동설비 요약
[별표 4] 피난구조설비	**[별표 4] 소화활동설비**
1. 피난기구	1. 제연설비
1) 모든 층에 화재안전기준 적합한 것으로 설치, 노유자시설 중 피난층×지상 1층과 2층은 설치	1) 문화 및 집회시설, 종교시설, 운동시설: 무대부의 바닥면적 200m² 이상
2) 제외대상	2) 문화 및 집회시설 중 영화상영관: 수용인원 100명 이상
가) 피난층, 지상 1층, 지상 2층 및 층수가 11층 이상인 층	3) 지하층·무창층에 설치된 근린생활시설, 판매시설, 운수시설, 숙박시설, 위락시설, 의료시설, 노유자시설 또는 창고시설(물류터미널): 바닥면적 합계가【 ① 】이상 층
나) 가스시설, 터널 또는 지하구	4) 운수시설 중 시외버스정류장, 철도 및 도시철도 시설, 공항시설 및 항만시설의 대합실 또는 휴게시설: 지하층·무창층 바닥면적 1천m² 이상
2. 인명구조기구	5) 지하가(터널 제외)로서 연면적 1천m² 이상
1) 방열복 또는 방화복, 인공소생기 및 공기호흡기: 지하층 포함 층수 7층 이상【 ① 】	6) 지하가
2) 방열복 또는 방화복 및 공기호흡기: 지하층 포함 층수 5층 이상 병원	가) 터널: 1천미터 이상
3) 공기호흡기	나) 행정안전부령으로 정하는 터널
가) 수용인원 100명 이상 문화 및 집회시설 중 영화상영관	7) 특정소방대상물(갓복도형 아파트등 제외)에 부설된 특별피난계단 또는 비상용 승강기의 승강장
나) 판매시설 중 대규모점포	2. 연결송수관설비(제외: 가스시설, 지하구)
다) 운수시설 중 지하역사	1) 층수가 5층 이상으로서 연면적【 ② 】이상인 것
라) 지하가 중 지하상가	2) 1)에 해당하지 않는 특정소방대상물로서 지하층을 포함하는 층수가 7층 이상인 것
마) 물분무등소화설비 및 화재안전기준	3) 1) 및 2)에 해당하지 않는 특정소방대상물로서 지하층의 층수가 3층 이상이고 지하층의 바닥면적의 합계가 1천m² 이상인 것
⇨ 이산화탄소소화설비(호스릴 제외)	4) 지하가 중 터널로서 길이가【 ③ 】이상인 것
3. 유도등	3. 연결살수설비(제외: 지하구)
1) 피난구유도등, 통로유도등 및 유도표지: 특정소방대상물 제외대상	1) 판매시설, 운수시설, 창고시설 중 물류터미널: 바닥면적 합계 1천m² 이상
가) 동물 및 식물 관련 시설 중 축사	2) 지하층 바닥면적 합계 150m² 이상(피난층으로 주된 출입구가 도로와 접한 경우는 제외), 다만, 국민주택규모 이하 아파트등의 지하층(대피시설)과 교육연구시설 중 학교의 지하층은 700m² 이상
나) 지하가 중 터널	3) 가스시설 중 지상에 노출된 탱크의 용량이 30톤 이상 탱크시설
2) 객석유도등	4) 1) 및 2)의 특정소방대상물에 부속된 연결통로
가) 유흥주점영업시설(카바레, 나이트클럽)	4. 비상콘센트설비(제외: 가스시설 및 지하구)
나) 문화 및 집회시설	1) 층수【 ④ 】이상 경우에는 11층 이상의 층
다) 종교시설	2) 지하층 층수 3층 이상이고 지하층 바닥면적 합계가 1천m² 이상 지하층의 모든 층
라) 운동시설	3) 터널 길이 500m
3) 피난유도선: 화재안전기준으로 정하는 장소	5. 무선통신보조설비(제외: 가스시설)
4. 비상조명등(제외: 창고시설 중 창고 및 하역장, 가스시설)	1) 지하가(터널 제외): 연면적 1천m² 이상
1) 지하층 포함 층수가 5층이상건축물로서 연면적 3천m² 이상	2) 지하층 바닥면적 합계 3천m² 이상, 지하의 층수 3층 이상이고 지하층 바닥면적 합계 1천m² 이상 지하층의 모든 층
2) 1)에×지하층·무창층 바닥면적 450m² 이상 해당층	3) 터널 길이 500m 이상
3) 터널 길이【 ② 】이상	4)「국토의 계획 및 이용에 관한 법률」공동구
5. 휴대용 비상조명등	5) 층수 30층 이상 것으로서 16층 이상 부분의 모든 층
1) 숙박시설	6. 연소방지설비
2) 수용인원 100명 이상 영화상영관, 판매시설 중 대규모점포, 철도 및 도시철도 시설 중 지하역사, 지하가 중 지하상가	지하구(전력 또는 통신사업용인 것)

소방시설 – 소화용수설비 요약	
[별표 4] 소화용수설비	
1. 상수도소화용수설비	
1) 연면적【 ③ 】이상(제외: 가스시설, 터널 또는 지하구)	
2) 가스시설로서 지상에 노출된 탱크의 저장용량 합계: 100톤 이상	
3) 자원순환 관련 시설: 폐기물재활용시설, 폐기물처분시설	
2. 소화수조, 저수조	
상수도소화용수설비 설치해야 하는 특정소방대상물 대지 경계선 180m 이내	
⇨ 지름 75mm 이상 상수도용 배수관이 설치되지 않은 지역	

| ① 관광호텔 ② 500m ③ 5천m² | ① 1천m² ② 6천m² ③ 1,000m ④ 11층 |

📖 SUMMARY 유사내용 정리

구분	세부기준	소방시설
터널	길이 500m 이상	· 비상조명등 · 비상경보설비 · 비상콘센트설비 · 무선통신보조설비
	길이 1,000m 이상	· 옥내소화전설비 · 자동화재탐지설비 · 연결송수관설비
지하가	1,000㎡ 이상	· 스프링클러설비 · 자동화재탐지설비 · 제연설비 · 무선통신보조설비
특수가연물	500배 이상	자동화재탐지설비
	750배 이상	· 옥내소화전설비 · 옥외소화전설비
	1,000배 이상	스프링클러설비
수용인원	50명 이상	비상경보설비
	100명 이상	· 스프링클러설비(문·종·운) · 자동화재탐지설비(노·숙수) · 인명구조기구(공기호흡기) · 인명구조기구(휴대용비상조명등) · 제연설비(문화집회시설 – 영화상영관)
	500명 이상	스프링클러설비[판·운·창(물류)]
지하층 층수가 3층 이상이고 지하층 바닥면적 합계가 1천m² 이상		· 연결송수관설비 · 비상콘센트설비
1. 지하층 바닥면적 합계가 3천m² 이상 2. 지하층 층수가 3층 이상이고 지하층 바닥면적 합계가 1천m² 이상		무선통신보조설비

제12조【특정소방대상물에 설치하는 소방시설의 관리 등】 ① 특정소방대상물의 관계인은 대통령령으로 정하는 소방시설을 화재안전기준에 따라 설치·관리하여야 한다. 이 경우 「장애인·노인·임산부 등의 편의증진 보장에 관한 법률」 제2조 제1호에 따른 장애인등이 사용하는 소방시설(경보설비 및 피난구조설비를 말한다)은 대통령령으로 정하는 바에 따라 장애인등에 적합하게 설치·관리하여야 한다.

② 소방본부장이나 소방서장은 제1항에 따른 소방시설이 화재안전기준에 따라 설치·관리되고 있지 아니할 때에는 해당 특정소방대상물의 관계인에게 필요한 조치를 명할 수 있다.

③ 특정소방대상물의 관계인은 제1항에 따라 소방시설을 설치·관리하는 경우 화재 시 소방시설의 기능과 성능에 지장을 줄 수 있는 폐쇄(잠금을 포함한다. 이하 같다)·차단 등의 행위를 하여서는 아니 된다. 다만, 소방시설의 점검·정비를 위하여 필요한 경우 폐쇄·차단은 할 수 있다.

(1) 특정소방대상물 관계인의 의무

① 특정소방대상물의 관계인은 대통령령으로 정하는 소방시설을 화재안전기준에 따라 설치·관리하여야 한다.

② 이 경우 「장애인·노인·임산부 등의 편의증진 보장에 관한 법률」 제2조 제1호에 따른 장애인등이 사용하는 소방시설(경보설비 및 피난구조설비를 말한다)은 대통령령으로 정하는 바에 따라 장애인등에 적합하게 설치·관리하여야 한다.

(2) 조치 명령

① 소방본부장이나 소방서장은 소방시설이 화재안전기준에 따라 설치 또는 유지·관리되어 있지 아니할 때에는 필요한 조치를 명할 수 있다.

② 벌칙 – 3년 이하 징역 또는 3천만원 이하 벌금(제57조): 제12조 제2항에 따른 명령을 정당한 사유 없이 위반한 자

(3) 폐쇄·차단의 금지

① 소방시설을 유지·관리할 때 소방시설의 기능과 성능에 지장을 줄 수 있는 **폐쇄(잠금)·차단 등의 행위를 하여서는 아니 된다.**

② 다만, 소방시설의 점검·정비를 위한 폐쇄·차단은 할 수 있다.

정희's 톡talk

벌칙 – 5년 이하 징역 또는 5천만원 이하 벌금(제56조)

1. 제12조 제3항 본문을 위반하여 소방시설에 폐쇄·차단 등의 행위를 한 자는 5년 이하의 징역 또는 5천만원 이하의 벌금에 처합니다.

2. 1.의 죄를 범하여 사람을 상해에 이르게 한 때에는 7년 이하의 징역 또는 7천만원 이하의 벌금에 처하며, 사망에 이르게 한 때에는 10년 이하의 징역 또는 1억원 이하의 벌금에 처합니다.

👆 **관계법규** 소방시설정보관리시스템

시행령	
제11조【특정소방대상물에 설치·관리해야 하는 소방시설】 ① 법 제12조 제1항 전단에 따라 특정소방대상물의 관계인이 특정소방대상물에 설치·관리해야 하는 소방시설의 종류는 별표 4와 같다.	② 법 제12조 제1항 후단에 따라 「장애인·노인·임산부 등의 편의증진 보장에 관한 법률」 제2조 제1호에 따른 장애인등이 사용하는 소방시설은 별표 4 제2호 및 제3호에 따라 장애인등에 적합하게 설치·관리해야 한다.

제12조【특정소방대상물에 설치하는 소방시설의 관리 등】④ 소방청장은 제3항 단서에 따라 특정소방대상물의 관계인이 소방시설의 점검·정비를 위하여 폐쇄·차단을 하는 경우 안전을 확보하기 위하여 필요한 행동요령에 관한 지침을 마련하여 고시하여야 한다.

⑤ 소방청장, 소방본부장 또는 소방서장은 제1항에 따른 소방시설의 작동정보 등을 실시간으로 수집·분석할 수 있는 시스템(이하 "소방시설정보관리시스템"이라 한다)을 구축·운영할 수 있다.

⑥ 소방청장, 소방본부장 또는 소방서장은 제5항에 따른 작동정보를 해당 특정소방대상물의 관계인에게 통보하여야 한다.

⑦ 소방시설정보관리시스템 구축·운영의 대상은「화재의 예방 및 안전관리에 관한 법률」제24조 제1항 전단에 따른 소방안전관리대상물 중 소방안전관리의 취약성 등을 고려하여 대통령령으로 정하고, 그 밖에 운영방법 및 통보 절차 등에 필요한 사항은 행정안전부령으로 정한다.

(1) 행동요령에 관한 지침 수립

소방청장은 제3항 단서에 따라 특정소방대상물의 관계인이 소방시설의 점검·정비를 위하여 폐쇄·차단을 하는 경우 안전을 확보하기 위하여 필요한 행동요령에 관한 지침을 마련하여 고시하여야 한다.

(2) 소방시설정보관리시스템 구축·운영

소방청장, 소방본부장 또는 소방서장은 소방시설의 작동정보 등을 실시간으로 수집·분석할 수 있는 시스템(소방시설정보관리시스템)을 구축·운영할 수 있다.

(3) 작동 정보의 통보

소방청장, 소방본부장 또는 소방서장은 작동정보를 해당 특정소방대상물의 관계인에게 통보하여야 한다.

(4) 위임규정

① 소방시설정보관리시스템 구축·운영의 대상은「화재의 예방 및 안전관리에 관한 법률」제24조 제1항 전단에 따른 소방안전관리대상물 중 소방안전관리의 취약성 등을 고려하여 대통령령으로 한다.

② 그 밖에 운영방법 및 통보 절차 등에 필요한 사항은 행정안전부령으로 정한다.

(5) 소방시설정보관리시스템 구축·운영 대상(영 제12조)

특정소방대상물의 관계인은 소방청장, 소방본부장 또는 소방서장이 소방시설정보관리시스템을 구축·운영하려는 경우 특별한 사정이 없으면 이에 협조해야 한다.

① 문화 및 집회시설

② 종교시설

③ 판매시설

④ 의료시설

⑤ 노유자시설

정희's 톡talk

소방시설정보관리시스템 구축·운영 대상

문 종 매 료 무

노 숙수 숙

공 창 위 지구 가

⑥ 숙박이 가능한 수련시설

⑦ 숙박시설

⑧ 업무시설

⑨ 공장

⑩ 창고시설

⑪ 위험물 저장 및 처리 시설

⑫ 지하가(地下街)

⑬ 지하구

⑭ 소방청장, 소방본부장 또는 소방서장이 소방안전관리의 취약성과 화재위험성을 고려하여 필요하다고 인정하는 특정소방대상물

(5) 소방시설정보관리시스템 운영 방법 및 통보 절차 등(규칙 제15조)

① 소방청장, 소방본부장 또는 소방서장은 소방시설정보관리시스템으로 수집되는 소방시설의 작동정보 등을 분석하여 해당 특정소방대상물의 관계인에게 해당 소방시설의 정상적인 작동에 필요한 사항과 관리 방법 등 개선사항에 관한 정보를 제공할 수 있다.

② 소방청장, 소방본부장 또는 소방서장은 소방시설정보관리시스템을 통하여 소방시설의 고장 등 비정상적인 작동정보를 수집한 경우에는 해당 특정소방대상물의 관계인에게 그 사실을 알려주어야 한다.

③ 소방청장, 소방본부장 또는 소방서장은 소방시설정보관리시스템의 체계적·효율적·전문적인 운영을 위해 전담인력을 둘 수 있다.

④ 규정한 사항 외에 소방시설정보관리시스템의 운영방법 및 통보 절차 등에 관하여 필요한 세부 사항은 소방청장이 정한다.

👆 **관계법규** **소방시설정보관리시스템**

시행령

제12조【소방시설정보관리시스템 구축·운영 대상 등】① 소방청장, 소방본부장 또는 소방서장이 법 제12조 제4항에 따라 소방시설의 작동정보 등을 실시간으로 수집·분석할 수 있는 시스템(이하 "소방시설정보관리시스템"이라 한다)을 구축·운영하는 경우 그 구축·운영의 대상은 「화재의 예방 및 안전관리에 관한 법률」 제24조 제1항 전단에 따른 소방안전관리대상물 중 다음 각 호의 특정소방대상물로 한다.
1. 문화 및 집회시설
2. 종교시설
3.【 ① 】
4. 의료시설
5. 노유자 시설
6. 숙박이 가능한 수련시설
7. 업무시설

8. 숙박시설
9. 공장
10. 창고시설
11. 위험물 저장 및 처리 시설
12. 지하가(地下街)
13. 지하구
14. 그 밖에 소방청장, 소방본부장 또는 소방서장이 소방안전관리의 취약성과 화재위험성을 고려하여 필요하다고 인정하는 특정소방대상물
② 제1항 각 호에 따른 특정소방대상물의 관계인은 소방청장, 소방본부장 또는 소방서장이 법 제12조 제4항에 따라 소방시설정보관리시스템을 구축·운영하려는 경우 특별한 사정이 없으면 이에 협조해야 한다.

① 판매시설

NOTE	시행규칙
	제15조【소방시설정보관리시스템 운영방법 및 통보 절차 등】 ① 【 ① 】. 소방본부장 또는 소방서장은 법 제12조 제4항에 따른 소방시설의 작동정보 등을 실시간으로 수집·분석할 수 있는 시스템(이하 "소방시설정보관리시스템"이라 한다)으로 수집되는 소방시설의 작동정보 등을 분석하여 해당 특정소방대상물의 관계인에게 해당 소방시설의 정상적인 작동에 필요한 사항과 관리방법 등 개선사항에 관한 정보를 제공할 수 있다. ② 소방청장, 소방본부장 또는 소방서장은 소방시설정보관리시스템을 통하여 소방시설의 고장 등 비정상적인 작동정보를 수집한 경우에는 해당 특정소방대상물의 관계인에게 그 사실을 알려주어야 한다. ③ 소방청장, 소방본부장 또는 소방서장은 소방시설정보관리시스템의 체계적·효율적·전문적인 운영을 위해 전담인력을 둘 수 있다. ④ 제1항부터 제3항까지에서 규정한 사항 외에 소방시설정보관리시스템의 운영방법 및 통보 절차 등에 관하여 필요한 세부 사항은 소방청장이 정한다.
	제16조【소방시설을 설치하여야 하는 터널】 ① 영 별표 5 제1호 다목 2) 나)에서 "행정안전부령으로 정하는 터널"이란 「도로의 구조·시설 기준에 관한 규칙」 제48조에 따라 국토교통부장관이 정하는 도로의 구조 및 시설에 관한 세부기준에 의하여 옥내소화전설비를 설치하여야 하는 터널을 말한다. ② 영 별표 5 제1호 바목 7) 본문에서 "행정안전부령으로 정하는 터널"이란 「도로의 구조·시설 기준에 관한 규칙」 제48조에 따라 국토교통부장관이 정하는 도로의 구조 및 시설에 관한 세부기준에 의하여 물분무소화설비를 설치하여야 하는 터널을 말한다. ③ 영 별표 5 제5호 가목 5)에서 "행정안전부령으로 정하는 터널"이란 「도로의 구조·시설 기준에 관한 규칙」 제48조에 따라 국토교통부장관이 정하는 도로의 구조 및 시설에 관한 세부기준에 의하여 제연설비를 설치하여야 하는 터널을 말한다.
	제17조【연소 우려가 있는 건축물의 구조】 영 별표 5 제1호 사목 1) 후단에서 "행정안전부령으로 정하는 연소(延燒) 우려가 있는 구조"란 다음 각 호의 기준에 모두 해당하는 구조를 말한다. 1. 건축물대장의 건축물 현황도에 표시된 대지경계선 안에 둘 이상의 건축물이 있는 경우 2. 각각의 건축물이 다른 건축물의 외벽으로부터 수평거리가 1층의 경우에는 【 ② 】 이하, 2층 이상의 층의 경우에는 【 ③ 】 이하인 경우 3. 개구부(영 제2조 제1호에 따른 개구부를 말한다)가 다른 건축물을 향하여 설치되어 있는 경우
	① 소방청장 ② 6미터 ③ 10미터

제13조【소방시설기준 적용의 특례】 ① 소방본부장이나 소방서장은 제12조 제1항 전단에 따른 대통령령 또는 화재안전기준이 변경되어 그 기준이 강화되는 경우 기존의 특정소방대상물(건축물의 신축·개축·재축·이전 및 대수선 중인 특정소방대상물을 포함한다)의 소방시설에 대하여는 변경 전의 대통령령 또는 화재안전기준을 적용한다. 다만, 다음 각 호의 어느 하나에 해당하는 소방시설의 경우에는 대통령령 또는 화재안전기준의 변경으로 강화된 기준을 적용할 수 있다.

1. 다음 각 목의 소방시설 중 대통령령 또는 화재안전기준으로 정하는 것
    가. 소화기구
    나. 비상경보설비
    다. 자동화재탐지설비
    라. 자동화재속보설비
    마. 피난구조설비
2. 다음 각 목의 특정소방대상물에 설치하는 소방시설 중 대통령령 또는 화재안전기준으로 정하는 것
    가. 「국토의 계획 및 이용에 관한 법률」 제2조 제9호에 따른 공동구
    나. 전력 및 통신사업용 지하구
    다. 노유자(老幼者) 시설
    라. 의료시설

(1) 기준이 강화되는 경우 기존 특정소방대상물의 소방시설

소방본부장 또는 소방서장은 변경 전의 대통령령 또는 화재안전기준을 적용한다.

(2) 기존 특정소방대상물에 강화된 소방시설기준의 적용대상

① 다음 소방시설 중 대통령령 또는 화재안전기준으로 정하는 것
    ㉠ 소화기구
    ㉡ 비상경보설비
    ㉢ 자동화재탐지설비
    ㉣ 자동화재속보설비
    ㉤ 피난구조설비

② 다음의 특정소방대상물에 설치하는 소방시설 중 대통령령 또는 화재안전기준으로 정하는 것
    ㉠ 「국토의 계획 및 이용에 관한 법률」 제2조 제9호에 따른 공동구
    ㉡ 전력 및 통신사업용 지하구
    ㉢ 노유자(老幼者) 시설
    ㉣ 의료시설

정희's 톡talk

강화된 소방시설기준
소 경 탐 속 구
공 구 노 료

(3) 강화된 소방시설기준의 적용대상(영 제13조)

특정소방대상물	소방시설
공동구	소화기, 자동소화장치, 자동화재탐지설비, 통합감시시설, 유도등 및 연소방지설비
전력·통신사업용 지하구	소화기, 자동소화장치, 자동화재탐지설비, 통합감시시설, 유도등 및 연소방지설비
노유자시설	간이스프링클러설비, 자동화재탐지설비 및 단독경보형 감지기
의료시설	간이스프링클러설비, 자동화재탐지설비, 자동화재속보설비 및 스프링클러설비

> **참고** 강화된 소방시설기준의 적용 대상 확대
>
> 1. 제·개정 이유
>   특정소방대상물의 증축 또는 용도변경 시 소방시설을 설치하지 아니하는 특정소방대상물에 대해 강화된 소방시설의 적용 대상을 공동구와 전력 및 통신사업용 지하구로 확대 필요
> 2. 제·개정 내용
>   「국토의 계획 및 이용에 관한 법률」 제2조 제9호에 따른 공동구, 전력 및 통신사업용 지하구에도 강화된 화재안전기준을 적용하기 위함
> 3. 입법효과
>   화재안전기준 적용의 특례를 정함으로써 소방시설 및 특정소방대상물의 특성에 적합한 효율적인 화재안전관리를 기대할 수 있음

관계법규 강화된 소방시설기준의 적용대상

시행령	NOTE
제13조【강화된 소방시설기준의 적용대상】 법 제13조 제1항 제2호에서 "대통령령으로 정하는 것"이란 다음 각 호의 어느 하나에 해당하는 설비를 말한다. 1. 「국토의 계획 및 이용에 관한 법률」 제2조 제9호에 따른 공동구에 설치하는 소화기, 자동소화장치, 자동화재탐지설비, 통합감시시설, 유도등 및 연소방지설비 2. 전력 및 통신사업용【 ① 】에 설치하는 소화기, 자동소화장치, 자동화재탐지설비, 통합감시시설, 유도등 및 연소방지설비 3. 노유자(老幼者)시설에 설치하는 간이스프링클러설비, 자동화재탐지설비 및【 ② 】 4. 의료시설에 설치하는 스프링클러설비, 간이스프링클러설비, 자동화재탐지설비 및 자동화재속보설비 ① 지하구 ② 단독경보형 감지기	

제13조【소방시설기준 적용의 특례】② 소방본부장이나 소방서장은 특정소방대상물에 설치하여야 하는 소방시설 가운데 기능과 성능이 유사한 스프링클러설비, 물분무등소화설비, 비상경보설비 및 비상방송설비 등의 소방시설의 경우에는 대통령령으로 정하는 바에 따라 유사한 소방시설의 설치를 면제할 수 있다.

(1) 유사한 소방시설의 설치 면제 특례

소방본부장 또는 소방서장은 특정소방대상물에 설치해야 하는 소방시설 중 기능과 성능이 유사한 소방시설의 경우 대통령령에 따라 설치를 면제할 수 있다.

(2) 유사한 소방시설의 설치 면제의 기준(영 [별표 5])

① 소화설비

설치가 면제되는 소방시설	설치면제 기준(화재안전기준에 적합하게 설치한 경우 유효범위에서 설치가 면제된다)
자동소화장치	자동소화장치(주거용·상업용 주방자동소화장치 제외)를 설치하여야 경우: 물분무등소화설비
옥내소화전설비	소방본부장 또는 소방서장이 옥내소화전설비의 설치가 곤란하다고 인정하는 경우: 호스릴 방식의 미분무소화설비 또는 옥외소화전설비
스프링클러설비	· 전기저장시설: 소방청장이 정하여 고시하는 방법 · 발전시설 중 전기저장시설 제외: 자동소화장치 또는 물분무등소화설비
간이스프링클러설비	스프링클러설비, 물분무소화설비 또는 미분무소화설비
물분무등소화설비	차고·주차장: 스프링클러설비
옥외소화전설비	상수도소화용수설비(방수압력·방수량·옥외소화전함 및 호스의 기준에 적합)

② 경보설비

설치가 면제되는 소방시설	설치면제 기준
비상경보설비	단독경보형 감지기를 2개 이상의 단독경보형 감지기와 연동하여 설치하는 경우
비상경보설비 또는 단독경보형 감지기	자동화재탐지설비 또는 화재알림설비
자동화재탐지설비	자동화재탐지설비의 기능(감지·수신·경보기능)과 성능을 가진 화재알림설비, 스프링클러설비 또는 물분무등소화설비
화재알림설비	자동화재탐지설비
비상방송설비	자동화재탐지설비 또는 비상경보설비와 같은 수준 이상의 음향을 발하는 장치를 부설한 방송설비
자동화재속보설비	화재알림설비
누전경보기	아크경보기 또는 전기 관련 법령에 따른 지락차단장치

소방시설 설치 및 관리에 관한 법률

3

해커스소방 김정희 소방관계법규 기본서

핵심기출

「화재예방, 소방시설 설치·유지 및 안전관리에 관한 법률 시행령」상 유사한 소방시설의 설치 면제의 기준에 대한 설명이다. (   ) 안의 내용으로 옳게 연결된 것은?
18. 경채(10월)

간이스프링클러를 설치하여야 하는 특정소방대상물에 (㉠), (㉡), 또는 미분무소화설비를 화재안전기준에 적합하게 설치한 경우에는 그 설비의 유효 범위에서 설치가 면제된다.

	㉠	㉡
①	스프링클러설비	옥내소화전설비
②	포소화설비	물분무소화설비
③	스프링클러설비	물분무소화설비
④	포소화설비	옥내소화전설비

정답 ③

정희's 톡talk

소화설비	경보설비
자: 물(쇠)	비: 단
내: 호 미 외	경: 자 알
간: 스 물 미	자: 알 스 물
물: 차 스	알: 자
외: 상	방: 자 경
	속: 알

소화활동설비	피난구조설비
송: 내 스 간 살	조 구 통
살: 스 간 물 미	
소: 스 물 미	

핵심기출

소방시설법 시행령상 특정소방대상물의 간이스프링클러설비 설치면제 기준이다. (   ) 안에 들어갈 설비에 해당하지 않는 것은?
24. 공채·경채

간이스프링클러설비를 설치해야 하는 특정소방대상물에 (   ), (   ) 또는 (   )를 화재안전기준에 적합하게 설치한 경우에는 그 설비의 유효범위에서 설치가 면제된다.

① 옥내소화전설비
② 스프링클러설비
③ 물분무소화설비
④ 미분무소화설비

정답 ①

③ 피난구조설비

설치가 면제되는 소방시설	설치면제 기준
피난구조설비	위치·구조 또는 설비의 상황에 따라 피난상 지장이 없다고 인정되는 경우
비상조명등	피난구유도등 또는 통로유도등

④ 소화용수설비

설치가 면제되는 소방시설	설치면제 기준
상수도소화용수 설비	· 특정소방대상물의 각 부분으로부터 수평거리 140미터 이내에 공공의 소방을 위한 소화전 · 소방본부장 또는 소방서장이 상수도소화용수설비의 설치가 곤란하다고 인정하는 경우: 소화수조 또는 저수조가 설치되어 있거나 설치하는 경우

⑤ 소화활동설비

정희's 톡talk

제연설비 – "다음의 어느 하나"*

1. 공기조화설비를 화재안전기준의 제연설비기준에 적합하게 설치하고 공기조화설비가 화재 시 제연설비기능으로 자동전환되는 구조로 설치되어 있는 경우
2. 직접 외부 공기와 통하는 배출구의 면적의 합계가 해당 제연구역 바닥면적의 100분의 1 이상이고, 배출구부터 각 부분까지의 수평거리가 30미터 이내이며, 공기유입구가 설치된 경우

설치가 면제되는 소방시설	설치면제 기준
제연설비	· 제연설비를 설치하여야 하는 특정소방대상물[별표 4 제5호 가목 6)은 제외한다]에 다음의 어느 하나*에 해당하는 설비를 설치한 경우에는 설치가 면제된다. · 별표 4 제5호 가목 6)에 따라 제연설비를 설치하여야 하는 특정소방대상물 중 노대(露臺)와 연결된 특별피난계단, 노대가 설치된 비상용 승강기의 승강장 또는 배연설비가 설치된 피난용 승강기의 승강장에는 설치가 면제된다.
연결송수관설비	· 옥외에 연결송수구 및 옥내에 방수구가 부설된 옥내소화전설비, 스프링클러설비, 간이스프링클러설비 또는 연결살수설비 · 다만, 지표면에서 최상층 방수구의 높이가 70미터 이상인 경우에는 설치하여야 한다.
연결살수설비	· 송수구를 부설한 스프링클러설비, 간이스프링클러설비, 물분무소화설비 또는 미분무소화설비 · 가스 관계 법령에 따라 설치되는 물분무장치 등에 소방대가 사용할 수 있는 연결송수구가 설치되거나 물분무장치 등에 6시간 이상 공급할 수 있는 수원이 확보된 경우
연소방지설비	스프링클러설비, 물분무소화설비 또는 미분무소화설비를 화재안전기준에 적합하게 설치한 경우
무선통신보조설비	이동통신 구내 중계기 선로설비 또는 무선이동중계기 등

🖐 관계법규 유사한 소방시설의 설치 면제의 기준

시행령	
제14조【유사한 소방시설의 설치 면제의 기준】법 제13조 제2항에 따라 소방본부장 또는 소방서장은 특정소방대상물에 설치하	여야 하는 소방시설 가운데 기능과 성능이 유사한 소방시설의 설치를 면제하려는 경우에는 별표 5의 기준에 따른다.

제13조 【소방시설기준 적용의 특례】 ③ 소방본부장이나 소방서장은 기존의 특정소방대상물이 증축되거나 용도변경되는 경우에는 대통령령으로 정하는 바에 따라 증축 또는 용도변경 당시의 소방시설의 설치에 관한 대통령령 또는 화재안전기준을 적용한다.

(1) 증축 또는 용도변경 시 소방시설기준 적용의 특례

기존의 특정소방대상물이 증축되거나 용도변경되는 경우에는 대통령령으로 정하는 바에 따라 증축 또는 용도변경 당시의 소방시설의 설치에 관한 대통령령 또는 화재안전기준을 적용한다.

(2) 증축되는 경우(영 제15조 제1항)

① 원칙: 기존 부분을 포함한 특정소방대상물 전체에 대하여 증축 당시의 대통령령 또는 화재안전기준을 적용한다.

② 기존부분에 대해서 증축 당시의 기준을 적용하지 않는 예외사항

    ㉠ 기존 부분과 증축 부분이 내화구조(耐火構造)로 된 바닥과 벽으로 구획된 경우

    ㉡ 기존 부분과 증축 부분이 60분+ 방화문(자동방화셔터 포함)으로 구획되어 있는 경우

    ㉢ 자동차 생산공장 등 화재 위험이 낮은 특정소방대상물 내부에 연면적 33제곱미터 이하의 직원 휴게실을 증축하는 경우

    ㉣ 자동차 생산공장 등 화재 위험이 낮은 특정소방대상물에 캐노피(기둥으로 받치거나 매달아 놓은 덮개를 말하며, 3면 이상에 벽이 없는 구조의 것을 말한다)를 설치하는 경우

(3) 용도변경되는 경우(영 제15조 제2항)

① 원칙: 특정소방대상물이 용도변경되는 경우 용도변경되는 부분에 대해서만 용도변경 당시의 기준을 적용한다.

② 전체에 대하여 용도변경 전 기준을 적용하는 사항

    ㉠ 특정소방대상물의 구조·설비가 화재연소 확대 요인이 적어지거나 피난 또는 화재진압활동이 쉬워지도록 변경되는 경우

    ㉡ 용도변경으로 인하여 천장·바닥·벽 등에 고정되어 있는 가연성 물질의 양이 줄어드는 경우

✏️ **핵심기출**

「화재예방, 소방시설 설치·유지 및 안전관리에 관한 법률」 시행령」상 특정소방대상물이 증축되는 경우, 원칙적으로 소방시설기준 적용에 관한 설명으로 옳은 것은?

20. 공채(6월)

① 기존 부분을 포함한 특정소방대상물의 전체에 대하여 증축 전 소방시설의 설치에 관한 대통령령 또는 화재안전기준을 적용하여야 한다.

② 기존 부분은 증축 전에 적용되던 소방시설의 설치에 관한 대통령령 또는 화재안전기준을 적용하고 증축 부분은 증축 당시의 소방시설의 설치에 관한 대통령령 또는 화재안전기준을 적용하여야 한다.

③ 증축 부분은 증축 전에 적용되던 소방시설의 설치에 관한 대통령령 또는 화재안전기준을 적용하고 기존 부분은 증축 당시의 소방시설의 설치에 관한 대통령령 또는 화재안전기준을 적용하여야 한다.

④ 기존 부분을 포함한 특정소방대상물의 전체에 대하여 증축 당시의 소방시설의 설치에 관한 대통령령 또는 화재안전기준을 적용하여야 한다.

정답 ④

제13조【소방시설기준 적용의 특례】④ 다음 각 호의 어느 하나에 해당하는 특정소방대상물 가운데 대통령령으로 정하는 특정소방대상물에는 제12조 제1항 전단에도 불구하고 대통령령으로 정하는 소방시설을 설치하지 아니할 수 있다.

1. 화재 위험도가 낮은 특정소방대상물
2. 화재안전기준을 적용하기 어려운 특정소방대상물
3. 화재안전기준을 다르게 적용하여야 하는 특수한 용도 또는 구조를 가진 특정소방대상물
4. 「위험물안전관리법」 제19조에 따른 자체소방대가 설치된 특정소방대상물

⑤ 제4항 각 호의 어느 하나에 해당하는 특정소방대상물에 구조 및 원리 등에서 공법이 특수한 설계로 인정된 소방시설을 설치하는 경우에는 제18조 제1항에 따른 중앙소방기술심의위원회의 심의를 거쳐 제12조 제1항 전단에 따른 화재안전기준을 적용하지 아니할 수 있다.

(1) 소방시설기준 적용의 특례

다음의 어느 하나에 해당하는 특정소방대상물 가운데 대통령령으로 정하는 특정소방대상물에는 대통령령으로 정하는 소방시설을 설치하지 아니할 수 있다.

① 화재 위험도가 낮은 특정소방대상물
② 화재안전기준을 적용하기 어려운 특정소방대상물
③ 화재안전기준을 다르게 적용하여야 하는 특수한 용도 또는 구조를 가진 특정소방대상물
④ 「위험물안전관리법」 제19조에 따른 자체소방대가 설치된 특정소방대상물

(2) 구조 · 원리 등 공법이 특수한 경우

구조 및 원리 등에서 공법이 특수한 설계로 인정된 소방시설을 설치하는 경우에는 중앙소방기술심의위원회의 심의를 거쳐 화재안전기준을 적용하지 않을 수 있다.

(3) 소방시설을 설치하지 아니하는 특정소방대상물의 범위(영 제16조 [별표 7])

① 화재 위험도가 낮은 특정소방대상물 – **석재, 불연성금속, 불연성 건축재료 등의 가공공장 · 기계조립공장 또는 불연성 물품을 저장하는 창고: 옥외소화전 및 연결살수설비**

② 화재안전기준을 적용하기 어려운 특정소방대상물

　㉠ **펄프공장의 작업장, 음료수 공장의 세정 또는 충전 작업장 그 밖에 이와 비슷한 용도로 사용되는 것: 스프링클러설비, 상수도소화용수설비 및 연결살수설비**

　㉡ **정수장, 수영장, 목욕장, 농예 · 축산 · 어류양식용 시설 그 밖에 이와 비슷한 용도로 사용되는 것: 자동화재탐지설비, 상수도소화용수설비 및 연결살수설비**

③ 화재안전기준을 다르게 적용해야 하는 특수한 용도 · 구조의 특정소방대상물 – **원자력발전소 및 중 · 저준위방사성폐기물의 저장시설: 연결송수관설비 및 연결살수설비**

④ 자체소방대가 설치된 특정소방대상물 – **자체소방대에 설치된 제조소등에 부속된 사무실: 옥내소화전설비, 소화용수설비, 연결살수설비 및 연결송수관설비**

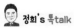

정회's 톡talk

암기법

낮: 외

적: 스 상 / 자 상

알송달: 송

자: 내 용 송 + 연결살수설비

시행령	시행규칙		

시행령	구분	특정소방대상물	소방시설
제16조【소방시설을 설치하지 아니하는 특정소방대상물의 범위】 법 제13조 제4항에 따라 소방시설을 설치하지 아니할 수 있는 특정소방대상물 및 소방시설의 범위는 별표 6과 같다.	1. 【 ① 】가 낮은 특정소방대상물	석재, 불연성금속, 불연성 건축재료 등의 가공공정·기계조립공장·불연성 물품을 저장하는 창고	옥외소화전 및 연결살수설비
	2. 화재안전기준을 적용하기 어려운 특정소방대상물	펄프 공장의 작업장, 음료수 공장의 세정 또는 충전을 하는 작업장	스프링클러설비, 상수도소화용수설비 및 연결살수설비
		정수장, 수영장, 목욕장, 농예·축산·어류양식용 시설	자동화재탐지설비, 상수도소화용수설비 및 연결살수설비
	3. 【 ② 】을 달리 적용하여야 하는 특정소방대상물	원자력발전소, 중·저준위 방사성 폐기물의 저장시설	연결송수관설비 및 연결살수설비
	4. 자체소방대	【 ③ 】에 설치된 제조소등에 부속된 사무실	옥내소화전설비, 소화용수설비, 연결살수설비 및 연결송수관설비

① 화재 위험도 ② 화재안전기준 ③ 자체소방대

제14조【특정소방대상물별로 설치하여야 하는 소방시설의 정비 등】 ① 제12조 제1 항에 따라 대통령령으로 소방시설을 정할 때에는 특정소방대상물의 규모·용도· 수용인원 및 이용자 특성 등을 고려하여야 한다.

② 소방청장은 건축 환경 및 화재위험특성 변화사항을 효과적으로 반영할 수 있도 록 제1항에 따른 소방시설 규정을 3년에 1회 이상 정비하여야 한다.

③ 소방청장은 건축 환경 및 화재위험특성 변화 추세를 체계적으로 연구하여 제2 항에 따른 정비를 위한 개선방안을 마련하여야 한다.

④ 제3항에 따른 연구의 수행 등에 필요한 사항은 행정안전부령으로 정한다.

(1) 특정소방대상물별로 설치하여야 하는 소방시설의 정비

제12조 제1항에 따라 대통령령으로 소방시설을 정할 때에는 특정소방대상물의 규모· 용도·수용인원 및 이용자 특성 등을 고려하여야 한다.

(2) 특정소방대상물의 수용인원 산정

① 숙박시설이 있는 특정소방대상물

㉠ 침대가 있는 숙박시설: 해당 특정소방물의 종사자 수에 침대 수(2인용 침대는 2개로 산정한다)를 합한 수

㉡ 침대가 없는 숙박시설: 해당 특정소방대상물의 종사자 수에 숙박시설 바닥면 적의 합계를 3m²로 나누어 얻은 수를 합한 수

② 숙박시설 외의 특정소방대상물

㉠ 강의실·교무실·상담실·실습실·휴게실 용도로 쓰이는 특정소방대상물: 해당 용도로 사용하는 바닥면적의 합계를 1.9m²로 나누어 얻은 수

㉡ 강당, 문화 및 집회시설, 운동시설, 종교시설: 해당 용도로 사용하는 바닥면적 의 합계를 4.6m²로 나누어 얻은 수(관람석이 있는 경우 고정식 의자를 설치 한 부분은 그 부분의 의자 수로 하고, 긴 의자의 경우에는 의자의 정면너비 를 0.45m로 나누어 얻은 수로 한다)

㉢ 그 밖의 특정소방대상물: 해당 용도로 사용하는 바닥면적의 합계를 3m²로 나 누어 얻은 수

③ 비고

㉠ 위 내용에서 바닥면적을 산정할 때에는 복도(「건축법 시행령」 제2조 제11호 에 따른 준불연재료 이상의 것을 사용하여 바닥에서 천장까지 벽으로 구획한 것을 말한다), 계단 및 화장실의 바닥면적을 포함하지 않는다.

㉡ 계산 결과 소수점 이하의 수는 반올림한다.

(3) 정비 주기

소방청장은 건축 환경 및 화재위험특성 변화사항을 효과적으로 반영할 수 있도 록 소방시설 규정을 3년에 1회 이상 정비하여야 한다.

✎ **핵심기출**

특정소방대상물의 바닥면적이 다음과 같을 때 소방시설법 시행령에 따른 수용인원은 총 몇 명인가? (단, 바닥면적을 산정할 때에 는 복도, 계단 및 화장실을 포함하지 않으며, 계산 결과 소수점 이하의 수는 반올림한다)

23. 공채·경채

· 관람석이 없는 강당 1개, 바닥면적 460m²
· 강의실 10개, 각 바닥면적 57m²
· 휴게실 1개, 바닥면적 38m²

① 380   ② 400
③ 420   ④ 440

정답 ③

(4) 개선방안

소방청장은 건축 환경 및 화재위험특성 변화 추세를 체계적으로 연구하여 정비를 위한 개선방안을 마련하여야 한다.

(5) 위임규정

연구의 수행 등에 필요한 사항은 행정안전부령으로 정한다.

관계법규 수용인원 산정 및 소방시설 규정 정비 연구 수행

시행령	시행규칙
제17조【특정소방대상물의 수용인원 산정】 법 제14조 제1항에 따른 특정소방대상물의 수용인원은 별표 7에 따라 산정한다. **[별표 7] 수용인원의 산정 방법(제15조 관련)** 1. 숙박시설이 있는 특정소방대상물 　가. 침대(○): 종사자 수 + 침대 수(2인용 침대 2개) 　나. 침대(×): 종사자 수 + $\dfrac{\text{바닥면적 합계}}{3m^2}$ 2. 숙박시설이 없는 특정소방대상물 　가. 강의실·교무실·상담실·실습실·휴게실: $\dfrac{\text{바닥면적 합계}}{1.9m^2}$ 　나. 강당·문화·집회시설·운동시설·종교시설: $\dfrac{\text{바닥면적 합계}}{4.6m^2}$ 　　• 관람석이 있는 경우 고정식 의자 ⇨ 의자 수 　　• 긴 의자 ⇨ $\dfrac{\text{의자의 정면너비}}{0.45m}$ 　다. 그 밖의 특정소방대상물: $\dfrac{\text{바닥면적 합계}}{3m^2}$ ▶ 비고 1. 바닥면적 산정기준: 복도(준불연재료 이상의 것을 사용하여 바닥에서 천장까지 벽으로 구획), 계단 및 화장실의 바닥면적을 포함하지 않는다. 2. 계산 결과 소수점 이하의 수는 반올림한다.	**제18조【소방시설 규정 정비 연구 수행】** ① 소방청장은 법 제14조 제4항에 따라 소방시설 규정 정비를 위한 연구를 수행하여 개선방안을 마련하여야 한다. ② 제1항에 따른 연구의 과제는 다음 각 호의 구분에 따른다. 1. 공모과제: 공모에 의하여 심의·선정된 과제 2. 지정과제: 소방청장이 필요하다고 인정하여 발굴·기획하고, 주관 연구기관과 주관 연구책임자를 지정하는 과제 ③ 그 밖에 연구 수행 등에 필요한 사항은 소방청장이 정한다. **✏️ 핵심기출** **01** 소방시설법상 특정소방대상물의 수용인원 산정방법에 대한 내용으로 옳지 않은 것은?　17. 중앙통합 　① 바닥면적을 산정할 때에는 복도, 계단 및 화장실의 바닥면적을 포함한다. 　② 교무실·실습실·휴게실 용도로 쓰이는 특정소방대상물: 바닥면적의 합계를 1.9m²로 나누어 얻은 수 　③ 계산결과는 소수점 이하의 수는 반올림한다. 　④ 운동시설, 종교시설: 바닥면적의 합계를 4.6m²로 나누어 얻은 수 　　　　　　　　　　　　　　　　　　정답 ① **02** 「화재예방, 소방시설 설치·유지 및 안전관리에 관한 법률 시행령」상 수용인원 산정방법으로 옳지 않은 것은?　19. 공채(4월) 　① 침대가 있는 숙박시설은 해당 특정소방물 종사자 수에 침대 수(2인용 침대는 2개로 산정)를 합한 수로 한다. 　② 침대가 없는 숙박시설은 해당 특정소방대상물의 종사자 수에 바닥면적의 합계를 3m²로 나누어 얻은 수를 합한 수로 한다. 　③ 강의실 용도로 쓰이는 특정소방대상물은 해당 용도로 사용하는 바닥면적의 합계를 1.9m²로 나누어 얻은 수로 한다. 　④ 문화 및 집회시설은 해당 용도로 사용하는 바닥면적의 합계를 3m²로 나누어 얻은 수로 한다. 　　　　　　　　　　　　　　　　　　정답 ④

제15조 【건설현장의 임시소방시설 설치 및 관리】 ① 「건설산업기본법」 제2조 제4호에 따른 건설공사를 하는 자(이하 "공사시공자"라 한다)는 특정소방대상물의 신축·증축·개축·재축·이전·용도변경·대수선 또는 설비 설치 등을 위한 공사 현장에서 인화성(引火性) 물품을 취급하는 작업 등 대통령령으로 정하는 작업(이하 "화재위험작업"이라 한다)을 하기 전에 설치 및 철거가 쉬운 화재대비시설(이하 "임시소방시설"이라 한다)을 설치하고 관리하여야 한다.

② 제1항에도 불구하고 소방시설공사업자가 화재위험작업 현장에 소방시설 중 임시소방시설과 기능 및 성능이 유사한 것으로서 대통령령으로 정하는 소방시설을 화재안전기준에 맞게 설치 및 관리하고 있는 경우에는 공사시공자가 임시소방시설을 설치하고 관리한 것으로 본다.

③ 소방본부장 또는 소방서장은 제1항이나 제2항에 따라 임시소방시설 또는 소방시설이 설치 및 관리되지 아니할 때에는 해당 공사시공자에게 필요한 조치를 명할 수 있다.

④ 제1항에 따라 임시소방시설을 설치하여야 하는 공사의 종류와 규모, 임시소방시설의 종류 등에 필요한 사항은 대통령령으로 정하고, 임시소방시설의 설치 및 관리기준은 소방청장이 정하여 고시한다.

(1) 임시소방시설의 유지·관리

공사시공자는 화재위험작업을 하기 전에 설치 및 철거가 쉬운 임시소방시설을 설치하고 유지·관리하여야 한다.

① 공사시공자: 「건설산업기본법」 제2조 제4호에 따른 건설공사를 하는 자

② 화재위험작업: 공사현장에서 인화성 물품을 취급하는 작업 등 대통령령으로 정하는 작업

③ 임시소방시설: 화재위험작업 전에 설치 및 철거가 쉬운 화재대비시설

④ 과태료 - 300만원 이하의 과태료(제61조): 제15조 제1항을 위반하여 공사 현장에 임시소방시설을 설치·관리하지 아니한 자

(2) 설치면제

소방시설공사업자가 화재위험작업 현장에 소방시설 중 임시소방시설과 기능 및 성능이 유사한 것으로서 대통령령으로 정하는 소방시설을 화재안전기준에 맞게 설치 및 관리하고 있는 경우에는 공사시공자가 임시소방시설을 설치하고 관리한 것으로 본다.

(3) 조치명령 및 위임사항

① 소방본부장 또는 소방서장은 임시소방시설 또는 소방시설이 설치 및 관리되지 아니할 때에는 해당 공사시공자에게 필요한 조치를 명할 수 있다.

② 벌칙 - 3년 이하의 징역 또는 3천만원 이하의 벌금(제57조): 제15조 제3항에 따른 명령을 정당한 사유 없이 위반한 자

정희's 톡talk

위임규정

1. 임시소방시설의 설치 대상 공사의 종류와 규모, 임시소방시설의 종류는 대통령령으로 정함
2. 임시소방시설의 설치 및 유지·관리기준은 소방청장이 정하여 고시

시행령 제18조【화재위험작업 및 임시소방시설등】 ① 법 제15조 제1항에서 "인화성 (引火性) 물품을 취급하는 작업 등 대통령령으로 정하는 작업"이란 다음 각 호의 어느 하나에 해당하는 작업을 말한다.

1. 인화성 · 가연성 · 폭발성 물질을 취급하거나 가연성 가스를 발생시키는 작업
2. 용접 · 용단(금속 · 유리 · 플라스틱 따위를 녹여서 절단하는 일을 말한다) 등 불꽃을 발생시키거나 화기(火氣)를 취급하는 작업
3. 전열기구, 가열전선 등 열을 발생시키는 기구를 취급하는 작업
4. 알루미늄, 마그네슘 등을 취급하여 폭발성 부유분진(공기 중에 떠다니는 미세한 입자를 말한다)을 발생시킬 수 있는 작업
5. 그 밖에 제1호부터 제4호까지와 비슷한 작업으로 소방청장이 정하여 고시하는 작업

② 법 제15조 제1항에 따른 임시소방시설(이하 "임시소방시설"이라 한다)의 종류와 임시소방시설을 설치해야 하는 공사의 종류 및 규모는 별표 8 제1호 및 제2호와 같다.

③ 법 제15조 제2항에 따른 임시소방시설과 기능 및 성능이 유사한 소방시설은 별표 8 제3호와 같다.

(1) 화재위험작업

① 인화성 · 가연성 · 폭발성 물질을 취급하거나 가연성 가스를 발생시키는 작업
② 용접 · 용단(금속 · 유리 · 플라스틱 따위를 녹여서 절단하는 일을 말한다) 등 불꽃을 발생시키거나 화기(火氣)를 취급하는 작업
③ 전열기구, 가열전선 등 열을 발생시키는 기구를 취급하는 작업
④ 알루미늄, 마그네슘 등을 취급하여 폭발성 부유분진(공기 중에 떠다니는 미세한 입자를 말한다)을 발생시킬 수 있는 작업
⑤ 그 밖에 ①부터 ④까지와 비슷한 작업으로 소방청장이 정하여 고시하는 작업

(2) 임시소방시설의 종류(영 [별표 8])

① 소화기
② 간이소화장치: 물을 방사(放射)하여 화재를 진화할 수 있는 장치로서 소방청장이 정하는 성능을 갖추고 있을 것
③ 비상경보장치: 화재가 발생한 경우 주변에 있는 작업자에게 화재사실을 알릴 수 있는 장치로서 소방청장이 정하는 성능을 갖추고 있을 것
④ 가스누설경보기: 가연성 가스가 누설되거나 발생된 경우 이를 탐지하여 경보하는 장치로서 소방청장이 실시하는 형식승인 및 제품검사를 받은 것
⑤ 간이피난유도선: 화재가 발생한 경우 피난구 방향을 안내할 수 있는 장치로서 소방청장이 정하는 성능을 갖추고 있을 것
⑥ 비상조명등: 화재발생 시 안전하고 원활한 피난활동을 할 수 있도록 자동 점등되는 조명장치로서 소방청장이 정하는 성능을 갖추고 있을 것
⑦ 방화포: 용접 · 용단 등 작업 시 발생하는 불티로부터 가연물이 점화되는 것을 방지해주는 천 또는 불연성 물품으로서 소방청장이 정하는 성능을 갖추고 있을 것

01 소방시설법상 임시소방시설에 해당하지 않는 것은?　　18. 중앙통합

① 간이소화장치
② 스프링클러설비
③ 비상경보장치
④ 간이피난유도선

정답 ②

02 「화재예방, 소방시설 설치·유지 및 안전관리에 관한 법률 시행령」상 건축허가등의 동의대상물 중 화재위험작업 공사현장에 설치하여야 하는 임시소방시설의 종류와 설치기준으로 옳지 않은 것은?　　18. 경채(10월)

① 가연성 가스를 발생시키는 화재위험작업현장에는 소화기를 설치하여야 한다.
② 바닥면적 150제곱미터 이상의 지하층 또는 무창층의 화재위험 작업현장에는 간이소화장치를 설치하여야 한다.
③ 바닥면적 150제곱미터 이상의 지하층 또는 무창층의 화재위험 작업현장에는 비상경보장치를 설치하여야 한다.
④ 바닥면적 150제곱미터 이상의 지하층 또는 무창층의 화재위험 작업현장에는 간이피난유도선을 설치하여야 한다.

정답 ②

03 연면적 2,500제곱미터인 신축공사 작업현장의 바닥면적 200제곱미터인 지하층에서 용접작업을 하려고 한다. 「화재예방, 소방시설 설치·유지 및 안전관리에 관한 법률 시행령」상 해당 작업 현장에 설치하여야 할 임시소방시설로 옳지 않은 것은?　　20. 경채(6월)

① 소화기
② 간이소화장치
③ 비상경보장치
④ 간이피난유도선

정답 ②

(3) 임시소방시설 설치 대상 공사의 종류와 규모(영 [별표 8])

종류	임시소방시설 설치 대상 공사의 종류와 규모
소화기	건축허가등을 할 때 소방본부장 또는 소방서장의 동의를 받아야 하는 특정소방대상물의 건축·대수선·용도변경 또는 설치 등을 위한 공사 중 화재위험작업 현장에 설치
간이소화장치	· 연면적 3천제곱미터 이상 · 지하층, 무창층 또는 4층 이상의 층. 이 경우 해당 층 바닥면적 600제곱미터 이상
비상경보장치	· 연면적 400제곱미터 이상 · 지하층·무창층. 이 경우 해당 층 바닥면적 150제곱미터 이상
가스누설경보기	바닥면적 150제곱미터 이상 지하층·무창층
간이피난유도선	바닥면적 150제곱미터 이상 지하층·무창층
비상조명등	바닥면적 150제곱미터 이상 지하층·무창층
방화포	용접·용단 작업이 진행되는 화재위험 작업현장

(4) 임시소방시설과 기능 및 성능이 유사한 소방시설로서 임시소방시설을 설치한 것으로 보는 소방시설(영 [별표 8])

종류	임시소방시설 설치를 면제할 수 있는 소방시설
간이소화장치	소방청장이 정하여 고시하는 기준에 맞는 소화기(연결송수관설비의 방수구 인근에 설치한 경우로 한정한다) 또는 옥내소화전설비
비상경보장치	비상방송설비 또는 자동화재탐지설비
간이피난유도선	피난유도선, 피난구유도등, 통로유도등 또는 비상조명등

참고 임시소방시설 종류 추가 및 설치기준 마련(영 [별표 8])

1. 제·개정 이유
건설현장에 임시소방시설을 설치하여야 하는 공사의 종류와 설치기준강화를 통해 건설현장의 화재안전성을 확보하기 위함이다.

2. 제·개정 내용
· 건설현장에 설치하는 임시소방시설의 종류를 확대*
　* (현행) 소화기, 간이소화장치, 비상경보설비, 간이피난유도선 → (개정안) 4개＋가스누설경보기, 비상조명등, 방화포
· 임시소방시설을 설치하여야 하는 공사의 종류와 규모 기준 정비

3. 입법효과
건설현장에서의 임시소방시설 설치·관리를 통해 화재 발생 및 화재피해 위험성이 높은 건설현장에서의 화재안전관리를 강화하였다.

시행령 [별표 8]

1. 임시소방시설의 종류

   가. 소화기

   나. 간이소화장치: 물을 방사(放射)하여 화재를 진화할 수 있는 장치로서 소방청장이 정하는 성능을 갖추고 있을 것

   다. 비상경보장치: 화재가 발생한 경우 주변에 있는 작업자에게 화재사실을 알릴 수 있는 장치로서 소방청장이 정하는 성능을 갖추고 있을 것

   라. 가스누설경보기: 가연성 가스가 누설되거나 발생된 경우 이를 탐지하여 경보하는 장치로서 법 제37조에 따른 형식승인 및 제품검사를 받은 것

   마. 간이피난유도선: 화재가 발생한 경우 피난구 방향을 안내할 수 있는 장치로서 소방청장이 정하는 성능을 갖추고 있을 것

   바. 비상조명등: 화재가 발생한 경우 안전하고 원활한 피난활동을 할 수 있도록 자동 점등되는 조명장치로서 소방청장이 정하는 성능을 갖추고 있을 것

   사. 방화포: 용접·용단 등의 작업 시 발생하는 불티로부터 가연물이 점화되는 것을 방지해주는 천 또는 불연성 물품으로서 소방청장이 정하는 성능을 갖추고 있을 것

2. 임시소방시설을 설치해야 하는 공사의 종류와 규모

   가. 소화기: 법 제6조 제1항에 따라 소방본부장 또는 소방서장의 동의를 받아야 하는 특정소방대상물의 신축·증축·개축·재축·이전·용도변경 또는 대수선 등을 위한 공사 중 법 제15조 제1항에 따른 화재위험작업의 현장(이하 이 표에서 "화재위험작업현장"이라 한다)에 설치한다.

   나. 간이소화장치: 다음의 어느 하나에 해당하는 공사의 화재위험작업현장에 설치한다.

   1) 연면적 3천m² 이상

   2) 지하층, 무창층 또는 4층 이상의 층. 이 경우 해당 층의 바닥면적이 600m² 이상인 경우만 해당한다.

   다. 비상경보장치: 다음의 어느 하나에 해당하는 공사의 화재위험작업현장에 설치한다.

   1) 연면적 400m² 이상

   2) 지하층 또는 무창층. 이 경우 해당 층의 바닥면적이 150m² 이상인 경우만 해당한다.

   라. 가스누설경보기: 바닥면적이 150m² 이상인 지하층 또는 무창층의 화재위험작업현장에 설치한다.

   마. 간이피난유도선: 바닥면적이 150m² 이상인 지하층 또는 무창층의 화재위험작업현장에 설치한다.

   바. 비상조명등: 바닥면적이 150m² 이상인 지하층 또는 무창층의 화재위험작업현장에 설치한다.

   사. 방화포: 용접·용단 작업이 진행되는 화재위험작업현장에 설치한다.

3. 임시소방시설과 기능 및 성능이 유사한 소방시설로서 임시소방시설을 설치한 것으로 보는 소방시설

   가. 간이소화장치를 설치한 것으로 보는 소방시설: 소방청장이 정하여 고시하는 기준에 맞는 소화기(연결송수관설비의 방수구 인근에 설치한 경우로 한정한다) 또는 옥내소화전설비

   나. 비상경보장치를 설치한 것으로 보는 소방시설: 비상방송설비 또는 자동화재탐지설비

   다. 간이피난유도선을 설치한 것으로 보는 소방시설: 피난유도선, 피난구유도등, 통로유도등 또는 비상조명등

제16조【피난시설, 방화구획 및 방화시설의 관리】 ① 특정소방대상물의 관계인은 「건축법」 제49조에 따른 피난시설, 방화구획 및 방화시설에 대하여 정당한 사유가 없는 한 다음 각 호의 행위를 하여서는 아니 된다.

1. 피난시설, 방화구획 및 방화시설을 폐쇄하거나 훼손하는 등의 행위
2. 피난시설, 방화구획 및 방화시설의 주위에 물건을 쌓아두거나 장애물을 설치하는 행위
3. 피난시설, 방화구획 및 방화시설의 용도에 장애를 주거나 「소방기본법」 제16조에 따른 소방활동에 지장을 주는 행위
4. 그 밖에 피난시설, 방화구획 및 방화시설을 변경하는 행위

② 소방본부장이나 소방서장은 특정소방대상물의 관계인이 제1항 각 호의 어느 하나에 해당하는 행위를 한 경우에는 피난시설, 방화구획 및 방화시설의 관리를 위하여 필요한 조치를 명할 수 있다.

(1) 관계인의 피난시설, 방화구획 및 방화시설에 대한 금지행위

① 폐쇄하거나 훼손하는 등의 행위

② 주위에 물건을 쌓아두거나 장애물을 설치하는 행위

③ 용도에 지장을 주거나 소방활동에 지장을 주는 행위

④ 그 밖에 피난시설, 방화구획 및 방화시설물 변경하는 행위

⑤ 과태료 - 300만원 이하의 과태료(제61조): 제16조 제1항을 위반하여 피난시설, 방화구획 또는 방화시설의 폐쇄·훼손·변경 등의 행위를 한 자

(2) 조치명령

① 소방본부장과 소방서장은 피난시설, 방화구획 및 방화시설의 유지·관리에 필요한 조치명령을 할 수 있다.

② 벌칙 - 3년 이하의 징역 또는 3천만원 이하의 벌금(제57조): 제16조 제2항에 따른 명령을 정당한 사유 없이 위반한 자

6 소방용품의 내용연수 등   B

제17조【소방용품의 내용연수 등】 ① 특정소방대상물의 관계인은 내용연수가 경과한 소방용품을 교체하여야 한다. 이 경우 내용연수를 설정하여야 하는 소방용품의 종류 및 그 내용연수 연한에 필요한 사항은 대통령령으로 정한다.

② 제1항에도 불구하고 행정안전부령으로 정하는 절차 및 방법 등에 따라 소방용품의 성능을 확인받은 경우에는 그 사용기한을 연장할 수 있다.

(1) 소방용품의 교체

① 특정소방대상물의 관계인은 내용연수가 경과한 소방용품을 교체해야 한다.

② 종류 및 내용연수(영 제15조의4)

㉠ 내용연수 설정 소방용품의 종류: 분말형태의 소화약제를 사용하는 소화기

㉡ 소방용품의 내용연수: 10년

(2) 사용기한의 연장

행정안전부령으로 정하는 절차 및 방법에 따라 소방용품의 성능을 확인받은 경우 사용기한을 연장할 수 있다. ⇨ 「소방용품의 품질관리 등에 관한 규칙」

🖋 핵심기출

01 소방시설법 및 같은 법 시행령상 내용연수 설정대상 소방용품에 관한 설명이다. ( ) 안에 들어갈 내용으로 옳은 것은?

24. 경채

> 특정소방대상물의 관계인은 내용연수가 경과한 소방용품을 교체해야 한다. 이 경우 내용연수를 설정해야 하는 소방용품은 (ㄱ)를 사용하는 소화기로 하며, 내용연수는 (ㄴ)년으로 한다.

	ㄱ	ㄴ
①	분말형태의 소화약제	10
②	강화액 소화약제	10
③	분말형태의 소화약제	7
④	강화액 소화약제	7

정답 ①

02 「화재예방, 소방시설 설치·유지 및 안전관리에 관한 법률 시행령」상 소방용품인 분말형태의 소화약제를 사용하는 사용하는 소화기의 내용연수로 옳은 것은?

18. 공채(10월)

① 10년   ② 15년
③ 20년   ④ 25년

정답 ①

👆 관계법규   내용연수 설정 대상 소방용품

시행령	NOTE
제19조【내용연수 설정 대상 소방용품】 ① 법 제17조 제1항 후단에 따라 내용연수를 설정하여야 하는 소방용품은 【 ① 】의 소화약제를 사용하는 소화기로 한다. ② 제1항에 따른 소방용품의 내용연수는 【 ② 】으로 한다.	
① 분말형태 ② 10년	

제18조【소방기술심의위원회】 ① 다음 각 호의 사항을 심의하기 위하여 소방청에 중앙소방기술심의위원회(이하 "중앙위원회"라 한다)를 둔다.

1. 화재안전기준에 관한 사항
2. 소방시설의 구조 및 원리 등에서 공법이 특수한 설계 및 시공에 관한 사항
3. 소방시설의 설계 및 공사감리의 방법에 관한 사항
4. 소방시설공사의 하자를 판단하는 기준에 관한 사항
5. 제8조 제5항 단서에 따라 신기술·신공법 등 검토·평가에 고도의 기술이 필요한 경우로서 중앙위원회에 심의를 요청한 사항
6. 그 밖에 소방기술 등에 관하여 대통령령으로 정하는 사항

② 다음 각 호의 사항을 심의하기 위하여 시·도에 지방소방기술심의위원회(이하 "지방위원회"라 한다)를 둔다.

1. 소방시설에 하자가 있는지의 판단에 관한 사항
2. 그 밖에 소방기술 등에 관하여 대통령령으로 정하는 사항

(1) 중앙소방기술심의위원회

① 설치기관: 소방청

② 심의사항

㉠ 화재안전기준에 관한 사항

㉡ 소방시설의 구조 및 원리 등에서 공법이 특수한 설계 및 시공에 관한 사항

㉢ 소방시설의 설계 및 공사감리의 방법에 관한 사항

㉣ 소방시설공사의 하자를 판단하는 기준에 관한 사항

㉤ 제8조 제5항 단서에 따라 신기술·신공법 등 검토·평가에 고도의 기술이 필요한 경우로서 중앙위원회에 심의를 요청한 사항

㉥ 소방기술 등에 관하여 대통령령으로 정하는 사항(영 제19조)

ⓐ 연면적 10만제곱미터 이상의 특정소방대상물에 설치된 소방시설의 설계·시공·감리의 하자 유무에 관한 사항

ⓑ 새로운 소방시설과 소방용품 등의 도입 여부에 관한 사항

ⓒ 소방기술과 관련하여 소방청장이 심의에 부치는 사항

(2) 지방소방기술심의위원회

① 설치기관: 시·도

② 심의사항

㉠ 소방시설에 하자가 있는지의 판단에 관한 사항

㉡ 소방기술 등에 관하여 대통령령으로 정하는 사항(영 제19조)

ⓐ 연면적 10만제곱미터 미만의 특정소방대상물에 설치된 소방시설의 설계·시공·감리의 하자 유무에 관한 사항

ⓑ 소방본부장 또는 소방서장이 화재안전기준 또는 위험물 제조소등의 시설기준의 적용에 관하여 기술검토를 요청하는 사항

ⓒ 소방기술과 관련하여 시·도지사가 심의에 부치는 사항

핵심기출

01 소방시설법상 중앙소방기술심의위원회의 심의사항으로 옳지 않은 것은?
23. 공채·경채

① 화재안전기준에 관한 사항
② 소방시설에 하자가 있는지의 판단에 관한 사항
③ 소방시설의 설계 및 공사감리의 방법에 관한 사항
④ 소방시설의 구조 및 원리 등에서 공법이 특수한 설계 및 시공에 관한 사항
정답 ②

02 「화재예방, 소방시설 설치·유지 및 안전관리에 관한 법률」 및 같은 법 시행령상 중앙소방기술심의위원회의 심의사항에 관한 내용 중 옳지 않은 것은?
18. 경채(10월)

① 화재안전기준, 공법이 특수한 설계 및 시공에 관한 사항
② 소방시설공사의 하자를 판단하는 기준에 관한 사항
③ 연면적 10만제곱미터 이상의 특정소방대상물에 설치된 소방시설의 설계·시공·감리의 하자 유무에 관한 사항
④ 소방본부장 또는 소방서장이 심의에 부치는 사항
정답 ④

📖 **SUMMARY** 소방기술심의위원회의 비교

구분	중앙위원회	지방위원회
설치기관	소방청	시·도
위원회 구성	· 위원장 포함 60명 이내(성별 고려하여 구성) · 회의: 위원장과 6명 이상 12명 이하 위원으로 구성	위원장 포함 5~9명 위원으로 구성
심의사항 (법)	· 화재안전기준 · 소방시설 - 공법이 특수한 설계·시공 · 소방시설 설계 및 공사감리 방법 · 소방시설공사의 하자 판단 기준 · 신기술·신공법 등 검토·평가에 고도의 기술이 필요한 경우 중앙위원회 심의요청한 경우	소방시설에 하자가 있는지의 판단
심의사항 (시행령)	· 연면적 10만제곱미터 이상 - 소방시설 설계·시공·감리의 하자 유무 · 새로운 소방시설과 소방용품 등의 도입 · 소방청장이 심의에 부치는 사항	· 연면적 10만제곱미터 미만 - 소방시설 설계·시공·감리의 하자 유무 · 소·본·소·서 - 시설기준 검토 요청사항 · 시·도지사가 심의에 부치는 사항

👆 **관계법규** 소방기술심의위원회의 심의사항

시행령	시행규칙
제20조【소방기술심의위원회의 심의사항】① 법 제18조 제1항 제6호에서 "대통령령으로 정하는 사항"이란 다음 각 호의 사항을 말한다. 1. 연면적 10만제곱미터 이상의 특정소방대상물에 설치된 소방시설의 설계·시공·감리의 하자 유무에 관한 사항 2. 새로운 소방시설과 소방용품 등의 도입 여부에 관한 사항 3. 그 밖에 소방기술과 관련하여【①】이 심의에 부치는 사항 ② 법 제18조 제2항 제2호에서 "대통령령으로 정하는 사항"이란 다음 각 호의 사항을 말한다. 1. 연면적 10만제곱미터 미만의 특정소방대상물에 설치된 소방시설의 설계·시공·감리의 하자 유무에 관한 사항 2. 소방본부장 또는 소방서장이 화재안전기준 또는 위험물 제조소등(「위험물안전관리법」 제2조 제1항 제6호에 따른 제조소등을 말한다. 이하 같다)의 시설기준의 적용에 관하여 기술검토를 요청하는 사항 3. 그 밖에 소방기술과 관련하여【②】가 심의에 부치는 사항	「소방용품의 품질관리 등에 관한 규칙」 제2조의2【소방용품의 성능확인 절차 및 방법 등】① 특정소방대상물의 관계인은 … 내용연수가 경과한 소방용품에 대하여 사용기간은 연장하려는 경우에는 … 소방청장에게 제출하여야 한다. ✏️ **핵심 기출** 「화재예방, 소방시설 설치·유지 및 안전관리에 관한 법률」 및 같은 법 시행령상 지방소방기술심의위원회의 심의사항으로 옳은 것은? 19. 경채(4월) ① 화재안전기준에 관한 사항 ② 소방시설의 구조 및 원리 등에서 공법이 특수한 설계 및 시공에 관한 사항 ③ 소방시설의 설계 및 공사감리의 방법에 관한 사항 ④ 연면적 10만제곱미터 미만의 특정소방대상물에 설치된 소방시설의 설계·시공·감리의 하자 유무에 관한 사항 정답 ④
① 소방청장 ② 시·도지사	

제18조【소방기술심의위원회】③ 중앙위원회 및 지방위원회의 구성·운영 등에 필요한 사항은 대통령령으로 정한다.

(1) 위임규정

중앙위원회 및 지방위원회의 구성·운영 등에 필요한 사항은 대통령령으로 정한다.

(2) 소방기술심의위원회의 구성 등(영 제20조)

① 중앙위원회

    ㉠ 위원장을 포함한 60명 이내의 위원으로 성별을 고려하여 구성한다.

    ㉡ 중앙위원회의 회의는 위원장과 위원장이 회의마다 지정하는 6명 이상 12명 이하의 위원으로 구성한다.

    ㉢ 중앙위원회는 분야별 소위원회를 구성·운영할 수 있다.

② **지방위원회**: 위원장을 포함하여 **5명 이상 9명 이하**의 위원으로 구성한다.

(3) 위원의 임명·위촉(영 제21조)

① 중앙위원회의 위원은 과장급 직위 이상의 소방공무원과 다음의 어느 하나에 해당하는 사람 중에서 **소방청장**이 임명하거나 성별을 고려하여 위촉한다.

    ㉠ 소방기술사

    ㉡ 석사 이상의 소방 관련 학위를 소지한 사람

    ㉢ 소방시설관리사

    ㉣ 소방 관련 법인·단체에서 소방 관련 업무에 5년 이상 종사한 사람

    ㉤ 소방공무원 교육기관, 대학교 또는 연구소에서 소방과 관련된 교육이나 연구에 5년 이상 종사한 사람

② 지방위원회의 위원은 해당 시·도 소속 소방공무원과 ①의 어느 하나에 해당하는 사람 중에서 시·도지사가 임명하거나 성별을 고려하여 위촉한다.

③ 위촉권자

    ㉠ **중앙위원회의 위원장**: 소방청장이 해당 위원 중에서 위촉

    ㉡ **지방위원회의 위원장**: 시·도지사가 해당 위원 중에서 위촉

④ **위촉위원의 임기**: 중앙위원회 및 지방위원회의 위원 중 위촉위원의 임기는 2년으로 하되, **한 차례만 연임**할 수 있다.

시행령

제21조【소방기술심의위원회의 구성 등】 ① 법 제18조 제1항에 따른 중앙소방기술심의위원회(이하 "중앙위원회"라 한다)는 위원장을 포함하여【 ① 】 이내의 위원으로 성별을 고려하여 구성한다.

② 법 제18조 제2항에 따른 지방소방기술심의위원회(이하 "지방위원회"라 한다)는 위원장을 포함하여 5명 이상 9명 이하의 위원으로 구성한다.

③ 중앙위원회의 회의는 위원장과 위원장이 회의마다 지정하는 6명 이상 12명 이하의 위원으로 구성한다.

④ 중앙위원회는 분야별 소위원회를 구성 · 운영할 수 있다.

제22조【위원의 임명 · 위촉】 ① 중앙위원회의 위원은 과장급 직위 이상의 소방공무원과 다음 각 호의 어느 하나에 해당하는 사람 중에서 소방청장이 임명하거나 성별을 고려하여 위촉한다.

1. 소방기술사
2.【 ② 】 이상의 소방 관련 학위를 소지한 사람
3. 소방시설관리사
4. 소방 관련 법인 · 단체에서 소방 관련 업무에 5년 이상 종사한 사람
5. 소방공무원 교육기관, 대학교 또는 연구소에서 소방과 관련된 교육이나 연구에 5년 이상 종사한 사람

② 지방위원회의 위원은 해당 시 · 도 소속 소방공무원과 제1항 각 호의 어느 하나에 해당하는 사람 중에서 시 · 도지사가 임명하거나 성별을 고려하여 위촉한다.

③ 중앙위원회의 위원장은 소방청장이 해당 위원 중에서 위촉하고, 지방위원회의 위원장은 시 · 도지사가 해당 위원 중에서 위촉한다.

④ 중앙위원회 및 지방위원회의 위원 중 위촉위원의 임기는 2년으로 하되, 한 차례만 연임할 수 있다.

제23조【위원장 및 위원의 직무】 ① 중앙위원회 및 지방위원회(이하 "위원회"라 한다)의 각 위원장(이하 "위원장"이라 한다)은 각각 위원회의 회의를 소집하고 그 의장이 된다.

② 위원장이 부득이한 사유로 직무를 수행할 수 없을 때에는 위원장이 지정한 위원이 그 직무를 대리한다.

제24조【위원의 제척 · 기피 · 회피】 ① 위원회의 위원(이하 "위원"이라 한다)이 다음 각 호의 어느 하나에 해당하는 경우에는 위원회의 심의 · 의결에서 제척(除斥)된다.

1. 위원 또는 그 배우자나 배우자였던 사람이 해당 안건의 당사자(당사자가 법인 · 단체 등인 경우에는 그 임원을 포함한다. 이하 이 호 및 제2호에서 같다)가 되거나 그 안건의 당사자와 공동권리자 또는 공동의무자인 경우
2. 위원이 해당 안건의 당사자와 친족인 경우
3. 위원이 해당 안건에 관하여 증언, 진술, 자문, 연구, 용역 또는 감정을 한 경우
4. 위원이나 위원이 속한 법인 · 단체 등이 해당 안건의 당사자의 대리인이거나 대리인이었던 경우

② 당사자는 제1항에 따른 제척사유가 있거나 위원에게 공정한 심의 · 의결을 기대하기 어려운 사정이 있는 경우에는 위원회에 기피신청을 할 수 있고, 위원회는 의결로 기피 여부를 결정한다. 이 경우 기피신청의 대상인 위원은 그 의결에 참여하지 못한다.

③ 위원이 제1항 또는 제2항의 사유에 해당하는 경우에는 스스로 해당 안건의 심의 · 의결에서 회피(回避)해야 한다.

제25조【위원의 해임 · 해촉】 소방청장 또는 시 · 도지사는 위원이 다음 각 호의 어느 하나에 해당하는 경우에는 해당 위원을 해임하거나 해촉(解囑)할 수 있다.

1. 심신장애로 직무를 수행할 수 없게 된 경우
2. 직무와 관련된 비위사실이 있는 경우
3. 직무태만, 품위손상이나 그 밖의 사유로 위원으로 적합하지 않다고 인정되는 경우
4. 제24조 제1항 각 호의 어느 하나에 해당하는 데도 불구하고 회피하지 않은 경우
5. 위원 스스로 직무를 수행하기 어렵다는 의사를 밝히는 경우

제26조【시설 등의 확인 및 의견청취】 소방청장 또는 시 · 도지사는 위원회의 원활한 운영을 위하여 필요하다고 인정하는 경우 위원회 위원으로 하여금 관련 시설 등을 확인하게 하거나 해당 분야의 전문가 또는 이해관계자 등으로부터 의견을 청취하게 할 수 있다.

제27조【위원의 수당】 위원회의 위원에게는 예산의 범위에서 수당, 여비, 그 밖에 필요한 경비를 지급할 수 있다. 다만, 공무원이 그 소관 업무와 직접 관련하여 출석하는 경우에는 그렇지 않다.

제28조【운영세칙】 이 영에서 정한 것 외에 위원회의 운영에 필요한 사항은 소방청장 또는 시 · 도지사가 정한다.

① 60명 ② 석사

제 · 개정 내용

법률의 개정 주요내용

소방청장은 화재안전기준을 효율적으로 관리 · 운영하기 위하여 화재안전기준의 제정 · 개정 및 운영, 화재안전기준의 연구 · 개발 및 보급, 화재안전기준의 검증 및 평가, 화재안전기준의 정보체계 구축 등의 업무를 수행하도록 함(제19조)

8 화재안전기준의 관리 · 운영 B

제19조 【화재안전기준의 관리 · 운영】 소방청장은 화재안전기준을 효율적으로 관리 · 운영하기 위하여 다음 각 호의 업무를 수행하여야 한다.

1. 화재안전기준의 제정 · 개정 및 운영
2. 화재안전기준의 연구 · 개발 및 보급
3. 화재안전기준의 검증 및 평가
4. 화재안전기준의 정보체계 구축
5. 화재안전기준에 대한 교육 및 홍보
6. 국외 화재안전기준의 제도 · 정책 동향 조사 · 분석
7. 화재안전기준 발전을 위한 국제협력
8. 그 밖에 화재안전기준 발전을 위하여 대통령령으로 정하는 사항

(1) 화재안전기준의 관리 · 운영

소방청장은 화재안전기준을 효율적으로 관리 · 운영하기 위하여 다음의 업무를 수행하여야 한다.

① 화재안전기준의 제정 · 개정 및 운영

② 화재안전기준의 연구 · 개발 및 보급

③ 화재안전기준의 검증 및 평가

④ 화재안전기준의 정보체계 구축

⑤ 화재안전기준에 대한 교육 및 홍보

⑥ 국외 화재안전기준의 제도 · 정책 동향 조사 · 분석

⑦ 화재안전기준 발전을 위한 국제협력

⑧ 화재안전기준 발전을 위하여 대통령령으로 정하는 사항(영 제29조)

　㉠ 화재안전기준에 대한 검토 및 자문

　㉡ 화재안전기준에 대한 해설서 제작 및 보급

　㉢ 화재안전에 관한 국외 신기술 · 신제품의 채택

　㉣ 그 밖에 화재안전기준의 발전을 위하여 소방청장이 필요하다고 인정하는 사항

(2) 위임규정(영 제48조 제1항)

소방청장은 법 제50조 제1항에 따라 화재안전기준 중 기술기준에 대한 법 제19조 각 호에 따른 관리 · 운영 권한을 국립소방연구원장에게 위임한다.

1   특정소방대상물의 방염 등   A

제20조【특정소방대상물의 방염 등】 ① 대통령령으로 정하는 특정소방대상물에 실내장식 등의 목적으로 설치 또는 부착하는 물품으로서 대통령령으로 정하는 물품(이하 "방염대상물품"이라 한다)은 방염성능기준 이상의 것으로 설치하여야 한다.

② 소방본부장 또는 소방서장은 방염대상물품이 제1항에 따른 방염성능기준에 미치지 못하거나 제21조 제1항에 따른 방염성능검사를 받지 아니한 것이면 특정소방대상물의 관계인에게 방염대상물품을 제거하도록 하거나 방염성능검사를 받도록 하는 등 필요한 조치를 명할 수 있다.

③ 제1항에 따른 방염성능기준은 대통령령으로 정한다.

(1) 특정소방대상물의 방염

① 대통령령으로 정하는 특정소방대상물에 실내장식 등의 목적으로 설치 또는 부착하는 물품으로서 대통령령으로 정하는 물품(이하 "방염대상물품")은 방염성능기준 이상의 것으로 설치하여야 한다.

② 과태료 - 300만원 이하의 과태료(제61조)

(2) 조치명령

① **조치명령권자:** 소방본부장이나 소방서장

② **조치명령대상**

㉠ 방염대상물품이 방염성능기준에 미치지 못한 경우

㉡ 방염성능검사를 받지 아니한 경우

③ **조치명령**

㉠ 소방대상물의 관계인에게 제거하도록 하는 조치

㉡ 방염성능검사를 받도록 하는 조치

④ **벌칙 - 3년 이하의 징역 또는 3천만원 이하의 벌금:** 제20조 제2항에 따른 명령을 정당한 사유 없이 위반한 자

(3) 위임규정

방염성능기준은 대통령령으로 정한다.

(4) 방염성능기준 이상의 실내장식물 등을 설치하여야 하는 특정소방대상물(영 제30조)

① 근린생활시설 중 의원, 조산원, 산후조리원, 체력단련장, 공연장 및 종교집회장

② 건축물의 옥내에 있는 시설

㉠ 문화 및 집회시설

㉡ 종교시설

㉢ 운동시설(수영장 제외)

③ 의료시설

④ 교육연구시설 중 합숙소

⑤ 노유자시설

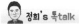

정희's 톡talk

방염대상
친근한 건(문 종 운)
의교합 / 노숙수숙
다방11층(아 제)
(근위병조산체공종)

✏️ **핵심 기출**

「화재예방, 소방시설 설치·유지 및 안전관리에 관한 법률 시행령」상 방염성능기준 이상의 실내장식물 등을 설치하여야 하는 특정소방대상물을 모두 고른 것은? 20. 경채(6월)

> ㄱ. 근린생활시설 중 의원
> ㄴ. 방송통신시설 중 방송국 및 촬영소
> ㄷ. 근린생활시설 중 체력단련장

① ㄱ   ② ㄱ, ㄴ
③ ㄴ, ㄷ   ④ ㄱ, ㄴ, ㄷ

정답 ④

01 「화재예방, 소방시설 설치·유지 및 안전관리에 관한 법률 시행령」상 방염성능기준 이상의 실내장식물 등을 설치하여야 하는 특정소방대상물로 옳지 않은 것은?
19. 공채(4월)

① 근린생활 중 숙박시설
② 의료시설 중 요양병원
③ 노유자 시설
④ 운동시설 중 수영장

정답 ④

02 「화재예방, 소방시설 설치·유지 및 안전관리에 관한 법률」 및 같은 법 시행령상 규정하고 있는 소방대상물의 방염에 대한 설명으로 옳지 않은 것은?
18. 경채(10월)

① 「건축법 시행령」에 따라 산정한 층수가 11층 이상인 특정소방대상물(아파트는 제외)은 방염성능기준 이상의 실내장식물 등을 설치하여야 한다.
② 창문에 설치하는 커튼류(블라인드 포함)는 제조 또는 가공 공정에서 방염처리를 한 물품에 해당한다.
③ 방염성능검사 합격표시를 위조하거나 변조하여 사용한 자는 300만원 이하의 과태료에 처한다.
④ 대통령령에서 규정하는 방염성능기준 범위는 탄화한 면적의 경우 50제곱센티미터 이내, 탄화한 길이는 20센티미터 이내이다.

정답 ③

03 소방시설법상 방염성능기준에 대하여 옳은 것은?
18. 중앙통합

1. 불꽃을 올리며 연소하는 상태 가 그칠 때까지 시간은 (㉠) 초이내
2. 불꽃을 올리지 아니하고 연소 하는 상태가 그칠 때까지 시간은 (㉡)초이내
3. 탄화한 면적은 (㉢)제곱센티미터 이내, 탄화한 길이는 (㉣)센티미터 이내
4. 불꽃에 의하여 완전히 녹을 때까지 불꽃의 접촉 횟수는 (㉤)회 이상일 것
5. 발연량을 측정하는 경우 최대 연기 밀도는 (㉥) 이하

	㉠	㉡	㉢	㉣	㉤	㉥
①	20	50	30	20	5	200
②	30	20	50	30	3	300
③	20	30	50	20	3	400
④	30	30	50	30	5	500

정답 ③

⑥ 숙박이 가능한 수련시설
⑦ 숙박시설
⑧ 방송통신시설 중 방송국 및 촬영소
⑨ 다중이용업소
⑩ ①부터 ⑨에 해당하지 않는 것으로 층수가 11층 이상인 것(아파트등은 제외한다)

(5) 방염대상물품(영 제31조)

① 제조 또는 가공 공정에서 방염하여야 하는 물품
   ㉠ 창문에 설치하는 커튼류(블라인드 포함)
   ㉡ 카펫
   ㉢ 벽지류(두께가 2밀리미터 미만인 종이벽지 제외)
   ㉣ 전시용 합판·목재 또는 섬유판, 무대용 합판·목재 또는 섬유판(합판·목재류의 경우 불가피하게 설치현장에서 방염처리한 것을 포함한다)
   ㉤ 암막·무대막(영화상영관에 설치하는 스크린, 가상체험 체육시설업에 설치하는 스크린 포함)
   ㉥ 섬유류 또는 합성수지류 등을 원료로 하여 제작된 소파·의자(단란주점영업·유흥주점영업·노래연습장업의 영업장에 설치한 것으로 한정)

② 건축물 내부의 천장이나 벽에 부착하거나 설치하는 다음의 것[다만, 가구류(옷장, 찬장, 식탁, 식탁용 의자, 사무용 책상, 사무용 의자, 계산대, 그 밖에 이와 비슷한 것을 말한다. 이하 이 조에서 같다)와 너비 10센티미터 이하인 반자돌림대 등과 「건축법」 제52조에 따른 내부 마감재료는 제외한다]
   ㉠ 종이류(두께 2밀리미터 이상인 것을 말한다)·합성수지류 또는 섬유류를 주원료로 한 물품
   ㉡ 합판이나 목재
   ㉢ 공간을 구획하기 위하여 설치하는 간이 칸막이(접이식 등 이동 가능한 벽체나 천장 또는 반자가 실내에 접하는 부분까지 구획하지 않는 벽체를 말한다)
   ㉣ 흡음(吸音)을 위하여 설치하는 흡음재(흡음용 커튼을 포함한다)
   ㉤ 방음(防音)을 위하여 설치하는 방음재(방음용 커튼을 포함한다)

(6) 방염성능기준(영 제31조)

① 버너의 불꽃을 제거한 때부터 불꽃을 올리며 연소하는 상태가 그칠 때까지 시간은 20초 이내일 것
② 버너의 불꽃을 제거한 때부터 불꽃을 올리지 아니하고 연소하는 상태가 그칠 때까지 시간은 30초 이내일 것
③ 탄화한 면적은 50제곱센티미터 이내, 탄화한 길이는 20센티미터 이내일 것
   불꽃에 의하여 완전히 녹을 때까지 불꽃의 접촉 횟수는 3회 이상일 것
④ 소방청장이 정하여 고시한 방법으로 발연량을 측정하는 경우 최대연기밀도는 400 이하일 것

(7) 방염처리 권장 물품

소방본부장 또는 소방서장은 방염대상물품 외에 다음의 물품은 방염처리된 물품을 사용하도록 권장할 수 있다.

① 다중이용업소, 의료시설, 노유자 시설, 숙박시설 또는 장례식장에서 사용하는 침구류·소파 및 의자

② 건축물 내부의 천장 또는 벽에 부착하거나 설치하는 가구류

관계법규 방염성능기준

시행령

제30조【방염성능기준 이상의 실내장식물 등을 설치해야 하는 특정소방대상물】 법 제20조 제1항에서 "대통령령으로 정하는 특정소방대상물"이란 다음 각 호의 것을 말한다.

1. 근린생활시설 중 의원, 조산원, 산후조리원, 체력단련장, 공연장 및 종교집회장
2. 건축물의 옥내에 있는 다음 각 목의 시설
   가. 문화 및 집회시설
   나. 종교시설
   다. 운동시설(수영장은 제외한다)
3. 의료시설
4. 교육연구시설 중 합숙소
5. 노유자 시설
6. 숙박이 가능한 수련시설
7. 숙박시설
8. 방송통신시설 중 방송국 및 촬영소
9. 「다중이용업소의 안전관리에 관한 특별법」 제2조 제1항 제1호에 따른 다중이용업의 영업소(이하 "다중이용업소"라 한다)
10. 제1호부터 제9호까지의 시설에 해당하지 않는 것으로서 층수가 11층 이상인 것(아파트등은【 ① 】한다)

제31조【방염대상물품 및 방염성능기준】 ① 법 제20조 제1항에서 "대통령령으로 정하는 물품"이란 다음 각 호의 것을 말한다.

1. 제조 또는 가공 공정에서 방염처리를 한 다음 각 목의 물품
   가. 창문에 설치하는 커튼류(블라인드를 포함한다)
   나. 카펫
   다. 벽지류(두께가 2밀리미터 미만인 종이벽지는 제외한다)
   라. 전시용 합판·목재 또는 섬유판, 무대용 합판·목재 또는 섬유판(합판·목재류의 경우 불가피하게 설치 현장에서 방염처리한 것을 포함한다)
   마. 암막·무대막(「영화 및 비디오물의 진흥에 관한 법률」 제2조 제10호에 따른 영화상영관에 설치하는 스크린과 「다중이용업소의 안전관리에 관한 특별법 시행령」 제2조 제7호의4에 따른 가상체험 체육시설업에 설치하는 스크린을 포함한다)
   바. 섬유류 또는 합성수지류 등을 원료로 하여 제작된 소파·의자(「다중이용업소의 안전관리에 관한 특별법 시행령」 제2조 제1호 나목 및 같은 조 제6호에 따른 단란주점영업, 유흥주점영업 및 노래연습장업의 영업장에 설치하는 것으로 한정한다)

2. 건축물 내부의 천장이나 벽에 부착하거나 설치하는 다음 각 목의 것. 다만, 가구류(옷장, 찬장, 식탁, 식탁용 의자, 사무용 책상, 사무용 의자, 계산대, 그 밖에 이와 비슷한 것을 말한다. 이하 이 조에서 같다)와 너비 10센티미터 이하인 반자돌림대 등과 「건축법」 제52조에 따른 내부 마감재료는 제외한다.
   가. 종이류(두께 2밀리미터 이상인 것을 말한다)·합성수지류 또는 섬유류를 주원료로 한 물품
   나. 합판이나 목재
   다. 공간을 구획하기 위하여 설치하는 간이 칸막이(접이식 등 이동 가능한 벽체나 천장 또는 반자가 실내에 접하는 부분까지 구획하지 않는 벽체를 말한다)
   라. 흡음(吸音)을 위하여 설치하는 흡음재(흡음용 커튼을 포함한다)
   마. 방음(防音)을 위하여 설치하는 방음재(방음용 커튼을 포함한다)

② 법 제20조 제3항에 따른 방염성능기준은 다음 각 호의 기준에 따르되, 제1항에 따른 방염대상물품의 종류에 따른 구체적인 방염성능기준은 다음 각 호의 기준의 범위에서 소방청장이 정하여 고시하는 바에 따른다.

1. 버너의 불꽃을 제거한 때부터 불꽃을 올리며 연소하는 상태가 그칠 때까지 시간은 20초 이내일 것
2. 버너의 불꽃을 제거한 때부터 불꽃을 올리지 않고 연소하는 상태가 그칠 때까지 시간은 30초 이내일 것
3. 탄화(炭化)한 면적은 50제곱센티미터 이내, 탄화한 길이는 20센티미터 이내일 것
4. 불꽃에 의하여 완전히 녹을 때까지 불꽃의 접촉 횟수는 3회 이상일 것
5. 소방청장이 정하여 고시한 방법으로 발연량(發煙量)을 측정하는 경우【 ② 】는 400 이하일 것

③ 소방본부장 또는 소방서장은 제1항에 따른 방염대상물품 외에 다음 각 호의 물품은 방염처리된 물품을 사용하도록 권장할 수 있다.

1. 다중이용업소, 의료시설, 노유자 시설, 숙박시설 또는 장례식장에서 사용하는 침구류·소파 및 의자
2. 건축물 내부의 천장 또는 벽에 부착하거나 설치하는 가구류

---

① 제외 ② 최대연기밀도

제21조【방염성능의 검사】① 제20조 제1항에 따른 특정소방대상물에 사용하는 방염대상물품은 소방청장이 실시하는 방염성능검사를 받은 것이어야 한다. 다만, 대통령령으로 정하는 방염대상물품의 경우에는 특별시장·광역시장·특별자치시장·도지사 또는 특별자치도지사(이하 "시·도지사"라 한다)가 실시하는 방염성능검사를 받은 것이어야 한다.

② 「소방시설공사업법」 제4조에 따라 방염처리업의 등록을 한 자는 제1항에 따른 방염성능검사를 할 때에 거짓 시료(試料)를 제출하여서는 아니 된다.

③ 제1항에 따른 방염성능검사의 방법과 검사 결과에 따른 합격 표시 등에 필요한 사항은 행정안전부령으로 정한다.

(1) 방염성능검사

① 특정소방대상물에서 사용하는 방염대상물품은 소방청장이 실시하는 방염성능검사를 받은 것이어야 한다.

② 다만, 대통령령으로 정하는 방염대상물품의 경우 시·도지사에게 검사받은 것이어야 한다.

③ 시·도지사가 실시하는 방염성능검사(영 제31조)

㉠ 제31조 제1항 제1호 라목의 전시용 합판·목재 또는 무대용 합판·목재 중 설치 현장에서 방염처리를 하는 합판·목재류

㉡ 제31조 제1항 제2호에 따른 방염대상물품 중 설치 현장에서 방염처리를 하는 합판·목재류

④ 벌칙 - 300만원 이하의 벌금(제59조): 제21조를 위반하여 방염성능검사에 합격하지 아니한 물품에 합격표시를 하거나 합격표시를 위조하거나 변조하여 사용한 자

(2) 시료의 제출

① 방염처리업의 등록한 자는 방염성능검사를 할 때에 거짓 시료를 제출해서는 안 된다.

② 벌칙 - 300만원 이하의 벌금(제59조): 제21조 제2항을 위반하여 거짓 시료를 제출한 자

정희's 톡talk

제21조 위임규정
방염성능검사의 방법과 검사 결과에 따른 합격 표시는 행정안전부령으로 정한다.

👆 **관계법규** 시·도지사가 실시하는 방염성능검사

시행령	
제32조【시·도지사가 실시하는 방염성능검사】법 제21조 제1항 단서에서 "대통령령으로 정하는 방염대상물품"이란 다음 각 호의 것을 말한다.	1. 제31조 제1항 제1호 라목의 전시용 합판·목재 또는 무대용 합판·목재 중 설치 현장에서 방염처리를 하는 합판·목재류 2. 제31조 제1항 제2호에 따른 방염대상물품 중 설치 현장에서 방염처리를 하는 【 ① 】
① 합판·목재류	

제3장 소방시설등의 자체점검

1 소방시설등의 자체점검   A

제22조【소방시설등의 자체점검】① 특정소방대상물의 관계인은 그 대상물에 설치되어 있는 소방시설등이 이 법이나 이 법에 따른 명령 등에 적합하게 설치·관리되고 있는지에 대하여 다음 각 호의 구분에 따른 기간 내에 스스로 점검하거나 제34조에 따른 점검능력 평가를 받은 관리업자 또는 행정안전부령으로 정하는 기술자격자(이하 "관리업자등"이라 한다)로 하여금 정기적으로 점검(이하 "자체점검"이라 한다)하게 하여야 한다. 이 경우 관리업자등이 점검한 경우에는 그 점검 결과를 행정안전부령으로 정하는 바에 따라 관계인에게 제출하여야 한다.

1. 해당 특정소방대상물의 소방시설등이 신설된 경우:「건축법」제22조에 따라 건축물을 사용할 수 있게 된 날부터 60일
2. 제1호 외의 경우: 행정안전부령으로 정하는 기간

② 자체점검의 구분 및 대상, 점검인력의 배치기준, 점검자의 자격, 점검 장비, 점검 방법 및 횟수 등 자체점검 시 준수하여야 할 사항은 행정안전부령으로 정한다.

(1) 자체점검

① 특정소방대상물의 관계인은 그 대상물에 설치되어 있는 소방시설등이 이 법이나 이 법에 따른 명령 등에 적합하게 설치·관리되고 있는지에 대하여 다음의 구분에 따른 기간 내에 스스로 점검하거나 관리업자 또는 행정안전부령으로 정하는 기술자격자(관리업자등)으로 하여금 정기적으로 점검(자체점검)하게 하여야 한다.

　㉠ 해당 특정소방대상물의 소방시설등이 신설된 경우:「건축법」제22조에 따라 건축물을 사용할 수 있게 된 날부터 60일

　㉡ ㉠ 외의 경우: 행정안전부령으로 정하는 기간

② 행정안전부령으로 정하는 기술자격자(규칙 제19조):「화재의 예방 및 안전관리에 관한 법률」제24조 제1항 전단에 따라 소방안전관리자로 선임된 소방시설관리사 및 소방기술사를 말한다.

③ 벌칙 및 과태료

　㉠ 1년 이하의 징역 또는 1천만원 이하의 벌금(제58조): 제22조 제1항을 위반하여 소방시설등에 대하여 스스로 점검을 하지 아니하거나 관리업자등으로 하여금 정기적으로 점검하게 하지 아니한 자

　㉡ 300만원 이하의 과태료(제61조): 제22조 제1항 전단을 위반하여 점검능력 평가를 받지 아니하고 점검을 한 관리업자

③ 자체점검결과의 조치
  ㉠ 이 경우 관리업자 등이 점검한 경우에는 그 점검 결과를 행정안전부령으로 정하는 바에 따라 관계인에게 제출하여야 한다.
  ㉡ **소방시설등의 자체점검 결과의 조치 등(규칙 제23조 제1항):** 관리업자 또는 소방안전관리자로 선임된 소방시설관리사 및 소방기술사(관리업자등)는 자체점검을 실시한 경우에는 그 점검이 끝난 날부터 10일 이내에 소방시설등 자체점검 실시결과 보고서에 소방청장이 정하여 고시하는 소방시설등 점검표를 첨부하여 관계인에게 제출해야 한다.

(2) 위임규정
① 자체점검의 구분 및 대상, 점검인력의 배치기준, 점검자의 자격, 점검 장비, 점검 방법 및 횟수 등 자체점검 시 준수하여야 할 사항은 행정안전부령으로 정한다.
② **과태료 – 300만원 이하의 과태료(제61조)**
  ㉠ 제22조 제1항 후단을 위반하여 관계인에게 점검 결과를 제출하지 아니한 관리업자등
  ㉡ 제22조 제2항에 따른 점검인력의 배치기준 등 자체점검 시 준수사항을 위반한 자

관계법규 소방시설등 자체점검

NOTE	시행규칙
	제19조【기술자격자의 범위】 법 제22조 제1항 각 호 외의 부분 전단에서 "행정안전부령으로 정하는 기술자격자"란 「화재의 예방 및 안전관리에 관한 법률」 제24조 제1항 전단에 따라 소방안전관리자(이하 "소방안전관리자"라 한다)로 선임된【 ① 】및 소방기술사를 말한다. **제23조【소방시설등의 자체점검 결과의 조치 등】** ① 관리업자 또는 소방안전관리자로 선임된 소방시설관리사 및 소방기술사(이하 "관리업자 등"이라 한다)는 자체점검을 실시한 경우에는 법 제22조 제1항 각 호 외의 부분 후단에 따라 그 점검이 끝난 날부터 10일 이내에 별지 제9호 서식의 소방시설등 자체점검 실시결과 보고서(전자문서로 된 보고서를 포함한다)에 소방청장이 정하여 고시하는 소방시설등 점검표를 첨부하여 관계인에게 제출해야 한다. ① 소방시설관리사

시행규칙 제20조【소방시설등 자체점검의 구분 및 대상 등】 ① 법 제22조 제1항에 따른 자체점검(이하 "자체점검"이라 한다)의 구분 및 대상, 점검자의 자격, 점검 장비, 점검 방법 및 횟수 등 자체점검 시 준수해야 할 사항은 별표 3과 같고, 점검인력의 배치기준은 별표 4와 같다.

(1) 자체점검의 구분(규칙 [별표 3])

① 작동점검: 소방시설등을 인위적으로 조작하여 소방시설이 정상적으로 작동하는지를 소방청장이 정하여 고시하는 소방시설등 작동점검표에 따라 점검하는 것을 말한다.

② 종합점검: 소방시설등의 작동점검을 포함하여 소방시설등의 설비별 주요 구성부품의 구조기준이 화재안전기준과 「건축법」 등 관련 법령에서 정하는 기준에 적합한 지 여부를 소방청장이 정하여 고시하는 소방시설등 종합점검표에 따라 점검하는 것을 말하며, 다음과 같이 구분한다.

　㉠ 최초점검: 법 제22조 제1항 제1호에 따라 소방시설이 새로 설치되는 경우 「건축법」 제22조에 따라 건축물을 사용할 수 있게 된 날부터 60일 이내 점검하는 것을 말한다.

　㉡ 그 밖의 종합점검: 최초점검을 제외한 종합점검을 말한다.

(2) 작동점검의 실시

① 작동점검은 특정소방대상물을 대상으로 한다. 다만, 다음의 어느 하나에 해당하는 특정소방대상물은 제외한다.

　㉠ 특정소방대상물 중 「화재의 예방 및 안전관리에 관한 법률」 제24조 제1항에 해당하지 않는 특정소방대상물(소방안전관리자를 선임하지 않는 대상을 말한다)

　㉡ 「위험물안전관리법」에 따른 제조소등

　㉢ 「화재의 예방 및 안전관리에 관한 법률 시행령」 별표 4의 특급소방안전관리대상물

② 작동점검의 기술인력(이 경우 별표 4에 따른 점검인력 배치기준을 준수해야 한다)

　㉠ 간이스프링클러설비(주택전용 간이스프링클러설비는 제외한다) 또는 자동화재탐지설비가 설치된 특정소방대상물

　　ⓐ 관계인

　　ⓑ 관리업에 등록된 기술인력 중 소방시설관리사

　　ⓒ 「소방시설공사업법 시행규칙」 별표 4의2에 따른 특급점검자

　　ⓓ 소방안전관리자로 선임된 소방시설관리사 및 소방기술사

　㉡ ㉠에 해당하지 않는 특정소방대상물

　　ⓐ 관리업에 등록된 소방시설관리사

　　ⓑ 소방안전관리자로 선임된 소방시설관리사 및 소방기술사

③ 작동점검은 연 1회 이상 실시한다.

④ **작동점검의 점검 시기**

　　㉠ 종합점검 대상은 종합점검을 받은 달부터 6개월이 되는 달에 실시한다.

　　㉡ ㉠에 해당하지 않는 특정소방대상물은 특정소방대상물의 사용승인일이 속하는 달의 말일까지 실시한다. 다만, 건축물관리대장 또는 건물 등기사항증명서 등에 기입된 날이 서로 다른 경우에는 건축물관리대장에 기재되어 있는 날을 기준으로 점검한다.

(3) **종합점검의 실시**

① **점검대상**

　㉠ 법 제22조 제1항 제1호에 해당하는 특정소방대상물

> **참고** **소방시설법 제22조 제1항**
>
> 1. 해당 특정소방대상물의 소방시설등이 신설된 경우: 「건축법」 제22조에 따라 건축물을 사용할 수 있게 된 날부터 60일

　㉡ 스프링클러설비가 설치된 특정소방대상물

　㉢ 물분무등소화설비[호스릴(Hose Reel) 방식 제외]가 설치된 연면적 5,000m² 이상인 특정소방대상물(제조소등 제외)

　㉣ 「다중이용업소의 안전관리에 관한 특별법 시행령」의 다중이용업의 영업장이 설치된 특정소방대상물로서 연면적이 2,000m² 이상인 것

　㉤ 제연설비가 설치된 터널

　㉥ 「공공기관의 소방안전관리에 관한 규정」에 따른 공공기관 중 연면적(터널·지하구의 경우 그 길이와 평균폭을 곱하여 계산된 값을 말한다)이 1,000m² 이상인 것으로서 옥내소화전설비 또는 자동화재탐지설비가 설치된 것. 단, 소방대가 근무하는 공공기관은 제외한다.

② **종합점검의 기술인력**(이 경우 별표 4에 따른 점검인력 배치기준을 준수해야 한다)

　㉠ 관리업에 등록된 소방시설관리사

　㉡ 소방안전관리자로 선임된 소방시설관리사 및 소방기술사

③ **종합점검의 점검 횟수**

　㉠ 연 1회 이상(특급 소방안전관리대상물은 반기에 1회 이상) 실시한다.

　㉡ ㉠에도 불구하고 소방본부장 또는 소방서장은 소방청장이 소방안전관리가 우수하다고 인정한 특정소방대상물에 대해서는 3년의 범위에서 소방청장이 고시하거나 정한 기간 동안 종합점검을 면제할 수 있다. 다만, 면제기간 중 화재가 발생한 경우는 제외한다.

④ **종합점검의 점검 시기**

　㉠ ①의 ㉠에 해당하는 특정소방대상물은 「건축법」 제22조에 따라 건축물을 사용할 수 있게 된 날부터 60일 이내 실시한다.

　㉡ ㉠을 제외한 특정소방대상물은 건축물의 사용승인일이 속하는 달에 실시한다. 다만, 「공공기관의 안전관리에 관한 규정」에 따른 학교의 경우에는 해당 건축물의 사용승인일이 1월에서 6월 사이에 있는 경우에는 6월 30일까지 실시할 수 있다.

ⓒ 건축물 사용승인일 이후 ①의 ⓒ에 따라 종합점검 대상에 해당하게 된 경우에는 그 다음 해부터 실시한다.

ⓔ 하나의 대지경계선 안에 2개 이상의 자체점검 대상 건축물 등이 있는 경우에는 그 건축물 중 사용승인일이 가장 빠른 연도의 건축물의 사용승인일을 기준으로 점검할 수 있다.

(4) 공공기관의 외관점검

① 공공기관의 장은 공공기관에 설치된 소방시설등의 유지·관리상태를 맨눈 또는 신체감각을 이용하여 점검하는 외관점검을 월 1회 이상 실시(작동점검 또는 종합점검을 실시한 달에는 실시하지 않을 수 있다)하고, 그 점검 결과를 2년간 자체 보관해야 한다.

② 이 경우 외관점검의 점검자는 해당 특정소방대상물의 관계인, 소방안전관리자 또는 관리업자(소방시설관리사를 포함하여 등록된 기술인력을 말한다)로 해야 한다.

(5) 공공기관의 전기시설물 및 가스시설의 점검 또는 검사

(1) 및 (4)에도 불구하고 공공기관의 장은 해당 공공기관의 전기시설물 및 가스시설에 대하여 다음의 구분에 따른 점검 또는 검사를 받아야 한다.

① 전기시설물의 경우: 「전기사업법」 제63조에 따른 사용전검사

② 가스시설의 경우: 「도시가스사업법」 제17조에 따른 검사, 「고압가스 안전관리법」 제16조의2 및 제20조 제4항에 따른 검사 또는 「액화석유가스의 안전관리 및 사업법」 제37조 및 제44조 제2항·제4항에 따른 검사

(6) 공동주택(아파트) 세대별 점검방법

① 관리자(관리소장, 입주자대표회의 및 소방안전관리자를 포함한다. 이하 같다) 및 입주민(세대 거주자를 말한다)은 2년 이내 모든 세대에 대하여 점검을 해야 한다.

② ①에도 불구하고 아날로그감지기 등 특수감지기가 설치되어 있는 경우에는 수신기에서 원격 점검할 수 있으며, 점검할 때마다 모든 세대를 점검해야 한다. 다만, 자동화재탐지설비의 선로 단선이 확인되는 때에는 단선이 난 세대 또는 그 경계구역에 대하여 현장점검을 해야 한다.

③ 관리자는 수신기에서 원격 점검이 불가능한 경우 매년 작동점검만 실시하는 공동주택은 1회 점검 시 마다 전체 세대수의 50퍼센트 이상, 종합점검을 실시하는 공동주택은 1회 점검 시 마다 전체 세대수의 30퍼센트 이상 점검하도록 자체점검 계획을 수립·시행해야 한다.

④ 관리자 또는 해당 공동주택을 점검하는 관리업자는 입주민이 세대 내에 설치된 소방시설등을 스스로 점검할 수 있도록 소방청 또는 사단법인 한국소방시설관리협회의 홈페이지에 게시되어 있는 공동주택 세대별 점검 동영상을 입주민이 시청할 수 있도록 안내하고, 점검서식(별지 제36호 서식 소방시설 외관점검표를 말한다)을 사전에 배부해야 한다.

⑤ 입주민은 점검서식에 따라 스스로 점검하거나 관리자 또는 관리업자로 하여금 대신 점검하게 할 수 있다. 입주민이 스스로 점검한 경우에는 그 점검 결과를 관리자에게 제출하고 관리자는 그 결과를 관리업자에게 알려주어야 한다.

⑥ 관리자는 관리업자로 하여금 세대별 점검을 하고자 하는 경우에는 사전에 점검 일정을 입주민에게 사전에 공지하고 세대별 점검 일자를 파악하여 관리업자에게 알려주어야 한다. 관리업자는 사전 파악된 일정에 따라 세대별 점검을 한 후 관리자에게 점검 현황을 제출해야 한다.

⑦ 관리자는 관리업자가 점검하기로 한 세대에 대하여 입주민의 사정으로 점검을 하지 못한 경우 입주민이 스스로 점검할 수 있도록 다시 안내해야 한다. 이 경우 입주민이 관리업자로 하여금 다시 점검받기를 원하는 경우 관리업자로 하여금 추가로 점검하게 할 수 있다.

⑧ 관리자는 세대별 점검현황(입주민 부재 등 불가피한 사유로 점검을 하지 못한 세대 현황을 포함한다)을 작성하여 자체점검이 끝난 날부터 2년간 자체 보관해야 한다.

(7) 소방시설별 점검 장비

소방시설	점검 장비	규격
모든 소방시설	방수압력측정계, 절연저항계(절연저항 측정기), 전류전압측정계	
소화기구	저울	
옥내소화전설비, 옥외소화전설비	소화전밸브압력계	
스프링클러설비, 포소화설비	헤드결합렌치(볼트, 너트, 나사 등을 죄거나 푸는 공구)	
이산화탄소소화설비, 분말소화설비, 할론소화설비, 할로겐화합물 및 불활성기체 소화설비	검량계, 기동관누설시험기, 그 밖에 소화약제의 저장량을 측정할 수 있는 점검기구	
자동화재탐지설비, 시각경보기	열감지기시험기, 연(煙)감지기시험기, 공기주입시험기, 감지기시험기연결폴대, 음량계	
누전경보기	누전계	누전전류 측정용
무선통신보조설비	무선기	통화시험용
제연설비	풍속풍압계, 폐쇄력측정기, 차압계(압력차 측정기)	
통로유도등, 비상조명등	조도계(밝기 측정기)	최소눈금이 0.1럭스 이하인 것

정희's 톡talk

시행규칙 [별표 3] 비고

1. 신축·증축·개축·재축·이전·용도변경 또는 대수선 등으로 소방시설이 새로 설치된 경우에는 해당 특정소방대상물의 소방시설 전체에 대하여 실시합니다.

2. 작동점검 및 종합점검(최초점검은 제외한다)은 건축물 사용승인 후 그 다음 해부터 실시합니다.

3. 특정소방대상물이 증축·용도변경 또는 대수선 등으로 사용승인일이 달라지는 경우 사용승인일이 빠른 날을 기준으로 자체점검을 실시합니다.

시행규칙 제20조【소방시설등 자체점검의 구분 및 대상 등】 ① 법 제22조 제1항에 따른 자체점검(이하 "자체점검"이라 한다)의 구분 및 대상, 점검자의 자격, 점검 장비, 점검 방법 및 횟수 등 자체점검 시 준수해야 할 사항은 별표 3과 같고, 점검인력의 배치기준은 별표 4와 같다.

(1) 점검인력 1단위

　① 관리업자가 점검하는 경우

　　㉠ 소방시설관리사 또는 특급점검자 1명과 영 별표 9에 따른 보조 기술인력 2명을 점검인력 1단위로 한다.

　　㉡ 점검인력 1단위에 2명(같은 건축물을 점검할 때는 4명) 이내의 보조 기술인력을 추가할 수 있다.

　② 소방안전관리자로 선임된 소방시설관리사 및 소방기술사가 점검하는 경우

　　㉠ 소방시설관리사 또는 소방기술사 중 1명과 보조 기술인력 2명을 점검인력 1단위로 한다.

　　㉡ 점검인력 1단위에 2명 이내의 보조 기술인력을 추가할 수 있다. 다만, 보조 기술인력은 해당 특정소방대상물의 관계인 또는 소방안전관리보조자로 할 수 있다.

　③ 관계인 또는 소방안전관리자가 점검하는 경우

　　㉠ 관계인 또는 소방안전관리자 1명과 보조 기술인력 2명을 점검인력 1단위로 한다.

　　㉡ 보조 기술인력은 해당 특정소방대상물의 관리자, 점유자 또는 소방안전관리보조자로 할 수 있다.

(2) 관리업자가 점검하는 경우 특정소방대상물의 규모 등에 따른 점검인력의 배치 기준

구분	주된 인력	보조인력
가. 50층 이상 또는 성능위주설계한 특정소방대상물	소방시설관리사경력 5년 이상 1명 이상	고급점검자 이상 1명 이상, 중급점검자 이상 1명 이상
나. 특급 소방안전관리대상물 ("가"의 특정소방대상물은 제외한다)	소방시설관리사 경력 3년 이상 1명 이상	고급점검자 이상 1명 이상, 초급점검자 이상 1명 이상
다. 1급 또는 2급 소방안전관리대상물	소방시설관리사 1명 이상	중급점검자 이상 1명 이상, 초급점검자 이상 1명 이상
라. 3급 소방안전관리대상물	소방시설관리사 1명 이상	초급점검자 이상의 기술인력 2명 이상

▶ 비고

1. 라목에는 주된 기술인력으로 특급점검자를 배치할 수 있다.
2. 보조 기술인력의 등급구분(특급점검자, 고급점검자, 중급점검자, 초급점검자)은 「소방시설공사업법 시행규칙」 별표 4의2에서 정하는 기준에 따른다.

(3) 점검인력 1단위가 하루 동안 점검할 수 있는 특정소방대상물의 연면적(이하 "점검한도면적"이라 한다)은 다음과 같다.

　① 종합점검: 8,000m^2

　② 작동점검: 10,000m^2

점검구분	점검한도면적	보조인력 1명 추가 시 마다
종합점검	8,000m^2	2,000m^2
작동점검	10,000m^2	2,500m^2

* 다만, 하루에 2개 이상의 특정소방대상물을 점검할 경우 투입된 점검인력에 따른 점검 한도면적의 평균값으로 적용하여 계산한다.

(4) 점검인력 1단위에 보조 기술인력을 1명씩 추가할 때마다 종합점검의 경우에는 2,000m^2, 작동점검의 경우에는 2,500m^{2}씩을 점검한도 면적에 더한다. 다만, 하루에 2개 이상의 특정소방대상물을 배치할 경우 1일 점검 한도면적은 특정소방대상물별로 투입된 점검인력에 따른 점검 한도면적의 평균값으로 적용하여 계산한다.

(5) 점검인력은 하루에 5개의 특정소방대상물에 한하여 배치할 수 있다. 다만 2개 이상의 특정소방대상물을 2일 이상 연속하여 점검하는 경우에는 배치기한을 초과해서는 안 된다.

(6) 관리업자 등이 하루 동안 점검한 면적은 실제 점검면적(지하구는 그 길이에 폭의 길이 1.8m를 곱하여 계산된 값을 말하며, 터널은 3차로 이하인 경우에는 그 길이에 폭의 길이 3.5m를 곱하고, 4차로 이상인 경우에는 그 길이에 폭의 길이 7m를 곱한 값을 말한다. 다만, 한쪽 측벽에 소방시설이 설치된 4차로 이상인 터널의 경우에는 그 길이와 폭의 길이 3.5m를 곱한 값을 말한다. 이하 같다)에 다음의 각 목의 기준을 적용하여 계산한 면적(이하 "점검면적"이라 한다)으로 하되, 점검면적은 점검한도 면적을 초과해서는 안 된다.

구분	산정방법	비고
지하구	길이×1.8(폭)	지하구
3차로 이하인 터널	길이×3.5(폭)	
4차로 이상인 터널	길이×7(폭)	
4차로 이상인 터널	길이×3.5(폭)	한쪽 측벽에 소방시설이 설치된 경우

① 실제 점검면적에 다음의 가감계수를 곱한다.

구분	대상용도	가감계수
1류	문화 및 집회시설, 종교시설, 판매시설, 의료시설, 노유자시설, 수련시설, 숙박시설, 위락시설, 창고시설, 교정시설, 발전시설, 지하가, 복합건축물	1.1
2류	공동주택, 근린생활시설, 운수시설, 교육연구시설, 운동시설, 업무시설, 방송통신시설, 공장, 항공기 및 자동차 관련 시설, 군사시설, 관광휴게시설, 장례시설, 지하구,	1.0
3류	위험물 저장 및 처리시설, 문화재, 동물 및 식물 관련 시설, 자원순환 관련 시설, 묘지 관련 시설,	0.9

② 점검한 특정소방대상물이 다음의 어느 하나에 해당할 때에는 다음에 따라 계산된 값을 ①에 따라 계산된 값에서 뺀다.

ⓐ 스프링클러설비가 설치되지 않은 경우: ①에 따라 계산된 값에 0.1을 곱한 값

ⓑ 물분무등소화설비(호스릴 방식의 물분무등소화설비는 제외한다)가 설치되지 않은 경우: ①에 따라 계산된 값에 0.1을 곱한 값

ⓒ 제연설비가 설치되지 않은 경우: ①에 따라 계산된 값에 0.1을 곱한 값

구분	계산값	비고
1. 스프링클러설비가 설치되지 않은 경우	①에 따라 계산된 값에 0.1을 곱한 값	①에 따라 계산된 값에서 뺀다.
2. 물분무등소화설비가 설치되지 않은 경우	①에 따라 계산된 값에 0.1을 곱한 값	①에 따라 계산된 값에서 뺀다.
3. 제연설비가 설치되지 않은 경우	①에 따라 계산된 값에 0.1을 곱한 값	①에 따라 계산된 값에서 뺀다.

③ 2개 이상의 특정소방대상물을 하루에 점검하는 경우에는 특정소방대상물 상호간의 좌표 최단거리 5km마다 점검 한도면적에 0.02를 곱한 값을 점검 한도면적에서 뺀다.

(7) (3)부터 (6)까지의 규정에도 불구하고 아파트등(공용시설, 부대시설 또는 복리시설은 포함하고, 아파트등이 포함된 복합건축물의 아파트등 외의 부분은 제외한다. 이하 이 표에서 같다)를 점검할 때에는 다음 기준에 따른다.

① 점검인력 1단위가 하루 동안 점검할 수 있는 아파트등의 세대수(이하 "점검한도 세대수"라 한다)는 종합점검 및 작동점검에 관계없이 250세대로 한다.

② 점검인력 1단위에 보조 기술인력을 1명씩 추가할 때마다 60세대씩을 점검한도 세대수에 더한다.

점검구분	점검한도세대수	보조인력 1명 추가 시 마다
종합점검	250세대	60세대
작동점검	250세대	60세대

③ 관리업자등이 하루 동안 점검한 세대수는 실제 점검 세대수에 다음의 기준을 적용하여 계산한 세대수(이하 "점검세대수"라 한다)로 하되, 점검세대수는 점검한도 세대수를 초과해서는 안 된다.

ⓐ 점검한 아파트등이 다음의 어느 하나에 해당할 때에는 다음에 따라 계산된 값을 실제 점검 세대수에서 뺀다.

· 스프링클러설비가 설치되지 않은 경우: 실제 점검 세대수에 0.1을 곱한 값

· 물분무등소화설비(호스릴 방식의 물분무등소화설비는 제외한다)가 설치되지 않은 경우: 실제 점검 세대수에 0.1을 곱한 값

· 제연설비가 설치되지 않은 경우: 실제 점검 세대수에 0.1을 곱한 값

구분	계산값	비고
1. 스프링클러설비가 설치되지 않은 경우	실제 점검 세대수에 0.1을 곱한 값	계산된 값을 실제 점검 세대수에서 뺀다.
2. 물분무등소화설비가 설치되지 않은 경우	실제 점검 세대수에 0.1을 곱한 값	계산된 값을 실제 점검 세대수에서 뺀다.
3. 제연설비가 설치되지 않은 경우	실제 점검 세대수에 0.1을 곱한 값	계산된 값을 실제 점검 세대수에서 뺀다.

ⓑ 2개 이상의 아파트를 하루에 점검하는 경우에는 아파트 상호간의 좌표 최단거리 5km마다 점검 한도세대수에 0.02를 곱한 값을 점검한도 세대수에서 뺀다.

(8) 아파트등과 아파트등 외 용도의 건축물을 하루에 점검할 때에는 종합점검의 경우 (7)에 따라 계산된 값에 32, 작동점검의 경우 (7)에 따라 계산된 값에 40을 곱한 값을 점검대상 연면적으로 보고 (2) 및 (3)을 적용한다.

(9) 종합점검과 작동점검을 하루에 점검하는 경우에는 작동점검의 점검대상 연면적 또는 점검대상 세대수에 0.8을 곱한 값을 종합점검 점검대상 연면적 또는 점검대상 세대수로 본다.

(10) (3)부터 (9)지의 규정에 따라 계산된 값은 소수점 이하 둘째 자리에서 반올림한다.

시행규칙 제20조【소방시설등 자체점검의 구분 및 대상 등】 ② 법 제29조에 따라 소방시설관리업을 등록한 자(이하 "관리업자"라 한다)는 제1항에 따라 자체점검을 실시하는 경우 점검 대상과 점검 인력 배치상황을 점검인력을 배치한 날 이후 자체점검이 끝난 날부터 5일 이내에 법 제50조 제5항에 따라 관리업자에 대한 점검능력 평가 등에 관한 업무를 위탁받은 법인 또는 단체(이하 "평가기관"이라 한다)에 통보해야 한다.

③ 제1항의 자체점검 구분에 따른 점검사항, 소방시설등 점검표, 점검인원 배치상황 통보 및 세부 점검방법 등 자체점검에 필요한 사항은 소방청장이 정하여 고시한다.

(1) 평가기관 통보

관리업자는 자체점검을 실시하는 경우 점검 대상과 점검 인력 배치상황을 점검인력을 배치한 날 이후 자체점검이 끝난 날부터 5일 이내에 법 제50조 제5항에 따라 관리업자에 대한 점검능력 평가 등에 관한 업무를 위탁받은 법인 또는 단체(이하 "평가기관"이라 한다)에 통보해야 한다.

> **법 제50조【권한 또는 업무의 위임·위탁 등】** ⑤ 소방청장은 다음 각 호의 업무를 대통령령으로 정하는 바에 따라 소방기술과 관련된 법인 또는 단체에 위탁할 수 있다.
> 1. 표준자체점검비의 산정 및 공표
> 2. 제25조 제5항 및 제6항에 따른 소방시설관리사증의 발급·재발급
> 3. 제34조 제1항에 따른 점검능력 평가 및 공시
> 4. 제34조 제4항에 따른 데이터베이스 구축·운영
>
> **시행령 제48조【권한 또는 업무의 위임·위탁 등】** ③ 소방청장은 법 제50조 제5항에 따라 다음 각 호의 업무를 소방청장의 허가를 받아 설립한 소방기술과 관련된 법인 또는 단체 중 해당 업무를 처리하는 데 필요한 관련 인력과 장비를 갖춘 법인 또는 단체에 위탁한다. 이 경우 소방청장은 위탁받는 기관의 명칭·주소·대표자 및 위탁 업무의 내용을 고시해야 한다.
> 1. 표준자체점검비의 산정 및 공표
> 2. 법 제25조 제5항 및 제6항에 따른 소방시설관리사증의 발급·재발급
> 3. 법 제34조 제1항에 따른 점검능력 평가 및 공시
> 4. 법 제34조 제4항에 따른 데이터베이스 구축·운영

(2) 위임규정

자체점검 구분에 따른 점검사항, 소방시설등 점검표, 점검인원 배치상황 통보 및 세부 점검방법 등 자체점검에 필요한 사항은 소방청장이 정하여 고시한다.

제22조【소방시설등의 자체점검】③ 제1항에 따라 관리업자 등으로 하여금 자체점검하게 하는 경우의 점검 대가는 「엔지니어링산업 진흥법」 제31조에 따른 엔지니어링사업의 대가 기준 가운데 행정안전부령으로 정하는 방식에 따라 산정한다.

④ 제3항에도 불구하고 소방청장은 소방시설등 자체점검에 대한 품질확보를 위하여 필요하다고 인정하는 경우에는 특정소방대상물의 규모, 소방시설등의 종류 및 점검인력 등에 따라 관계인이 부담하여야 할 자체점검 비용의 표준이 될 금액(이하 "표준자체점검비"라 한다)을 정하여 공표하거나 관리업자등에게 이를 소방시설등 자체점검에 관한 표준가격으로 활용하도록 권고할 수 있다.

⑤ 표준자체점검비의 공표 방법 등에 관하여 필요한 사항은 소방청장이 정하여 고시한다.

⑥ 관계인은 천재지변이나 그 밖에 대통령령으로 정하는 사유로 자체점검을 실시하기 곤란한 경우에는 대통령령으로 정하는 바에 따라 소방본부장 또는 소방서장에게 면제 또는 연기 신청을 할 수 있다. 이 경우 소방본부장 또는 소방서장은 그 면제 또는 연기 신청 승인 여부를 결정하고 그 결과를 관계인에게 알려주어야 한다.

(1) 자체점검 대가

① 관리업자 등으로 하여금 자체점검하게 하는 경우의 점검 대가는 엔지니어링사업의 대가 기준 가운데 행정안전부령으로 정하는 방식에 따라 산정한다.

② **소방시설등의 자체점검 대가(규칙 제21조):** "행정안전부령으로 정하는 방식"이란 산업통상자원부장관이 고시한 엔지니어링사업대가의 기준 중 실비정액가산방식을 말한다.

(2) 표준자체점검비

① **표준자체점검비:** 소방청장은 소방시설등 자체점검에 대한 품질확보를 위하여 필요하다고 인정하는 경우에는 특정소방대상물의 규모, 소방시설등의 종류 및 점검인력 등에 따라 관계인이 부담하여야 할 자체점검 비용의 표준이 될 금액(표준자체점검비)을 정하여 공표할 수 있다.

② 소방청장은 관리업자등에게 이를 소방시설등 자체점검에 관한 표준가격으로 활용하도록 권고할 수 있다.

(3) 위임규정

표준자체점검비의 공표 방법 등에 관하여 필요한 사항은 소방청장이 정하여 고시한다.

(4) 자체점검의 면제 또는 연기(영 제33조)

① 면제 또는 연기 사유

ⓐ 「재난 및 안전관리 기본법」 제3조 제1호에 해당하는 재난이 발생한 경우

ⓑ 경매 등의 사유로 소유권이 변동 중이거나 변동된 경우

ⓒ 관계인의 질병, 사고, 장기출장의 경우

ⓓ 그 밖에 관계인이 운영하는 사업에 부도 또는 도산 등 중대한 위기가 발생하여 자체점검을 실시하기 곤란한 경우

② 자체점검의 면제 또는 연기를 신청하려는 관계인은 행정안전부령으로 정하는 면제 또는 연기신청서에 면제 또는 연기의 사유 및 기간 등을 적어 소방본부장 또는 소방서장에게 제출해야 한다. 이 경우 ⓐ에 해당하는 경우에만 면제를 신청할 수 있다.

③ ②에 따른 면제 또는 연기의 신청 및 신청서의 처리에 필요한 사항은 **행정안전부령**으로 정한다.

(5) 소방시설등의 자체점검 면제 또는 연기 등(규칙 제22조)

① 자체점검의 면제 또는 연기를 신청하려는 특정소방대상물의 관계인은 자체점검의 실시 만료일 3일 전까지 소방시설등의 자체점검 면제 또는 연기신청서에 자체점검을 실시하기 곤란함을 증명할 수 있는 서류를 첨부하여 소방본부장 또는 소방서장에게 제출해야 한다.

② 자체점검의 면제 또는 연기 신청서를 제출받은 소방본부장 또는 소방서장은 면제 또는 연기의 신청을 받은 날부터 3일 이내에 자체점검의 면제 또는 연기 여부를 결정하여 자체점검 면제 또는 연기 신청 결과 통지서를 면제 또는 연기 신청을 한 자에게 통보해야 한다.

👆 관계법규 소방시설등의 자체점검 면제 또는 연기 등

시행령	시행규칙
제33조【소방시설등의 자체점검 면제 또는 연기】 ① 법 제22조 제6항 전단에서 "대통령령으로 정하는 사유"란 다음 각 호의 어느 하나에 해당하는 사유를 말한다. 1. 「재난 및 안전관리 기본법」 제3조 제1호에 해당하는 재난이 발생한 경우 2. 경매 등의 사유로 소유권이 변동 중이거나 변동된 경우 3. 관계인의 질병, 사고, 【 ① 】의 경우 4. 그 밖에 관계인이 운영하는 사업에 부도 또는 도산 등 중대한 위기가 발생하여 자체점검을 실시하기 곤란한 경우 ② 법 제22조 제1항에 따른 자체점검(이하 "자체점검"이라 한다)의 면제 또는 연기를 신청하려는 관계인은 행정안전부령으로 정하는 면제 또는 연기신청서에 면제 또는 연기의 사유 및 기간 등을 적어 소방본부장 또는 소방서장에게 제출해야 한다. 이 경우 제1항 제1호에 해당하는 경우에만 면제를 신청할 수 있다. ③ 제2항에 따른 면제 또는 연기의 신청 및 신청서의 처리에 필요한 사항은 행정안전부령으로 정한다.	**제21조【소방시설등의 자체점검 대가】** 법 제22조 제3항에서 "행정안전부령으로 정하는 방식"이란 「엔지니어링산업 진흥법」 제31조에 따라 산업통상자원부장관이 고시한 엔지니어링사업의 대가 기준 중 【 ① 】을 말한다. **제22조【소방시설등의 자체점검 면제 또는 연기 등】** ① 법 제22조 제6항 및 영 제33조 제2항에 따라 자체점검의 면제 또는 연기를 신청하려는 특정소방대상물의 관계인은 자체점검의 실시 만료일 3일 전까지 별지 제7호 서식의 소방시설등의 자체점검 면제 또는 연기신청서(전자문서로 된 신청서를 포함한다)에 자체점검을 실시하기 곤란함을 증명할 수 있는 서류(전자문서를 포함한다)를 첨부하여 소방본부장 또는 소방서장에게 제출해야 한다. ② 제1항에 따른 자체점검의 면제 또는 연기 신청서를 제출받은 소방본부장 또는 소방서장은 면제 또는 연기의 신청을 받은 날부터 3일 이내에 자체점검의 면제 또는 연기 여부를 결정하여 별지 제8호 서식의 자체점검 면제 또는 연기 신청 결과 통지서를 면제 또는 연기 신청을 한 자에게 통보해야 한다.
① 장기출장	① 실비정액가산방식

1. 특정소방대상물의 관계인은 자체 점검결과 소화펌프 고장 등 대통령령으로 정하는 중대위반사항이 발견된 경우에는 지체 없이 수리 등 필요한 조치를 하도록 함(제23조 제1항)

2. 특정소방대상물의 관계인은 자체 점검을 한 경우에는 그 점검결과를 소방시설등에 대한 수리·교체·정비에 대한 이행계획을 첨부하여 소방본부장 또는 소방서장에게 보고하도록 하고, 이행계획을 기간 내에 완료하고 소방본부장 또는 소방서장에게 이행계획 완료 결과를 보고하도록 함(제23조 제3항·제4항)

---

2 | 소방시설등의 자체점검 결과의 조치 | A

제23조【소방시설등의 자체점검 결과의 조치 등】 ① 특정소방대상물의 관계인은 제22조 제1항에 따른 자체점검 결과 소화펌프 고장 등 대통령령으로 정하는 중대위반사항(이하 이 조에서 "중대위반사항"이라 한다)이 발견된 경우에는 지체 없이 수리 등 필요한 조치를 하여야 한다.

② 관리업자 등은 자체점검 결과 중대위반사항을 발견한 경우 즉시 관계인에게 알려야 한다. 이 경우 관계인은 지체 없이 수리 등 필요한 조치를 하여야 한다.

③ 특정소방대상물의 관계인은 제22조 제1항에 따라 자체점검을 한 경우에는 그 점검 결과를 행정안전부령으로 정하는 바에 따라 소방시설등에 대한 수리·교체·정비에 관한 이행계획(중대위반사항에 대한 조치사항을 포함한다. 이하 이 조에서 같다)을 첨부하여 소방본부장 또는 소방서장에게 보고하여야 한다. 이 경우 소방본부장 또는 소방서장은 점검 결과 및 이행계획이 적합하지 아니하다고 인정되는 경우에는 관계인에게 보완을 요구할 수 있다.

④ 특정소방대상물의 관계인은 제3항에 따른 이행계획을 행정안전부령으로 정하는 바에 따라 기간 내에 완료하고, 소방본부장 또는 소방서장에게 이행계획 완료 결과를 보고하여야 한다. 이 경우 소방본부장 또는 소방서장은 이행계획 완료 결과가 거짓 또는 허위로 작성되었다고 판단되는 경우에는 해당 특정소방대상물을 방문하여 그 이행계획 완료 여부를 확인할 수 있다.

⑤ 제4항에도 불구하고 특정소방대상물의 관계인은 천재지변이나 그 밖에 대통령령으로 정하는 사유로 제3항에 따른 이행계획을 완료하기 곤란한 경우에는 소방본부장 또는 소방서장에게 대통령령으로 정하는 바에 따라 이행계획 완료를 연기하여 줄 것을 신청할 수 있다. 이 경우 소방본부장 또는 소방서장은 연기 신청 승인 여부를 결정하고 그 결과를 관계인에게 알려주어야 한다.

⑥ 소방본부장 또는 소방서장은 관계인이 제4항에 따라 이행계획을 완료하지 아니한 경우에는 필요한 조치의 이행을 명할 수 있고, 관계인은 이에 따라야 한다.

(1) 자체점검 결과의 조치

① 특정소방대상물의 관계인은 자체점검 결과 소화펌프 고장 등 대통령령으로 정하는 중대위반사항(중대위반사항)이 발견된 경우에는 지체 없이 수리 등 필요한 조치를 하여야 한다.

② 중대위반사항(영 제34조)

ㄱ 소화펌프(가압송수장치를 포함한다. 이하 같다), 동력·감시 제어반 또는 소방시설용 전원(비상전원을 포함한다)의 고장으로 소방시설이 작동되지 않는 경우

ㄴ 화재 수신기의 고장으로 화재경보음이 자동으로 울리지 않거나 화재 수신기와 연동된 소방시설의 작동이 불가능한 경우

ㄷ 소화배관 등이 폐쇄·차단되어 소화수(消火水) 또는 소화약제가 자동 방출되지 않는 경우

ㄹ 방화문 또는 자동방화셔터가 훼손되거나 철거되어 본래의 기능을 못하는 경우

소방시설법 시행령상 소화펌프 고장 등 대통령령으로 정하는 중대위반사항으로 옳지 않은 것은?

24. 공채·경채

① 화재수신기의 고장으로 화재경보음이 자동으로 울리지 않거나 화재수신기와 연동된 소방시설의 작동이 불가능한 경우

② 소화배관 등이 폐쇄·차단되어 소화수(消火水) 또는 소화약제가 자동 방출되지 않는 경우

③ 소화용수설비 주변 불법 주정차로 인하여 화재를 진압하는 데 필요한 물을 공급하기 어려운 경우

④ 방화문 또는 자동방화셔터가 훼손되거나 철거되어 본래의 기능을 못 하는 경우

정답 ③

---

③ 벌칙 - 300만원 이하의 벌금(제59조): 제23조 제1항 및 제2항을 위반하여 필요한 조치를 하지 아니한 관계인 또는 관계인에게 중대위반사항을 알리지 아니한 관리업자 등

(2) 관계업자 등의 의무 등

① 관리업자 등은 자체점검 결과 중대위반사항을 발견한 경우 즉시 관계인에게 알려야 한다.

② 이 경우 관계인은 지체 없이 수리 등 필요한 조치를 하여야 한다.

(3) 점검결과의 이행계획 보고

① 특정소방대상물의 관계인은 자체점검을 한 경우에는 그 점검 결과를 행정안전부령으로 정하는 바에 따라 소방시설등에 대한 수리·교체·정비에 관한 이행계획(중대위반사항에 대한 조치사항을 포함한다)을 첨부하여 소방본부장 또는 소방서장에게 보고하여야 한다.

② 이 경우 소방본부장 또는 소방서장은 점검 결과 및 이행계획이 적합하지 아니하다고 인정되는 경우에는 관계인에게 보완을 요구할 수 있다.

③ 과태료 - 300만원 이하의 과태료(제61조): 제23조 제3항을 위반하여 점검 결과를 보고하지 아니하거나 거짓으로 보고한 자

(4) 자체점검 이행결과 완료 보고서

① 특정소방대상물의 관계인은 (3)에 따른 이행계획을 행정안전부령으로 정하는 바에 따라 기간 내에 완료하고, 소방본부장 또는 소방서장에게 이행계획 완료 결과를 보고하여야 한다.

② 이 경우 소방본부장 또는 소방서장은 이행계획 완료 결과가 거짓 또는 허위로 작성되었다고 판단되는 경우에는 해당 특정소방대상물을 방문하여 그 이행계획 완료 여부를 확인할 수 있다.

③ 과태료 - 300만원 이하의 과태료(제61조): 제23조 제4항을 위반하여 이행계획을 기간 내에 완료하지 아니한 자 또는 이행계획 완료 결과를 보고하지 아니하거나 거짓으로 보고한 자

(5) 이행계획 연기 신청

① 특정정소방대상물의 관계인은 천재지변이나 그 밖에 대통령령으로 정하는 사유로 이행계획을 완료하기 곤란한 경우에는 소방본부장 또는 소방서장에게 대통령령으로 정하는 바에 따라 이행계획 완료를 연기하여 줄 것을 신청할 수 있다. 이 경우 소방본부장 또는 소방서장은 연기 신청 승인 여부를 결정하고 그 결과를 관계인에게 알려주어야 한다.

② 자체점검 결과에 따른 이행계획 완료의 연기 사유(영 제35조)

㉠ 「재난 및 안전관리 기본법」 제3조 제1호에 해당하는 재난이 발생한 경우

㉡ 경매 등의 사유로 소유권이 변동 중이거나 변동된 경우

㉢ 관계인의 질병, 사고, 장기출장 등의 경우

㉣ 그 밖에 관계인이 운영하는 사업에 부도 또는 도산 등 중대한 위기가 발생하여 이행계획을 완료하기 곤란한 경우

 정희's 톡talk

시행령 제35조 제2항 및 제3항

1. 이행계획 완료의 연기를 신청하려는 관계인은 행정안전부령으로 정하는 바에 따라 연기신청서에 연기의 사유 및 기간 등을 적어 소방본부장 또는 소방서장에게 제출해야 합니다.

2. 연기의 신청 및 연기신청서의 처리에 필요한 사항은 행정안전부령으로 정합니다.

(6) 이행계획 조치 명령

① 소방본부장 또는 소방서장은 관계인이 이행계획을 완료하지 아니한 경우에는 필요한 조치의 이행을 명할 수 있고, 관계인은 이에 따라야 한다.

② 벌칙 – 3년 이하의 징역 또는 3천만원 이하의 벌금(제57조): 제23조 제6항에 따른 명령을 정당한 사유 없이 위반한 자

(7) 소방시설등의 자체점검 결과의 조치 등(규칙 제23조)

① **소방시설등 자체점검 실시결과 보고서 제출:** 관리업자 또는 소방안전관리자로 선임된 소방시설관리사 및 소방기술사(이하 "관리업자등"이라 한다)는 자체점검을 실시한 경우에는 법 제22조 제1항 각 호 외의 부분 후단에 따라 그 점검이 끝난 날부터 10일 이내에 소방시설등 자체점검 실시결과 보고서에 소방청장이 정하여 고시하는 소방시설등 점검표를 첨부하여 관계인에게 제출해야 한다.

② **소방시설등 자체점검 실시결과 보고서의 보고:** ①에 따른 자체점검 실시결과 보고서를 제출받거나 스스로 자체점검을 실시한 관계인은 자체점검이 끝난 날부터 15일 이내에 소방시설등 자체점검 실시결과 보고서에 다음의 서류를 첨부하여 소방본부장 또는 소방서장에게 서면이나 소방청장이 지정하는 전산망을 통하여 보고해야 한다.

　㉠ 점검인력 배치확인서(관리업자가 점검한 경우만 해당한다)

　㉡ 별지 제10호 서식의 소방시설등의 자체점검 결과 이행계획서

③ ① 및 ②에 따른 자체점검 실시결과의 보고기간에는 공휴일 및 토요일은 산입하지 않는다.

④ ②에 따라 소방본부장 또는 소방서장에게 자체점검 실시결과 보고를 마친 관계인은 소방시설등 자체점검 실시결과 보고서(소방시설등 점검표를 포함한다)를 점검이 끝난 날부터 2년간 자체 보관해야 한다.

⑤ **이행계획 완료 기간 통보:** ②에 따라 소방시설등의 자체점검 결과 이행계획서를 보고받은 소방본부장 또는 소방서장은 다음의 구분에 따라 이행계획의 완료 기간을 정하여 관계인에게 통보해야 한다. 다만, 소방시설등에 대한 수리ㆍ교체ㆍ정비의 규모 또는 절차가 복잡하여 다음의 기간 내에 이행을 완료하기가 어려운 경우에는 그 기간을 달리 정할 수 있다.

　㉠ **소방시설등을 구성하고 있는 기계ㆍ기구를 수리하거나 정비하는 경우:** 보고일부터 10일 이내

　㉡ **소방시설등의 전부 또는 일부를 철거하고 새로 교체하는 경우:** 보고일부터 20일 이내

⑥ **이행완료 보고:** ⑤에 따른 완료기간 내에 이행계획을 완료한 관계인은 이행을 완료한 날부터 10일 이내에 소방시설등의 자체점검 결과 이행완료 보고서에 다음의 서류를 첨부하여 소방본부장 또는 소방서장에게 보고해야 한다.

　㉠ 이행계획 건별 전ㆍ후 사진 증명자료

　㉡ 소방시설공사 계약서

시행령

제34조【소방시설등의 자체점검 결과의 조치 등】 법 제23조 제1항에서 "소화펌프 고장 등 대통령령으로 정하는 중대위반사항"이란 다음 각 호의 어느 하나에 해당하는 경우를 말한다.

1. 소화펌프(가압송수장치를 포함한다. 이하 같다), 동력·감시 제어반 또는 소방시설용 전원(비상전원을 포함한다)의 고장으로 소방시설이 작동되지 않는 경우
2. 화재 수신기의 고장으로 화재경보음이 자동으로 울리지 않거나 화재 수신기와 연동된 소방시설의 작동이 불가능한 경우
3. 소화배관 등이 폐쇄·차단되어 소화수(消火水) 또는 소화약제가 자동 방출되지 않는 경우
4. 방화문 또는 자동방화셔터가 훼손되거나 철거되어 본래의 기능을 못하는 경우

제35조【자체점검 결과에 따른 이행계획 완료의 연기】 ① 법 제23조 제5항 전단에서 "대통령령으로 정하는 사유"란 다음 각 호의 어느 하나에 해당하는 사유를 말한다.

1. 「재난 및 안전관리 기본법」 제3조 제1호에 해당하는 재난이 발생한 경우
2. 경매 등의 사유로 소유권이 변동 중이거나 변동된 경우
3. 관계인의 질병, 사고, 장기출장 등의 경우
4. 그 밖에 관계인이 운영하는 사업에 부도 또는 도산 등 중대한 위기가 발생하여 이행계획을 완료하기 곤란한 경우

② 법 제23조 제5항에 따라 이행계획 완료의 연기를 신청하려는 관계인은 행정안전부령으로 정하는 바에 따라 연기신청서에 연기의 사유 및 기간 등을 적어 소방본부장 또는 소방서장에게 제출해야 한다.

③ 제2항에 따른 연기의 신청 및 연기신청서의 처리에 필요한 사항은 행정안전부령으로 정한다.

🖐 **관계법규** 소방시설등의 자체점검 결과의 조치 등

시행규칙

제23조【소방시설등의 자체점검 결과의 조치 등】 ① 관리업자 또는 소방안전관리자로 선임된 소방시설관리사 및 소방기술사(이하 "관리업자등"이라 한다)는 자체점검을 실시한 경우에는 법 제22조 제1항 각 호 외의 부분 후단에 따라 그 점검이 끝난 날부터 10일 이내에 별지 제9호 서식의 소방시설등 자체점검 실시결과 보고서(전자문서로 된 보고서를 포함한다)에 소방청장이 정하여 고시하는 소방시설등 점검표를 첨부하여 관계인에게 제출해야 한다.

② 제1항에 따른 자체점검 실시결과 보고서를 제출받거나 스스로 자체점검을 실시한 관계인은 법 제23조 제3항에 따라 자체점검이 끝난 날부터 15일 이내에 별지 제9호 서식의 소방시설등 자체점검 실시결과 보고서(전자문서로 된 보고서를 포함한다)에 다음 각 호의 서류를 첨부하여 소방본부장 또는 소방서장에게 서면이나 소방청장이 지정하는 전산망을 통하여 보고해야 한다.

1. 점검인력 배치확인서(관리업자가 점검한 경우만 해당한다)
2. 별지 제10호 서식의 소방시설등의 자체점검 결과 이행계획서

③ 제1항 및 제2항에 따른 자체점검 실시결과의 보고기간에는 공휴일 및 토요일은 산입하지 않는다.

④ 제2항에 따라 소방본부장 또는 소방서장에게 자체점검 실시결과 보고를 마친 관계인은 소방시설등 자체점검 실시결과 보고서(소방시설등 점검표를 포함한다)를 점검이 끝난 날부터 2년간 자체 보관해야 한다.

⑤ 제2항에 따라 소방시설등의 자체점검 결과 이행계획서를 보고받은 소방본부장 또는 소방서장은 다음 각 호의 구분에 따라 이행계획의 완료 기간을 정하여 관계인에게 통보해야 한다. 다만, 소방시설등에 대한 수리·교체·정비의 규모 또는 절차가 복잡하여 다음 각 호의 기간 내에 이행을 완료하기가 어려운 경우에는 그 기간을 달리 정할 수 있다.

1. 소방시설등을 구성하고 있는 기계·기구를 수리하거나 정비하는 경우: 보고일부터 10일 이내
2. 소방시설등의 전부 또는 일부를 철거하고 새로 교체하는 경우: 보고일부터 20일 이내

⑥ 제5항에 따른 완료기간 내에 이행계획을 완료한 관계인은 이행을 완료한 날부터 10일 이내에 별지 제11호 서식의 소방시설등의 자체점검 결과 이행완료 보고서(전자문서로 된 보고서를 포함한다)에 다음 각 호의 서류(전자문서를 포함한다)를 첨부하여 소방본부장 또는 소방서장에게 보고해야 한다.

1. 이행계획 건별 전·후 사진 증명자료
2. 소방시설공사 계약서

제24조【이행계획 완료의 연기 신청 등】 ① 법 제23조 제5항 및 영 제35조 제2항에 따라 이행계획 완료의 연기를 신청하려는 관계인은 제23조 제5항에 따른 완료기간 만료일 3일 전까지 별지 제12호 서식의 소방시설등의 자체점검 결과 이행계획 완료 연기신청서(전자문서로 된 신청서를 포함한다)에 기간 내에 이행계획을 완료하기 곤란함을 증명할 수 있는 서류(전자문서를 포함한다)를 첨부하여 소방본부장 또는 소방서장에게 제출해야 한다.

② 제1항에 따른 이행계획 완료의 연기 신청서를 제출받은 소방본부장 또는 소방서장은 연기 신청을 받은 날부터 3일 이내에 제23조 제5항에 따른 완료기간의 연기 여부를 결정하여 별지 제13호 서식의 소방시설등의 자체점검 결과 이행계획 완료 연기신청 결과 통지서를 연기 신청을 한 자에게 통보해야 한다.

제24조【점검기록표 게시 등】① 제23조 제3항에 따라 자체점검 결과 보고를 마친 관계인은 관리업자 등, 점검일시, 점검자 등 자체점검과 관련된 사항을 점검기록표에 기록하여 특정소방대상물의 출입자가 쉽게 볼 수 있는 장소에 게시하여야 한다. 이 경우 점검기록표의 기록 등에 필요한 사항은 행정안전부령으로 정한다.

② 소방본부장 또는 소방서장은 다음 각 호의 사항을 제48조에 따른 전산시스템 또는 인터넷 홈페이지 등을 통하여 국민에게 공개할 수 있다. 이 경우 공개 절차, 공개 기간 및 공개 방법 등 필요한 사항은 대통령령으로 정한다.

1. 자체점검 기간 및 점검자

2. 특정소방대상물의 정보 및 자체점검 결과

3. 그 밖에 소방본부장 또는 소방서장이 특정소방대상물을 이용하는 불특정다수인의 안전을 위하여 공개가 필요하다고 인정하는 사항

(1) 점검기록표 게시

① 자체점검 결과 보고를 마친 관계인은 관리업자 등, 점검일시, 점검자 등 자체점검과 관련된 사항을 점검기록표에 기록하여 특정소방대상물의 출입자가 쉽게 볼 수 있는 장소에 게시하여야 한다.

② 이 경우 점검기록표의 기록 등에 필요한 사항은 행정안전부령으로 정한다.

③ **과태료 - 300만원 이하의 과태료(제61조):** 제24조 제1항을 위반하여 점검기록표를 기록하지 아니하거나 특정소방대상물의 출입자가 쉽게 볼 수 있는 장소에 게시하지 아니한 관계인

④ **자체점검결과 게시(규칙 제27조):** 소방본부장 또는 소방서장에게 자체점검결과 보고를 마친 관계인은 보고한 날로부터 10일 이내에 자체점검기록표를 작성하여 특정소방대상물의 출입자가 쉽게 볼 수 있는 장소에 30일 이상 게시하여야 한다.

(2) 자체점검결과의 공개

① 소방본부장 또는 소방서장은 다음의 사항을 전산시스템 또는 인터넷 홈페이지 등을 통하여 국민에게 공개할 수 있다.

㉠ 자체점검 기간 및 점검자

㉡ 특정소방대상물의 정보 및 자체점검 결과

㉢ 그 밖에 소방본부장 또는 소방서장이 특정소방대상물을 이용하는 불특정다수인의 안전을 위하여 공개가 필요하다고 인정하는 사항

② 이 경우 공개 절차, 공개 기간 및 공개 방법 등 필요한 사항은 대통령령으로 정한다.

(3) 자체점검결과 공개 등(영 제36조)

① 소방본부장 또는 소방서장은 자체점검 결과를 공개하는 경우 30일 이상 법 제48조에 따른 전산시스템 또는 인터넷 홈페이지 등을 통해 공개해야 한다.

② 소방본부장 또는 소방서장은 제1항에 따라 자체점검 결과를 공개하려는 경우 공개 기간, 공개 내용 및 공개 방법을 해당 특정소방대상물의 관계인에게 미리 알려야 한다.

③ 특정소방대상물의 관계인은 ②에 따라 공개 내용 등을 통보받은 날부터 10일 이내에 관할 소방본부장 또는 소방서장에게 이의신청을 할 수 있다.

④ 소방본부장 또는 소방서장은 ③에 따라 이의신청을 받은 날부터 10일 이내에 심사·결정하여 그 결과를 지체 없이 신청인에게 알려야 한다.

⑤ 자체점검 결과의 공개가 제3자의 법익을 침해하는 경우에는 제3자와 관련된 사실을 제외하고 공개해야 한다.

🖐 관계법규 | 자체점검 결과 공개 및 게시

시행령	시행규칙
제36조【자체점검 결과 공개】 ① 소방본부장 또는 소방서장은 법 제24조 제2항에 따라 자체점검 결과를 공개하는 경우【 ① 】이상 법 제48조에 따른 전산시스템 또는 인터넷 홈페이지 등을 통해 공개해야 한다. ② 소방본부장 또는 소방서장은 제1항에 따라 자체점검 결과를 공개하려는 경우 공개 기간, 공개 내용 및 공개 방법을 해당 특정소방대상물의 관계인에게 미리 알려야 한다. ③ 특정소방대상물의 관계인은 제2항에 따라 공개 내용 등을 통보받은 날부터 10일 이내에 관할 소방본부장 또는 소방서장에게 이의신청을 할 수 있다. ④ 소방본부장 또는 소방서장은 제3항에 따라 이의신청을 받은 날부터【 ② 】이내에 심사·결정하여 그 결과를 지체 없이 신청인에게 알려야 한다. ⑤ 자체점검 결과의 공개가 제3자의 법익을 침해하는 경우에는 제3자와 관련된 사실을 제외하고 공개해야 한다.	**제25조【자체점검 결과의 게시】** 소방본부장 또는 소방서장에게 자체점검 결과 보고를 마친 관계인은 법 제24조 제1항에 따라 보고한 날부터 10일 이내에 별표 5의 소방시설등 자체점검기록표를 작성하여 특정소방대상물의 출입자가 쉽게 볼 수 있는 장소에【 ① 】이상 게시해야 한다.
① 30일 ② 10일	① 30일

제1절　소방시설관리사

1　소방시설관리사시험의 응시자격 등　　A

> **제25조【소방시설관리사】** ① 소방시설관리사(이하 "관리사"라 한다)가 되려는 사람은 소방청장이 실시하는 관리사시험에 합격하여야 한다.
> ② 제1항에 따른 관리사시험의 응시자격, 시험방법, 시험과목, 시험위원, 그 밖에 관리사시험에 필요한 사항은 대통령령으로 정한다.
> ③ 관리사시험의 최종 합격자 발표일을 기준으로 제27조의 결격사유에 해당하는 사람은 관리사 시험에 응시할 수 없다.

(1) 소방시설관리사의 자격

소방시설관리사가 되려는 사람은 소방청장이 실시하는 관리사시험에 합격하여야 한다.

(2) 위임규정

관리사시험의 응시자격, 시험방법, 시험과목, 시험위원, 그 밖에 관리사시험에 필요한 사항은 대통령령으로 정한다.

(3) 응시자격 제한

관리사시험의 최종 합격자 발표일을 기준으로 제27조의 결격사유에 해당하는 사람은 관리사 시험에 응시할 수 없다.

(4) 응시자격(영 제37조)(부칙 제6조 제1항: 2026.12.31.까지)

① 소방기술사 · 건축사 · 건축기계설비기술사 · 건축전기설비기술사 또는 공조냉동기계기술사
② 위험물기능장
③ 소방설비기사
④ 「국가과학기술 경쟁력 강화를 위한 이공계지원 특별법」 제2조에 따른 이공계 분야를 전공하고 박사학위를 취득한 사람
⑤ 소방청장이 정하여 고시하는 소방안전 관련 분야의 석사 이상의 학위를 취득한 사람
⑥ 소방설비산업기사 또는 소방공무원 등 소방청장이 정하여 고시하는 사람 중 소방에 관한 실무경력(자격 취득 후의 실무경력으로 한정한다)이 3년 이상인 사람

> **참고** 소방시설관리사시험에 관한 특례(부칙 제6조 제1항)
>
> 법 제25조 제2항에 따른 소방시설관리사시험(이하 "관리사시험"이라 한다)에 응시할 수 있는 사람은 제37조의 개정규정에도 불구하고 2026년 12월 31일까지는 다음 각 호에 따른 사람으로 한다.
>
> 1. 소방기술사 · 위험물기능장 · 건축사 · 건축기계설비기술사 · 건축전기설비기술사 또는 공조냉동기계기술사
>
> 2. 소방설비기사 자격을 취득한 후 2년 이상 소방청장이 정하여 고시하는 소방에 관한 실무경력(이하 "소방실무경력"이라 한다)이 있는 사람
>
> 3. 소방설비산업기사 자격을 취득한 후 3년 이상 소방실무경력이 있는 사람
>
> 4. 「국가과학기술 경쟁력 강화를 위한 이공계지원 특별법」 제2조 제1호에 따른 이공계(이하 "이공계"라 한다) 분야를 전공한 사람으로서 다음 각 목의 어느 하나에 해당하는 사람
>   가. 이공계 분야의 박사학위를 취득한 사람
>   나. 이공계 분야의 석사학위를 취득한 후 2년 이상 소방실무 경력이 있는 사람
>   다. 이공계 분야의 학사학위를 취득한 후 3년 이상 소방실무 경력이 있는 사람
>
> 5. 소방안전공학(소방방재공학, 안전공학을 포함한다) 분야를 전공한 후 다음 각 목의 어느 하나에 해당하는 사람
>   가. 해당 분야의 석사학위 이상을 취득한 사람
>   나. 2년 이상 소방실무경력이 있는 사람
>
> 6. 위험물산업기사 또는 위험물기능사 자격을 취득한 후 3년 이상 소방실무경력이 있는 사람
>
> 7. 소방공무원으로 5년 이상 근무한 경력이 있는 사람
>
> 8. 소방안전 관련 학과의 학사학위를 취득한 후 3년 이상 소방실무경력이 있는 사람
>
> 9. 산업안전기사 자격을 취득한 후 3년 이상 소방실무경력이 있는 사람
>
> 10. 다음 각 목의 어느 하나에 해당하는 사람
>   가. 특급 소방안전관리대상물의 소방안전관리자로 2년 이상 근무한 실무경력이 있는 사람
>   나. 1급 소방안전관리대상물의 소방안전관리자로 3년 이상 근무한 실무경력이 있는 사람
>   다. 2급 소방안전관리대상물의 소방안전관리자로 5년 이상 근무한 실무경력이 있는 사람
>   라. 3급 소방안전관리대상물의 소방안전관리자로 7년 이상 근무한 실무경력이 있는 사람
>   마. 10년 이상 소방실무경력이 있는 사람

(5) 시험의 시행방법(영 제38조)

① 관리사시험은 제1차 시험과 제2차 시험으로 구분하여 시행한다. 이 경우 소방청장은 제1차 시험과 제2차 시험을 같은 날에 시행할 수 있다.

② 제1차 시험은 선택형을 원칙으로 하고, 제2차 시험은 논문형을 원칙으로 하되, 제2차 시험의 경우에는 기입형을 포함할 수 있다.

③ 제1차 시험에 합격한 사람에 대해서는 다음 회의 관리사시험에 한정하여 제1차 시험을 면제한다. 다만, 면제받으려는 시험의 응시자격을 갖춘 경우로 한정한다.

④ 제2차 시험은 제1차 시험에 합격한 사람만 응시할 수 있다. 다만, 제1항 단서에 따라 제1차 시험과 제2차 시험을 병행하여 시행하는 경우에 제1차 시험에 불합격한 사람의 제2차 시험 응시는 무효로 한다.

(6) 시험과목(영 제39조)(부칙 제6조 제2항: 2026.12.31.까지)

① 제1차 시험

㉠ 소방안전관리론(소방 및 화재의 기초이론으로 연소이론, 화재현상, 위험물 및 소방안전관리 등의 내용을 포함한다)

㉡ 소방기계 점검실무(소방시설 기계분야 점검의 기초이론 및 실무능력을 측정하기 위한 과목으로 소방유체역학, 소방 관련 열역학, 소방기계 분야의 화재안전기준을 포함한다)

㉢ 소방전기 점검실무(소방시설 전기·통신분야 점검의 기초이론 및 실무능력을 측정하기 위한 과목으로 전기회로, 전기기기, 제어회로, 전자회로 및 소방전기 분야의 화재안전기준을 포함한다)

㉣ 소방 관계 법령

ⓐ 「소방시설 설치 및 관리에 관한 법률」 및 그 하위법령

ⓑ 「화재의 예방 및 안전관리에 관한 법률」 및 그 하위법령

ⓒ 「소방기본법」 및 그 하위법령

ⓓ 「다중이용업소의 안전관리에 관한 특별법」 및 그 하위법령

ⓔ 「건축법」 및 그 하위법령(소방 분야로 한정한다)

ⓕ 「초고층 및 지하연계 복합건축물 재난관리에 관한 특별법」 및 그 하위법령

> **참고** 소방시설관리사시험에 관한 특례(부칙 제6조 제2항)
>
> 관리사시험의 시험과목은 제39조의 개정규정에도 불구하고 2026년 12월 31일까지는 다음 각 호에 따른 과목으로 한다.
>
> **1. 제1차 시험**
> 가. 소방안전관리론(연소 및 소화, 화재예방관리, 건축물소방안전기준, 인원수용 및 피난계획에 관한 부분으로 한정한다) 및 화재역학[화재의 성질·상태, 화재하중(火災荷重), 열전달, 화염 확산, 연소속도, 구획화재, 연소생성물 및 연기의 생성·이동에 관한 부분으로 한정한다]
> 나. 소방수리학, 약제화학 및 소방전기(소방 관련 전기공사재료 및 전기제어에 관한 부분으로 한정한다)
> 다. 다음의 소방 관련 법령
> 　1) 「소방기본법」, 같은 법 시행령 및 같은 법 시행규칙
> 　2) 「소방시설공사업법」, 같은 법 시행령 및 같은 법 시행규칙
> 　3) 「소방시설 설치 및 관리에 관한 법률」, 같은 법 시행령 및 같은 법 시행규칙
> 　4) 「화재의 예방 및 안전관리에 관한 법률」, 같은 법 시행령 및 같은 법 시행규칙
> 　5) 「위험물안전관리법」, 같은 법 시행령 및 같은 법 시행규칙
> 　6) 「다중이용업소의 안전관리에 관한 특별법」, 같은 법 시행령 및 같은 법 시행규칙
> 라. 위험물의 성질·상태 및 시설기준
> 마. 소방시설의 구조 원리(고장진단 및 정비를 포함한다)
>
> **2. 제2차 시험**
> 가. 소방시설의 점검실무행정(점검절차 및 점검기구 사용법을 포함한다)
> 나. 소방시설의 설계 및 시공

② 제2차 시험

㉠ 소방시설등 점검실무(소방시설등의 점검에 필요한 종합적 능력을 측정하기 위한 과목으로 소방시설등의 현장점검 시 점검절차, 성능확인, 이상판단 및 조치 등의 내용을 포함한다)

ⓛ 소방시설등 관리실무(소방시설등 점검 및 관리 관련 행정업무 및 서류작성 등의 업무능력을 측정하기 위한 과목으로 점검보고서의 작성, 인력 및 장비 운용 등 실제 현장에서 요구되는 사무 능력을 포함한다)

③ 위임규정

㉠ 관리사 시험과목의 세부항목 등은 행정안전부령으로 정한다.

㉡ **소방시설관리사시험 과목의 세부 항목 등(규칙 제28조):** 소방시설관리사시험 과목의 세부 항목은 별표 6과 같다.

(7) 시험위원(영 제39조)

① **시험위원의 임명·위촉**

ㄱ 소방 관련 분야의 박사학위를 취득한 사람

ㄴ 대학에서 소방안전 관련 학과 조교수 이상으로 2년 이상 재직한 사람

ㄷ 소방위 이상의 소방공무원

ㄹ 소방시설관리사

ㅁ 소방기술사

② **시험위원의 수**

ㄱ **출제위원:** 시험 과목별 3명

ㄴ **채점위원:** 시험 과목별 5명 이내(제2차 시험의 경우로 한정한다)

③ **준수사항 이행:** 시험위원으로 임명되거나 위촉된 사람은 소방청장이 정하는 시험문제 등의 출제 시 유의사항 및 서약서 등에 따른 준수사항을 성실히 이행하여야 한다.

④ **수당 및 경비의 지급:** 임명되거나 위촉된 시험위원과 시험감독 업무에 종사하는 사람에게는 예산의 범위에서 수당과 여비를 지급할 수 있다.

👆 **관계법규 응시자격 및 시험방법**

시행령

제37조【소방시설관리사시험의 응시자격】 법 제25조 제1항에 따른 소방시설관리사시험(이하 "관리사시험"이라 한다)에 응시할 수 있는 사람은 다음 각 호와 같다.

1. 소방기술사·건축사·건축기계설비기술사·건축전기설비기술사 또는 공조냉동기계기술사
2. 위험물기능장
3. 소방설비기사
4. 「국가과학기술 경쟁력 강화를 위한 이공계지원 특별법」 제2조 제1호에 따른 이공계 분야의 박사학위를 취득한 사람
5. 소방청장이 정하여 고시하는 소방안전 관련 분야의 석사 이상의 학위를 취득한 사람
6. 소방설비산업기사 또는 소방공무원 등 소방청장이 정하여 고시하는 사람 중 소방에 관한 실무경력(자격 취득 후의 실무경력으로 한정한다)이 3년 이상인 사람

제38조【시험의 시행방법】 ① 관리사시험은 제1차 시험과 제2차 시험으로 구분하여 시행한다. 이 경우 소방청장은 제1차 시험과 제2차 시험을 같은 날에 시행할 수 있다.

② 제1차 시험은 선택형을 원칙으로 하고, 제2차 시험은 논문형을 원칙으로 하되, 제2차 시험에는 기입형을 포함할 수 있다.

③ 제1차 시험에 합격한 사람에 대해서는 다음 회의 관리사시험만 제1차 시험을 면제한다. 다만, 면제받으려는 시험의 응시자격을 갖춘 경우로 한정한다.

④ 제2차 시험은 제1차 시험에 합격한 사람만 응시할 수 있다. 다만, 제1항 후단에 따라 제1차 시험과 제2차 시험을 병행하여 시행하는 경우에 제1차 시험에 불합격한 사람의 제2차 시험 응시는 무효로 한다.

시행령

제39조 【시험 과목】 ① 관리사시험의 제1차 시험 및 제2차 시험 과목은 다음 각 호와 같다.

1. 제1차 시험

　가. 소방안전관리론(소방 및 화재의 기초이론으로 연소이론, 화재현상, 위험물 및 소방안전관리 등의 내용을 포함한다)

　나. 소방기계 점검실무(소방시설 기계 분야 점검의 기초이론 및 실무능력을 측정하기 위한 과목으로 소방유체역학, 소방 관련 열역학, 소방기계 분야의 화재안전기준을 포함한다)

　다. 소방전기 점검실무(소방시설 전기 · 통신 분야 점검의 기초이론 및 실무능력을 측정하기 위한 과목으로 전기회로, 전기기기, 제어회로, 전자회로 및 소방전기 분야의 화재안전기준을 포함한다)

　라. 다음의 소방 관계 법령

　　1) 「소방시설 설치 및 관리에 관한 법률」 및 그 하위법령

　　2) 「화재의 예방 및 안전관리에 관한 법률」 및 그 하위법령

　　3) 「소방기본법」 및 그 하위법령

　　4) 「다중이용업소의 안전관리에 관한 특별법」 및 그 하위법령

　　5) 「건축법」 및 그 하위법령(소방 분야로 한정한다)

　　6) 「초고층 및 지하연계 복합건축물 재난관리에 관한 특별법」 및 그 하위법령

2. 제2차 시험

　가. 소방시설등 점검실무(소방시설등의 점검에 필요한 종합적 능력을 측정하기 위한 과목으로 소방시설등의 현장점검 시 점검절차, 성능확인, 이상판단 및 조치 등의 내용을 포함한다)

　나. 소방시설등 관리실무(소방시설등 점검 및 관리 관련 행정업무 및 서류작성 등의 업무능력을 측정하기 위한 과목으로 점검보고서의 작성, 인력 및 장비 운용 등 실제 현장에서 요구되는 사무 능력을 포함한다)

② 제1항에 따른 관리사시험 과목의 세부 항목은 행정안전부령으로 정한다.

제40조 【시험위원의 임명 · 위촉】 ① 소방청장은 법 제25조 제2항에 따라 관리사시험의 출제 및 채점을 위하여 다음 각 호의 어느 하나에 해당하는 사람 중에서 시험위원을 임명하거나 위촉해야 한다.

1. 소방 관련 분야의 박사학위를 취득한 사람

2. 대학에서 소방안전 관련 학과 조교수 이상으로 2년 이상 재직한 사람

3. 소방위 이상의 소방공무원

4. 소방시설관리사

5. 소방기술사

② 제1항에 따른 시험위원의 수는 다음 각 호의 구분에 따른다.

1. 출제위원: 시험 과목별 3명

2. 채점위원: 시험 과목별 5명 이내(제2차 시험의 경우로 한정한다)

③ 제1항에 따라 시험위원으로 임명되거나 위촉된 사람은 소방청장이 정하는 시험문제 등의 출제 시 유의사항 및 서약서 등에 따른 준수사항을 성실히 이행해야 한다.

④ 제1항에 따라 임명되거나 위촉된 시험위원과 시험감독 업무에 종사하는 사람에게는 예산의 범위에서 수당과 여비를 지급할 수 있다.

제25조【소방시설관리사】 ④ 소방기술사 등 대통령령으로 정하는 사람에 대하여는 대통령령으로 정하는 바에 따라 제2항에 따른 관리사시험 과목 가운데 일부를 면제할 수 있다.

⑤ 소방청장은 제1항에 따른 관리사시험에 합격한 사람에게는 행정안전부령으로 정하는 바에 따라 소방시설관리사증을 발급하여야 한다.

⑥ 제5항에 따라 소방시설관리사증을 발급받은 사람이 소방시설관리사증을 잃어버렸거나 못 쓰게 된 경우에는 행정안전부령으로 정하는 바에 따라 소방시설관리사증을 재발급받을 수 있다.

⑦ 관리사는 제5항 또는 제6항에 따라 발급 또는 재발급받은 소방시설관리사증을 다른 사람에게 빌려주거나 빌려서는 아니 되며, 이를 알선하여서도 아니 된다.

⑧ 관리사는 동시에 둘 이상의 업체에 취업하여서는 아니 된다.

⑨ 제22조 제1항에 따른 기술자격자 및 제29조 제2항에 따라 관리업의 기술인력으로 등록된 관리사는 이 법과 이 법에 따른 명령에 따라 성실하게 자체점검 업무를 수행하여야 한다.

제26조【부정행위자에 대한 제재】 소방청장은 시험에서 부정한 행위를 한 응시자에 대하여는 그 시험을 정지 또는 무효로 하고, 그 처분이 있은 날부터 2년간 시험 응시자격을 정지한다.

(1) 시험과목의 일부 면제 등(부칙 제6조 제3항·제4항: 2026.12.31.까지)

① 소방기술사 등 대통령령으로 정하는 사람에 대하여는 대통령령으로 정하는 바에 따라 제2항에 따른 관리사시험 과목 가운데 일부를 면제할 수 있다.

② **시험과목의 일부 면제(영 제41조):** 관리사시험의 제1차 시험 과목 가운데 일부를 면제받을 수 있는 사람과 그 면제 과목은 다음 구분에 따른다. 다만, 다음 중 둘 이상에 해당하는 경우에는 본인이 선택한 호의 과목만 면제받을 수 있다.

    ㉠ **소방기술사 자격을 취득한 사람:** 제39조 제1항 제1호 가목부터 다목까지의 과목

    ㉡ **소방공무원으로 15년 이상 근무한 경력이 있는 사람으로서 5년 이상 소방청장이 정하여 고시하는 소방 관련 업무 경력이 있는 사람:** 제39조 제1항 제1호 나목부터 라목까지의 과목

    ㉢ **다음 어느 하나에 해당하는 사람:** 제39조 제1항 제1호 나목·다목의 과목

       ⓐ 소방설비기사(기계 또는 전기) 자격을 취득한 후 8년 이상 소방기술과 관련된 경력(「소방시설공사업법」 제28조 제3항에 따른 소방기술과 관련된 경력을 말한다)이 있는 사람

       ⓑ 소방설비산업기사(기계 또는 전기) 자격을 취득한 후 법 제29조에 따른 소방시설관리업에서 10년 이상 자체점검 업무를 수행한 사람

1. 제3항

> 법 제25조 제4항에 따라 관리사시험의 제1차 시험 과목 가운데 일부를 면제받을 수 있는 사람과 그 면제과목은 제41조의 개정규정에도 불구하고 2026년 12월 31일까지는 다음 각 호의 구분에 따른다. 다만, 제1호 및 제2호에 모두 해당하는 사람은 본인이 선택한 한 과목만 면제받을 수 있다.
> 1. 소방기술사 자격을 취득한 후 15년 이상 소방실무경력이 있는 사람: 제2항 제1호 나목의 과목
> 2. 소방공무원으로 15년 이상 근무한 경력이 있는 사람으로서 5년 이상 소방청장이 정하여 고시하는 소방 관련 업무 경력이 있는 사람: 제2항 제1호 다목의 과목

2. 제4항

> 법 제25조 제4항에 따라 관리사시험의 제2차 시험 과목 가운데 일부를 면제받을 수 있는 사람과 그 면제과목은 제41조의 개정규정에도 불구하고 2026년 12월 31일까지는 다음 각 호의 구분에 따른다. 다만, 제1호 및 제2호에 모두 해당하는 사람은 본인이 선택한 한 과목만 면제받을 수 있다.
> 1. 제1항 제1호에 해당하는 사람: 제2항 제2호 나목의 과목
> 2. 제1항 제7호에 해당하는 사람: 제2항 제2호 가목의 과목

③ 시험의 시행 및 공고(영 제42조)
  ㉠ 관리사시험은 매년 1회 시행하는 것을 원칙으로 하되, 소방청장이 필요하다고 인정하는 경우에는 그 횟수를 늘리거나 줄일 수 있다.
  ㉡ 소방청장은 관리사시험을 시행하려면 응시자격, 시험 과목, 일시·장소 및 응시절차 등에 필요한 사항을 모든 응시 희망자가 알 수 있도록 관리사시험 시행일 90일 전까지 소방청 홈페이지 등에 공고하여야 한다.

④ 시험의 합격자 결정 등(영 제44조)
  ㉠ 제1차 시험에서는 과목당 100점을 만점으로 하여 모든 과목의 점수가 40점 이상이고, 전 과목 평균 점수가 60점 이상인 사람을 합격자로 한다.
  ㉡ 제2차 시험에서는 과목당 100점을 만점으로 하되, 시험위원의 채점점수 중 최고점수와 최저점수를 제외한 점수가 모든 과목에서 40점 이상, 전 과목에서 평균 60점 이상인 사람을 합격자로 한다.
  ㉢ 소방청장은 제1항과 제2항에 따라 관리사시험 합격자를 결정하였을 때에는 이를 소방청 홈페이지 등에 공고해야 한다.

> 2026년 소방시설관리사시험 제1차 시험에 합격한 사람은 제44조의 개정규정에 따라 제1차 시험에 합격한 사람으로 보며, 제2차 시험의 응시자격에 관하여는 제37조의 개정규정에도 불구하고 제1항에 따른다.

(2) 관리사증의 발급
① 소방시설관리사증: 소방청장은 관리사시험에 합격한 사람에게는 행정안전부령으로 정하는 바에 따라 소방시설관리사증을 발급하여야 한다.

② 소방시설관리사증의 발급(영 제26조): 영 제48조 제3항 제2호에 따라 소방시설 관리사증의 발급·재발급에 관한 업무를 위탁받은 법인 또는 단체(이하 "소방시설관리사증발급자"라 한다)는 소방시설관리사 시험에 합격한 사람에게 합격자 공고일부터 1개월 이내에 소방시설관리사증을 발급해야 하며, 이를 소방시설관리사증 발급대장에 기록하고 관리해야 한다.

(3) 관리사증의 재발급

① 소방시설관리사증을 발급받은 사람이 소방시설관리사증을 잃어버렸거나 못 쓰게 된 경우에는 행정안전부령으로 정하는 바에 따라 소방시설관리사증을 재발급받을 수 있다

② 소방시설관리사증 재발급(영 제27조)

   ㉠ 소방시설관리사가 소방시설관리사증을 잃어버렸거나 못 쓰게 되어 소방시설관리사증의 재발급을 신청하는 경우에는 소방시설관리사증 재발급 신청서에 해당 서류를 첨부하여 소방시설관리사증발급자에게 제출해야 한다.

   ㉡ 소방시설관리사증발급자는 재발급신청서를 제출받은 경우에는 3일 이내에 소방시설관리사증을 재발급해야 한다.

(4) 대여 금지

관리사는 발급 또는 재발급받은 소방시설관리사증을 다른 사람에게 빌려주거나 빌려서는 아니 되며, 이를 알선하여서도 아니 된다.

(5) 이중 취업 금지

관리사는 동시에 둘 이상의 업체에 취업하여서는 아니 된다.

(6) 관리사의 의무

기술자격자 및 제29조 제2항에 따라 관리업의 기술인력으로 등록된 관리사는 이 법과 이 법에 따른 명령에 따라 성실하게 자체점검 업무를 수행하여야 한다.

📖 SUMMARY 벌칙 비교

구분	관리업·관리사 & 소방시설업·소방기술자		벌칙	등록 및 자격 취소 여부
소방 시설법	관리사	이중취업	1년 이하 징역, 1천만 이하 벌금	반드시 ○ (법 제28조)
		빌려준 경우	1년 이하 징역, 1천만 이하 벌금	반드시 ○ (법 제28조)
	관리업 (등록증/등록수첩)	빌려준 경우	1년 이하 징역, 1천만 이하 벌금	반드시 ○
소방시설 공사업법	소방시설업 (등록증/등록수첩)	빌려준 경우	3백만 이하 벌금	반드시 ×
	소방기술자	이중취업	3백만 이하 벌금	반드시 ×
		빌려준 경우	3백만 이하 벌금	반드시 ○

정희's 톡talk

벌칙 - 1년 이하의 징역 또는 1천만원 이하의 벌금(제58조)
제25조 제7항을 위반하여 소방시설관리사증을 다른 사람에게 빌려주거나 빌리거나 이를 알선한 자

벌칙 - 1년 이하의 징역 또는 1천만원 이하의 벌금(제58조)
제25조 제8항을 위반하여 동시에 둘 이상의 업체에 취업한 자

정희's 톡talk

「소방시설공사업법」 벌칙

1. 소방기술자 중 자격수첩 또는 경력 수첩을 빌려 준 사람 ⇨ 300만원 이하의 벌금
2. 소방기술자 중 동시에 둘 이상의 업체에 취업한 사람 ⇨ 300만원 이하의 벌금
3. 소방시설업의 등록증·등록수첩을 빌려준 경우 반드시 취소사유에 해당되지는 않습니다.

시행령	시행규칙
제41조【시험 과목의 일부 면제】 법 제25조 제4항에 따라 관리사시험의 제1차 시험 과목 가운데 일부를 면제받을 수 있는 사람과 그 면제 과목은 다음 각 호의 구분에 따른다. 다만, 다음 각 호 중 둘 이상에 해당하는 경우에는 본인이 선택한 호의 과목만 면제받을 수 있다. 　1. 소방기술사 자격을 취득한 사람: 제39조 제1항 제1호 가목부터 다목까지의 과목 　2. 소방공무원으로 15년 이상 근무한 경력이 있는 사람으로서 5년 이상 소방청장이 정하여 고시하는 소방 관련 업무 경력이 있는 사람: 제39조 제1항 제1호 나목부터 라목까지의 과목 　3. 다음 각 목의 어느 하나에 해당하는 사람: 제39조 제1항 제1호 나목·다목의 과목 　　가. 소방설비기사(기계 또는 전기) 자격을 취득한 후 8년 이상 소방기술과 관련된 경력(「소방시설공사업법」 제28조 제3항에 따른 소방기술과 관련된 경력을 말한다)이 있는 사람 　　나. 소방설비산업기사(기계 또는 전기) 자격을 취득한 후 법 제29조에 따른 소방시설관리업에서 10년 이상 자체점검 업무를 수행한 사람	**제26조【소방시설관리사증의 발급】** 영 제48조 제3항 제2호에 따라 소방시설관리사증의 발급·재발급에 관한 업무를 위탁받은 법인 또는 단체(이하 "소방시설관리사증발급자"라 한다)는 법 제25조 제5항에 따라 소방시설관리사 시험에 합격한 사람에게 합격자 공고일부터 1개월 이내에 별지 제14호 서식의 소방시설관리사증을 발급해야 하며, 이를 별지 제15호 서식의 소방시설관리사증 발급대장에 기록하고 관리해야 한다.
제42조【시험의 시행 및 공고】 ① 관리사시험은 매년【 ① 】시행하는 것을 원칙으로 하되, 소방청장이 필요하다고 인정하는 경우에는 그 횟수를 늘리거나 줄일 수 있다. ② 소방청장은 관리사시험을 시행하려면 응시자격, 시험 과목, 일시·장소 및 응시절차 등을 모든 응시 희망자가 알 수 있도록 관리사시험 시행일 90일 전까지 인터넷 홈페이지에 공고해야 한다.	**제27조【소방시설관리사증의 재발급】** ① 법 제25조 제6항에 따라 소방시설관리사가 소방시설관리사증을 잃어버렸거나 못 쓰게 되어 소방시설관리사증의 재발급을 신청하는 경우에는 별지 제16호 서식의 소방시설관리사증 재발급 신청서(전자문서로 된 신청서를 포함한다)에 다음 각 호의 서류를 첨부하여 소방시설관리사증발급자에게 제출해야 한다. 　1. 소방시설관리사증(못 쓰게 된 경우만 해당한다) 　2. 신분증 사본 　3. 사진(3센티미터 × 4센티미터) 1장 ② 소방시설관리사증발급자는 제1항에 따라 재발급신청서를 제출받은 경우에는 3일 이내에 소방시설관리사증을 재발급해야 한다.
제43조【응시원서 제출 등】 ① 관리사시험에 응시하려는 사람은 행정안전부령으로 정하는 바에 따라 관리사시험 응시원서를 소방청장에게 제출해야 한다. ② 제41조에 따라 시험 과목의 일부를 면제받으려는 사람은 제1항에 따른 응시원서에 면제 과목과 그 사유를 적어야 한다. <div align="center">– 중략 –</div>	**제28조【소방시설관리사시험 과목의 세부 항목 등】** 영 제39조 제2항에 따른 소방시설관리사시험 과목의 세부 항목은 별표 6과 같다.
제44조【시험의 합격자 결정 등】 ① 제1차 시험에서는 과목당 100점을 만점으로 하여 모든 과목의 점수가 40점 이상이고, 전 과목 평균 점수가【 ② 】이상인 사람을 합격자로 한다. ② 제2차 시험에서는 과목당 100점을 만점으로 하되, 시험위원의 채점점수 중 최고점수와 최저점수를 제외한 점수가 모든 과목에서 40점 이상, 전 과목에서 평균 60점 이상인 사람을 합격자로 한다. ③ 소방청장은 제1항과 제2항에 따라 관리사시험 합격자를 결정했을 때에는 이를 인터넷 홈페이지에 공고해야 한다.	**제29조【소방시설관리사시험 응시원서 등】** ① 영 제43조 제1항에 따른 소방시설관리사시험 응시원서는 별지 제17호 서식 또는 별지 제18호 서식과 같다. ② 영 제43조 제3항 본문에 따른 경력·재직증명서는 별지 제19호 서식과 같다.
① 1회 ② 60점	

2 관리사의 결격사유   A

제27조【결격사유】 다음 각 호의 어느 하나에 해당하는 사람은 관리사가 될 수 없다.

1. 피성년후견인
2. 이 법, 「소방기본법」, 「화재의 예방 및 안전관리에 관한 법률」, 「소방시설공사업법」 또는 「위험물안전관리법」을 위반하여 금고 이상의 실형을 선고받고 그 집행이 끝나거나(집행이 끝난 것으로 보는 경우를 포함한다) 집행이 면제된 날부터 2년이 지나지 아니한 사람
3. 이 법, 「소방기본법」, 「화재의 예방 및 안전관리에 관한 법률」, 「소방시설공사업법」 또는 「위험물안전관리법」을 위반하여 금고 이상의 형의 집행유예를 선고받고 그 유예기간 중에 있는 사람
4. 제28조에 따라 자격이 취소(이 조 제1호에 해당하여 자격이 취소된 경우는 제외한다)된 날부터 2년이 지나지 아니한 사람

다음에 해당하는 사람은 관리사가 될 수 없다.

① 피성년후견인
② 소방관계법령에 따른 금고 이상의 실형을 선고받고 그 집행이 끝나거나(집행이 끝난 것으로 보는 경우를 포함한다) 집행이 면제된 날부터 2년이 지나지 아니한 사람
③ 소방관계법령에 따른 금고 이상의 형의 집행유예를 선고받고 그 유예기간 중에 있는 사람
④ 제28조에 따라 자격이 취소(피성년후견인에 해당하여 자격이 취소된 경우는 제외한다)된 날부터 2년이 지나지 아니한 사람

📖 **SUMMARY** 관리사의 결격사유

① 피성년후견인			
소방 관계법령	② 금고 이상 실형 선고	집행이 종료된 날부터	2년이 지나지 아니한 사람
		집행이 면제된 날부터	
	③ 금고 이상 형의 집행유예		유예기간 중
	④ 자격의 취소	제28조 자격의 정지·취소(피성년후견인의 결격사유에 해당하여 취소·정지된 경우 제외)	2년이 지나지 아니한 사람

제28조【자격의 취소 · 정지】 소방청장은 관리사가 다음 각 호의 어느 하나에 해당할 때에는 행정안전부령으로 정하는 바에 따라 그 자격을 취소하거나 1년 이내의 기간을 정하여 그 자격의 정지를 명할 수 있다. 다만, 제1호, 제4호, 제5호 또는 제7호에 해당하면 그 자격을 취소하여야 한다.

1. 거짓이나 그 밖의 부정한 방법으로 시험에 합격한 경우
2. 「화재의 예방 및 안전관리에 관한 법률」 제25조 제2항에 따른 대행인력의 배치 기준 · 자격 · 방법 등 준수사항을 지키지 아니한 경우
3. 제22조에 따른 점검을 하지 아니하거나 거짓으로 한 경우
4. 제25조 제7항을 위반하여 소방시설관리사증을 다른 사람에게 빌려준 경우
5. 제25조 제8항을 위반하여 동시에 둘 이상의 업체에 취업한 경우
6. 제25조 제9항을 위반하여 성실하게 자체점검 업무를 수행하지 아니한 경우
7. 제27조 각 호의 어느 하나에 따른 결격사유에 해당하게 된 경우

(1) **자격의 취소 · 정지**

① 소방청장은 관리사가 다음 중 하나에 해당하는 경우 1년 이내의 기간을 정하여 자격을 취소하거나 정지를 명할 수 있다.

    ㉠ 거짓이나 그 밖의 부정한 방법으로 시험에 합격한 경우
    ㉡ 소방안전관리 업무를 하지 아니하거나 거짓으로 한 경우
    ㉢ 소방시설등의 자체점검을 하지 아니하거나 거짓으로 한 경우
    ㉣ 소방시설관리사증을 다른 자에게 빌려준 경우
    ㉤ 동시에 둘 이상의 업체에 취업한 경우
    ㉥ 성실하게 자체점검 업무를 수행하지 아니한 경우
    ㉦ 결격사유에 해당하게 된 경우

② 벌칙 - 1년 이하의 징역 또는 1천만원 이하의 벌금(제58조): 제28조에 따라 자격 정지처분을 받고 그 자격정지기간 중에 관리사의 업무를 한 자

(2) **자격의 절대적(필요적) 취소 사유**

소방청장은 (1)의 내용 중 ①, ④, ⑤, ⑦의 경우에는 그 자격을 반드시 취소하여야 한다.

📖 **SUMMARY** 자격의 취소 · 정지

자격의 취소 · 정지 대상	취소 및 정지
· 거짓이나 부정한 방법으로 시험에 합격한 경우 · 소방시설관리사증을 다른 자에게 빌려준 경우 · 동시에 둘 이상의 업체에 취업한 경우 · 결격사유에 해당하게 된 경우	반드시 자격을 취소하여야 한다.
· 소방안전관리 업무를 하지 아니하거나 거짓으로 한 경우 · 소방시설등의 자체점검을 하지 아니하거나 거짓으로 한 경우 · 성실하게 자체점검의 업무를 수행하지 아니한 경우	자격을 취소하거나 1년의 기간을 정하여 자격정지를 하거나 취소할 수 있다.

1　소방시설관리업의 등록　　　　　　　　A

제29조【소방시설관리업의 등록 등】① 소방시설등의 점검 및 관리를 업으로 하려는 자 또는 「화재의 예방 및 안전관리에 관한 법률」 제25조에 따른 소방안전관리업무의 대행을 하려는 자는 대통령령으로 정하는 업종별로 시·도지사에게 소방시설관리업(이하 "관리업"이라 한다) 등록을 하여야 한다.
② 제1항에 따른 업종별 기술인력 등 관리업의 등록기준 및 영업범위 등에 필요한 사항은 대통령령으로 정한다.
③ 관리업의 등록신청과 등록증·등록수첩의 발급·재발급 신청, 그 밖에 관리업의 등록에 필요한 사항은 행정안전부령으로 정한다.

(1) 관리업의 등록

① 소방시설등의 점검 및 관리를 업으로 하려는 자 또는 「화재의 예방 및 안전관리에 관한 법률」에 따른 소방안전관리업무의 대행을 하려는 자는 대통령령으로 정하는 업종별로 시·도지사에게 소방시설관리업 등록을 하여야 한다.

② 벌칙─ 3년 이하의 징역 또는 3천만원 이하의 벌금(제57조): 제29조 제1항을 위반하여 관리업의 등록을 하지 아니하고 영업을 한 자

(2) 관리업의 등록기준 및 영업범위

① 위임규정: 업종별 기술인력 등 관리업의 등록기준 및 영업범위 등에 필요한 사항은 대통령령으로 정한다.

② 업종별 등록기준 및 영업범위(영 [별표 9])

업종별 \ 기술인력 등	기술인력	영업범위
전문 소방시설관리업	가. 주된 기술인력 　1) 소방시설관리사 자격을 취득한 후 소방 관련 실무경력이 5년 이상인 사람 1명 이상 　2) 소방시설관리사 자격을 취득한 후 소방 관련 실무경력이 3년 이상인 사람 1명 이상 나. 보조 기술인력 　1) 고급점검자 이상의 기술인력: 2명 이상 　2) 중급점검자 이상의 기술인력: 2명 이상 　3) 초급점검자 이상의 기술인력: 2명 이상	모든 특정소방대상물
일반 소방시설관리업	가. 주된 기술인력: 소방시설관리사 자격을 취득한 후 소방 관련 실무경력이 1년 이상인 사람 1명 이상 나. 보조 기술인력 　1) 중급점검자 이상의 기술인력: 1명 이상 　2) 초급점검자 이상의 기술인력: 1명 이상	1급, 2급, 3급 소방안전관리 대상물

정희's 톡talk

영 [별표 9] 비고
1. "소방 관련 실무경력"이란 「소방시설공사업법」 제28조 제3항에 따른 소방기술과 관련된 경력을 말한다.
2. 보조 기술인력의 종류별 자격은 「소방시설공사업법」 제28조 제3항에 따라 소방기술과 관련된 자격·학력 및 경력을 가진 사람 중에서 행정안전부령으로 정한다.

✎ 핵심기출

소방시설법 시행령상 전문소방시설관리업의 보조 기술인력 등록기준으로 옳은 것은?

23. 공채·경채

① 특급점검자 이상의 기술인력: 2명 이상
② 중급·고급점검자 이상의 기술인력: 각 1명 이상
③ 초급·중급점검자 이상의 기술인력: 각 1명 이상
④ 초급·중급·고급점검자 이상의 기술인력: 각 2명 이상

정답 ④

(3) 소방시설관리업의 등록기준 등(영 제46조)

① 법 제29조 제1항에 따른 소방시설관리업의 업종별 등록기준 및 영업범위는 별표 9와 같다.

② 시·도지사는 등록신청이 다음의 어느 하나에 해당하는 경우를 제외하고는 등록을 해 주어야 한다.

㉠ ①에 따른 등록기준에 적합하지 아니한 경우

㉡ 등록을 신청한 자가 법 제30조 각 호의 어느 하나에 해당하는 경우

㉢ 그 밖에 이 법 또는 소방 관련 법령에 따른 제한에 위배되는 경우

(4) 위임규정

관리업의 등록신청과 등록증·등록수첩의 발급·재발급 신청, 그 밖에 관리업의 등록에 필요한 사항은 행정안전부령으로 정한다.

(5) 소방시설관리업의 등록신청 등(제30조)

① 소방시설관리업을 하려는 자는 소방시설관리업 등록신청서에 소방기술인력 대장 및 기술자격증(경력수첩을 포함한다)을 첨부하여 시·도지사에게 제출해야 한다.

② 신청서를 제출받은 담당 공무원은 「전자정부법」 제36조 제1항에 따라 행정정보의 공동이용을 통하여 법인등기부 등본(법인인 경우만 해당한다)과 ①에 따라 제출하는 소방기술인력대장에 기록된 소방기술인력의 국가기술자격증을 확인해야 한다. 다만, 신청인이 국가기술자격증의 확인에 동의하지 않는 경우에는 그 사본을 제출하도록 해야 한다.

(6) 소방시설관리업의 등록증 및 등록수첩 발급 등(제31조)

① 시·도지사는 소방시설관리업의 등록신청 내용이 영 제45조 제1항 및 별표 9에 따른 소방시설관리업의 업종별 등록기준에 적합하다고 인정되면 신청인에게 소방시설관리업 등록증과소방시설관리업 등록수첩을 발급하고, 소방시설관리업 등록대장을 작성하여 관리해야 한다. 이 경우 시·도지사는 제출된 소방기술인력의 기술자격증(경력수첩을 포함한다)에 해당 소방기술인력이 그 관리업자 소속임을 기록하여 내주어야 한다.

② 시·도지사는 제출된 서류를 심사한 결과 다음의 어느 하나에 해당하는 경우에는 10일 이내의 기간을 정하여 이를 보완하게 할 수 있다.

㉠ 첨부서류가 미비되어 있는 경우

㉡ 신청서 및 첨부서류의 기재내용이 명확하지 않은 경우

③ 시·도지사는 소방시설관리업 등록증을 발급하거나 등록을 취소한 경우에는 이를 시·도의 공보에 공고해야 한다.

정희's 톡talk

소방시설관리업의 업종별 등록기준 중 보조 기술인력의 종류별 자격은 「소방시설공사업법 시행규칙」 별표 4의2에서 정하는 기준에 따릅니다.

시행령	시행규칙
제45조【소방시설관리업의 등록기준 등】 ① 법 제29조 제1항에 따른 소방시설관리업의 업종별 등록기준 및 영업범위는 별표 9와 같다. ② 시·도지사는 법 제29조 제1항에 따른 등록신청이 다음 각 호의 어느 하나에 해당하는 경우를 제외하고는 등록을 해 주어야 한다. 1. 제1항에 따른 등록기준에 적합하지 않은 경우 2. 등록을 신청한 자가 법 제30조 각 호의 어느 하나에 해당하는 경우 3. 그 밖에 이 법 또는 제39조 제1항 제1호 라목의 소방 관계 법령에 따른 제한에 위배되는 경우	**제30조【소방시설관리업의 등록신청 등】** ① 소방시설관리업을 하려는 자는 법 제29조 제1항에 따라 별지 제20호 서식의 소방시설관리업 등록신청서(전자문서로 된 신청서를 포함한다)에 별지 제21호 서식의 소방기술인력대장 및 기술자격증(경력수첩을 포함한다)을 첨부하여 특별시장·광역시장·특별자치시장·도지사 또는 특별자치도지사(이하 "시·도지사"라 한다)에게 제출(전자문서로 제출하는 경우를 포함한다)해야 한다. － 중략 － **제31조【소방시설관리업의 등록증 및 등록수첩 발급 등】** ① 시·도지사는 제30조에 따른 소방시설관리업의 등록신청 내용이 영 제45조 제1항 및 별표 9에 따른 소방시설관리업의 업종별 등록기준에 적합하다고 인정되면 신청인에게 별지 제22호 서식의 소방시설관리업 등록증과 별지 제23호 서식의 소방시설관리업 등록수첩을 발급하고, 별지 제24호 서식의 소방시설관리업 등록대장을 작성하여 관리해야 한다. 이 경우 시·도지사는 제30조 제1항에 따라 제출된 소방기술인력의 기술자격증(경력수첩을 포함한다)에 해당 소방기술인력이 그 관리업자 소속임을 기록하여 내주어야 한다. ② 시·도지사는 제30조 제1항에 따라 제출된 서류를 심사한 결과 다음 각 호의 어느 하나에 해당하는 경우에는【 ① 】이내의 기간을 정하여 이를 보완하게 할 수 있다. 1. 첨부서류가 미비되어 있는 경우 2. 신청서 및 첨부서류의 기재내용이 명확하지 않은 경우 ③ 시·도지사는 제1항에 따라 소방시설관리업 등록증을 발급하거나 법 제35조에 따라 등록을 취소한 경우에는 이를 시·도의 공보에 공고해야 한다. ④ 영 별표 9에 따른 소방시설관리업의 업종별 등록기준 중 보조 기술인력의 종류별 자격은「소방시설공사업법 시행규칙」별표 4의2에서 정하는 기준에 따른다. **제32조【소방시설관리업의 등록증·등록수첩의 재발급 및 반납】** ① 관리업자는 소방시설관리업 등록증 또는 등록수첩을 잃어버렸거나 소방시설관리업등록증 또는 등록수첩이 헐어 못 쓰게 된 경우에는 법 제29조 제3항에 따라 시·도지사에게 소방시설관리업 등록증 또는 등록수첩의 재발급을 신청할 수 있다. ② 관리업자는 제1항에 따라 재발급을 신청하는 경우에는 별지 제25호 서식의 소방시설관리업 등록증(등록수첩) 재발급 신청서(전자문서로 된 신청서를 포함한다)에 못 쓰게 된 소방시설관리업 등록증 또는 등록수첩(잃어버린 경우는 제외한다)을 첨부하여 시·도지사에게 제출해야 한다. ③ 시·도지사는 제2항에 따른 재발급 신청서를 제출받은 경우에는【 ② 】이내에 소방시설관리업 등록증 또는 등록수첩을 재발급해야 한다. ④ 관리업자는 다음 각 호의 어느 하나에 해당하는 경우에는 지체 없이 시·도지사에게 그 소방시설관리업 등록증 및 등록수첩을 반납해야 한다. 1. 법 제35조에 따라 등록이 취소된 경우 2. 소방시설관리업을 폐업한 경우 3. 제1항에 따라 재발급을 받은 경우. 다만, 등록증 또는 등록수첩을 잃어버리고 재발급을 받은 경우에는 이를 다시 찾은 경우로 한정한다. ① 10일 ② 3일

제30조【등록의 결격사유】 다음 각 호의 어느 하나에 해당하는 자는 관리업의 등록을 할 수 없다.

1. 피성년후견인
2. 이 법, 「소방기본법」, 「화재의 예방 및 안전관리에 관한 법률」, 「소방시설공사업법」 또는 「위험물안전관리법」을 위반하여 금고 이상의 실형을 선고받고 그 집행이 끝나거나(집행이 끝난 것으로 보는 경우를 포함한다) 집행이 면제된 날부터 2년이 지나지 아니한 사람
3. 이 법, 「소방기본법」, 「화재의 예방 및 안전관리에 관한 법률」, 「소방시설공사업법」 또는 「위험물안전관리법」을 위반하여 금고 이상의 형의 집행유예를 선고받고 그 유예기간 중에 있는 사람
4. 제35조 제1항에 따라 관리업의 등록이 취소(제1호에 해당하여 등록이 취소된 경우는 제외한다)된 날부터 2년이 지나지 아니한 자
5. 임원 중에 제1호부터 제4호까지의 어느 하나에 해당하는 사람이 있는 법인

① 피성년후견인
② 이 법, 「소방기본법」, 「화재의 예방 및 안전관리에 관한 법률」, 「소방시설공사업법」 또는 「위험물안전관리법」을 위반하여 금고 이상의 실형을 선고받고 그 집행이 끝나거나(집행이 끝난 것으로 보는 경우를 포함한다) 집행이 면제된 날부터 2년이 지나지 아니한 사람
③ 이 법, 「소방기본법」, 「화재의 예방 및 안전관리에 관한 법률」, 「소방시설공사업법」 또는 「위험물안전관리법」을 위반하여 금고 이상의 형의 집행유예를 선고받고 그 유예기간 중에 있는 사람
④ 제35조 제1항에 따라 관리업의 등록이 취소(피성년후견인에 해당하여 등록이 취소된 경우는 제외한다)된 날부터 2년이 지나지 아니한 자
⑤ 임원 중에 ①부터 ④까지의 어느 하나에 해당하는 사람이 있는 법인

제31조【등록사항의 변경신고】 관리업자(관리업의 등록을 한 자를 말한다. 이하 같다)는 제29조에 따라 등록한 사항 중 행정안전부령으로 정하는 중요 사항이 변경되었을 때에는 행정안전부령으로 정하는 바에 따라 시·도지사에게 변경사항을 신고하여야 한다.

(1) 변경신고

① 관리업자는 등록한 사항 중 행정안전부령으로 정하는 중요 사항이 변경되었을 때에는 행정안전부령으로 정하는 바에 따라 시·도지사에게 변경사항을 신고하여야 한다.

② **과태료 – 300만원 이하의 과태료(제61조):** 제31조을 위반하여 신고를 하지 아니하거나 거짓으로 신고한 자

(2) 등록사항의 변경신고 사항(규칙 제35조)

① 명칭·상호 또는 영업소소재지

② 대표자

③ 기술인력

관계법규 등록사항의 변경신고

시행규칙

제33조【등록사항의 변경신고 사항】 법 제31조에서 "행정안전부령이 정하는 중요사항"이란 다음 각 호의 어느 하나에 해당하는 사항을 말한다.
1. 명칭·상호 또는 영업소소재지
2. 대표자
3.【 ① 】

제36조【등록사항의 변경신고 등】 ① 관리업자는 법 제31조에 따라 등록사항의 변경이 있는 때에는 변경일부터【 ② 】이내에 별지 제27호 서식의 소방시설관리업 등록사항 변경신고서(전자문서로 된 신고서를 포함한다)에 그 변경사항별로 다음 각 호의 구분에 따른 서류(전자문서를 포함한다)를 첨부하여 시·도지사에게 제출해야 한다.
1. 명칭·상호 또는 영업소소재지를 변경하는 경우: 소방시설관리업등록증 및 등록수첩
2. 대표자를 변경하는 경우: 소방시설관리업등록증 및 등록수첩

3. 기술인력을 변경하는 경우
   가. 소방시설관리업등록수첩
   나. 변경된 기술인력의 기술자격증(자격수첩)
   다. 별지 제21호 서식의 기술인력연명부
② 제1항에 따른 신고서를 제출받은 시·도지사는 「전자정부법」 제36조 제1항에 따라 법인등기부 등본(법인인 경우에 한한다), 사업자등록증(개인인 경우에 한한다) 및 국가기술자격증을 확인하여야 한다. 다만, 신고인이 확인에 동의하지 아니하는 경우에는 이를 첨부하도록 해야 한다.
③ 시·도지사는 제1항에 따라 변경신고를 받은 때에는【 ③ 】이내에 소방시설관리업등록증 및 등록수첩을 새로 발급하거나 제1항에 따라 제출된 소방시설관리업등록증 및 등록수첩과 기술인력의 기술자격증(자격수첩)에 그 변경된 사항을 기재하여 발급하여야 한다.
④ 시·도지사는 제1항에 따라 변경신고를 받은 때에는 별지 제24호 서식의 소방시설관리업등록대장에 변경사항을 기재하고 관리해야 한다.

① 기술인력 ② 30일 ③ 5일

제32조【관리업자의 지위승계】① 다음 각 호의 어느 하나에 해당하는 자는 종전의 관리업자의 지위를 승계한다.

1. 관리업자가 사망한 경우 그 상속인

2. 관리업자가 그 영업을 양도한 경우 그 양수인

3. 법인인 관리업자가 합병한 경우 합병 후 존속하는 법인이나 합병으로 설립되는 법인

②「민사집행법」에 따른 경매,「채무자 회생 및 파산에 관한 법률」에 따른 환가,「국세징수법」,「관세법」또는「지방세징수법」에 따른 압류재산의 매각과 그 밖에 이에 준하는 절차에 따라 관리업의 시설 및 장비의 전부를 인수한 자는 종전의 관리업자의 지위를 승계한다.

③ 제1항이나 제2항에 따라 종전의 관리업자의 지위를 승계한 자는 행정안전부령으로 정하는 바에 따라 시·도지사에게 신고하여야 한다.

④ 제1항이나 제2항에 따라 지위를 승계한 자의 결격사유에 관하여는 제30조를 준용한다. 다만, 상속인이 제30조 각 호의 어느 하나에 해당하는 경우에는 상속받은 날부터 3개월 동안은 그러하지 아니하다.

(1) 지위 승계자

① 관리업자가 사망한 경우 그 상속인

② 관리업자가 그 영업을 양도한 경우 그 양수인

③ 법인인 관리업자가 합병한 경우 합병 후 존속하는 법인이나 합병으로 설립되는 법인

(2) 경매 등에 따른 지위 승계자

다음에 따른 압류재산의 매각과 그 밖에 이에 준하는 절차에 관리업의 시설 및 장비의 전부를 인수한 자는 종전의 관리업자의 지위를 승계한다.

①「민사집행법」에 따른 경매

②「채무자 회생 및 파산에 관한 법률」에 따른 환가

③「국세징수법」,「관세법」또는「지방세징수법」

(3) 위임사항

① 관리업자의 지위를 승계한 자는 행정안전부령으로 정하는 바에 따라 시·도지사에게 신고하여야 한다.

② 과태료 - 300만원 이하의 과태료(제61조): 제32조 제3항을 위반하여 신고를 하지 아니하거나 거짓으로 신고한 자

(4) 준용 규정

① 지위를 승계한 자의 결격사유에 관하여는 제30조를 준용한다.

② 다만, 상속인이 제30조 각 호의 어느 하나에 해당하는 경우에는 상속받은 날부터 3개월 동안은 그러하지 아니하다.

(5) 지위승계 신고 등(규칙 제35조)

① 법 제32조 제1항 제1호·제2호 또는 같은 조 제2항에 따라 관리업자의 지위를 승계한 자는 그 지위를 승계한 날부터 30일 이내에 소방시설관리업 지위승계 신고서에 다음의 서류를 첨부하여 시·도지사에게 제출해야 한다.

    ㉠ 소방시설관리업 등록증 및 등록수첩

    ㉡ 계약서 사본 등 지위승계를 증명하는 서류

    ㉢ 소방기술인력대장 및 기술자격증(경력수첩을 포함한다)

② 법 제32조 제1항 제3호에 따라 관리업자의 지위를 승계한 자는 같은 조 제3항에 따라 그 지위를 승계한 날부터 30일 이내에 별지 제28호 서식의 소방시설관리업 합병 신고서(전자문서로 된 신고서를 포함한다)에 제1항 각 호의 서류(전자문서를 포함한다)를 첨부하여 시·도지사에게 제출해야 한다.

③ 신고서를 제출받은 담당 공무원은 「전자정부법」 제36조 제1항에 따라 행정정보의 공동이용을 통하여 다음의 서류를 확인해야 한다. 다만, 신고인이 사업자등록증 및 국가기술자격증의 확인에 동의하지 않는 경우에는 그 사본을 첨부하도록 해야 한다.

    ㉠ 법인등기부 등본(지위승계인이 법인인 경우만 해당한다)

    ㉡ 사업자등록증(지위승계인이 개인인 경우만 해당한다)

    ㉢ 소방기술인력대장에 기록된 소방기술인력의 국가기술자격증

④ 시·도지사는 신고를 받은 경우에는 소방시설관리업 등록증 및 등록수첩을 새로 발급하고, 기술인력의 자격증 및 경력수첩에 그 변경사항을 적은 후 내주어야 하며, 소방시설관리업 등록대장에 지위승계에 관한 사항을 기록하고 관리해야 한다.

🖑 관계법규 지위승계신고 등

시행규칙

제35조【지위승계 신고 등】 ① 법 제32조 제1항 제1호·제2호 또는 같은 조 제2항에 따라 관리업자의 지위를 승계한 자는 같은 조 제3항에 따라 그 지위를 승계한 날부터 30일 이내에 별지 제27호 서식의 소방시설관리업 지위승계 신고서(전자문서로 된 신고서를 포함한다)에 다음 각 호의 서류(전자문서를 포함한다)를 첨부하여 시·도지사에게 제출해야 한다.

1. 소방시설관리업 등록증 및 등록수첩
2. 계약서 사본 등 지위승계를 증명하는 서류
3. 별지 제21호 서식의 소방기술인력대장 및 기술자격증(경력수첩을 포함한다)

② 법 제32조 제1항 제3호에 따라 관리업자의 지위를 승계한 자는 같은 조 제3항에 따라 그 지위를 승계한 날부터 30일 이내에 별지 제28호 서식의 소방시설관리업 합병 신고서(전자문서로 된 신고서를 포함한다)에 제1항 각 호의 서류(전자문서를 포함한다)를 첨부하여 시·도지사에게 제출해야 한다.

③ 제1항 또는 제2항에 따라 신고서를 제출받은 담당 공무원은 「전자정부법」 제36조 제1항에 따라 행정정보의 공동이용을 통하여 다음 각 호의 서류를 확인해야 한다. 다만, 신고인이 사업자등록증 및 국가기술자격증의 확인에 동의하지 않는 경우에는 그 사본을 첨부하도록 해야 한다.

1. 법인등기부 등본(지위승계인이 법인인 경우만 해당한다)
2. 사업자등록증(지위승계인이 개인인 경우만 해당한다)
3. 제30조 제1항에 따라 제출하는 소방기술인력대장에 기록된 소방기술인력의 국가기술자격증

④ 시·도지사는 제1항 또는 제2항에 따라 신고를 받은 경우에는 소방시설관리업 등록증 및 등록수첩을 새로 발급하고, 기술인력의 자격증 및 경력수첩에 그 변경사항을 적은 후 내주어야 하며, 별지 제24호 서식의 소방시설관리업 등록대장에 지위승계에 관한 사항을 기록하고 관리해야 한다.

제33조【관리업의 운영】① 관리업자는 이 법이나 이 법에 따른 명령 등에 맞게 소방시설등을 점검하거나 관리하여야 한다.

② 관리업자는 관리업의 등록증이나 등록수첩을 다른 자에게 빌려주거나 빌려서는 아니 되며, 이를 알선하여서도 아니 된다.

③ 관리업자는 다음 각 호의 어느 하나에 해당하는 경우에는 「화재의 예방 및 안전관리에 관한 법률」 제25조에 따라 소방안전관리업무를 대행하게 하거나 제22조 제1항에 따라 소방시설등의 점검업무를 수행하게 한 특정소방대상물의 관계인에게 지체 없이 그 사실을 알려야 한다.

1. 제32조에 따라 관리업자의 지위를 승계한 경우

2. 제35조 제1항에 따라 관리업의 등록취소 또는 영업정지 처분을 받은 경우

3. 휴업 또는 폐업을 한 경우

④ 관리업자는 제22조 제1항 및 제2항에 따라 자체점검을 하거나 「화재의 예방 및 안전관리에 관한 법률」 제25조에 따른 소방안전관리업무의 대행을 하는 때에는 행정안전부령으로 정하는 바에 따라 소속 기술인력을 참여시켜야 한다.

⑤ 제35조 제1항에 따라 등록취소 또는 영업정지 처분을 받은 관리업자는 그 날부터 소방안전관리업무를 대행하거나 소방시설등에 대한 점검을 하여서는 아니 된다. 다만, 영업정지처분의 경우 도급계약이 해지되지 아니한 때에는 대행 또는 점검 중에 있는 특정소방대상물의 소방안전관리업무 대행과 자체점검은 할 수 있다.

(1) 관리업자의 점검·관리

관리업자는 이 법이나 이 법에 따른 명령 등에 맞게 소방시설등을 점검하거나 관리하여야 한다.

(2) 관리업자의 금지 사항

① 관리업자는 관리업의 등록증이나 등록수첩을 다른 자에게 빌려주거나 빌려서는 아니 되며, 이를 알선하여서도 아니 된다.

② 벌칙 – 1년 이하의 징역 또는 1천만원 이하의 벌금(제58조): 제33조 제2항을 위반하여 관리업의 등록증이나 등록수첩을 다른 자에게 빌려주거나 빌리거나 이를 알선한 자

(3) 관리업자의 통지 의무

① 관리업자는 다음의 어느 하나에 해당하는 경우에는 「화재의 예방 및 안전관리에 관한 법률」 제25조에 따라 소방안전관리업무를 대행하게 하거나 제22조 제1항에 따라 소방시설등의 점검업무를 수행하게 한 특정소방대상물의 관계인에게 지체 없이 그 사실을 알려야 한다.

㉠ 관리업자의 지위를 승계한 경우

㉡ 관리업의 등록취소 또는 영업정지처분을 받은 경우

㉢ 휴업 또는 폐업을 한 경우

② 과태료 – 300만원 이하의 과태료(제61조): 제33조 제3항을 위반하여 지위승계, 행정처분 또는 휴업·폐업의 사실을 특정소방대상물의 관계인에게 알리지 아니하거나 거짓으로 알린 관리업자

(4) 소속 기술인력 배치

① 관리업자는 제22조 제1항 및 제2항에 따라 자체점검을 하거나 「화재의 예방 및 안전관리에 관한 법률」제25조에 따른 소방안전관리업무의 대행을 하는 때에는 행정안전부령으로 정하는 바에 따라 소속 기술인력을 참여시켜야 한다.

② 과태료 – 300만원 이하의 과태료(제61조): 제33조 제4항을 위반하여 소속 기술인력의 참여 없이 자체점검을 한 관리업자

> **참고** 「화재의 예방 및 안전관리에 관한 법률」상 소방안전관리
>
> 1. 제25조
>
> > 「화재의 예방 및 안전관리에 관한 법률」제25조【소방안전관리업무의 대행】① 소방안전관리대상물 중 연면적 등이 일정규모 미만인 대통령령으로 정하는 소방안전관리대상물의 관계인은 제24조 제1항에도 불구하고 관리업자로 하여금 같은 조 제5항에 따른 소방안전관리업무 중 대통령령으로 정하는 업무를 대행하게 할 수 있다. 이 경우 제24조 제3항에 따라 선임된 소방안전관리자는 관리업자의 대행업무 수행을 감독하고 대행업무 외의 소방안전관리업무는 직접 수행하여야 한다.
>
> 2. 제22조
>
> > 「화재의 예방 및 안전관리에 관한 법률」제22조【소방시설등의 자체점검】① 특정소방대상물의 관계인은 그 대상물에 설치되어 있는 소방시설등이 이 법이나 이 법에 따른 명령 등에 적합하게 설치·관리되고 있는지에 대하여 다음 각 호의 구분에 따른 기간 내에 스스로 점검하거나 제34조에 따른 점검능력 평가를 받은 관리업자 또는 행정안전부령으로 정하는 기술자격자(이하 "관리업자등"이라 한다)로 하여금 정기적으로 점검(이하 "자체점검"이라 한다)하게 하여야 한다. 이 경우 관리업자등이 점검한 경우에는 그 점검 결과를 행정안전부령으로 정하는 바에 따라 관계인에게 제출하여야 한다.
> > 1. 해당 특정소방대상물의 소방시설등이 신설된 경우: 「건축법」제22조에 따라 건축물을 사용할 수 있게 된 날부터 60일
> > 2. 제1호 외의 경우: 행정안전부령으로 정하는 기간
> > ② 자체점검의 구분 및 대상, 점검인력의 배치기준, 점검자의 자격, 점검 장비, 점검 방법 및 횟수 등 자체점검 시 준수하여야 할 사항은 행정안전부령으로 정한다.

(5) 관리업자의 점검 업무 제한

① 등록취소 또는 영업정지 처분을 받은 관리업자는 그 날부터 소방안전관리업무를 대행하거나 소방시설등에 대한 점검을 하여서는 아니 된다.

② 다만, 영업정지처분의 경우 도급계약이 해지되지 아니한 때에는 대행 또는 점검 중에 있는 특정소방대상물의 소방안전관리업무 대행과 자체점검은 할 수 있다.

 정희's 톡talk

규칙 제36조 (기술인력 참여기준)

법 제33조 제4항에 따라 관리업자가 자체점검 또는 소방안전관리업무의 대행을 할 때 참여시켜야 하는 기술인력의 자격 및 배치기준은 다음 각 호와 같습니다.

1. 자체점검: 별표 3 및 별표 4에 따른 점검인력의 자격 및 배치기준
2. 소방안전관리업무의 대행: 「화재의 예방 및 안전관리에 관한 법률 시행규칙」별표 1에 따른 대행인력의 자격 및 배치기준

제34조【점검능력 평가 및 공시 등】① 소방청장은 특정소방대상물의 관계인이 적정한 관리업자를 선정할 수 있도록 하기 위하여 관리업자의 신청이 있는 경우 해당 관리업자의 점검능력을 종합적으로 평가하여 공시하여야 한다.
② 제1항에 따라 점검능력 평가를 신청하려는 관리업자는 소방시설등의 점검실적을 증명하는 서류 등을 행정안전부령으로 정하는 바에 따라 소방청장에게 제출하여야 한다.
③ 제1항에 따른 점검능력 평가 및 공시방법, 수수료 등 필요한 사항은 행정안전부령으로 정한다.
④ 소방청장은 제1항에 따른 점검능력을 평가하기 위하여 관리업자의 기술인력, 장비 보유현황, 점검실적 및 행정처분 이력 등 필요한 사항에 대하여 데이터베이스를 구축·운영할 수 있다.

(1) 점검능력 평가 및 공시 등

① **평가 및 공시**: 소방청장은 관리업자의 신청이 있으면 해당 관리업자의 점검능력을 종합적으로 평가·공시할 수 있다.
② **목적**: 특정소방대상물의 관계인이 적정한 관리업자의 선정
③ **점검능력 평가 신청자**: 소방시설등의 점검실적 증명서류를 소방청장에 제출하여야 한다.
④ 점검능력 및 공시방법, 수수료 등 필요한 사항은 **행정안전부령**으로 정한다.

(2) 점검능력 평가의 신청

① 점검능력 평가를 신청하려는 관리업자는 소방시설등의 점검실적을 증명하는 서류 등을 행정안전부령으로 정하는 바에 따라 소방청장에게 제출하여야 한다.
② **과태료** −300만원 이하의 과태료(제61조): 제34조 제2항에 따른 점검실적을 증명하는 서류 등을 거짓으로 제출한 자

(3) 위임규정

점검능력 평가 및 공시방법, 수수료 등 필요한 사항은 **행정안전부령**으로 정한다.

(4) 데이터베이스 구축

소방청장은 점검능력을 평가하기 위하여 관리업자의 기술인력 및 장비 보유현황, 점검실적, 행정처분이력 등 필요한 사항에 대하여 데이터베이스를 구축할 수 있다.

(5) 점검능력 평가의 신청 등(규칙 제37조)

① 법 제34조 제2항에 따라 점검능력을 평가받으려는 관리업자는 소방시설등 점검능력 평가신청서에 해당 서류를 첨부하여 평가기관에 매년 2월 15일까지 제출해야 한다.
② **보완 기간**: 신청을 받은 평가기관의 장은 해당 서류가 첨부되어 있지 않은 경우에는 신청인에게 15일 이내의 기간을 정하여 보완하게 할 수 있다.

③ 상시 점검능력 평가를 신청할 수 있는 경우

ⓐ 신규로 소방시설관리업의 등록을 한 자

ⓑ 관리업자의 지위를 승계한 자

ⓒ 점검능력 평가 공시 후 다시 점검능력 평가를 신청하는 자

④ ①부터 ③까지에서 규정한 사항 외에 점검능력 평가 등 업무수행에 필요한 세부 규정은 평가기관이 정하되, 소방청장의 승인을 받아야 한다.

(6) 점검능력의 평가(규칙 제38조)

① 점검능력 평가의 항목(점검능력 평가의 세부 기준은 [별표 7])

ⓐ 실적

    ⓐ 점검실적(법 제22조 제1항에 따른 소방시설등에 대한 자체점검 실적을 말한다). 이 경우 점검실적(제37조 제1항 제1호 나목 및 다목에 따른 점검실적은 제외한다)은 제20조 제1항 및 별표 4에 따른 점검인력 배치기준에 적합한 것으로 확인된 것만 인정한다.

> **규칙 제37조【점검능력 평가의 신청 등】** ① 법 제34조 제2항에 따라 점검능력을 평가받으려는 관리업자는 별지 제29호 서식의 소방시설등 점검능력 평가신청서(전자문서로 된 신청서를 포함한다)에 다음 각 호의 서류(전자문서를 포함한다)를 첨부하여 평가기관에 매년 2월 15일까지 제출해야 한다.
> 1. 소방시설등의 점검실적을 증명하는 서류로서 다음 각 목의 구분에 따른 서류
>   가. 국내 소방시설등에 대한 점검실적: 발주자가 별지 제30호 서식에 따라 발급한 소방시설등의 점검실적 증명서 및 세금계산서(공급자 보관용을 말한다) 사본
>   나. 해외 소방시설등에 대한 점검실적: 외국환은행이 발행한 외화입금증명서 및 재외공관장이 발행한 해외점검실적 증명서 또는 점검계약서 사본
>   다. 주한 외국군의 기관으로부터 도급받은 소방시설등에 대한 점검실적: 외국환은행이 발행한 외화입금증명서 및 도급계약서 사본

    ⓑ 대행실적(「화재의 예방 및 안전관리에 관한 법률」 제25조 제1항에 따라 소방안전관리 업무를 대행하여 수행한 실적을 말한다)

ⓒ 기술력, 경력, 신인도

② 평가기관은 ①에 따른 점검능력 평가 결과를 지체 없이 소방청장 및 시·도지사에게 통보해야 한다.

③ 평가기관은 제37조 제1항에 따른 점검능력 평가 결과는 매년 7월 31일까지 평가기관의 인터넷 홈페이지를 통하여 공시하고, 제37조 제3항[(5)의 ③]에 따른 점검능력 평가 결과는 소방청장 및 시·도지사에게 통보한 날부터 3일 이내에 평가기관의 인터넷 홈페이지를 통하여 공시해야 한다.

④ 점검능력 평가의 유효기간은 점검능력 평가 결과를 공시한 날부터 1년간으로 한다.

(7) 소방시설 관리업자의 점검능력 평가의 세부기준(규칙 [별표 7])

소방시설관리업자의 점검능력 평가는 다음 계산식으로 산정하되, 1천원 미만의 숫자는 버린다. 이 경우 산정기준일은 평가를 하는 해의 전년도 말일로 한다.

> 점검능력평가액 = 실적평가액 + 기술력평가액 + 경력평가액 ± 신인도평가액

① **실적평가액**

> 실적평가액 = (연평균점검실적액 + 연평균대행실적액) × 50/100

㉠ 점검실적액(발주자가 공급하는 자재비를 제외한다) 및 대행실적액은 해당 업체의 수급금액 중 하수급금액은 포함하고 하도급금액은 제외한다.

㉡ 소방시설관리업을 경영한 기간이 산정일을 기준으로 3년 이상인 경우에는 최근 3년간의 점검실적액 및 대행실적액을 합산하여 3으로 나눈 금액을 각각 연평균점검실적액 및 연평균대행실적액으로 한다.

㉢ 소방시설관리업을 경영한 기간이 산정일을 기준으로 1년 이상 3년 미만인 경우에는 그 기간의 점검실적액 및 대행실적액을 합산한 금액을 그 기간의 개월수로 나눈 금액에 12를 곱한 금액을 각각 연평균점검실적액 및 연평균대행실적액으로 한다.

㉣ 소방시설관리업을 경영한 기간이 산정일을 기준으로 1년 미만인 경우에는 그 기간의 점검실적액 및 대행실적액을 각각 연평균점검실적액 및 연평균대행실적액으로 한다.

㉤ 법 제32조 제1항 각 호 및 제2항에 따라 지위를 승계한 관리업자는 종전 관리업자의 실적액과 관리업을 승계한 자의 실적액을 합산한다.

② **기술력평가액**

> 기술력평가액 = 전년도 기술인력 가중치 1단위당 평균 점검면적실적액
> × 보유기술인력 가중치합계 × 40/100

㉠ 전년도 기술인력 가중치 1단위당 평균배치면적 평가액은 점검능력 평가를 신청한 관리업자의 국내 점검면적실적금액을 점검능력 평가를 신청한 관리업자가 보유한 기술인력의 가중치 총합으로 나눈 금액으로 하되, 이 경우 국내 총기성액 및 기술인력 가중치 총합은 평가기관이 관리하고 있는 정보를 기준으로 한다(전년도 기술인력 1단위당 평균 배치면적 평가액이 산출되지 아니하는 경우에는 전전년도 기술인력 1단위당 평균 배치면적 평가액을 적용한다).

㉡ **보유기술인력 가중치의 계산 방법**

ⓐ 보유기술인력은 해당 관리업체에 소속되어 6개월 이상 근무한 사람(신규등록·신규양도·합병 후 관리업을 한 기간이 6개월 미만인 경우에는 등록신청서·양도신고서·합병신고서에 기재된 기술인력으로 한다)만 해당한다.

ⓑ 보유기술인력은 주인력 관리사와 보조인력을 특급, 고급, 중급 및 초급 점검자로 구분하되, 등급구분의 기준은 「소방시설공사업법 시행규칙」 별표 4의2에 따른다. 이 경우 1인이 2 이상의 자격, 학력 또는 경력을 가지고 있는 경우 대표되는 하나의 것만 적용한다.

© 보유기술인력의 등급별 가중치

보유기술인력	관리사 (경력 5년 이상)	관리사	특급	고급	중급	초급
가중치	3.5	3.0	2.5	2	1.5	1

③ 경력평가액

> 경력평가액 = 실적평가액 × 관리업 경영기간 평점 × 10/100

㉠ 관리업경영기간은 등록일·양도신고일 또는 합병신고일부터 산정기준일까지로 한다.

㉡ 종전 관리업자의 관리업 경영기간과 관리업을 승계한 자의 관리업 경영기간의 합산에 관해서는 ①의 ㉣을 준용한다.

㉢ 관리업 경영기간 평점

관리업 경영기간	2년 미만	2년 이상 4년 미만	4년 이상 6년 미만	6년 이상 8년 미만	8년 이상 10년 미만
평점	0.5	0.55	0.6	0.65	0.7

10년 이상 12년 미만	12년 이상 14년 미만	14년 이상 16년 미만	16년 이상 18년 미만	18년 이상 20년 미만	20년 이상
0.75	0.8	0.85	0.9	0.95	1.0

④ 신인도평가액

> 신인도평가액 = (실적평가액 + 기술력평가액 + 경력평가액) × 신인도 반영비율 합계

㉠ 신인도평가액은 실적평가액·기술력평가액·경력평가액을 합친 금액의 ±10%의 범위를 초과할 수 없다.

㉡ 가점요소와 감점요소가 있는 경우에는 이를 상계한다.

⑤ 신규업체의 점검능력 평가 계산식

> 점검능력평가액 = (전년도 전체 평가업체의 평균 실적액 × 10/100) +
> (기술인력 가중치 1단위당 평균 점검면적액 × 보유기술인력가중치합계 × 50/100)

* "신규업체"란 법 제29조에 따라 신규로 소방시설관리업을 등록한 업체로서 등록한 날부터 1년 이내에 점검능력 평가를 신청한 업체를 말한다.

시행규칙

제37조【점검능력 평가의 신청 등】 ① 법 제34조 제2항에 따라 점검능력을 평가받으려는 관리업자는 별지 제29호 서식의 소방시설등 점검능력 평가신청서(전자문서로 된 신청서를 포함한다)에 다음 각 호의 서류(전자문서를 포함한다)를 첨부하여 평가기관에 매년 2월 15일까지 제출해야 한다.
1. 소방시설등의 점검실적을 증명하는 서류로서 다음 각 목의 구분에 따른 서류
    가. 국내 소방시설등에 대한 점검실적: 발주자가 별지 제30호 서식에 따라 발급한 소방시설등의 점검실적 증명서 및 세금계산서(공급자 보관용을 말한다) 사본
    나. 해외 소방시설등에 대한 점검실적: 외국환은행이 발행한 외화입금증명서 및 재외공관장이 발행한 해외점검실적 증명서 또는 점검계약서 사본
    다. 주한 외국군의 기관으로부터 도급받은 소방시설등에 대한 점검실적: 외국환은행이 발행한 외화입금증명서 및 도급계약서 사본
2. 소방시설관리업 등록수첩 사본
3. 별지 제31호 서식의 소방기술인력 보유 현황 및 국가기술자격증 사본 등 이를 증명할 수 있는 서류
4. 별지 제32호 서식의 신인도평가 가점사항 확인서 및 가점사항을 확인할 수 있는 다음 각 목의 해당 서류
    가. 품질경영인증서(ISO 9000 시리즈) 사본
    나. 소방시설등의 점검 관련 표창 사본
    다. 특허증 사본
라. 소방시설관리업 관련 기술 투자를 증명할 수 있는 서류
② 제1항에 따른 신청을 받은 평가기관의 장은 제1항 각 호의 서류가 첨부되어 있지 않은 경우에는 신청인에게 15일 이내의 기간을 정하여 보완하게 할 수 있다.
③ 제1항에도 불구하고 다음 각 호의 어느 하나에 해당하는 자는 상시 점검능력 평가를 신청할 수 있다. 이 경우 신청서·첨부서류의 제출 및 보완에 관하여는 제1항 및 제2항에 따른다.
1. 법 제29조에 따라 신규로 소방시설관리업의 등록을 한 자
2. 법 제32조 제1항 또는 제2항에 따라 관리업자의 지위를 승계한 자
3. 제38조 제3항에 따라 점검능력 평가 공시 후 다시 점검능력 평가를 신청하는 자
④ 제1항부터 제3항까지에서 규정한 사항 외에 점검능력 평가 등 업무수행에 필요한 세부 규정은 평가기관이 정하되, 소방청장의 승인을 받아야 한다.

제38조【점검능력의 평가】 ① 법 제34조 제1항에 따른 점검능력 평가의 항목은 다음 각 호와 같고, 점검능력 평가의 세부 기준은 별표 7과 같다
1. 실적
    가. 점검실적(법 제22조 제1항에 따른 소방시설등에 대한 자체점검 실적을 말한다). 이 경우 점검실적(제37조 제1항 제1호 나목 및 다목에 따른 점검실적은 제외한다)은 제20조 제1항 및 별표 4에 따른 점검인력 배치기준에 적합한 것으로 확인된 것만 인정한다.
    나. 대행실적(「화재의 예방 및 안전관리에 관한 법률」 제25조 제1항에 따라 소방안전관리 업무를 대행하여 수행한 실적을 말한다)
2. 기술력
3.【 ① 】
4. 신인도
② 평가기관은 제1항에 따른 점검능력 평가 결과를 지체 없이 소방청장 및 시·도지사에게 통보해야 한다.
③ 평가기관은 제37조 제1항에 따른 점검능력 평가 결과는 매년 7월 31일까지 평가기관의 인터넷 홈페이지를 통하여 공시하고, 같은 조 제3항에 따른 점검능력 평가 결과는 소방청장 및 시·도지사에게 통보한 날부터 3일 이내에 평가기관의 인터넷 홈페이지를 통하여 공시해야 한다.
④ 점검능력 평가의 유효기간은 제3항에 따라 점검능력 평가 결과를 공시한 날부터【 ② 】으로 한다.

① 경력 ② 1년간

제35조【등록의 취소와 영업정지 등】 ① 시·도지사는 관리업자가 다음 각 호의 어느 하나에 해당하는 경우에는 행정안전부령으로 정하는 바에 따라 그 등록을 취소하거나 6개월 이내의 기간을 정하여 이의 시정이나 그 영업의 정지를 명할 수 있다. 다만, 제1호·제4호 또는 제5호에 해당할 때에는 등록을 취소하여야 한다.

1. 거짓이나 그 밖의 부정한 방법으로 등록을 한 경우

2. 제22조에 따른 점검을 하지 아니하거나 거짓으로 한 경우

3. 제29조 제2항에 따른 등록기준에 미달하게 된 경우

4. 제30조 각 호의 어느 하나에 해당하게 된 경우. 다만, 제30조 제5호에 해당하는 법인으로서 결격사유에 해당하게 된 날부터 2개월 이내에 그 임원을 결격사유가 없는 임원으로 바꾸어 선임한 경우는 제외한다.

5. 제33조 제2항을 위반하여 등록증 또는 등록수첩을 빌려준 경우

6. 제34조 제1항에 따른 점검능력 평가를 받지 아니하고 자체점검을 한 경우

② 제32조에 따라 관리업자의 지위를 승계한 상속인이 제30조 각 호의 어느 하나에 해당하는 경우에는 상속을 개시한 날부터 6개월 동안은 제1항 제4호를 적용하지 아니한다.

(1) 등록의 취소·정지

① 시·도지사는 관리업자가 등록의 취소와 영업정지 등에 해당될 때는 행정안전부령으로 정하는 바에 따라 그 등록을 취소하거나 6개월 이내의 기간을 정하여 이의 시정이나 그 영업의 정지를 명할 수 있다.

등록의 취소·영업정지 처분 대상	등록취소·영업정지처분
1. 거짓이나 부정한 방법으로 등록한 경우 2. 등록 결격사유에 해당하게 된 경우 　(임원이 등록결격사유 해당하는 경우 – 2개월 이내 변경 제외됨) 3. 등록증이나 등록수첩을 빌려준 경우	반드시 등록취소
4. 소방시설등의 자체점검을 하지 아니하거나 거짓으로 한 경우 5. 등록기준에 미달하게 된 경우 6. 점검능력 평가를 받지 아니하고 자체점검을 한 경우	등록을 취소하거나 6개월의 기간을 정하여 영업정지 처분

② 벌칙 – 1년 이하의 징역 또는 1천만원 이하의 벌금(제58조): 제35조 제1항에 따라 영업정지처분을 받고 그 영업정지기간 중에 관리업의 업무를 한 자

(2) 등록의 결격 면제

관리업자의 지위를 승계한 상속인(제32조)이 등록의 결격사유(제30조)에 해당하는 경우에는 상속을 개시한 날부터 6개월 동안은 등록의 취소와 영업정지 등(제35조)의 제1항 제4호를 적용하지 아니한다.

소방시설법 시행규칙상 행정처분 시 감경사
유로 옳지 않은 것은?   23. 공채·경채

① 경미한 위반사항으로, 유도등이 일시적으
로 점등되지 않는 경우
② 경미한 위반사항으로, 스프링클러설비 헤
드가 살수반경에 미치지 못하는 경우
③ 위반행위가 사소한 부주의나 오류가 아닌
고의에 의한 것으로 인정되는 경우
④ 위반 행위자가 처음 해당 위반행위를 한
경우로서 5년 이상 소방시설관리사의 업
무, 소방시설관리업 등을 모범적으로 해
온 사실이 인정되는 경우

정답 ③

(3) 행정처분기준 일반기준(규칙 [별표 8])

① 위반행위가 둘 이상이면 그 중 무거운 처분기준(무거운 처분기준이 동일한 경우에는 그 중 하나의 처분기준을 말한다. 이하 같다)에 따른다. 다만, 둘 이상의 처분기준이 모두 영업정지이거나 사용정지인 경우에는 각 처분기준을 합산한 기간을 넘지 않는 범위에서 무거운 처분기준에 각각 나머지 처분기준의 2분의 1 범위에서 가중한다.

② 영업정지 또는 사용정지 처분기간 중 영업정지 또는 사용정지에 해당하는 위반사항이 있는 경우에는 종전의 처분기간 만료일의 다음 날부터 새로운 위반사항에 따른 영업정지 또는 사용정지의 행정처분을 한다.

③ 위반행위의 횟수에 따른 행정처분의 기준은 최근 1년간 같은 위반행위로 행정처분을 받은 경우에 적용한다. 이 경우 적용일은 위반행위에 대한 행정처분일과 그 처분 후에 한 위반행위가 다시 적발된 날을 기준으로 한다.

④ ③에 따라 가중된 부과처분을 하는 경우 가중처분의 적용 차수는 그 위반행위 전 부과처분 차수(다목에 따른 기간 내에 행정처분이 둘 이상 있었던 경우에는 높은 차수를 말한다)의 다음 차수로 한다.

⑤ 처분권자는 위반행위의 동기·내용·횟수 및 위반 정도 등 다음에 해당하는 사유를 고려하여 그 처분을 가중하거나 감경할 수 있다. 이 경우 그 처분이 영업정지 또는 자격정지인 경우에는 그 처분기준의 2분의 1의 범위에서 가중하거나 감경할 수 있고, 등록취소 또는 자격취소인 경우에는 등록취소 또는 자격취소 전 차수의 행정처분이 영업정지 또는 자격정지이면 그 처분기준의 2배 이하의 영업정지 또는 자격정지로 감경(법 제28조 제1호·제4호·제5호·제7호 및 법 제35조 제1항 제1호·제4호·제5호를 위반하여 등록취소 또는 자격취소된 경우는 제외한다)할 수 있다.

ⓐ 가중 사유
    ⓐ 위반행위가 사소한 부주의나 오류가 아닌 고의나 중대한 과실에 의한 것으로 인정되는 경우
    ⓑ 위반의 내용·정도가 중대하여 관계인에게 미치는 피해가 크다고 인정되는 경우

ⓛ 감경 사유
    ⓐ 위반행위가 사소한 부주의나 오류 등 과실로 인한 것으로 인정되는 경우
    ⓑ 위반의 내용·정도가 경미하여 관계인에게 미치는 피해가 적다고 인정되는 경우
    ⓒ 위반 행위자가 처음 해당 위반행위를 한 경우로서 5년 이상 소방시설관리사의 업무, 소방시설관리업 등을 모범적으로 해 온 사실이 인정되는 경우
    ⓓ 그 밖에 다음의 경미한 위반사항에 해당되는 경우
      · 스프링클러설비 헤드가 살수반경에 미치지 못하는 경우
      · 자동화재탐지설비 감지기 2개 이하가 설치되지 않은 경우
      · 유도등이 일시적으로 점등되지 않는 경우
      · 유도표지가 정해진 위치에 붙어 있지 않은 경우

NOTE	시행규칙
	제39조【행정처분의 기준】법 제28조에 따른 관리사 자격의 취소 및 정지 처분과 법 제35조에 따른 소방시설관리업의 등록취소 및 영업정지 처분의 세부기준은 별표 8과 같다.

8 과징금처분 A

제36조【과징금처분】① 시·도지사는 제35조 제1항에 따라 영업정지를 명하는 경우로서 그 영업정지가 이용자에게 불편을 주거나 그 밖에 공익을 해칠 우려가 있을 때에는 영업정지처분을 갈음하여 3천만원 이하의 과징금을 부과할 수 있다.

② 제1항에 따른 과징금을 부과하는 위반행위의 종류와 위반 정도 등에 따른 과징금의 금액, 그 밖에 필요한 사항은 행정안전부령으로 정한다.

③ 시·도지사는 제1항에 따른 과징금을 내야 하는 자가 납부기한까지 내지 아니하면 「지방행정제재·부과금의 징수 등에 관한 법률」에 따라 징수한다.

④ 시·도지사는 제1항에 따른 과징금의 부과를 위하여 필요한 경우에는 다음 각 호의 사항을 적은 문서로 관할 세무관서의 장에게 「국세기본법」제81조의13에 따른 과세정보의 제공을 요청할 수 있다.

1. 납세자의 인적사항
2. 과세정보의 사용 목적
3. 과징금의 부과 기준이 되는 매출액

(1) 과징금의 부과
시·도지사는 영업정지를 명하는 경우, 영업정지가 국민에게 심한 불편을 주거나 공익을 해칠 우려가 있는 경우에는 영업정지처분을 갈음하여 3천만원 이하의 과징금을 부과할 수 있다.

(2) 위임규정
과징금의 금액 그 밖의 필요한 사항은 행정안전부령으로 정한다.

(3) 과징금의 미납의 경우 징수
시·도지사는 과징금 미납의 경우 「지방행정 제재·부과금의 징수 등에 관한 법률」에 따라 징수한다.

(4) 과세정보의 제공 요청
① 납세자의 인적사항
② 과세정보의 사용 목적
③ 과징금의 부과 기준이 되는 매출액

시행규칙

제40조 【과징금의 부과기준 등】 ① 법 제36조 제1항에 따라 과징금을 부과하는 위반행위의 종류와 위반 정도 등에 따른 과징금의 부과기준은 별표 9와 같다.

② 법 제36조 제1항에 따른 과징금의 징수절차에 관하여는 「국고금관리법 시행규칙」을 준용한다.

[별표 9] 과징금의 부과기준

1. 일반기준

   가. 영업정지 1개월은 30일로 계산한다.

   나. 과징금 산정은 영업정지기간(일)에 제2호 나목의 영업정지 1일에 해당하는 금액을 곱한 금액으로 한다.

   다. 위반행위가 둘 이상 발생한 경우 과징금 부과에 의한 영업정지기간(일) 산정은 제2호 가목의 개별기준에 따른 각각의 영업정지 처분기간을 합산한 기간으로 한다.

   라. 영업정지에 해당하는 위반사항으로서 위반행위의 동기·내용·횟수 또는 그 결과를 고려하여 그 처분기준의 2분의 1까지 감경한 경우 과징금 부과에 의한 영업정지기간(일) 산정은 감경한 영업정지기간으로 한다.

   마. 연간 매출액은 해당 업체에 대한 처분일이 속한 연도의 전년도의 1년간 위반사항이 적발된 업종의 각 매출금액을 기준으로 한다. 다만, 신규사업·휴업 등으로 인하여 1년간의 위반사항이 적발된 업종의 각 매출금액을 산출할 수 없거나 1년간의 위반사항이 적발된 업종의 각 매출금액을 기준으로 하는 것이 불합리하다고 인정되는 경우에는 분기별·월별 또는 일별 매출금액을 기준으로 산출 또는 조정한다.

   바. 가목부터 마목까지의 규정에도 불구하고 과징금 산정금액이 3천만원을 초과하는 경우 3천만원으로 한다.

2. 개별기준

   가. 과징금을 부과할 수 있는 위반행위의 종별

위반사항	근거 법조문	행정처분기준		
		1차 위반	2차 위반	3차 이상 위반
1) 법 제22조에 따른 점검을 하지 않거나 거짓으로 한 경우	법 제35조 제1항 제2호	영업정지 1개월	영업정지 3개월	
2) 법 제29조 제2항에 따른 등록기준에 미달하게 된 경우. 다만, 기술인력이 퇴직하거나 해임되어 30일 이내에 재선임하여 신고한 경우는 제외한다.	법 제35조 제1항 제3호		영업정지 3개월	
3) 법 제34조 제1항에 따른 점검능력 평가를 받지 않고 자체 점검을 한 경우	법 제35조 제1항 제6호	영업정지 1개월	영업정지 3개월	

– 중략 –

제5장 소방용품의 품질관리

1 | 소방용품의 형식승인   A

제37조【소방용품의 형식승인 등】 ① 대통령령으로 정하는 소방용품을 제조하거나 수입하려는 자는 소방청장의 형식승인을 받아야 한다. 다만, 연구개발 목적으로 제조하거나 수입하는 소방용품은 그러하지 아니하다.

② 제1항에 따른 형식승인을 받으려는 자는 행정안전부령으로 정하는 기준에 따라 형식승인을 위한 시험시설을 갖추고 소방청장의 심사를 받아야 한다. 다만, 소방용품을 수입하는 자가 판매를 목적으로 하지 아니하고 자신의 건축물에 직접 설치하거나 사용하려는 경우 등 행정안전부령으로 정하는 경우에는 시험시설을 갖추지 아니할 수 있다.

③ 제1항과 제2항에 따라 형식승인을 받은 자는 그 소방용품에 대하여 소방청장이 실시하는 제품검사를 받아야 한다.

④ 제1항에 따른 형식승인의 방법·절차 등과 제3항에 따른 제품검사의 구분·방법·순서·합격표시 등에 필요한 사항은 행정안전부령으로 정한다.

⑤ 소방용품의 형상·구조·재질·성분·성능 등(이하 "형상등"이라 한다)의 형식승인 및 제품검사의 기술기준 등에 필요한 사항은 소방청장이 정하여 고시한다.

⑥ 누구든지 다음 각 호의 어느 하나에 해당하는 소방용품을 판매하거나 판매 목적으로 진열하거나 소방시설공사에 사용할 수 없다.

1. 형식승인을 받지 아니한 것
2. 형상등을 임의로 변경한 것
3. 제품검사를 받지 아니하거나 합격표시를 하지 아니한 것

⑦ 소방청장, 소방본부장 또는 소방서장은 제6항을 위반한 소방용품에 대하여는 그 제조자·수입자·판매자 또는 시공자에게 수거·폐기 또는 교체 등 행정안전부령으로 정하는 필요한 조치를 명할 수 있다.

⑧ 소방청장은 소방용품의 작동기능, 제조방법, 부품 등이 제5항에 따라 소방청장이 고시하는 형식승인 및 제품검사의 기술기준에서 정하고 있는 방법이 아닌 새로운 기술이 적용된 제품의 경우에는 관련 전문가의 평가를 거쳐 행정안전부령으로 정하는 바에 따라 제4항에 따른 방법 및 절차와 다른 방법 및 절차로 형식승인을 할 수 있으며, 외국의 공인기관으로부터 인정받은 신기술 제품은 형식승인을 위한 시험 중 일부를 생략하여 형식승인을 할 수 있다.

⑨ 다음 각 호의 어느 하나에 해당하는 소방용품의 형식승인 내용에 대하여 공인기관의 평가 결과가 있는 경우 형식승인 및 제품검사 시험 중 일부만을 적용하여 형식승인 및 제품검사를 할 수 있다.

1. 「군수품관리법」 제2조에 따른 군수품
2. 주한외국공관 또는 주한외국군 부대에서 사용되는 소방용품
3. 외국의 차관이나 국가 간의 협약 등에 따라 건설되는 공사에 사용되는 소방용품으로서 사전에 합의된 것
4. 그 밖에 특수한 목적으로 사용되는 소방용품으로서 소방청장이 인정하는 것

⑩ 하나의 소방용품에 두 가지 이상의 형식승인 사항 또는 형식승인과 성능인증 사항이 결합된 경우에는 두 가지 이상의 형식승인 또는 형식승인과 성능인증 시험을 함께 실시하고 하나의 형식승인을 할 수 있다.

⑪ 제9항 및 제10항에 따른 형식승인의 방법 및 절차 등에 필요한 사항은 행정안전부령으로 정한다.

(1) 소방용품의 형식승인(제37조 제1항~제3항)

① 대통령령으로 정하는 소방용품을 제조하거나 수입하려는 자: 소방청장의 형식승인을 받아야 한다.

② 형식승인을 받으려는 자: 행정안전부령으로 정하는 기준에 따라 형식승인을 위한 시험시설을 갖추고 소방청장의 심사를 받아야 한다.

③ 형식승인을 받은 자: 소방용품에 대하여 소방청장이 실시하는 제품검사를 받아야 한다.

구분	예외대상
형식승인	연구개발 목적으로 제조하거나 수입하는 소방용품
시험시설 (소장청장의 심사)	판매목적으로 하지 않고 자신의 건축물에 직접 설치하거나 사용하려는 경우

④ 벌칙

㉠ 3년 이하의 징역 또는 3천만원 이하의 벌금(제57조): 제37조 제1항, 제2항 및 제10항을 위반하여 소방용품의 형식승인을 받지 아니하고 소방용품을 제조하거나 수입한 자 또는 거짓이나 그 밖의 부정한 방법으로 형식승인을 받은 자

㉡ 3년 이하의 징역 또는 3천만원 이하의 벌금(제57조): 제37조 제3항을 위반하여 제품검사를 받지 아니한 자 또는 거짓이나 그 밖의 부정한 방법으로 제품검사를 받은 자

㉢ 1년 이하의 징역 또는 1천만원 이하의 벌금(제58조): 제37조 제3항에 따른 제품검사에 합격하지 아니한 제품에 합격표시를 하거나 합격표시를 위조 또는 변조하여 사용한 자

(2) 소방용품의 형상등(제37조 제5항~제7항)

① '형상등'이란 소방용품의 형상·구조·재질·성분·성능 등을 말한다.

② 소방용품의 형상등의 형식승인 및 제품검사의 기술기준 등에 관한 사항은 소방청장이 정하여 고시한다.

③ 판매·판매목적의 진열·소방시설공사에 사용할 수 없는 소방용품

㉠ 형식승인을 받지 않은 것

㉡ 형상 등을 임의로 변경한 것

㉢ 제품검사를 받지 아니한 것

㉣ 합격표시를 하지 아니한 것

④ 소방청장, 소방본부장 또는 소방서장의 조치 명령: 판매 · 판매목적의 진열 · 소방시설공사에 사용할 수 없는 소방용품에 대히어는 제조자 · 수입자 · 판매자 또는 시공자에게 수거 · 폐기 또는 교체 등 행정안전부령으로 정하는 조치를 명할 수 있다.

⑤ 벌칙

   ㉠ 3년 이하의 징역 또는 3천만원 이하의 벌금(제57조): 제37조 제6항을 위반하여 소방용품을 판매 · 진열하거나 소방시설공사에 사용한 자

   ㉡ 3년 이하의 징역 또는 3천만원 이하의 벌금(제57조): 제37조 제7항에 따른 명령을 정당한 사유 없이 위반한 자

(3) 새로운 기술이 적용된 소방용품의 형식승인 방법 및 절차(제37조 제8항)

   ① 새로운 기술이 적용된 소방용품: 소방청장이 고시하는 형식승인 및 제품검사의 기술기준에서 정하고 있는 방법이 아닌 새로운 기술이 적용된 소방용품의 작동기능, 제조방법, 부품 등을 말한다.

   ② 소방청장은 새로운 기술이 적용된 소방용품의 경우에 관련전문가의 평가를 거쳐 행정안전부령으로 정하는 바에 따라 기존 방법 및 절차와 다른 방법 및 절차로 형식승인을 할 수 있다.

   ③ 외국의 공공기관으로부터 인정받은 신기술 제품은 형식승인을 위한 시험 중 일부를 생략하여 형식승인을 할 수 있다.

(4) 공인기관의 평가결과가 있는 경우 형식승인 및 제품검사 시험의 일부 적용 대상(제37조 제9항)

   ① 「군수품관리법」 제2조에 따른 군수품

   ② 주한외국공관 또는 주한외국군 부대에서 사용되는 소방용품

   ③ 외국의 차관이나 국가 간의 협약 등에 의하여 건설되는 공사에 사용되는 소방용품으로서 사전에 합의된 것

   ④ 그 밖에 특수한 목적으로 사용되는 소방용품으로서 소방청장이 인정하는 것

(5) 하나의 소방용품에 두 가지 이상의 형식승인 사항 또는 형식승인과 성능인증사항이 결합된 경우(제37조 제10항)

   하나의 소방용품에 두 가지 이상의 형식승인 사항 또는 형식승인과 성능인증 사항이 결합된 경우에는 두 가지 이상의 형식승인 또는 형식승인과 성능인증 시험을 함께 실시하고 하나의 형식승인을 할 수 있다.

✏ 핵심기출

소방시설법 및 같은 법 시행령상 소방청장의 형식승인을 받아야 하는 소방용품으로 옳지 않은 것은?   24. 경채
① 분말자동소화장치
② 주거용 주방자동소화장치
③ 상업용 주방자동소화장치
④ 캐비닛형 자동소화장치

정답 ③

👆 **관계법규** 형식승인대상 소방용품

시행령	
제46조【형식승인대상 소방용품】법 제37조 제1항 본문에서 "대통령령으로 정하는 소방용품"이란 별표 3 제1호[같은 표 제1호	나목 2)에 따른 자동소화장치 중【① 】는 제외한다] 및 같은 표 제2호부터 제4호까지에 해당하는 소방용품을 말한다.
① 상업용 주방자동소화장치	

제38조【형식승인의 변경】① 제37조 제1항 및 제10항에 따른 형식승인을 받은 자가 해당 소방용품에 대하여 형상 등의 일부를 변경하려면 소방청장의 변경승인을 받아야 한다.
② 제1항에 따른 변경승인의 대상·구분·방법 및 절차 등에 필요한 사항은 행정안전부령으로 정한다.

(1) 형식승인의 변경

형식승인을 받은 자가 해당 소방용품에 대하여 형상 등의 일부를 변경하려면 소방청장의 변경승인을 받아야 한다.

(2) 위임규정

형식승인의 방법 및 절차 등에 필요한 사항은 행정안전부령으로 정한다.

정희's 톡talk

벌칙 − 1년 이하의 징역 또는 1천만원 이하의 벌금(제58조)
제38조 제1항을 위반하여 형식승인의 변경승인을 받지 아니한 자

제39조【형식승인의 취소 등】① 소방청장은 소방용품의 형식승인을 받았거나 제품검사를 받은 자가 다음 각 호의 어느 하나에 해당할 때에는 행정안전부령으로 정하는 바에 따라 그 형식승인을 취소하거나 6개월 이내의 기간을 정하여 제품검사의 중지를 명할 수 있다. 다만, 제1호·제3호 또는 제5호의 경우에는 해당 소방용품의 형식승인을 취소하여야 한다.
1. 거짓이나 그 밖의 부정한 방법으로 제37조 제1항 및 제10항에 따른 형식승인을 받은 경우
2. 제37조 제2항에 따른 시험시설의 시설기준에 미달되는 경우
3. 거짓이나 그 밖의 부정한 방법으로 제37조 제3항에 따른 제품검사를 받은 경우
4. 제품검사 시 제37조 제5항에 따른 기술기준에 미달되는 경우
5. 제38조에 따른 변경승인을 받지 아니하거나 거짓이나 그 밖의 부정한 방법으로 변경승인을 받은 경우
② 제1항에 따라 소방용품의 형식승인이 취소된 자는 그 취소된 날부터 2년 이내에는 형식승인이 취소된 소방용품과 동일한 품목에 대하여 형식승인을 받을 수 없다.

(1) 형식승인의 취소사유

① 거짓·부정한 방법으로 형식승인을 받은 경우
② 거짓·부정한 방법으로 제품검사를 받은 경우
③ 거짓·부정한 방법으로 변경승인을 받은 경우, 변경승인을 받지 아니한 경우

(2) 제품검사의 중지사유(6개월 이내의 기간)

① 시험시설이 시설기준에 미달되는 경우
② 제품검사 시 기술기준에 미달되는 경우

제40조【소방용품의 성능인증 등】 ① 소방청장은 제조자 또는 수입자 등의 요청이 있는 경우 소방용품에 대하여 성능인증을 할 수 있다.

② 제1항에 따라 성능인증을 받은 자는 그 소방용품에 대하여 소방청장의 제품검사를 받아야 한다.

③ 제1항에 따른 성능인증의 대상·신청·방법 및 성능인증서 발급에 관한 사항과 제2항에 따른 제품검사의 구분·대상·절차·방법·합격표시 및 수수료 등에 필요한 사항은 행정안전부령으로 정한다.

④ 제1항에 따른 성능인증 및 제2항에 따른 제품검사의 기술기준 등에 필요한 사항은 소방청장이 정하여 고시한다.

⑤ 제2항에 따른 제품검사에 합격하지 아니한 소방용품에는 성능인증을 받았다는 표시를 하거나 제품검사에 합격하였다는 표시를 하여서는 아니 되며, 제품검사를 받지 아니하거나 합격표시를 하지 아니한 소방용품을 판매 또는 판매 목적으로 진열하거나 소방시설공사에 사용하여서는 아니 된다.

⑥ 하나의 소방용품에 성능인증 사항이 두 가지 이상 결합된 경우에는 해당 성능인증 시험을 모두 실시하고 하나의 성능인증을 할 수 있다.

⑦ 제6항에 따른 성능인증의 방법 및 절차 등에 필요한 사항은 행정안전부령으로 정한다.

(1) 소방용품의 성능인증

① 소방청장은 제조자 또는 수입자 등의 요청이 있는 경우 소방용품에 대하여 성능인증을 할 수 있다.

② 벌칙 – 3년 이하의 징역 또는 3천만원 이하의 벌금(제57조): 제40조 제1항 을 위반하여 거짓이나 그 밖의 부정한 방법으로 성능인증을 받은 자

(2) 제품검사

① (1)의 ①에 따라 성능인증을 받은 자는 그 소방용품에 대하여 소방청장의 제품검사를 받아야 한다.

② 벌칙 – 3년 이하의 징역 또는 3천만원 이하의 벌금(제57조): 제40조 제2항을 위반하여 거짓이나 그 밖의 부정한 방법으로 제품검사를 받은 자

(3) 위임규정

① 성능인증의 대상·신청·방법 및 성능인증서 발급에 관한 사항과 제2항에 따른 제품검사의 구분·대상·절차·방법·합격표시 및 수수료 등에 필요한 사항은 행정안전부령으로 정한다.

② 성능인증 및 제품검사의 기술기준 등에 필요한 사항은 소방청장이 정하여 고시한다.

(4) 성능인증 표시 및 제품검사 합격 표시

① 제품검사에 합격하지 아니한 소방용품에는 성능인증을 받았다는 표시를 하거나 제품검사에 합격하였다는 표시를 하여서는 아니 되며, 제품검사를 받지 아니하거나 합격표시를 하지 아니한 소방용품을 판매 또는 판매 목적으로 진열하거나 소방시설공사에 사용하여서는 아니 된다.

② 벌칙

　ㄱ 3년 이하의 징역 또는 3천만원 이하의 벌금(제57조): 제40조 제5항을 위반하여 제품검사를 받지 아니하거나 합격표시를 하지 아니한 소방용품을 판매·진열하거나 소방시설공사에 사용한 자

　ㄴ 1년 이하의 징역 또는 1천만원 이하의 벌금(제58조): 제40조 제5항을 위반하여 제품검사에 합격하지 아니한 소방용품에 성능인증을 받았다는 표시 또는 제품검사에 합격하였다는 표시를 하거나 성능인증을 받았다는 표시 또는 제품검사에 합격하였다는 표시를 위조 또는 변조하여 사용한 자

(5) 기타

① 하나의 소방용품에 성능인증 사항이 두 가지 이상 결합된 경우에는 해당 성능인증 시험을 모두 실시하고 하나의 성능인증을 할 수 있다.

② ①에 따른 성능인증의 방법 및 절차 등에 필요한 사항은 행정안전부령으로 정한다.

2-2　성능인증의 변경　　　　　　　　　　　　　　B

제41조【성능인증의 변경】① 제40조 제1항 및 제6항에 따른 성능인증을 받은 자가 해당 소방용품에 대하여 형상 등의 일부를 변경하려면 소방청장의 변경인증을 받아야 한다.
② 제1항에 따른 변경인증의 대상·구분·방법 및 절차 등에 필요한 사항은 행정안전부령으로 정한다.

(1) 성능인증 변경

① 성능인증을 받은 자가 해당 소방용품에 대하여 형상 등의 일부를 변경하려면 소방청장의 변경인증을 받아야 한다.

② 벌칙 - 1년 이하의 징역 또는 1천만원 이하의 벌금(제58조): 제41조 제1항을 위반하여 성능인증의 변경인증을 받지 아니한 자

(2) 위임규정

변경인증의 대상·구분·방법 및 절차 등에 필요한 사항은 행정안전부령으로 정한다.

제42조【성능인증의 취소 등】 ① 소방청장은 소방용품의 성능인증을 받았거나 제품검사를 받은 자가 다음 각 호의 어느 하나에 해당하는 때에는 행정안전부령으로 정하는 바에 따라 해당 소방용품의 성능인증을 취소하거나 6개월 이내의 기간을 정하여 해당 소방용품의 제품검사 중지를 명할 수 있다. 다만, 제1호·제2호 또는 제5호에 해당하는 경우에는 해당 소방용품의 성능인증을 취소하여야 한다.

1. 거짓이나 그 밖의 부정한 방법으로 제40조 제1항 및 제6항에 따른 성능인증을 받은 경우
2. 거짓이나 그 밖의 부정한 방법으로 제40조 제2항에 따른 제품검사를 받은 경우
3. 제품검사 시 제40조 제4항에 따른 기술기준에 미달되는 경우
4. 제40조 제5항을 위반한 경우
5. 제41조에 따라 변경인증을 받지 아니하고 해당 소방용품에 대하여 형상등의 일부를 변경하거나 거짓이나 그 밖의 부정한 방법으로 변경인증을 받은 경우

② 제1항에 따라 소방용품의 성능인증이 취소된 자는 그 취소된 날부터 2년 이내에는 성능인증이 취소된 소방용품과 동일한 품목에 대하여는 성능인증을 받을 수 없다.

소방청장은 소방용품의 성능인증을 받았거나 제품검사를 받은 자가 위법한 경우에 해당되는 때에는 행정안전부령으로 정하는 바에 따라 성능인증을 취소하거나 6개월 이내의 기간을 정하여 제품검사의 중지를 명할 수 있다.

(1) 성능인증의 취소사유

① 거짓·부정한 방법으로 성능인증을 받은 경우
② 거짓·부정한 방법으로 제품검사를 받은 경우
③ 변경인증을 받지 아니하고 해당 소방용품에 대하여 형상등의 일부를 변경하거나 거짓이나 그 밖의 부정한 방법으로 변경인증을 받은 경우

(2) 제품검사의 중지사유(6개월 이내의 기간)

① 제품검사 시 기술기준에 미달되는 경우
② "제품검사에 합격하지 아니한 소방용품에는 성능인증을 받았다는 표시를 하거나 제품검사에 합격하였다는 표시를 하여서는 아니 되며, 제품검사를 받지 아니하거나 합격표시를 하지 아니한 소방용품을 판매 또는 판매 목적으로 진열하거나 소방시설공사에 사용하여서는 아니 된다(제40조 제5항)."는 내용을 위반한 경우

(3) 인증의 제한

소방용품의 성능인증이 취소된 자는 그 취소된 날부터 2년 이내에 성능인증이 취소된 소방용품과 동일한 품목에 대하여는 성능인증을 받을 수 없다.

제43조【우수품질 제품에 대한 인증】① 소방청장은 제37조에 따른 형식승인의 대상이 되는 소방용품 중 품질이 우수하다고 인정하는 소방용품에 대하여 인증(이하 "우수품질인증"이라 한다)을 할 수 있다.

② 우수품질인증을 받으려는 자는 행정안전부령으로 정하는 바에 따라 소방청장에게 신청하여야 한다.

③ 우수품질인증을 받은 소방용품에는 우수품질인증 표시를 할 수 있다.

④ 우수품질인증의 유효기간은 5년의 범위에서 행정안전부령으로 정한다.

⑤ 소방청장은 다음 각 호의 어느 하나에 해당하는 경우에는 우수품질인증을 취소할 수 있다. 다만, 제1호에 해당하는 경우에는 우수품질인증을 취소하여야 한다.

1. 거짓이나 그 밖의 부정한 방법으로 우수품질인증을 받은 경우
2. 우수품질인증을 받은 제품이 「발명진흥법」 제2조 제4호에 따른 산업재산권 등 타인의 권리를 침해하였다고 판단되는 경우

⑥ 제1항부터 제5항까지에서 규정한 사항 외에 우수품질인증을 위한 기술기준, 제품의 품질관리 평가, 우수품질인증의 갱신, 수수료, 인증표시 등 우수품질인증에 필요한 사항은 행정안전부령으로 정한다.

(1) 우수품질 제품에 대한 인증

① 소방청장은 형식승인의 대상이 되는 소방용품 중 품질이 우수하다고 인정하는 소방용품에 대하여 인증(이하 "우수품질인증"이라 한다)을 할 수 있다.

② 벌칙 – 1년 이하의 징역 또는 1천만원 이하의 벌금(제58조): 제43조 제1항에 따른 우수품질인증을 받지 아니한 제품에 우수품질인증 표시를 하거나 우수품질인증 표시를 위조하거나 변조하여 사용한 자

(2) 우수품질인증의 신청 및 표시 등

① 우수품질인증을 받으려는 자는 행정안전부령으로 정하는 바에 따라 소방청장에게 신청하여야 한다.

② 우수품질인증을 받은 소방용품에는 우수품질인증 표시를 할 수 있다.

③ **우수품질인증의 유효기간은 5년의 범위에서 행정안전부령으로 정한다.**

(3) 우수품질인증을 취소

소방청장은 다음의 어느 하나에 해당하는 경우에는 우수품질인증을 취소할 수 있다. 다만, 제1호에 해당하는 경우에는 우수품질인증을 취소하여야 한다.

㉠ 거짓이나 그 밖의 부정한 방법으로 우수품질인증을 받은 경우

㉡ 우수품질인증을 받은 제품이 「발명진흥법」 제2조 제4호에 따른 산업재산권 등 타인의 권리를 침해하였다고 판단되는 경우

(4) 위임규정

규정한 사항 외에 우수품질인증을 위한 기술기준, 제품의 품질관리 평가, 우수품질인증의 갱신, 수수료, 인증표시 등 우수품질인증에 필요한 사항은 **행정안전부령**으로 정한다.

제44조【우수품질인증 소방용품에 대한 지원 등】 다음 각 호의 어느 하나에 해당하는 기관 및 단체는 건축물의 신축·증축 및 개축 등으로 소방용품을 변경 또는 신규 비치하여야 하는 경우 우수품질인증 소방용품을 우선 구매·사용하도록 노력하여야 한다.

1. 중앙행정기관
2. 지방자치단체
3. 「공공기관의 운영에 관한 법률」 제4조에 따른 공공기관(이하 "공공기관"이라 한다)
4. 그 밖에 대통령령으로 정하는 기관

다음의 어느 하나에 해당하는 기관 및 단체는 건축물의 신축·증축 및 개축 등으로 소방용품을 변경 또는 신규 비치하여야 하는 경우 우수품질인증 소방용품을 우선 구매·사용하도록 노력하여야 한다.

① 중앙행정기관
② 지방자치단체
③ 「공공기관의 운영에 관한 법률」 제4조에 따른 공공기관
④ **그 밖에 대통령령으로 정하는 기관**
   ㉠ 「지방공기업법」 제49조에 따라 설립된 지방공사 및 같은 법 제76조에 따라 설립된 지방공단
   ㉡ 「지방자치단체 출자·출연 기관의 운영에 관한 법률」 제2조에 따른 출자·출연 기관

제45조【소방용품의 제품검사 후 수집검사 등】① 소방청장은 소방용품의 품질관리를 위하여 필요하다고 인정할 때에는 유통 중인 소방용품을 수집하여 검사할 수 있다.

② 소방청장은 제1항에 따른 수집검사 결과 행정안전부령으로 정하는 중대한 결함이 있다고 인정되는 소방용품에 대하여는 그 제조자 및 수입자에게 행정안전부령으로 정하는 바에 따라 회수·교환·폐기 또는 판매중지를 명하고, 형식승인 또는 성능인증을 취소할 수 있다.

③ 제2항에 따라 소방용품의 회수·교환·폐기 또는 판매중지 명령을 받은 제조자 및 수입자는 해당 소방용품이 이미 판매되어 사용 중인 경우 행정안전부령으로 정하는 바에 따라 구매자에게 그 사실을 알리고 회수 또는 교환 등 필요한 조치를 하여야 한다.

④ 소방청장은 제2항에 따라 회수·교환·폐기 또는 판매중지를 명하거나 형식승인 또는 성능인증을 취소한 때에는 행정안전부령으로 정하는 바에 따라 그 사실을 소방청 홈페이지 등에 공표하여야 한다.

(1) 소방용품의 수집·검사

소방청장은 소방용품 품질관리를 위하여 유통 중인 소방용품 수집·검사를 할 수 있다.

(2) 수집검사 결과 행정안전부령으로 정하는 중대한 결함이 있는 경우

① 소방청장은 해당 소방용품에 대하여는 그 제조자 및 수입자에게 행정안전부령으로 정하는 바에 따라 회수·교환·폐기 또는 판매중지를 명하고, 형식승인 또는 성능인증을 취소할 수 있다.

② 벌칙 – 3년 이하의 징역 또는 3천만원 이하의 벌금(제57조): 제45조 제2항에 따른 명령을 정당한 사유 없이 위반한 자

(3) 제조자 및 수입자의 조치

① 소방용품의 회수·교환·폐기 또는 판매중지 명령을 받은 제조자 및 수입자는 해당 소방용품이 이미 판매되어 사용 중인 경우 행정안전부령으로 정하는 바에 따라 구매자에게 그 사실을 알리고 회수 또는 교환 등 필요한 조치를 하여야 한다.

② 벌칙 – 3년 이하의 징역 또는 3천만원 이하의 벌금(제57조): 제45조 제3항을 위반하여 구매자에게 명령을 받은 사실을 알리지 아니하거나 필요한 조치를 하지 아니한 자

(4) 해당사실의 공표

소방청장은 회수·교환·폐기 또는 판매중지를 명하거나 형식승인 또는 성능인증을 취소한 때에는 행정안전부령으로 정하는 바에 따라 그 사실을 소방청 홈페이지 등에 공표하여야 한다.

1 제품검사 전문기관의 지정 등   B

제46조【제품검사 전문기관의 지정 등】 ① 소방청장은 제37조 제3항 및 제40조 제2항에 따른 제품검사를 전문적·효율적으로 실시하기 위하여 다음 각 호의 요건을 모두 갖춘 기관을 제품검사 전문기관(이하 "전문기관"이라 한다)으로 지정할 수 있다.

1. 다음 각 목의 어느 하나에 해당하는 기관일 것
    가. 「과학기술분야 정부출연연구기관 등의 설립·운영 및 육성에 관한 법률」 제8조에 따라 설립된 연구기관
    나. 공공기관
    다. 소방용품의 시험·검사 및 연구를 주된 업무로 하는 비영리 법인
2. 「국가표준기본법」 제23조에 따라 인정을 받은 시험·검사기관일 것
3. 행정안전부령으로 정하는 검사인력 및 검사설비를 갖추고 있을 것
4. 기관의 대표자가 제27조 제1호부터 제3호까지의 어느 하나에 해당하지 아니할 것
5. 제47조에 따라 전문기관의 지정이 취소된 경우 그 지정이 취소된 날부터 2년이 경과하였을 것

② 전문기관 지정의 방법 및 절차 등에 필요한 사항은 행정안전부령으로 정한다.

③ 소방청장은 제1항에 따라 전문기관을 지정하는 경우에는 소방용품의 품질 향상, 제품검사의 기술개발 등에 드는 비용을 부담하게 하는 등 필요한 조건을 붙일 수 있다. 이 경우 그 조건은 공공의 이익을 증진하기 위하여 필요한 최소한도에 그쳐야 하며, 부당한 의무를 부과하여서는 아니 된다.

④ 전문기관은 행정안전부령으로 정하는 바에 따라 제품검사 실시 현황을 소방청장에게 보고하여야 한다.

⑤ 소방청장은 전문기관을 지정한 경우에는 행정안전부령으로 정하는 바에 따라 전문기관의 제품검사 업무에 대한 평가를 실시할 수 있으며, 제품검사를 받은 소방용품에 대하여 확인검사를 할 수 있다.

⑥ 소방청장은 제5항에 따라 전문기관에 대한 평가를 실시하거나 확인검사를 실시한 때에는 그 평가 결과 또는 확인검사 결과를 행정안전부령으로 정하는 바에 따라 공표할 수 있다.

⑦ 소방청장은 제5항에 따른 확인검사를 실시하는 때에는 행정안전부령으로 정하는 바에 따라 전문기관에 대하여 확인검사에 드는 비용을 부담하게 할 수 있다.

(1) 전문기관의 지정

① **전문기관 지정권자:** 소방청장

② **위임규정:** 지정의 방법 및 절차 등에 관하여 필요한 사항은 행정안전부령으로 정한다.

③ **벌칙 – 3년 이하의 징역 또는 3천만원 이하의 벌금(제57조):** 거짓이나 그 밖의 부정한 방법으로 제46조 제1항에 따른 전문기관으로 지정을 받은 자

(2) 조건의 부과

① 소방청장 전문기관을 지정하는 경우 소방용품의 품질 향상, 제품검사의 기술 개발 등에 드는 비용을 부담하게 하는 등 필요한 조건을 붙일 수 있다.

② 이 경우 그 조건은 공공의 이익을 증진하기 위하여 필요한 최소한도에 한정하여야 하며, 부당한 의무를 부과하여서는 아니 된다.

(3) 평가 및 확인검사

소방청장은 전문기관을 지정한 경우에는 전문기관의 제품검사 업무에 대한 평가를 실시할 수 있으며, 제품검사를 받은 소방용품에 대하여 확인검사를 할 수 있다.

(4) 해당사실의 공표 등

① 소방청장은 전문기관에 대한 평가를 실시하거나 확인검사를 실시한 때에는 그 평가 결과 또는 확인검사 결과를 행정안전부령으로 정하는 바에 따라 공표할 수 있다.

② 소방청장은 확인검사를 실시하는 때에는 행정안전부령으로 정하는 바에 따라 전문기관에 대하여 확인검사에 드는 비용을 부담하게 할 수 있다.

1-2 전문기관의 지정취소 등   C

제47조【전문기관의 지정취소 등】 소방청장은 전문기관이 다음 각 호의 어느 하나에 해당할 때에는 그 지정을 취소하거나 6개월 이내의 기간을 정하여 그 업무의 정지를 명할 수 있다. 다만, 제1호에 해당할 때에는 그 지정을 취소하여야 한다.

1. 거짓이나 그 밖의 부정한 방법으로 지정을 받은 경우
2. 정당한 사유 없이 1년 이상 계속하여 제품검사 또는 실무교육 등 지정받은 업무를 수행하지 아니한 경우
3. 제46조 제1항 각 호의 요건을 갖추지 못하거나 제46조 제3항에 따른 조건을 위반한 경우
4. 제52조 제1항 제7호에 따른 감독 결과 이 법이나 다른 법령을 위반하여 전문기관으로서의 업무를 수행하는 것이 부적당하다고 인정되는 경우

소방청장은 전문기관이 다음 어느 하나에 해당하면 그 지정을 취소하거나 6개월 이내의 기간을 정하여 업무 정지를 명할 수 있다.

① 거짓이나 그 밖의 부정한 방법으로 지정을 받은 경우(반드시 취소)

② 정당한 사유 없이 1년 이상 계속하여 제품검사 또는 실무교육 등 지정받은 업무를 갖추지 못한 경우

③ 전문기관의 지정을 위한 요건을 갖추지 못하거나 소방청장이 부과한 조건을 위반한 경우

④ 전문기관에 대한 감독의 결과 소방시설법 또는 다른 법령을 위반하여 전문기관으로서의 업무를 수행하는 것이 부적당하다고 인정되는 경우

제48조【전산시스템 구축 및 운영】 ① 소방청장, 소방본부장 또는 소방서장은 특정소방대상물의 체계적인 안전관리를 위하여 다음 각 호의 정보가 포함된 전산시스템을 구축·운영하여야 한다.

1. 제6조 제3항에 따라 제출받은 설계도면의 관리 및 활용
2. 제23조 제3항에 따라 보고받은 자체점검 결과의 관리 및 활용
3. 그 밖에 소방청장, 소방본부장 또는 소방서장이 필요하다고 인정하는 자료의 관리 및 활용

② 소방청장, 소방본부장 또는 소방서장은 제1항에 따른 전산시스템의 구축·운영에 필요한 자료의 제출 또는 정보의 제공을 관계 행정기관의 장에게 요청할 수 있다. 이 경우 자료의 제출이나 정보의 제공을 요청받은 관계 행정기관의 장은 정당한 사유가 없으면 이에 따라야 한다.

(1) 전산시스템의 구축·운영

① 소방청장, 소방본부장 또는 소방서장은 특정소방대상물의 체계적인 안전관리를 위하여 다음의 정보가 포함된 전산시스템을 구축·운영하여야 한다.

② 전산시스템 구축 정보

    ㉠ 제출받은 설계도면의 관리 및 활용

    ㉡ 보고받은 자체점검 결과의 관리 및 활용

    ㉢ 그 밖에 소방청장, 소방본부장 또는 소방서장이 필요하다고 인정하는 자료의 관리 및 활용

(2) 자료·정보의 제공 요청

① 소방청장, 소방본부장 또는 소방서장은 **(1)**에 따른 전산시스템의 구축·운영에 필요한 자료의 제출 또는 정보의 제공을 관계 행정기관의 장에게 요청할 수 있다.

② 이 경우 자료의 제출이나 정보의 제공을 요청받은 관계 행정기관의 장은 정당한 사유가 없으면 이에 따라야 한다.

제49조【청문】 소방청장 또는 시·도지사는 다음 각 호의 어느 하나에 해당하는 처분을 하려면 청문을 하여야 한다.

1. 제28조에 따른 관리사 자격의 취소 및 정지
2. 제35조 제1항에 따른 관리업의 등록취소 및 영업정지
3. 제39조에 따른 소방용품의 형식승인 취소 및 제품검사 중지
4. 제42조에 따른 성능인증의 취소
5. 제43조 제5항에 따른 우수품질인증의 취소
6. 제47조에 따른 전문기관의 지정취소 및 업무정지

(1) 청문권자

소방청장 또는 시·도지사는 처분을 하기 위한 청문을 하여야 한다.

(2) 청문대상

① 관리사 자격의 취소 및 정지
② 관리업의 등록취소 및 영업정지
③ 소방용품의 형식승인 취소 및 제품검사 중지
④ 성능인증의 취소
⑤ 우수품질인증의 취소
⑥ 전문기관의 지정취소 및 업무정지

📖 **SUMMARY** 청문대상

청문대상	취소	정지	중지
관리사	자격 ○	자격 ○	
관리업	등록 ○	영업정지 ○	
소방용품	형식승인 ○		제품검사 ○
소방용품	성능인증 ○		
소방용품	우수품질인증 ○		
전문기관	지정취소 ○	업무정지 ○	

정희's 톡talk

소방관련법규상의 청문대상

화재예방법	· 소방안전관리자의 자격취소 · 진단기관의 지정 취소
「소방시설 공사업법」	· 소방시설업의 등록취소 처분 · 소방시설업의 영업정지 처분 · 소방기술 인정 자격취소처분
「위험물 안전관리법」	· 제조소등 설치허가의 취소 · 탱크시험자의 등록취소

제50조【권한 또는 업무의 위임·위탁 등】 ① 이 법에 따른 소방청장 또는 시·도지사의 권한은 대통령령으로 정하는 바에 따라 그 일부를 소속 기관의 장, 시·도지사, 소방본부장 또는 소방서장에게 위임할 수 있다.

② 소방청장은 다음 각 호의 업무를 「소방산업의 진흥에 관한 법률」 제14조에 따른 한국소방산업기술원(이하 "기술원"이라 한다)에 위탁할 수 있다. 이 경우 소방청장은 기술원에 소방시설 및 소방용품에 관한 기술개발·연구 등에 필요한 경비의 일부를 보조할 수 있다.

1. 제21조에 따른 방염성능검사 중 대통령령으로 정하는 검사
2. 제37조 제1항·제2항 및 제8항부터 제10항까지의 규정에 따른 소방용품의 형식승인
3. 제38조에 따른 형식승인의 변경승인
4. 제39조 제1항에 따른 형식승인의 취소
5. 제40조 제1항·제6항에 따른 성능인증 및 제42조에 따른 성능인증의 취소
6. 제41조에 따른 성능인증의 변경인증
7. 제43조에 따른 우수품질인증 및 그 취소

③ 소방청장은 제37조 제3항 및 제40조 제2항에 따른 제품검사 업무를 기술원 또는 전문기관에 위탁할 수 있다.

④ 제2항 및 제3항에 따라 위탁받은 업무를 수행하는 기술원 및 전문기관이 갖추어야 하는 시설기준 등에 관하여 필요한 사항은 행정안전부령으로 정한다.

⑤ 소방청장은 다음 각 호의 업무를 대통령령으로 정하는 바에 따라 소방기술과 관련된 법인 또는 단체에 위탁할 수 있다.

1. 표준자체점검비의 산정 및 공표
2. 제25조 제5항 및 제6항에 따른 소방시설관리사증의 발급·재발급
3. 제34조 제1항에 따른 점검능력 평가 및 공시
4. 제34조 제4항에 따른 데이터베이스 구축·운영

⑥ 소방청장은 제14조 제3항에 따른 건축 환경 및 화재위험특성 변화 추세 연구에 관한 업무를 대통령령으로 정하는 바에 따라 화재안전 관련 전문연구기관에 위탁할 수 있다. 이 경우 소방청장은 연구에 필요한 경비를 지원할 수 있다.

⑦ 제2항부터 제6항까지의 규정에 따라 위탁받은 업무에 종사하고 있거나 종사하였던 사람은 업무를 수행하면서 알게 된 비밀을 이 법에서 정한 목적 외의 용도로 사용하거나 다른 사람 또는 기관에 제공하거나 누설하여서는 아니 된다.

(1) 권한의 위임

① 이 법에 따른 소방청장 또는 시·도지사의 권한은 대통령령으로 정하는 바에 따라 그 일부를 소속 기관의 장, 시·도지사, 소방본부장 또는 소방서장에게 위임할 수 있다.

② **기술기준의 위임(영 제48조):** 화재안전기준 중 기술기준에 대한 법 제19조 각 호에 따른 관리·운영 권한을 국립소방연구원장에게 위임한다.

(2) 소방청장이 기술원에 위탁할 수 있는 업무

소방청장은 다음의 업무를 「소방산업의 진흥에 관한 법률」 제14조에 따른 한국소방산업기술원(이하 "기술원"이라 한다)에 위탁할 수 있다. 이 경우 소방청장은 기술원에 소방시설 및 소방용품에 관한 기술개발·연구 등에 필요한 경비의 일부를 보조할 수 있다.

① 제21조에 따른 방염성능검사 중 대통령령으로 정하는 검사
② 제37조 제1항·제2항 및 제8항부터 제10항까지의 규정에 따른 소방용품의 형식승인
③ 제38조에 따른 형식승인의 변경승인
④ 제39조 제1항에 따른 형식승인의 취소
⑤ 제40조 제1항·제6항에 따른 성능인증 및 제42조에 따른 성능인증의 취소
⑥ 제41조에 따른 성능인증의 변경인증
⑦ 제43조에 따른 우수품질인증 및 그 취소

(3) 소방청장이 기술원 또는 전문기관에 위탁할 수 있는 업무

① 제37조 제3항에 따른 제품검사 업무
② 제40조 제2항에 따른 제품검사 업무

(4) 위임규정

(2) 및 (3)에 따라 위탁받은 업무를 수행하는 기술원 및 전문기관이 갖추어야 하는 시설기준 등에 관하여 필요한 사항은 행정안전부령으로 정한다.

(5) 소방청장이 법인 또는 단체에 위탁할 수 있는 업무

① 소방청장은 다음 각 호의 업무를 대통령령으로 정하는 바에 따라 소방기술과 관련된 법인 또는 단체에 위탁할 수 있다.
  ㉠ 표준자체점검비의 산정 및 공표
  ㉡ 소방시설관리사증의 발급·재발급
  ㉢ 점검능력 평가 및 공시
  ㉣ 데이터베이스 구축·운영
② 소방청장은 법 제50조 제5항에 따라 해당 업무를 소방청장의 허가를 받아 설립한 소방기술과 관련된 법인 또는 단체 중 해당 업무를 처리하는 데 필요한 관련 인력과 장비를 갖춘 법인 또는 단체에 위탁한다. 이 경우 소방청장은 위탁받는 기관의 명칭·주소·대표자 및 위탁 업무의 내용을 고시해야 한다.

(6) 건축 환경 및 화재위험특성 변화 추세 연구

① 소방청장은 건축 환경 및 화재위험특성 변화 추세 연구에 관한 업무를 대통령령으로 정하는 바에 따라 화재안전 관련 전문연구기관에 위탁할 수 있다.
② 이 경우 소방청장은 연구에 필요한 경비를 지원할 수 있다.

정희's 톡talk

제37조【소방용품의 형식승인 등】③ 제1항과 제2항에 따라 형식승인을 받은 자는 그 소방용품에 대하여 소방청장이 실시하는 제품검사를 받아야 한다.

제40조【소방용품의 성능인증 등】② 제1항에 따라 성능인증을 받은 자는 그 소방용품에 대하여 소방청장의 제품검사를 받아야 한다.

(7) 비밀누설금지 의무

① 규정에 따라 위탁받은 업무에 종사하고 있거나 종사하였던 사람은 업무를 수행하면서 알게 된 비밀을 이 법에서 정한 목적 외의 용도로 사용하거나 다른 사람 또는 기관에 제공하거나 누설하여서는 아니 된다.

② 벌칙 – 300만원 이하의 벌금(제59조): 제50조 제7항을 위반하여 업무를 수행하면서 알게 된 비밀을 이 법에서 정한 목적 외의 용도로 사용하거나 다른 사람 또는 기관에 제공하거나 누설한 자

관계법규 권한 또는 업무의 위임·위탁 등

시행령	NOTE
제48조【권한 또는 업무의 위임·위탁 등】 ① 소방청장은 법 제50조 제1항에 따라 화재안전기준 중 기술기준에 대한 법 제19조 각 호에 따른 관리·운영 권한을 국립소방연구원장에게 위임한다. ② 법 제50조 제2항 제1호에서 "대통령령으로 정하는 검사"란 제31조 제1항에 따른 방염대상물품에 대한 방염성능검사(제32조 각 호에 따라 설치 현장에서 방염처리를 하는 합판·목재류에 대한 방염성능검사는 제외한다)를 말한다. ③ 소방청장은 법 제50조 제5항에 따라 다음 각 호의 업무를 소방청장의 허가를 받아 설립한 소방기술과 관련된 법인 또는 단체 중 해당 업무를 처리하는 데 필요한 관련 인력과 장비를 갖춘 법인 또는 단체에 위탁한다. 이 경우 소방청장은 위탁받는 기관의 명칭·주소·대표자 및 위탁 업무의 내용을 고시해야 한다. 1. 표준자체점검비의 산정 및 공표 2. 법 제25조 제5항 및 제6항에 따른 소방시설관리사증의 발급·재발급 3. 법 제34조 제1항에 따른 점검능력 평가 및 공시 4. 법 제34조 제4항에 따른 데이터베이스 구축·운영	

제51조【벌칙 적용에서 공무원 의제】다음 각 호의 어느 하나에 해당하는 자는 「형법」제129조부터 제132조까지의 규정을 적용할 때에는 공무원으로 본다.

1. 평가단의 구성원 중 공무원이 아닌 사람
2. 중앙위원회 및 지방위원회의 위원 중 공무원이 아닌 사람
3. 제50조 제2항부터 제6항까지의 규정에 따라 위탁받은 업무를 수행하는 기술원, 전문기관, 법인 또는 단체, 화재안전 관련 전문연구기관의 담당 임직원

(1) 벌칙 적용 시의 공무원 의제 대상자

① 평가단의 구성원 중 공무원이 아닌 사람

② 중앙위원회 및 지방위원회의 위원 중 공무원이 아닌 사람

③ 규정에 따라 위탁받은 업무를 수행하는 기술원, 전문기관, 법인 또는 단체, 화재안전 관련 전문연구기관의 담당 임직원

(2) 「형법」제129조~제132조 규정의 적용

제129조 (수뢰, 사전수뢰)	1. 공무원 또는 중재인이 그 직무에 관하여 뇌물을 수수, 요구 또는 약속한 때에는 5년 이하의 징역 또는 10년 이하의 자격정지에 처한다. 2. 공무원 또는 중재인이 될 자가 그 담당할 직무에 관하여 청탁을 받고 뇌물을 수수, 요구 또는 약속한 후 공무원 또는 중재인이 된 때에는 3년 이하의 징역 또는 7년 이하의 자격정지에 처한다.
제130조 (제삼자뇌물제공)	공무원 또는 중재인이 그 직무에 관하여 부정한 청탁을 받고 제3자에게 뇌물을 공여하게 하거나 공여를 요구 또는 약속한 때에는 5년 이하의 징역 또는 10년 이하의 자격정지에 처한다.
제131조 (수뢰후부정처사, 사후수뢰)	1. 공무원 또는 중재인이 제129조, 제130조의 죄를 범하여 부정한 행위를 한 때에는 1년 이상의 유기징역에 처한다. 2. 공무원 또는 중재인이 그 직무상 부정한 행위를 한 후 뇌물을 수수, 요구 또는 약속하거나 제삼자에게 이를 공여하게 하거나 공여를 요구 또는 약속한 때에도 1.의 형과 같다. 3. 공무원 또는 중재인이었던 자가 그 재직 중에 청탁을 받고 직무상 부정한 행위를 한 후 뇌물을 수수, 요구 또는 약속한 때에는 5년 이하의 징역 또는 10년 이하의 자격정지에 처한다. 4. 3.의 경우에는 10년 이하의 자격정지를 병과할 수 있다.
제132조 (알선수뢰)	공무원이 그 지위를 이용하여 다른 공무원의 직무에 속한 사항의 알선에 관하여 뇌물을 수수, 요구 또는 약속한 때에는 3년 이하의 징역 또는 7년 이하의 자격정지에 처한다.

제52조【감독】① 소방청장, 시·도지사, 소방본부장 또는 소방서장은 다음 각 호의 어느 하나에 해당하는 자, 사업체 또는 소방대상물 등의 감독을 위하여 필요하면 관계인에게 필요한 보고 또는 자료제출을 명할 수 있으며, 관계 공무원으로 하여금 소방대상물·사업소·사무소 또는 사업장에 출입하여 관계 서류·시설 및 제품 등을 검사하게 하거나 관계인에게 질문하게 할 수 있다.

1. 제22조에 따라 관리업자 등이 점검한 특정소방대상물
2. 제25조에 따른 관리사
3. 제29조 제1항에 따른 등록한 관리업자
4. 제37조 제1항부터 제3항까지 및 제10항에 따른 소방용품의 형식승인, 제품검사 또는 시험시설의 심사를 받은 자
5. 제38조 제1항에 따라 변경승인을 받은 자
6. 제40조 제1항, 제2항 및 제6항에 따라 성능인증 및 제품검사를 받은 자
7. 제46조 제1항에 따라 지정을 받은 전문기관
8. 소방용품을 판매하는 자

② 제1항에 따라 출입·검사 업무를 수행하는 관계 공무원은 그 권한을 표시하는 증표를 지니고 이를 관계인에게 내보여야 한다.

③ 제1항에 따라 출입·검사 업무를 수행하는 관계 공무원은 관계인의 정당한 업무를 방해하거나 출입·검사 업무를 수행하면서 알게 된 비밀을 다른 사람에게 누설하여서는 아니 된다.

(1) 감독을 위한 보고 또는 자료제출 등의 명령

① 소방청장, 시·도지사, 소방본부장 또는 소방서장은 다음 어느 하나에 해당하는 자, 사업체 또는 소방대상물 등의 감독을 위하여 필요하면 관계인에게 필요한 보고 또는 자료제출을 명할 수 있으며, 관계 공무원으로 하여금 소방대상물·사업소·사무소 또는 사업장에 출입하여 관계 서류·시설 및 제품 등을 검사하게 하거나 관계인에게 질문하게 할 수 있다.

㉠ 제22조에 따라 관리업자 등이 점검한 특정소방대상물

㉡ 제25조에 따른 관리사

㉢ 제29조 제1항에 따른 등록한 관리업자

㉣ 제37조 제1항부터 제3항까지 및 제10항에 따른 소방용품의 형식승인, 제품검사 또는 시험시설의 심사를 받은 자

㉤ 제38조 제1항에 따라 변경승인을 받은 자

㉥ 제40조 제1항, 제2항 및 제6항에 따라 성능인증 및 제품검사를 받은 자

㉦ 제46조 제1항에 따라 지정을 받은 전문기관

㉧ 소방용품을 판매하는 자

② **과태료 – 300만원 이하의 과태료(제61조):** 제52조 제1항에 따른 명령을 위반하여 보고 또는 자료제출을 하지 아니하거나 거짓으로 보고 또는 자료제출을 한 자 또는 정당한 사유 없이 관계 공무원의 출입 또는 검사를 거부·방해 또는 기피한 자

정희's 톡talk

비밀누설금지 의무 등

1. 출입·검사 업무를 수행하는 관계 공무원은 관계인의 정당한 업무를 방해하거나 출입·검사 업무를 수행하면서 알게 된 비밀을 다른 사람에게 누설하여서는 안됩니다.

2. 벌칙 – 1년 이하의 징역 또는 1천만원 이하의 벌금(제58조): 제52조 제3항을 위반하여 관계인의 정당한 업무를 방해하거나 출입·검사 업무를 수행하면서 알게 된 비밀을 다른 사람에게 누설한 자

(2) 증표의 제시

출입·검사 업무를 수행하는 관계 공무원은 그 권한을 표시하는 증표를 지니고 이를 관계인에게 내보여야 한다.

---

7 수수료 등 ◻

제53조【수수료 등】 다음 각 호의 어느 하나에 해당하는 자는 행정안전부령으로 정하는 수수료를 내야 한다.

1. 제21조에 따른 방염성능검사를 받으려는 자
2. 제25조 제1항에 따른 관리사시험에 응시하려는 사람
3. 제25조 제5항 및 제6항에 따라 소방시설관리사증을 발급받거나 재발급받으려는 자
4. 제29조 제1항에 따른 관리업의 등록을 하려는 자
5. 제29조 제3항에 따라 관리업의 등록증이나 등록수첩을 재발급 받으려는 자
6. 제32조 제3항에 따라 관리업자의 지위승계를 신고하려는 자
7. 제34조 제1항에 따라 점검능력 평가를 받으려는 자
8. 제37조 제1항 및 제10항에 따라 소방용품의 형식승인을 받으려는 자
9. 제37조 제2항에 따라 시험시설의 심사를 받으려는 자
10. 제37조 제3항에 따라 형식승인을 받은 소방용품의 제품검사를 받으려는 자
11. 제38조 제1항에 따라 형식승인의 변경승인을 받으려는 자
12. 제40조 제1항 및 제6항에 따라 소방용품의 성능인증을 받으려는 자
13. 제40조 제2항에 따라 성능인증을 받은 소방용품의 제품검사를 받으려는 자
14. 제41조 제1항에 따른 성능인증의 변경인증을 받으려는 자
15. 제43조 제1항에 따른 우수품질인증을 받으려는 자
16. 제46조에 따라 전문기관으로 지정을 받으려는 자

👆 **관계법규** 수수료

시행규칙

제41조【수수료】 ① 법 제53조에 따른 수수료 및 납부방법은 별표 10과 같다.

② 별표 10의 수수료를 반환하는 경우에는 다음 각 호의 구분에 따라 반환해야 한다.
1. 수수료를 과오납한 경우: 그 과오납한 금액의 전부
2. 시험시행기관에 책임이 있는 사유로 시험에 응시하지 못한 경우: 납입한 수수료의 전부

3. 직계 가족의 사망, 본인의 사고 또는 질병, 격리가 필요한 감염병이나 예견할 수 없는 기상상황 등으로 시험에 응시하지 못한 경우(해당 사실을 증명하는 서류 등을 제출한 경우로 한정한다): 납입한 수수료의 전부
4. 원서접수기간에 접수를 철회한 경우: 납입한 수수료의 전부
5. 시험시행일 20일 전까지 접수를 취소하는 경우: 납입한 수수료의 전부
6. 시험시행일 10일 전까지 접수를 취소하는 경우: 납입한 수수료의 100분의 50

제54조【조치명령 등의 기간연장】① 다음 각 호에 따른 조치명령 또는 이행명령(이하 "조치명령 등"이라 한다)을 받은 관계인 등은 천재지변이나 그 밖에 대통령령으로 정하는 사유로 조치명령 등을 그 기간 내에 이행할 수 없는 경우에는 조치명령 등을 명령한 소방청장, 소방본부장 또는 소방서장에게 대통령령으로 정하는 바에 따라 조치명령 등을 연기하여 줄 것을 신청할 수 있다.

1. 제12조 제2항에 따른 소방시설에 대한 조치명령
2. 제16조 제2항에 따른 피난시설, 방화구획 또는 방화시설에 대한 조치명령
3. 제20조 제2항에 따른 방염대상물품의 제거 또는 방염성능검사 조치명령
4. 제23조 제6항에 따른 소방시설에 대한 이행계획 조치명령
5. 제37조 제7항에 따른 형식승인을 받지 아니한 소방용품의 수거·폐기 또는 교체 등의 조치명령
6. 제45조 제2항에 따른 중대한 결함이 있는 소방용품의 회수·교환·폐기 조치명령

② 제1항에 따라 연기신청을 받은 소방청장, 소방본부장 또는 소방서장은 연기 신청 승인 여부를 결정하고 그 결과를 조치명령 등의 이행 기간 내에 관계인 등에게 알려주어야 한다.

(1) 조치명령 등의 기간연장

① 조치명령 등을 받은 관계인은 천재지변이나 그 밖에 대통령령으로 정하는 사유로 조치명령·선임명령 또는 이행명령(조치명령 등)을 그 기간 내에 이행할 수 없는 경우에는 조치명령 등을 명령한 소방청장, 소방본부장 또는 소방서장에게 대통령령으로 정하는 바에 따라 조치명령 등을 연기하여 줄 것을 신청할 수 있다.

② 소방청장, 소방본부장 또는 소방서장은 연기 신청에 대한 승인 여부를 결정하고, 그 결과를 이행 기간 내에 관계인 등에 통보하여야 한다.

(2) 기간연장 신청 대상 조치명령 등

① 소방시설에 대한 조치명령
② 피난시설, 방화구획 및 방화시설에 대한 조치명령
③ 방염성대상물품의 제거 또는 방염성능검사 조치명령
④ 소방시설에 대한 이행계획 조치명령
⑤ 형식승인을 받지 아니한 소방용품의 수거·폐기 또는 교체 등의 조치명령
⑥ 중대한 결함이 있는 소방용품의 회수·교환·폐기 조치명령

(3) 조치명령 등의 연기 신청 사유(영 제38조의2)

① 법 제54조 제1항 각 호 외의 부분에서 "대통령령으로 정하는 사유"

    ㉠ 「재난 및 안전관리 기본법」 제3조 제1호에 해당하는 재난이 발생한 경우
    ㉡ 경매 등의 사유로 소유권이 변동 중이거나 변동된 경우
    ㉢ 관계인의 질병, 사고, 장기출장의 경우

ⓔ 시장·상가·복합건축물 등 소방대상물의 관계인이 여러 명으로 구성되어 법 제54조 제1항 각 호에 따른 조치명령 또는 이행명령(이하 "조치명령 등"이라 한다)의 이행에 대한 의견을 조정하기 어려운 경우

ⓜ 그 밖에 관계인이 운영하는 사업에 부도 또는 도산 등 중대한 위기가 발생하여 조치명령 등을 그 기간 내에 이행할 수 없는 경우

② 조치명령 등의 연기를 신청하려는 관계인 등은 행정안전부령으로 정하는 연기신청서에 연기의 사유 및 기간 등을 적어 소방청장, 소방본부장 또는 소방서장에게 제출해야 한다.

③ 연기의 신청 및 연기신청서의 처리에 필요한 사항은 행정안전부령으로 정한다.

(4) 조치명령 등의 연기 신청 등(규칙 제45조)

① 조치명령·선임명령 또는 이행명령(조치명령 등)의 연기를 신청하려는 관계인 등은 조치명령 등의 이행기간 만료 5일 전까지 조치명령 등의 연기신청서에 조치명령 등을 그 기간 내에 이행할 수 없음을 증명할 수 있는 서류를 첨부하여 소방청장, 소방본부장 또는 소방서장에게 제출해야 한다.

② 연기신청서를 제출받은 소방청장, 소방본부장 또는 소방서장은 신청받은 날부터 3일 이내에 조치명령 등의 연기 여부를 결정하여 조치명령 등의 연기 통지서를 관계인 등에게 통지해야 한다.

👆 **관계법규** 조치명령 등의 연기

시행령	시행규칙
제49조【조치명령 등의 기간연장】① 법 제54조 제1항 각 호 외의 부분에서 "대통령령으로 정하는 사유"란 다음 각 호의 어느 하나에 해당하는 사유를 말한다. 1. 「재난 및 안전관리 기본법」 제3조 제1호에 해당하는 재난이 발생한 경우 2. 경매 등의 사유로 소유권이 변동 중이거나 변동된 경우 3. 관계인의 질병, 사고, 【 ① 】의 경우 4. 시장·상가·복합건축물 등 소방대상물의 관계인이 여러 명으로 구성되어 법 제54조 제1항 각 호에 따른 조치명령 또는 이행명령(이하 "조치명령 등"이라 한다)의 이행에 대한 의견을 조정하기 어려운 경우 5. 그 밖에 관계인이 운영하는 사업에 부도 또는 도산 등 중대한 위기가 발생하여 조치명령 등을 그 기간 내에 이행할 수 없는 경우 ② 법 제54조 제1항에 따라 조치명령 등의 연기를 신청하려는 관계인 등은 행정안전부령으로 정하는 연기신청서에 연기의 사유 및 기간 등을 적어 소방청장, 소방본부장 또는 소방서장에게 제출해야 한다. ③ 제2항에 따른 연기의 신청 및 연기신청서의 처리에 필요한 사항은 행정안전부령으로 정한다.	제42조【조치명령 등의 연기 신청】① 법 제54조 제1항에 따라 조치명령 또는 이행명령(이하 "조치명령 등"이라 한다)의 연기를 신청하려는 관계인 등은 영 제49조 제2항에 따라 조치명령 등의 이행기간 만료일【 ① 】 전까지 별지 제33호 서식에 따른 조치명령 등의 연기신청서(전자문서로 된 신청서를 포함한다)에 조치명령 등을 그 기간 내에 이행할 수 없음을 증명할 수 있는 서류(전자문서를 포함한다)를 첨부하여 소방청장, 소방본부장 또는 소방서장에게 제출해야 한다. ② 제1항에 따른 신청서를 제출받은 소방청장, 소방본부장 또는 소방서장은 신청받은 날부터 3일 이내에 조치명령 등의 연기 신청 승인 여부를 결정하여 별지 제34호 서식의 조치명령 등의 연기 통지서를 관계인 등에게 통지해야 한다.
① 장기출장	① 5일

제55조【위반행위의 신고 및 신고포상금의 지급】 ① 누구든지 소방본부장 또는 소방서장에게 다음 각 호의 어느 하나에 해당하는 행위를 한 자를 신고할 수 있다.

1. 제12조 제1항을 위반하여 소방시설을 설치 또는 관리한 자
2. 제12조 제3항을 위반하여 폐쇄·차단 등의 행위를 한 자
3. 제16조 제1항 각 호의 어느 하나에 해당하는 행위를 한 자

② 소방본부장 또는 소방서장은 제1항에 따른 신고를 받은 경우 신고 내용을 확인하여 이를 신속하게 처리하고, 그 처리결과를 행정안전부령으로 정하는 방법 및 절차에 따라 신고자에게 통지하여야 한다.

③ 소방본부장 또는 소방서장은 제1항에 따른 신고를 한 사람에게 예산의 범위에서 포상금을 지급할 수 있다.

④ 제3항에 따른 신고포상금의 지급대상, 지급기준, 지급절차 등에 필요한 사항은 시·도의 조례로 정한다.

(1) 신고포상금 지급 대상 행위

① 규정을 위반하여 소방시설을 설치 또는 유지·관리한 자

② 규정을 위반하여 소방시설을 폐쇄·차단 등의 행위를 한 자

③ 다음의 행위(제16조 제1항 각 호)를 한 자

   ㉠ 피난시설, 방화구획 및 방화시설을 폐쇄하거나 훼손하는 등의 행위

   ㉡ 피난시설, 방화구획 및 방화시설의 주위에 물건을 쌓아두거나 장애물을 설치하는 행위

   ㉢ 피난시설, 방화구획 및 방화시설의 용도에 장애를 주거나「소방기본법」제16조에 따른 소방활동에 지장을 주는 행위

   ㉣ 그 밖에 피난시설, 방화구획 및 방화시실을 변경하는 행위

(2) 신고처리

① 소방본부장 또는 소방서장은 신고를 받은 경우 신고 내용을 확인하여 이를 신속하게 처리하고, 그 처리결과를 행정안전부령으로 정하는 방법 및 절차에 따라 신고자에게 통지하여야 한다.

② 위반행위 신고 내용 처리결과의 통지(규칙 제43조)

   ㉠ 소방본부장 또는 소방서장은 위반행위의 신고 내용을 처리한 경우 10일 이내에 결과를 통지하여야 한다.

   ㉡ 통지는 우편, 팩스, 정보통신망, 전자우편 또는 휴대전화 문자메시지 등의 방법으로 할 수 있다.

(3) 포상금의 지급

소방본부장, 소방서장은 포상금을 지급할 수 있다.

(4) 위임규정

신고포상금의 지급대상·기준·절차 등 필요한 사항은 시·도 조례로 정한다.

제7장 벌칙

1 | 5년 이하의 징역 또는 5천만원 이하의 벌금 등 B

제56조【벌칙】① 제12조 제3항 본문을 위반하여 소방시설에 폐쇄·차단 등의 행위를 한 자는 5년 이하의 징역 또는 5천만원 이하의 벌금에 처한다.

② 제1항의 죄를 범하여 사람을 상해에 이르게 한 때에는 7년 이하의 징역 또는 7천만원 이하의 벌금에 처하며, 사망에 이르게 한 때에는 10년 이하의 징역 또는 1억원 이하의 벌금에 처한다.

(1) 5년 이하의 징역 또는 5천만원 이하의 벌금

제12조 제3항 본문을 위반하여 소방시설에 폐쇄·차단 등의 행위를 한 자

> 제12조【특정소방대상물에 설치하는 소방시설의 관리 등】③ 특정소방대상물의 관계인은 제1항에 따라 소방시설을 설치·관리하는 경우 화재 시 소방시설의 기능과 성능에 지장을 줄 수 있는 폐쇄(잠금을 포함한다. 이하 같다)·차단 등의 행위를 하여서는 아니 된다. 다만, 소방시설의 점검·정비를 위하여 필요한 경우 폐쇄·차단은 할 수 있다.

(2) (1)의 죄를 범하여 사람을 상해·사망에 이르게 한 경우

① 상해에 이르게 한 때: 7년 이하의 징역 또는 7천만원 이하의 벌금

② 사망에 이르게 한 때: 10년 이하의 징역 또는 1억원 이하의 벌금

> **참고** 「위험물안전관리법」상 벌칙
>
> 1. 제33조
>
> > 「위험물안전관리법」제33조【벌칙】① 제조소등에서 위험물을 유출·방출 또는 확산시켜 사람의 생명·신체 또는 재산에 대하여 위험을 발생시킨 자는 1년 이상 10년 이하의 징역에 처한다.
> > ② 제1항의 규정에 따른 죄를 범하여 사람을 상해(傷害)에 이르게 한 때에는 무기 또는 3년 이상의 징역에 처하며, 사망에 이르게 한 때에는 무기 또는 5년 이상의 징역에 처한다.
>
> 2. 제34조
>
> > 「위험물안전관리법」제34조【벌칙】① 업무상 과실로 제조소등에서 위험물을 유출·방출 또는 확산시켜 사람의 생명·신체 또는 재산에 대하여 위험을 발생시킨 자는 7년 이하의 금고 또는 7천만원 이하의 벌금에 처한다.
> > ② 제1항의 죄를 범하여 사람을 사상(死傷)에 이르게 한 자는 10년 이하의 징역 또는 금고나 1억원 이하의 벌금에 처한다.

제57조【벌칙】 다음 각 호의 어느 하나에 해당하는 자는 3년 이하의 징역 또는 3천만원 이하의 벌금에 처한다.

1. 제12조 제2항, 제15조 제3항, 제16조 제2항, 제20조 제2항, 제23조 제6항, 제37조 제7항 또는 제45조 제2항에 따른 명령을 정당한 사유 없이 위반한 자

2. 제29조 제1항을 위반하여 관리업의 등록을 하지 아니하고 영업을 한 자

3. 제37조 제1항, 제2항 및 제10항을 위반하여 소방용품의 형식승인을 받지 아니하고 소방용품을 제조하거나 수입한 자 또는 거짓이나 그 밖의 부정한 방법으로 형식승인을 받은 자

4. 제37조 제3항을 위반하여 제품검사를 받지 아니한 자 또는 거짓이나 그 밖의 부정한 방법으로 제품검사를 받은 자

5. 제37조 제6항을 위반하여 소방용품을 판매·진열하거나 소방시설공사에 사용한 자

6. 제40조 제1항 및 제2항을 위반하여 거짓이나 그 밖의 부정한 방법으로 성능인증 또는 제품검사를 받은 자

7. 제40조 제5항을 위반하여 제품검사를 받지 아니하거나 합격표시를 하지 아니한 소방용품을 판매·진열하거나 소방시설공사에 사용한 자

8. 제45조 제3항을 위반하여 구매자에게 명령을 받은 사실을 알리지 아니하거나 필요한 조치를 하지 아니한 자

9. 거짓이나 그 밖의 부정한 방법으로 제46조 제1항에 따른 전문기관으로 지정을 받은 자

(1) 제12조 제2항, 제15조 제3항, 제16조 제2항, 제20조 제2항, 제23조 제6항, 제37조 제7항 또는 제45조 제2항에 따른 명령을 정당한 사유 없이 위반한 자

> **제12조【특정소방대상물에 설치하는 소방시설의 관리 등】** ② 소방본부장이나 소방서장은 제1항에 따른 소방시설이 화재안전기준에 따라 설치·관리되고 있지 아니할 때에는 해당 특정소방대상물의 관계인에게 필요한 조치를 명할 수 있다.
>
> **제15조【건설현장의 임시소방시설 설치 및 관리】** ③ 소방본부장 또는 소방서장은 제1항이나 제2항에 따라 임시소방시설 또는 소방시설이 설치 및 관리되지 아니할 때에는 해당 공사시공자에게 필요한 조치를 명할 수 있다.
>
> **제16조【피난시설, 방화구획 및 방화시설의 관리】** ② 소방본부장이나 소방서장은 특정소방대상물의 관계인이 제1항 각 호의 어느 하나에 해당하는 행위를 한 경우에는 피난시설, 방화구획 및 방화시설의 관리를 위하여 필요한 조치를 명할 수 있다.
>
> **제20조【특정소방대상물의 방염 등】** ② 소방본부장 또는 소방서장은 방염대상물품이 제1항에 따른 방염성능기준에 미치지 못하거나 제21조 제1항에 따른 방염성능검사를 받지 아니한 것이면 특정소방대상물의 관계인에게 방염대상물품을 제거하도록 하거나 방염성능검사를 받도록 하는 등 필요한 조치를 명할 수 있다.

> 제23조【소방시설등의 자체점검 결과의 조치 등】⑥ 소방본부장 또는 소방서장
> 은 관계인이 제4항에 따라 이행계획을 완료하지 아니한 경우에는 필요한 조치
> 의 이행을 명할 수 있고, 관계인은 이에 따라야 한다.
>
> 제37조【소방용품의 형식승인 등】⑦ 소방본부장 또는 소방서장은 관계인이 제
> 4항에 따라 이행계획을 완료하지 아니한 경우에는 필요한 조치의 이행을 명할
> 수 있고, 관계인은 이에 따라야 한다.
>
> 제45조【소방용품의 제품검사 후 수집검사 등】② 제2항에 따라 소방용품의 회
> 수·교환·폐기 또는 판매중지 명령을 받은 제조자 및 수입자는 해당 소방용품
> 이 이미 판매되어 사용 중인 경우 행정안전부령으로 정하는 바에 따라 구매자
> 에게 그 사실을 알리고 회수 또는 교환 등 필요한 조치를 하여야 한다.

(2) 제29조 제1항을 위반하여 관리업의 등록을 하지 아니하고 영업을 한 자

> 제29조【소방시설관리업의 등록 등】① 소방시설등의 점검 및 관리를 업으로 하
> 려는 자 또는 「화재의 예방 및 안전관리에 관한 법률」 제25조에 따른 소방안전
> 관리업무의 대행을 하려는 자는 대통령령으로 정하는 업종별로 시·도지사에게
> 소방시설관리업(이하 "관리업"이라 한다) 등록을 하여야 한다.

(3) 제37조 제1항, 제2항 및 제10항을 위반하여 소방용품의 형식승인을 받지 아니하
고 소방용품을 제조하거나 수입한 자 또는 거짓이나 그 밖의 부정한 방법으로 형식
승인을 받은 자

> 제37조【소방용품의 형식승인 등】① 대통령령으로 정하는 소방용품을 제조하
> 거나 수입하려는 자는 소방청장의 형식승인을 받아야 한다. 다만, 연구개발 목
> 적으로 제조하거나 수입하는 소방용품은 그러하지 아니하다.
>
> 제37조【소방용품의 형식승인 등】② 대통령령으로 정하는 소방용품을 제조하
> 거나 수입하려는 자는 소방청장의 형식승인을 받아야 한다. 다만, 연구개발 목
> 적으로 제조하거나 수입하는 소방용품은 그러하지 아니하다.
>
> 제37조【소방용품의 형식승인 등】⑩ 하나의 소방용품에 두 가지 이상의 형식승
> 인 사항 또는 형식승인과 성능인증 사항이 결합된 경우에는 두 가지 이상의 형
> 식승인 또는 형식승인과 성능인증 시험을 함께 실시하고 하나의 형식승인을 할
> 수 있다.

(4) 제37조 제3항을 위반하여 제품검사를 받지 아니한 자 또는 거짓이나 그 밖의 부정
한 방법으로 제품검사를 받은 자

> 제37조【소방용품의 형식승인 등】③ 제1항과 제2항에 따라 형식승인을 받은 자
> 는 그 소방용품에 대하여 소방청장이 실시하는 제품검사를 받아야 한다.

(5) 제37조 제6항을 위반하여 소방용품을 판매·진열하거나 소방시설공사에 사용한 자

> **제37조【소방용품의 형식승인 등】** ⑥ 누구든지 다음 각 호의 어느 하나에 해당하는 소방용품을 판매하거나 판매 목적으로 진열하거나 소방시설공사에 사용할 수 없다.
> 1. 형식승인을 받지 아니한 것
> 2. 형상 등을 임의로 변경한 것
> 3. 제품검사를 받지 아니하거나 합격표시를 하지 아니한 것

(6) 제40조 제1항 및 제2항을 위반하여 거짓이나 그 밖의 부정한 방법으로 성능인증 또는 제품검사를 받은 자

> **제40조【소방용품의 성능인증 등】** ① 소방청장은 제조자 또는 수입자 등의 요청이 있는 경우 소방용품에 대하여 성능인증을 할 수 있다.
> **제40조【소방용품의 성능인증 등】** ② 소방청장은 제조자 또는 수입자 등의 요청이 있는 경우 소방용품에 대하여 성능인증을 할 수 있다.

(7) 제40조 제5항을 위반하여 제품검사를 받지 아니하거나 합격표시를 하지 아니한 소방용품을 판매·진열하거나 소방시설공사에 사용한 자

> **제40조【소방용품의 성능인증 등】** ⑤ 제2항에 따른 제품검사에 합격하지 아니한 소방용품에는 성능인증을 받았다는 표시를 하거나 제품검사에 합격하였다는 표시를 하여서는 아니 되며, 제품검사를 받지 아니하거나 합격표시를 하지 아니한 소방용품을 판매 또는 판매 목적으로 진열하거나 소방시설공사에 사용하여서는 아니 된다.

(8) 제45조 제3항을 위반하여 구매자에게 명령을 받은 사실을 알리지 아니하거나 필요한 조치를 하지 아니한 자

> **제45조【소방용품의 제품검사 후 수집검사 등】** ③ 제2항에 따라 소방용품의 회수·교환·폐기 또는 판매중지 명령을 받은 제조자 및 수입자는 해당 소방용품이 이미 판매되어 사용 중인 경우 행정안전부령으로 정하는 바에 따라 구매자에게 그 사실을 알리고 회수 또는 교환 등 필요한 조치를 하여야 한다.

(9) 거짓이나 그 밖의 부정한 방법으로 제46조 제1항에 따른 전문기관으로 지정을 받은 자

> **제46조【제품검사 전문기관의 지정 등】** ① 소방청장은 제37조 제3항 및 제40조 제2항에 따른 제품검사를 전문적·효율적으로 실시하기 위하여 다음 각 호의 요건을 모두 갖춘 기관을 제품검사 전문기관으로 지정할 수 있다.

제58조 【벌칙】 다음 각 호의 어느 하나에 해당하는 자는 1년 이하의 징역 또는 1천만원 이하의 벌금에 처한다.

1. 제22조 제1항을 위반하여 소방시설등에 대하여 스스로 점검을 하지 아니하거나 관리업자 등으로 하여금 정기적으로 점검하게 하지 아니한 자
2. 제25조 제7항을 위반하여 소방시설관리사증을 다른 사람에게 빌려주거나 빌리거나 이를 알선한 자
3. 제25조 제8항을 위반하여 동시에 둘 이상의 업체에 취업한 자
4. 제28조에 따라 자격정지처분을 받고 그 자격정지기간 중에 관리사의 업무를 한 자
5. 제33조 제2항을 위반하여 관리업의 등록증이나 등록수첩을 다른 자에게 빌려주거나 빌리거나 이를 알선한 자
6. 제35조 제1항에 따라 영업정지처분을 받고 그 영업정지기간 중에 관리업의 업무를 한 자
7. 제37조 제3항에 따른 제품검사에 합격하지 아니한 제품에 합격표시를 하거나 합격표시를 위조 또는 변조하여 사용한 자
8. 제38조 제1항을 위반하여 형식승인의 변경승인을 받지 아니한 자
9. 제40조 제5항을 위반하여 제품검사에 합격하지 아니한 소방용품에 성능인증을 받았다는 표시 또는 제품검사에 합격하였다는 표시를 하거나 성능인증을 받았다는 표시 또는 제품검사에 합격하였다는 표시를 위조 또는 변조하여 사용한 자
10. 제41조 제1항을 위반하여 성능인증의 변경인증을 받지 아니한 자
11. 제43조 제1항에 따른 우수품질인증을 받지 아니한 제품에 우수품질인증 표시를 하거나 우수품질인증 표시를 위조하거나 변조하여 사용한 자
12. 제52조 제3항을 위반하여 관계인의 정당한 업무를 방해하거나 출입·검사 업무를 수행하면서 알게 된 비밀을 다른 사람에게 누설한 자

(1) 제22조 제1항을 위반하여 소방시설등에 대하여 스스로 점검을 하지 아니하거나 관리업자 등으로 하여금 정기적으로 점검하게 하지 아니한 자

> **제22조 【소방시설등의 자체점검】** ① 특정소방대상물의 관계인은 그 대상물에 설치되어 있는 소방시설등이 이 법이나 이 법에 따른 명령 등에 적합하게 설치·관리되고 있는지에 대하여 다음 각 호의 구분에 따른 기간 내에 스스로 점검하거나 제34조에 따른 점검능력 평가를 받은 관리업자 또는 행정안전부령으로 정하는 기술자격자(이하 "관리업자 등"이라 한다)로 하여금 정기적으로 점검(이하 "자체점검"이라 한다)하게 하여야 한다. 이 경우 관리업자 등이 점검한 경우에는 그 점검 결과를 행정안전부령으로 정하는 바에 따라 관계인에게 제출하여야 한다.
> 1. 해당 특정소방대상물의 소방시설등이 신설된 경우: 「건축법」 제22조에 따라 건축물을 사용할 수 있게 된 날부터 60일
> 2. 제1호 외의 경우: 행정안전부령으로 정하는 기간

(2) 제25조 제7항을 위반하여 소방시설관리사증을 다른 사람에게 빌려주거나 빌리거나 이를 알선한 자

> **제25조【소방시설관리사】** ⑦ 관리사는 제5항 또는 제6항에 따라 발급 또는 재발급받은 소방시설관리사증을 다른 사람에게 빌려주거나 빌려서는 아니 되며, 이를 알선하여서도 아니 된다

(3) 제25조 제8항을 위반하여 동시에 둘 이상의 업체에 취업한 자

> **제25조【소방시설관리사】** ⑧ 관리사는 동시에 둘 이상의 업체에 취업하여서는 아니 된다.

(4) 자격정지처분을 받고 그 자격정지기간 중에 관리사의 업무를 한 자

(5) 제33조 제2항을 위반하여 관리업의 등록증이나 등록수첩을 다른 자에게 빌려주거나 빌리거나 이를 알선한 자

> **제33조【관리업의 운영】** ② 관리업자는 관리업의 등록증이나 등록수첩을 다른 자에게 빌려주거나 빌려서는 아니 되며, 이를 알선하여서도 아니 된다.

(6) 영업정지처분을 받고 그 영업정지기간 중에 관리업의 업무를 한 자

(7) 제37조 제3항에 따른 제품검사에 합격하지 아니한 제품에 합격표시를 하거나 합격표시를 위조 또는 변조하여 사용한 자

> **제37조【소방용품의 형식승인 등】** ③ 제1항과 제2항에 따라 형식승인을 받은 자는 그 소방용품에 대하여 소방청장이 실시하는 제품검사를 받아야 한다.

(8) 제38조 제1항을 위반하여 형식승인의 변경승인을 받지 아니한 자

> **제38조【형식승인의 변경】** ① 제37조 제1항 및 제10항에 따른 형식승인을 받은 자가 해당 소방용품에 대하여 형상 등의 일부를 변경하려면 소방청장의 변경승인을 받아야 한다.

(9) 제40조 제5항을 위반하여 제품검사에 합격하지 아니한 소방용품에 성능인증을 받았다는 표시 또는 제품검사에 합격하였다는 표시를 하거나 성능인증을 받았다는 표시 또는 제품검사에 합격하였다는 표시를 위조 또는 변조하여 사용한 자

> **제40조【소방용품의 성능인증 등】** ⑤ 제2항에 따른 제품검사에 합격하지 아니한 소방용품에는 성능인증을 받았다는 표시를 하거나 제품검사에 합격하였다는 표시를 하여서는 아니 되며, 제품검사를 받지 아니하거나 합격표시를 하지 아니한 소방용품을 판매 또는 판매 목적으로 진열하거나 소방시설공사에 사용하여서는 아니 된다.

(10) 제41조 제1항를 위반하여 성능인증의 변경인증을 받지 아니한 자

> **제41조 【성능인증의 변경】** ① 제40조 제1항 및 제6항에 따른 성능인증을 받은 자가 해당 소방용품에 대하여 형상 등의 일부를 변경하려면 소방청장의 변경인증을 받아야 한다.

(11) 제43조 제1항에 따른 우수품질인증을 받지 아니한 제품에 우수품질인증 표시를 하거나 우수품질인증 표시를 위조하거나 변조하여 사용한 자

> **제43조 【우수품질 제품에 대한 인증】** ① 소방청장은 제37조에 따른 형식승인의 대상이 되는 소방용품 중 품질이 우수하다고 인정하는 소방용품에 대하여 인증 (이하 "우수품질인증"이라 한다)을 할 수 있다.

(12) 제52조 제3항을 위반하여 관계인의 정당한 업무를 방해하거나 출입·검사 업무를 수행하면서 알게 된 비밀을 다른 사람에게 누설한 자

> **제52조 【감독】** ③ 제1항에 따라 출입·검사 업무를 수행하는 관계 공무원은 관계인의 정당한 업무를 방해하거나 출입·검사 업무를 수행하면서 알게 된 비밀을 다른 사람에게 누설하여서는 아니 된다.

1-4 300만원 이하의 벌금 B

제59조 【벌칙】 다음 각 호의 어느 하나에 해당하는 자는 300만원 이하의 벌금에 처한다.
  1. 제9조 제2항 및 제50조 제7항을 위반하여 업무를 수행하면서 알게 된 비밀을 이 법에서 정한 목적 외의 용도로 사용하거나 다른 사람 또는 기관에 제공하거나 누설한 자
  2. 제21조를 위반하여 방염성능검사에 합격하지 아니한 물품에 합격표시를 하거나 합격표시를 위조하거나 변조하여 사용한 자
  3. 제21조 제2항을 위반하여 거짓 시료를 제출한 자
  4. 제23조 제1항 및 제2항을 위반하여 필요한 조치를 하지 아니한 관계인 또는 관계인에게 중대위반사항을 알리지 아니한 관리업자 등

(1) 제9조 제2항 및 제50조 제7항을 위반하여 업무를 수행하면서 알게 된 비밀을 이 법에서 정한 목적 외의 용도로 사용하거나 다른 사람 또는 기관에 제공하거나 누설한 자

> **제9조 【성능위주설계평가단】** ② 평가단에 소속되거나 소속되었던 사람은 평가단의 업무를 수행하면서 알게 된 비밀을 이 법에서 정한 목적 외의 용도로 사용하거나 다른 사람 또는 기관에 제공하거나 누설하여서는 아니 된다.

제50조【권한 또는 업무의 위임·위탁 등】⑦ 제2항부터 제6항까지의 규정에 따라 위탁받은 업무에 종사하고 있거나 종사하였던 사람은 업무를 수행하면서 알게 된 비밀을 이 법에서 정한 목적 외의 용도로 사용하거나 다른 사람 또는 기관에 제공하거나 누설하여서는 아니 된다.

(2) 방염성능검사에 합격하지 아니한 물품에 합격표시를 하거나 합격표시를 위조하거나 변조하여 사용한 자

(3) 제21조 제2항을 위반하여 거짓 시료를 제출한 자

제21조【방염성능의 검사】② 「소방시설공사업법」 제4조에 따라 방염처리업의 등록을 한 자는 제1항에 따른 방염성능검사를 할 때에 거짓 시료(試料)를 제출하여서는 아니 된다.

(4) 제23조 제1항 및 제2항을 위반하여 필요한 조치를 하지 아니한 관계인 또는 관계인에게 중대위반사항을 알리지 아니한 관리업자 등

제23조【소방시설등의 자체점검 결과의 조치 등】① 특정소방대상물의 관계인은 제22조 제1항에 따른 자체점검 결과 소화펌프 고장 등 대통령령으로 정하는 중대위반사항이 발견된 경우에는 지체 없이 수리 등 필요한 조치를 하여야 한다.

제23조【소방시설등의 자체점검 결과의 조치 등】② 관리업자 등은 자체점검 결과 중대위반사항을 발견한 경우 즉시 관계인에게 알려야 한다. 이 경우 관계인은 지체 없이 수리 등 필요한 조치를 하여야 한다.

2 양벌규정 D

제60조【양벌규정】법인의 대표자나 법인 또는 개인의 대리인, 사용인, 그 밖의 종업원이 그 법인 또는 개인의 업무에 관하여 제56조부터 제59조까지의 어느 하나에 해당하는 위반행위를 하면 그 행위자를 벌하는 외에 그 법인 또는 개인에게도 해당 조문의 벌금형을 과(科)한다. 다만, 법인 또는 개인이 그 위반행위를 방지하기 위하여 해당 업무에 관하여 상당한 주의와 감독을 게을리하지 아니한 경우에는 그러하지 아니하다.

① 법인의 대표자나 법인 또는 개인의 대리인, 사용인, 그 밖의 종업원이 그 법인 또는 개인의 업무에 관하여 제56조부터 제59조까지의 어느 하나에 해당하는 위반행위를 하면 그 행위자를 벌하는 외에 그 법인 또는 개인에게도 해당 조문의 벌금형을 과(科)한다.
② 다만, 법인 또는 개인이 그 위반행위를 방지하기 위하여 해당 업무에 관하여 상당한 주의와 감독을 게을리하지 아니한 경우에는 그러하지 아니하다.

제61조【과태료】① 다음 각 호의 어느 하나에 해당하는 자에게는 300만원 이하의 과태료를 부과한다.

1. 제12조 제1항을 위반하여 소방시설을 화재안전기준에 따라 설치·관리하지 아니한 자
2. 제15조 제1항을 위반하여 공사 현장에 임시소방시설을 설치·관리하지 아니한 자
3. 제16조 제1항을 위반하여 피난시설, 방화구획 또는 방화시설의 폐쇄·훼손·변경 등의 행위를 한 자
4. 제20조 제1항을 위반하여 방염대상물품을 방염성능기준 이상으로 설치하지 아니한 자
5. 제22조 제1항 전단을 위반하여 점검능력 평가를 받지 아니하고 점검을 한 관리업자
6. 제22조 제1항 후단을 위반하여 관계인에게 점검 결과를 제출하지 아니한 관리업자 등
7. 제22조 제2항에 따른 점검인력의 배치기준 등 자체점검 시 준수사항을 위반한 자
8. 제23조 제3항을 위반하여 점검 결과를 보고하지 아니하거나 거짓으로 보고한 자
9. 제23조 제4항을 위반하여 이행계획을 기간 내에 완료하지 아니한 자 또는 이행계획 완료 결과를 보고하지 아니하거나 거짓으로 보고한 자
10. 제24조 제1항을 위반하여 점검기록표를 기록하지 아니하거나 특정소방대상물의 출입자가 쉽게 볼 수 있는 장소에 게시하지 아니한 관계인
11. 제31조 또는 제32조 제3항을 위반하여 신고를 하지 아니하거나 거짓으로 신고한 자
12. 제33조 제3항을 위반하여 지위승계, 행정처분 또는 휴업·폐업의 사실을 특정소방대상물의 관계인에게 알리지 아니하거나 거짓으로 알린 관리업자
13. 제33조 제4항을 위반하여 소속 기술인력의 참여 없이 자체점검을 한 관리업자
14. 제34조 제2항에 따른 점검실적을 증명하는 서류 등을 거짓으로 제출한 자
15. 제52조 제1항에 따른 명령을 위반하여 보고 또는 자료제출을 하지 아니하거나 거짓으로 보고 또는 자료제출을 한 자 또는 정당한 사유 없이 관계 공무원의 출입 또는 검사를 거부·방해 또는 기피한 자

② 제1항에 따른 과태료는 대통령령으로 정하는 바에 따라 소방청장, 시·도지사, 소방본부장 또는 소방서장이 부과·징수한다.

(1) 300만원 이하의 과태료

① 규정을 위반하여 소방시설을 화재안전기준에 따라 설치·관리하지 아니한 자
② 규정을 위반하여 공사 현장에 임시소방시설을 설치·관리하지 아니한 자
③ 규정을 위반하여 피난시설, 방화구획 또는 방화시설의 폐쇄·훼손·변경 등의 행위를 한 자
④ 규정을 위반하여 방염대상물품을 방염성능기준 이상으로 설치하지 아니한 자
⑤ 규정을 위반하여 점검능력 평가를 받지 아니하고 점검을 한 관리업자
⑥ 규정을 위반하여 관계인에게 점검 결과를 제출하지 아니한 관리업자 등
⑦ 점검인력의 배치기준 등 자체점검 시 준수사항을 위반한 자
⑧ 규정을 위반하여 점검 결과를 보고하지 아니하거나 거짓으로 보고한 자

⑨ 규정을 위반하여 이행계획을 기간 내에 완료하지 아니한 자 또는 이행계획 완료 결과를 보고하지 아니하거나 거짓으로 보고한 자

⑩ 규정을 위반하여 점검기록표를 기록하지 아니하거나 특정소방대상물의 출입자가 쉽게 볼 수 있는 장소에 게시하지 아니한 관계인

⑪ 규정을 위반하여 신고를 하지 아니하거나 거짓으로 신고한 자

⑫ 규정을 위반하여 지위승계, 행정처분 또는 휴업·폐업의 사실을 특정소방대상물의 관계인에게 알리지 아니하거나 거짓으로 알린 관리업자

⑬ 규정을 위반하여 소속 기술인력의 참여 없이 자체점검을 한 관리업자

⑭ 점검실적을 증명하는 서류 등을 거짓으로 제출한 자

⑮ 제52조 제1항에 따른 명령을 위반하여 보고 또는 자료제출을 하지 아니하거나 거짓으로 보고 또는 자료제출을 한 자 또는 정당한 사유 없이 관계 공무원의 출입 또는 검사를 거부·방해 또는 기피한 자

(2) 위임규정

(1)에 따른 과태료는 대통령령으로 정하는 바에 따라 소방청장, 시·도지사, 소방본부장 또는 소방서장이 부과·징수한다.

(3) 과태료 부과기준(영 [별표 10] 일반기준)

① 위반행위의 횟수에 따른 과태료의 가중된 부과기준은 최근 1년간 같은 위반행위로 과태료 부과처분을 받은 경우에 적용한다. 이 경우 기간의 계산은 위반행위에 대하여 과태료 부과처분을 받은 날과 그 처분 후 다시 같은 위반행위를 하여 적발된 날을 기준으로 한다.

② 가목에 따라 가중된 부과처분을 하는 경우 가중처분의 적용 차수는 그 위반행위 전 부과처분 차수(가목에 따른 기간 내에 과태료 부과처분이 둘 이상 있었던 경우에는 높은 차수를 말한다)의 다음 차수로 한다.

③ 부과권자는 다음의 어느 하나에 해당하는 경우에는 제2호의 개별기준에 따른 과태료의 2분의 1 범위에서 그 금액을 줄여 부과할 수 있다. 다만, 과태료를 체납하고 있는 위반행위자에 대해서는 그렇지 않다.

㉠ 위반행위가 사소한 부주의나 오류로 인한 것으로 인정되는 경우

㉡ 위반행위자가 법 위반상태를 시정하거나 해소하기 위하여 노력한 사실이 인정되는 경우

㉢ 위반행위자가 처음 위반행위를 한 경우로서 3년 이상 해당 업종을 모범적으로 영위한 사실이 인정되는 경우

㉣ 위반행위자가 화재 등 재난으로 재산에 현저한 손실을 입거나 사업 여건의 악화로 그 사업이 중대한 위기에 처하는 등 사정이 있는 경우

㉤ 위반행위자가 같은 위반행위로 다른 법률에 따라 과태료·벌금·영업정지 등의 처분을 받은 경우

㉥ 그 밖에 위반행위의 정도, 위반행위의 동기와 그 결과 등을 고려하여 과태료 금액을 줄일 필요가 있다고 인정되는 경우

MEMO

김정희 |

약력

고려대학교 공학석사

고려대학교 공학박사 과정

미국 워싱턴 주립대학 MIS과정 수료

현 | 해커스소방 소방관계법규, 소방학개론 강의

현 | 충청소방학교 강의

현 | 한국화재소방학회 건축도시방재분과 위원

현 | 한국화재소방학회 정회원

현 | 대한건축학회 정회원

전 | 국제대학교, 호서대학교, 목원대학교 강의

전 | 에듀윌, 에듀피디, 아모르이그잼, 윌비스 강의

전 | 국가공무원학원, 종로소방학원, 대전제일고시학원 강의

저서

해커스소방 김정희 소방관계법규 기본서

해커스소방 김정희 소방학개론 기본서

해커스소방 김정희 소방관계법규 3단 비교 빈칸노트

해커스소방 김정희 소방관계법규 핵심정리+OX문제

해커스소방 김정희 소방학개론 핵심정리+OX문제

해커스소방 김정희 소방관계법규 단원별 기출문제집

해커스소방 김정희 소방학개론 단원별 기출문제집

해커스소방 김정희 소방관계법규 단원별 실전문제집

해커스소방 김정희 소방학개론 단원별 실전문제집

해커스소방 김정희 소방관계법규 실전동형모의고사

해커스소방 김정희 소방학개론 실전동형모의고사

2025 대비 최신개정판

해커스소방 김정희 소방관계법규 기본서 | 1

개정 7판 1쇄 발행 2024년 5월 10일

지은이	김정희 편저
펴낸곳	해커스패스
펴낸이	해커스소방 출판팀
주소	서울특별시 강남구 강남대로 428 해커스소방
고객센터	1588-4055
교재 관련 문의	gosi@hackerspass.com
	해커스소방 사이트(fire.Hackers.com) 교재 Q&A 게시판
학원 강의 및 동영상강의	fire.Hackers.com
ISBN	1권: 979-11-7244-058-9 (14350)
	세트: 979-11-7244-057-2 (14350)
Serial Number	07-01-01

소방공무원 1위,
해커스소방 fire.Hackers.com

해커스소방

· 해커스 스타강사의 **소방관계법규 무료 특강**

· **해커스소방 학원 및 인강**(교재 내 인강 할인쿠폰 수록)

한경비즈니스 선정 2024 한국품질만족도 교육(온·오프라인 소방학원) 부문 1위